LA SOCIÉTÉ DE CONFIANCE

DU MÊME AUTEUR

Rue d'Ulm, chroniques de la vie normalienne, 1946 (nouvelles éditions, 1964, 1978 et 1994).
Le Sentiment de confiance, essai, 1947.
Les Roseaux froissés, roman, 1948 (nouvelle édition, 1978 ; édition de poche, 1985).
Le Mythe de Pénélope, essai, 1949 (nouvelle édition, 1977).
Faut-il partager l'Algérie ? essai, 1961.
Quand la Chine s'éveillera... le monde tremblera, essai, 1973 (nouvelles éditions, 1980 et 1990 ; éditions de poche, 1975, 1979, 1991).
Le Mal français, essai, 1976 (édition de poche, 1978 ; nouvelles éditions, 1979, 1995).
Discours de réception à l'Académie française et Réponse de Claude Lévi-Strauss, 1977.
Les Chevaux du lac Ladoga – la justice entre les extrêmes, essai, 1981 (édition de poche, 1982 ; nouvelle édition, 1995).
Quand la rose se fanera, essai, 1982 (édition de poche, 1984).
Chine immuable et changeante, album (texte de l'auteur, photographies de Michel Piquemal), 1984.
Encore un effort, Monsieur le Président..., essai, 1985 (édition de poche, 1986).
Réponse au discours de réception à l'Académie française de Georges Duby, 1988.
L'Empire immobile ou le Choc des mondes, récit historique, 1989.
Discours de remise du prix Tocqueville à Octavio Paz, 1990.
La Tragédie chinoise, essai, 1990 (édition de poche, 1992).
Réponse au discours de réception à l'Académie française de Jacqueline de Romilly, 1990.
Images de l'Empire immobile, album (reproductions d'aquarelles de William Alexander et des Pères Castiglione et Attiret, ainsi que de peintures chinoises anonymes sur soie ; textes de l'auteur), 1990.
Un choc de cultures, * La vision des Chinois, 1991.
La France en désarroi, 1992 (édition de poche, 1994 ; nouvelle édition, 1995).
Réponse au discours de réception à l'Académie française de Jean-François Deniau, 1993.
*C'était de Gaulle *,* 1994.
Du « miracle » en économie, Leçons au Collège de France, 1995.

DIRECTION D'OUVRAGES COLLECTIFS

Qu'est-ce que la participation ? (auditions de François Bloch-Laîné, José Bidegain, François Ceyrac, Eugène Descamps..., avec une introduction et des commentaires de l'auteur), 1969.
La Drogue (exposés du Pr Jean Delay, du Pr Deniker, du Pr Lebovici, du Dr Olievenstein..., introduits et commentés par l'auteur), 1970.
Décentraliser les responsabilités. Pourquoi ? Comment ? (rapports d'enquêtes de Michel Crozier et Jean-Claude Thœnig, d'Octave Gélinier, d'Élie Sultan, présentés par l'auteur), 1976 (édition de poche, 1979).
Réponses à la violence. Rapport au président de la République du Comité d'études sur la violence, la délinquance et la criminalité, présidé par l'auteur, 1977 (édition de poche, 1977).
L'Aventure du XXᵉ siècle, 1986 (nouvelles éditions, 1987, 1988, 1989, 1990, 1991, 1992, 1993, 1994, 1995).

À PARAÎTRE

*C'était de Gaulle **.*
Un choc de cultures, ** Le regard des Anglais.

ALAIN PEYREFITTE

de l'Académie française
de l'Académie des Sciences morales et politiques

LA SOCIÉTÉ DE CONFIANCE

Essai sur les origines et la nature du développement

« Le grand mobile d'un État doit être la confiance, et jamais la circulation des monnaies n'est aussi abondante lorsque nulle espèce d'intérêts ne porte les hommes à cacher leurs prospérités ou leur industrie. »

François de FORBONNAIS, *Les finances d'Espagne* [1] (1753)

« Chacun se resserre faute de confiance ; c'est ce qui fait que ceux qui négocient sur le crédit, comme font la plupart des marchands de Gênes, ne font pas grand-chose. »

Dépêche du Consul de France à Gênes [2] (1713)

EDITIONS
ODILE JACOB

© ÉDITIONS ODILE JACOB, OCTOBRE 1995
15, RUE SOUFFLOT, 75005 PARIS
ISBN : 2-7381-0325-1

Avant-propos

Sur un « À paraître »

Depuis vingt ans, chacun de mes livres annonçait aux lecteurs l'ouvrage que voici. Du moins aux lecteurs les plus attentifs, ceux qui prenaient garde à la mention, au bas de la liste « Du même auteur », d'un «À paraître » : La Société de confiance.

*C'est dire que j'ai longtemps porté ce rejeton. Beaucoup plus longtemps même qu'il n'y paraissait, puisque je l'avais conçu bien avant – au sortir de la Rue d'Ulm et de l'*ENA, *quand j'espérais encore conjuguer ces deux apprentissages et poursuivre des recherches tout en m'initiant à la diplomatie. Mon mémoire pour le diplôme d'études supérieures m'avait fait explorer* « le sentiment de confiance ». *En 1948, je déposai en Sorbonne un, ou plutôt deux sujets de thèse (principale et complémentaire :* Phénoménologie de la confiance ; Foi religieuse et confiance*). J'ai conté dans* Le Mal français *comment, sur le conseil de mes maîtres René Le Senne et André Siegfried, j'allai toute une année m'immerger dans une « société de défiance », telle qu'était la Corse profonde. Depuis, je n'ai cessé d'accumuler les lectures, mais plus encore les observations au fil de voyages à travers les cinq continents, d'expériences vécues comme élu – local, national et européen – ou comme ministre, et, par-dessus tout peut-être, d'innombrables entretiens avec ces hommes qu'ont presque toujours négligés les penseurs de l'économie et qui me paraissaient des personnages-clés : les « entreprenants ».*

La plupart de mes livres n'ont guère été que des bâtards nés de la rencontre de cette idée avec diverses occasions. La première fut Le Mythe de Pénélope *(1949), réplique outrecuidante au* Mythe de Sisyphe *de Camus, dont le stoïcisme au cœur de l'absurde me paraissait stérile.* Faut-il partager l'Algérie ? *(1961) montrait l'impossibilité du maintien sur le même sol, à dix contre un, sans préalable regroupement, d'une société sous-développée saisie par la rébellion, et d'une société moderne crispée dans ses privilèges.* Quand la Chine s'éveillera *(1973) décrivait une population archaïque qui s'ébrouait – une « société de défiance » dopée par l'enthousiasme révolutionnaire. Mes autres livres sur la Chine ont prolongé cette exploration. Ainsi, à travers le récit détaillé d'une* ambassade britannique auprès de l'empereur de Chine, je présentai un « choc de cultures » entre une nation en mouvement rapide et L'Empire immobile *(1989)*.

Le Mal français *(1976)* s'était approché davantage de l'objet désiré. *J'y esquissais les traits essentiels de celui-ci : le rôle décisif du facteur mental dans le développement économique, l'écart de réussite entre sociétés protestantes et sociétés catholiques, ou plutôt entre « sociétés de confiance » et « sociétés de défiance ». J'y mis beaucoup de mon expérience personnelle, pour montrer concrètement l'étendue de nos blocages mentaux, et un peu d'histoire, pour avertir qu'ils nous viennent de très loin. Mais l'essentiel se limitait au cas français.*

1981 montra bientôt que l'accueil fait à un ouvrage n'est qu'une minuscule ride sur l'eau profonde d'une culture ; l'illusion étatiste séduisit les Français et fit les ravages prévisibles. La réflexion devint un combat. J'y participai par trois fois : Quand la rose se fanera *(1982)*, Encore un effort, Monsieur le Président *(1985)*, La France en désarroi *(1992). Ce furent autant de chapitres ajoutés* au Mal français.

Entre temps, le marxisme s'était effondré en Europe et reculait en Amérique comme en Afrique ; le communisme chinois, par un tête-à-queue idéologique, adoptait l'économie de marché. Cependant, une longue crise économique amenait les Occidentaux à s'interroger sur l'irréversibilité du progrès matériel. Paradoxalement, la société libérale, à laquelle rêvaient tant les habitants des pays socialistes, se prenait à douter d'elle-même.

Il était temps de revenir aux sources du développement, de discuter les diverses conceptions qu'on s'en est faites, de déterminer ce qui est permanence et ce qui est circonstances. Je me remis au chantier ouvert en 1948, sous la forme d'une thèse, que je soutins en Sorbonne en février 1994. Pendant ces quarante-six années, je n'avais jamais cessé, sinon bien sûr de travailler sur ce sujet, du moins d'y réfléchir et d'amasser des matériaux en y pensant. L'ayant repris quand l'alternance démocratique m'avait donné quelques loisirs, j'ai préféré attendre encore, pour en aborder la soutenance, d'avoir dépassé 65 ans, c'est-à-dire d'être forclos pour une chaire d'Université. Cet acte gratuit se proposait simplement – dans le respect des règles de l'Université, en jouant strictement le jeu – de « soutenir une thèse » au sens précis de l'expression : soumettre mes recherches à des spécialistes internationalement reconnus des disciplines dans lesquelles je me suis aventuré, pour qu'ils rendent un jugement sur sa validité (ou son invalidité), c'est-à-dire sur un ensemble d'idées, de recherches, de méthodes, d'instruments d'analyse, qui forment la conviction d'une vie.

Quelle conviction ? Que le lien social le plus fort et le plus fécond est celui qui repose sur la confiance réciproque – entre un homme et une femme, entre les parents et leurs enfants, entre le chef et les hommes qu'il conduit, entre citoyens d'une même patrie, entre le malade et son médecin, entre les élèves et l'enseignant, entre un prêteur et un emprunteur, entre l'entreprenant et ses commanditaires – tandis qu'à l'inverse, la défiance stérilise.

Il est, certes, téméraire de proposer une clé d'interprétation de phénomènes aussi universels et essentiels que le développement et le sous-développement ; et plus téméraire encore, de s'y risquer en multipliant les approches qu'offrent les diverses disciplines, en forçant même leurs frontières.

C'est la connaissance du tiers-monde qui m'a convaincu que le Capital et le Travail – considérés par les théoriciens du libéralisme traditionnel, ainsi que par les théoriciens du socialisme, comme les *facteurs du développement économique* – étaient en réalité des facteurs secondaires ; et que le facteur principal, *qui affectait d'un signe* plus, *ou d'un signe* moins, *ces deux facteurs classiques, était un troisième facteur, que j'ai appelé il y a vingt ans* « le tiers facteur immatériel », *autrement dit le facteur culturel.*

Ce que j'avais exploré, en adoptant le style de l'essai, dans mes divers livres sur la France ou sur la Chine et en d'innombrables articles, je voudrais ici, comme on dit, le « théoriser ». Mais comment prouver l'existence de ce tiers facteur immatériel ?

Un terrain m'a paru fécond à cet égard, celui de l'histoire économique de l'Occident au cours de ces quatre derniers siècles. C'est un terrain ferme, sur lequel nous disposons aujourd'hui de beaucoup d'informations incontestables. C'est pendant cette *période* en effet, et en aucune autre, *dans* certaines *sociétés d'Europe et* non dans d'autres, *que le développement est né.*

Quel a été le facteur de déclenchement, le primum movens, *qui a fait passer – en Hollande, puis en Angleterre, puis dans l'Europe du Nord, puis dans toute l'Europe occidentale – des sociétés traditionnelles, sans cesse menacées par les épidémies, la faim et les affrontements sanglants, à l'état de sociétés développées ?*

Plus on étudie les origines de la Révolution économique, plus on en vient à douter qu'il s'agisse d'une rupture brusque, due à une cause unique, et qui puisse être datée d'une année précise. Et les historiens n'ont cessé de reculer l'apparition du phénomène. C'est bien sur les trois ou quatre derniers siècles qu'il faut chercher l'épreuve de toute « théorisation » du développement.

En examinant la chrétienté occidentale au XVIe siècle, on est amené à conclure à une quasi-égalité des chances, avec une avance certaine pour le Midi. Rien ne laisse alors prévoir l'essor des nations qui se rallieront à l'une des Réformes protestantes, ni le déclin relatif, voire absolu, des nations qui resteront « romaines ».

Or, la chrétienté occidentale devient, à partir de la fin du XVIe siècle, le théâtre d'un distorsion économique. L'Europe nor-

9

dique se substitue à l'Europe latine comme foyer d'innovation et de modernité.

Cependant, il est trop réducteur, pour ne pas dire trop simpliste, d'affirmer que la Réforme protestante serait comme une poule aux œufs d'or, et qu'elle détiendrait en elle-même le secret du développement économique, social, politique et culturel. Le partage entre une Europe « romaine », qui entre en déclin économique, et une Europe des Réformes protestantes qui prend son essor, reflète moins une détermination de l'économique par le religieux – ou du religieux par l'économique –, qu'il n'exprime une « affinité élective » entre un comportement socio-économique spontané et un choix confessionnel. Telle est du moins ma conclusion.

La société de défiance est une société frileuse, gagnant-perdant : une société où la vie commune est un jeu à somme nulle, voire à somme négative (« si tu gagnes, je perds »); société propice à la lutte des classes, au mal-vivre national et international, à la jalousie sociale, à l'enfermement, à l'agressivité de la surveillance mutuelle. La société de confiance est une société en expansion, gagnant-gagnant (« si tu gagnes, je gagne »); société de solidarité, de projet commun, d'ouverture, d'échange, de communication. Naturellement, aucune société n'est à 100 % de confiance ou de défiance. De même qu'une femme n'est jamais à 100 % féminine, ni un homme à 100 % masculin : celui-ci comporte toujours une part de féminité, celle-là toujours un peu de virilité. Ce qui donne le ton, c'est l'élément dominant.

A-t-on jamais fini d'explorer cet énigmatique et gigantesque phénomène de civilisation ? Une étude des prouesses économiques qui en ont jalonné l'histoire servit de thème à un cours que j'ai prononcé comme professeur-invité (Du « miracle » en économie, Leçons au Collège de France, 1995). Ce sont des illustrations (centrées sur les « miracles » hollandais, anglais, américain et japonais) des recherches que présentait la thèse – réécrite ici à l'intention du public cultivé.

Ce long parcours de réflexion a-t-il trouvé ici son terme ? Je souhaiterais que le temps me soit donné de pousser plus loin mes investigations dans cette discipline encore balbutiante qu'est l'éthologie humaine comparée, science des comportements, mœurs, mentalités des différents groupes humains.

En tout cas, puisse cette « société de confiance » s'étendre un jour à toutes les sociétés, et leur apporter, dans la diversité de ses incarnations, dans l'unité de son inspiration, les bienfaits moraux et matériels prodigués par elle aux trop rares peuples qui ont su accomplir cette révolution culturelle, la plus grande de l'histoire ! Quant à ceux-ci, puissent-ils ne se montrer ni fils ingrats, ni fils prodigues, et mieux comprendre le pourquoi de leur réussite, non pour s'en réserver le privilège, mais pour en garder vivante la force exemplaire....

Introduction

Une seule et même énigme

Les pays « sous-développés » représentent une écrasante majorité géographique et démographique. On a beau les appeler pudiquement « pays du Sud », « pays en voie de développement », « pays à croissance retardée », rien n'y fait. On ne change pas une société par des mots. Ces pays sont promis, dit-on parfois, à un grand avenir ; mais ils risquent de le garder longtemps devant eux, selon le mot cruel de Paul Valéry : aussi longtemps que l'incantation verbale y tiendra lieu de médecine, et les pieux mensonges idéologiques, de cache-misère.

Le « sous-développement », aujourd'hui encore, est fréquent, et rare le « développement ». Considérés séparément, ces deux phénomènes demeurent des énigmes. Ou plutôt, une seule et même énigme : à l'évidence, ils procèdent d'une origine commune, comme les issues opposées d'un même labyrinthe.

Nous oublions volontiers que le sous-développement – malnutrition, maladie, violence endémiques – constitue, depuis que l'humanité est apparue sur terre, son lot commun, son régime ordinaire. Le développement n'est toujours que l'exception. Encore cette exception reste-t-elle précaire, à voir les îlots de misère et d'exclusion qui ressurgissent au sein même des sociétés dites « avancées ».

Autant reconnaître que le sous-développement et le développement ne forment pas le passé et l'avenir de toute société, comme les deux stades successifs d'une maturation irréversible ; mais plutôt une bifurcation, devant laquelle hésitent les groupes humains, sans qu'apparaissent clairement les mobiles de leur élan ou les motifs de leur résignation.

On peut bien décrire différents scénarios, définir des mécanismes, fixer des critères du développement, des seuils de croissance : on ne comprendra pas ce qui se passe, tant qu'on n'aura pas saisi pourquoi une société se met en mouvement, pourquoi une autre reste figée, ou se fige. Ne sont-ce pas les mêmes hommes, et souvent

11

dans les mêmes conditions géophysiques, qui subissent – ou provoquent – des destins opposés ? L'histoire de l'homme est semée d'accidents, de hasards, de rencontres. Mais c'est à lui qu'il revient de faire face ou non à la fatalité. Ascension et déclin ne sont irrésistibles que s'il n'y résiste pas.

Quand apparaît le « développement »

À l'aube des temps modernes, apparaît le « développement », entouré de menaces, émergeant avec peine dans un monde depuis toujours maudit par la famine, les endémies, les affrontements sanglants. Certaines sociétés « *décollent* », pendant que la plupart continuent de traîner à ras de terre, quand elles ne régressent pas.

Entre la découverte de l'Amérique en 1492 et le partage de l'Afrique vers 1892, la condition humaine, dans les pays les plus favorisés, a plus changé en quatre siècles que dans les trois ou quatre millions d'années qui ont précédé. Aucune évolution aussi radicale ne s'était effectuée en si peu de temps. La « révolution néolithique » avait fait, de nomades voués à la prédation sur la flore et la faune naturelles, des cultivateurs sédentaires. Mais elle s'était étalée sur plusieurs millénaires ; au XVIe siècle, quand sont apparus les premiers prodromes de la révolution du développement, les populations de la moitié des terres émergées n'avaient pas encore effectué *leur* révolution néolithique. Dans les siècles suivants, ces deux révolutions se sont télescopées.

Les cent dernières années ont encore forcé l'allure. Un homme qui fête aujourd'hui son centenaire a vu se précipiter – fût-ce à travers crises et guerres – un phénomène qu'on a désigné de noms divers : « *le progrès* », « *le décollage* », « *la croissance* », « *l'expansion* », « *l'accélération de l'histoire* », « *la modernité* », « *l'ère post-industrielle* », « *la mondialisation* ».

Ces phénomènes de modernisation rapide ont pris naissance en Europe occidentale, se sont accentués dans sa partie septentrionale, puis étendus à l'Amérique du Nord, mais n'ont diffusé que beaucoup plus tard et fort lentement dans l'Europe du Sud, l'Amérique latine et les autres continents ; tandis que le Japon à la fin du XIXe siècle, puis les « petits dragons » – Corée du Sud, Taïwan, Hong Kong, Macao, Singapour – à la fin du XXe siècle, rejoignaient à grands bonds les États qui avaient monopolisé la « modernité ». Commencent à suivre, aujourd'hui, le « grand dragon » chinois, l'Indonésie, la Malaisie, la Thaïlande. Les pays du développement sont restés longtemps étroitement cantonnés ; ils demeurent encore circonscrits.

À la manière d'un sismographe, notre vision du monde enregistre – non sans retard – ces bouleversements économiques. Chaque secousse entraîne des transformations de notre psychologie – de nos mentalités, de nos comportements individuels, de nos mœurs, de nos croyances, de nos préjugés, de notre culture.

Mais ne faudrait-il pas plutôt dire que ces changements économiques devaient eux-mêmes quelque chose, peut-être même l'essentiel, à ces facteurs psychiques, avant de les transformer à leur tour ?

Des explications qui se retournent

L'Angleterre s'est industrialisée avant la France et plus qu'elle. Pourquoi ? La houille a fait toute la différence, répondent les manuels. Mais alors, l'essor manufacturier et commercial hollandais, un siècle avant l'Angleterre, à quel facteur l'imputer ? Les polders ne tiennent tout de même pas lieu de charbonnages ? C'est justement, rétorque-t-on, la pauvreté des ressources naturelles qui a contraint les Hollandais à commercer et à produire.

L'explication par les ressources naturelles se retourne comme un gant. Qu'elles abondent, et l'essor va de soi. Qu'elles manquent, et leur carence même est invoquée comme facteur de développement : dans la théorie du *désavantage initial*, l'insuffisance des ressources vole au secours des insuffisances de l'explication par les ressources. Ces théories ont encore cours dans les études d'histoire économique les plus récentes. Nous avons tenté d'en faire justice dans *Du « miracle » en économie* [1].

Le *matérialisme historique* consacre cette vision du monde, caractérisée par le primat des conditions géophysiques et des infrastructures. De l'homme, il n'est guère question ; ni de son ingéniosité, ni de son initiative – fugaces « superstructures », pareilles à des « feux follets sur un étang ».

Le *réalisme historique*, lui, ne peut esquiver l'homme. Les politiques économiques, qu'elles soient libérales ou dirigistes, « scientifiques » ou coercitives, ont toujours rencontré l'homme sur leur route : tantôt comme moteur, tantôt comme obstacle. Il faut composer avec lui. Le sésame du développement, n'est-ce pas lui ?

Comment, se demandent souvent les dirigeants africains, entraîner vers l'essor économique des ouvriers indigènes qui cessent le travail dès que leur paye leur permet de s'acheter le parapluie ou la bicyclette convoités ? Comment l'Inde prospérerait-elle, tant que ses habitants se laisseront mourir de faim à côté d'une vache sacrée ? Et comment la démocratie représentative à l'occidentale fonctionnerait-elle sans heurts dans des sociétés stratifiées en castes et en clans ? Les habitudes séculaires pèsent ici d'un poids évident. Un vieux réflexe ethnocentriste n'hésitait pas à mettre le sous-développement au compte de la race ou de l'ethnie.

Une précieuse expérience de laboratoire

Tous les pays développés sont – ou en tout cas étaient, jusqu'à la modernisation du Japon, à la fin du XIXe siècle – de race blanche et de culture gréco-judéo-chrétienne. Et aucun peuple homogène de cette catégorie ne figure au nombre des pays sous-développés. Par un vieux réflexe européo-centriste, on serait donc tenté de parler d'« inaptitude native au progrès », d'« allergie congénitale à la société industrielle », d'« ethnies arriérées », voire, comme on le faisait couramment au XIXe siècle, de « races inférieures ». Le développement et le sous-développement seraient inscrits dans nos gènes. La biologie détiendrait la clé du problème.

La *distorsion* qui fait l'objet du présent ouvrage nous met à l'abri de cette tentation. Elle oppose, à partir de la Renaissance et de la Réforme, en Europe de l'Ouest, pays latins et nations protestantes. Les uns et les autres appartenaient jusqu'au XVIe siècle à la même chrétienté d'Occident : même race, même culture, même encadrement par l'Église, même maillage féodal tempéré par la même éclosion des franchises municipales. La circulation des personnes, des biens et des idées s'y effectuait avec aisance. On ne percevait, d'une monarchie à l'autre, aucune hétérogénéité, sinon une avance persistante du Sud par rapport au Nord.

En quelques décennies, ce paysage bascule. La Hollande, puis l'Angleterre, prennent un essor rapide, suivies par les autres pays protestants, tandis que le Portugal, l'Espagne, les principautés ou républiques d'Italie, entrent en décadence et que la France, dont le cas est intermédiaire, lambine. Unité d'action, de lieu, de temps : ce qui se passe en une brève période, dans ce champ restreint, offre une précieuse expérience de laboratoire, propre à isoler les éléments constitutifs du développement et du sous-développement, débarrassés de tout préjugé racial ou ethnique – de l'*éthologie* sans *ethnologie*.

Nous disons « le développement » comme nous disons « l'évolution ». Mais pas plus qu'on n'a vu les animaux paléontologiques devenir les animaux que nous connaissons, personne n'a pu observer le mécanisme du développement. Sélection aveugle ? Triage mécanique ? Marche consciente ? Poursuite d'une finalité inconsciente ? L'épaisseur de l'histoire a recouvert le processus.

Tout comme l'évolution, le développement est un concept qui cherche à rendre compte d'un écart. Divergence, retard, distorsion, ces termes reviendront souvent dans les pages qui suivent. Ils permettent de décrire l'histoire du développement économique, politique et social de la chrétienté occidentale, comme un développement « à deux vitesses ». Nous essaierons de le décrire avec exactitude, sur des bases maintenant bien établies, et ensuite de l'expliquer.

L'immatériel commande

Poser ces questions, c'est chercher à opérer une véritable révolution copernicienne dans l'étude du développement. Les données de l'histoire économique – ressources en matières premières, capitaux, main-d'œuvre, rapports de production, investissements, échanges, distribution, taux de croissance – ont été jusqu'ici placées au centre des explications du développement. Les traits les plus immatériels d'une civilisation – religion, préjugés, superstitions, réflexes historiques, attitudes à l'égard de l'autorité, tabous, mobiles de l'activité, comportements envers le changement, morale de l'individu et du groupe, valeurs, éducation – étaient relégués au rang de menus satellites, gravitant péniblement autour de la structure centrale. Ainsi, Ernest Labrousse, après tant d'autres, affirmait que « le mental retarde sur le social » et « le social sur l'économique ». Nous proposons d'inverser les rôles. De sous-facteur secondaire, de lointaine et négligeable conséquence, les mentalités deviendraient le centre autour duquel tout gravite : moteur essentiel du développement, ou obstacle insurmontable.

Nous nous proposons en somme de jeter les bases d'une *éthologie comparée du développement* économique, social, culturel, politique. Éthologie, c'est-à-dire étude des comportements et mentalités respectifs des différentes communautés humaines, dans la mesure où ils fournissent des facteurs d'activation ou d'inhibition, en matière d'échanges, de mobilité intellectuelle et géographique, d'innovation. *Éthologie* – car on ne peut se contenter ici, ni des schémas descriptifs, mais réducteurs, de l'*ethnologie,* ni des recommandations bien-pensantes, mais sans effet, de l'*éthique.*

Le ressort de la confiance

En quarante ans d'observations, l'attitude de confiance – ou de défiance – en la personne nous est apparue, sous des formes très diverses, comme la quintessence des conduites culturelles, religieuses, sociales et politiques qui exercent une influence décisive sur le développement.

Notre hypothèse est que le ressort du développement réside en définitive dans la confiance accordée à l'initiative personnelle, à la liberté exploratrice et inventive – à une liberté qui connaît ses contreparties, ses devoirs, ses limites, bref sa responsabilité, c'est-à-dire sa capacité à répondre d'elle-même. Mais comme une telle liberté reste encore fort peu pratiquée dans le monde, on peut

15

craindre que la disette, la maladie et la violence ne rôdent long-temps encore sur notre planète.

Elles peuvent même revenir en force dans des zones qu'elles ont évacuées voici quelques dizaines de lustres. Le progrès perpétuel n'existe pas ; les agents dynamiques de nos sociétés peuvent se trouver étouffés ou épuisés — ne fût-ce que par les pesanteurs d'un État envahissant, d'un égalitarisme excessif, d'une revendication du « toujours plus » comme d'un droit acquis ; par l'oubli des devoirs qui sont l'indispensable envers des droits ; ou par la concurrence insoutenable de peuples retardés qui, pour échapper à la misère, déploient leur capacité toute neuve de produire beaucoup moins cher, beaucoup plus, et aussi bien.

La question du commencement

Voilà donc notre hypothèse. Et voici la démarche par laquelle nous allons tenter de la fonder.

Il faut placer au commencement la question du commencement. Les historiens de l'économie se sont beaucoup interrogés et disputés sur la date qu'on pouvait assigner à la « révolution » du développement, ou même sur la possibilité de lui assigner une date un peu précise. En écoutant leurs arguments et leurs propositions, nous prendrons la mesure de la complexité du sujet. Ce sera notre **Ire partie.**

Pourquoi le développement n'a-t-il pas commencé plus tôt, quand l'Europe de la fin du Moyen Âge maîtrise déjà les techniques du commerce et de la finance, que le marchand y prospère partout, que le livre imprimé affranchit de mille contraintes la diffusion des connaissances ou des idées, que l'Église elle-même se modernise, tant dans sa tolérance envers l'argent que, sous le signe d'Érasme, dans son accueil à l'humanisme ?

Pourquoi le mouvement n'a-t-il pas débuté dans ces grandes villes marchandes d'Italie, où se concentraient tellement de richesses, de savoir, de curiosité intellectuelle, d'appétit de dominer ? Qu'a-t-il manqué à ces hommes, qui disposaient de tant de clés ouvrant chacune la porte d'un compartiment du développement, pour découvrir le passe-partout qui les ouvrirait toutes ensemble ? Il est captivant d'examiner cette Europe dynamique, impatiente, mais qui tourne en rond sur le seuil de son avenir.

L'avenir va naître à la fin du XVIe siècle en Hollande, où personne ne l'attendait, pas même les Hollandais. Et d'emblée, ce « décollage » se signale comme une distorsion. Un écart se creuse ; le développement s'inscrit sous ce signe. Employons un mot dont nous ferons largement usage : « *divergence* », dans les deux acceptions. Une société *diverge,* comme fait une pile atomique quand s'enclenche en son sein un cycle de réactions en chaîne — c'est le

16

processus interne. Du même coup, son destin *diverge* aussi par contraste avec les autres ; la prospérité y prend très vite un rythme et des signes inconnus de ses voisins.

La divergence religieuse

Or, cette distorsion semble coïncider avec la fracture religieuse. La Hollande qui s'affirme, terre-refuge des calvinistes, est l'ennemie de Philippe II. La divergence du développement ne peut se séparer de la divergence confessionnelle, qui rompt la millénaire unité de la chrétienté d'Occident. Il se trouve que le développement paraît dans le camp protestant : d'abord avec la Hollande, bientôt avec l'Angleterre.

Cette coïncidence pose un difficile problème de causalité historique. Il faut donc au préalable explorer cette divergence religieuse, sous les aspects du moins qui peuvent avoir un rapport avec la question du développement : les attitudes face à l'argent, aux « œuvres », à l'activité professionnelle. Il faut suivre les évolutions, entre tolérance et tabou, de l'Église catholique, celle d'avant la Réforme et celle de la Contre-Réforme. Il faut affronter le paradoxe du protestantisme, mouvement religieux qui livre en quelque sorte l'homme sans défense à l'élection et au jugement de Dieu, et qui pourtant donne une nouvelle place et un nouveau sens à l'activité « mondaine ». Comment le dogme du « salut par la seule foi » a-t-il pu être au centre religieux de sociétés vigoureusement orientées vers la réussite matérielle, vers la création collective de richesses ? Et comment une religion du « salut par les œuvres » a-t-elle suscité, justement, beaucoup moins de richesses ? Toutes ces questions font l'objet de la **IIᵉ partie.**

La divergence du développement

Une fois déblayé ce terrain, l'on peut décrire et analyser les premières étapes de la « divergence du développement » **(IIIᵉ partie)**. De nombreux champs – l'aventure coloniale, l'innovation, le « mercantilisme », les évolutions politiques – permettent de comparer, entre pays protestants et pays catholiques, des performances contrastées. Elles conduisent à mettre en évidence le rôle d'un petit nombre d'attitudes mentales – responsabilité, disponibilité, tolérance, confiance dans la découverte scientifique, l'invention technique et la diffusion culturelle – ; le rôle aussi de phénomènes sociaux comme les migrations, grandes pourvoyeuses d'hommes libérés et entreprenants. La mobilité géographique ne suffit pas à expliquer le développement, mais il n'y a jamais eu de dévelop-

17

pement sans mobilité des hommes. Il faut sortir de son village, ne plus seulement lire l'heure à son clocher, aller « chercher fortune ».

Nous arrêtons pour l'essentiel au XVIIe siècle cette description historique, parce que nous ne voulons pas faire une histoire, justement, mais en tirer les leçons. Or, celles-ci sont plus claires dans le moment où les ressorts mentaux et comportementaux du développement se mettent en place. Le développement est certes loin, alors, d'avoir produit ses effets les plus spectaculaires, soit positifs, soit négatifs : la prodigieuse accélération de la créativité technique et de la production de biens de consommation, mais aussi la prolétarisation brutale de la main-d'œuvre industrielle. Cependant, le mouvement est lancé ; il s'alimente de lui-même.

En cherchant les caractéristiques du moteur initial, on trouve davantage encore : quelque chose de surprenant, qui a été trop peu analysé et même trop peu ressenti. C'est que les pays qui n'entrent pas dans le mouvement ne sont pas neutres. Ils se dotent de freins. De même qu'il y a une Contre-Réforme, il y a un Contre-Développement. La première et le second fonctionnent à plein régime au Portugal, en Espagne et en Italie. La France, sur l'un et l'autre plans, occupe une place à part. Elle est catholique, mais gallicane : le Concile de Trente n'y est pas reçu. Elle est hiérarchique mais gauloise, colbertiste mais frondeuse. Alors qu'autour d'elle, on met au point les meilleurs moteurs ou les meilleurs freins, elle se sert des deux à la fois, en appuyant alternativement sur les deux pédales, et même simultanément, au risque de capoter...

En somme, il n'y a pas, tout simplement, le développement et le non-développement. Il y a des mécanismes mentaux, libérateurs ou inhibiteurs du développement, inégalement présents dans chaque société de cette époque.

Regards contemporains

Puisqu'il s'agit de mécanismes mentaux, ils devraient laisser des traces écrites. De fait, elles ne manquent pas. Elles sont aussi fort méconnues ; le lecteur fera avec nous bien des découvertes curieuses, dans ces « regards contemporains sur la divergence » (IVe partie). Le phénomène de la divergence a été si neuf, si perturbateur, qu'il a suscité nombre de réactions, de descriptions, de réflexions.

Faut-il prendre ces témoignages pour argent comptant ? Non sans doute, et l'on aura l'occasion d'observer de sensibles différences, jusque dans la façon dont ils sont rendus. Les témoins sont révélateurs sur eux-mêmes. Le regard d'un marchand anglais sur les Provinces-Unies nous en apprend plus sur les causes profondes de la réussite néerlandaise et, plus tard, de la réussite britannique – car il s'interroge sur les performances économiques – que celui d'un intellectuel français, fût-il Voltaire ou Diderot. Car ceux-ci dévoilent leurs propres obsessions, dans leur façon d'admirer plutôt ce qui a trait à la politique ou à la religion – liberté et tolérance – que ce qui regarde l'économie et la société. Est-il séant d'admirer un peuple de riches bourgeois ? Même les chantres français de la Hollande traduisent ainsi leurs inhibitions anti-économiques.

En se familiarisant avec ces regards contemporains, on est frappé de la lucidité avec laquelle les acteurs du développement, surtout des marchands, décrivent les valeurs qui font cette véritable révolution, par laquelle le « fait du commerce » est placé au cœur dynamique de la société. Avec quelle vigueur, en revanche, s'exprime le tabou de la « dérogeance », qui bloque, en France comme chez ses voisins méridionaux, les énormes ressources de l'élite aristocratique ! Mais qu'il s'agisse de l'une ou l'autre attitude favorisante ou défavorisante, c'est bien l'esprit humain qui est en question, et non des mécanismes économiques. Tous ces contemporains ont une vision humaniste du type de société qu'ils veulent. Leurs valeurs sont incarnées : dans le marchand, ou dans le noble ; dans l'homme créateur d'activités et de richesses, ou dans l'homme dégagé des contraintes et cultivant son humanité supérieure comme un privilège de caste.

Du côté du développement, la valeur centrale est la liberté. Comme pratique, elle s'affirme d'abord dans le domaine religieux, celui où justement l'idée de la Vérité pourrait imposer sa dictature. Il est tout à fait remarquable que la Hollande, premier État à naître sur un fondement religieux – la révolte des calvinistes des Pays-Bas –, ait, presque dans le même mouvement, inventé la tolérance. Les textes les plus intéressants pour notre exploration sont ceux qui relient cette idée de la tolérance à un ensemble de valeurs politiques, sociales et économiques, qui sont celles d'une société de développement. Car le développement est allergique au dogmatisme.

Impasse des théories du développement

Les acteurs du développement vivent de la liberté, sans chercher à la définir. Cependant, les philosophes ont du mal à en faire la théorie. Ce n'est pas trop surprenant de la part de Spinoza, tant son esprit est totalisant. Ce l'est davantage chez Locke, qui se veut philosophe de la liberté, mais qui en bâtit aussitôt un système, sans en découvrir les racines anthropologiques. Quelques pages de Bacon, sur l'innovation ou sur l'usure, vont plus au fond, sans avoir l'air d'y toucher.

Or, cette difficulté à théoriser ce qui fait le développement va persister. Jusqu'ici, nous sommes restés dans le cadre de ses deux premiers siècles – en gros, de 1580 à 1780 –, tel qu'on l'a vécu et tel qu'on l'a pensé. Une **Vᵉ partie** nous fait aborder une époque où le phénomène a pris toute son ampleur, où la révolution technico-industrielle l'impose à tous les regards et à toutes les réflexions.

Laissant de côté l'histoire des faits économiques et passant à l'histoire des idées, nous nous intéresserons à quelques-uns de ceux qui se sont voulus les théoriciens du développement : avec eux, nous allons nous enfermer dans quelques impasses.

L'impasse d'Adam Smith, si soucieux de récuser l'approche classique du bien commun, mais si incapable de s'en détacher, qu'il pose en axiome que le libre jeu de toutes les libertés individuelles y aboutit nécessairement. Toutefois, ce postulat demeure indémontrable. Et l'on reste sur sa faim, avec l'impression d'une immense machinerie où se perd le sens vécu de la liberté.

L'impasse de Karl Marx, dont la formidable cohérence a du moins le mérite, en refusant à la fois l'échange, le marché, la liberté, la sociabilité, la confiance, de suggérer *a contrario* la force du lien qui unit ces valeurs.

L'impasse de Max Weber lui-même : sa recherche pionnière des corrélations entre protestantisme et capitalisme s'est laissé piéger dans un système de causalités univoques, dont il n'a saisi les difficultés que pour tomber dans des paradoxes qui laissent perplexe, avant de retomber dans un déterminisme biologique.

L'impasse de Fernand Braudel, brillant et savant peintre du développement, mais qui, sentant les limites de ses outils de lecture marxistes, en est réduit à ne rendre compte de la divergence, du « ici et pas ailleurs », que par une histoire des batailles économiques – une nouvelle sorte d'histoire événementielle.

Rome, de la réaction à l'évolution

Un autre penseur s'impose, le Pape – penseur collectif, soucieux de sa propre continuité qui garantit la crédibilité du Magistère ; mais penseur évolutif, marqué de la personnalité de grands pontifes. Nous lui consacrons une **VIe partie.** Nul ne songe à cloîtrer le Saint-Siège dans un anti-économisme primaire ; mais n'y a-t-il pas une certaine collusion entre l'ascendant spirituel qu'il a exercé et le maintien d'une mentalité autoritaire, hiérarchisante, anti-individualiste et hostile à l'innovation dans les affaires temporelles ? Faut-il tenir Rome pour coupable de la résistance au développement et de la régression des nations « latines » ? Il reste que les affinités comportementales et institutionnelles entre catholicité et retard économique sont indéniables : dogmatisme, télécommande, résistance à l'innovation, méfiance envers la diffusion d'une culture individuelle, obscurantisme, refus de la modernité...

L'Église du XIXe et du XXe siècle a été confrontée au dynamisme, et surtout à l'universalisation, des phénomènes contre lesquels elle avait préféré au XVIe siècle se prémunir, et qu'elle avait cru pouvoir cantonner dans les sociétés réformées. Le danger s'était encore aggravé du fait que les idées « dangereuses » n'étaient plus tant religieuses que séculières. Les philosophes des « Lumières », le joséphisme en Autriche, Pombal au Portugal, le grand-duc de Toscane, les Constituants français : c'est dans les pays catholiques que l'État se posait en adversaire de l'Église, lui arrachait l'école ou la charité, fermait ses couvents, prétendait lui dicter son organisation. Réserve faite des droits naturels, d'ailleurs dissociés de toute référence divine, la pensée politique en marche vers la démocratie posait la « volonté générale » en origine absolue de tout droit, voire de toute morale. Bref, l'Église avait quelques raisons de se méfier : le XIXᵉ siècle sera pour elle un siècle de combat, dont l'âpreté se marque dans les encycliques de Pie IX *sur* ou plutôt *contre* la liberté.

Mais à la fin du XIXᵉ siècle, Rome, pour la première fois, prend la mesure d'une industrialisation qui, à la longue, a atteint jusqu'à l'Italie et l'Espagne, et qui déjà concerne des millions de catholiques. Dès 1893, Léon XIII promulgue *Rerum Novarum*, une encyclique qui ouvre une série de remarquables textes pontificaux — longue méditation à plusieurs voix qui, après un autre siècle, aboutira, avec *Centesimus Annus* de Jean-Paul II, à l'acceptation d'une économie fondée sur la liberté des agents économiques. Mais que de temps il aura fallu, avant que l'Église catholique abandonne le modèle d'une société fondamentalement agraire et patriarcale, pour placer enfin la liberté au centre de son anthropologie... Trop longtemps, l'enseignement de l'Église aura méconnu l'économie moderne, et entretenu, avec ses adversaires de la laïcité militante, un combat qui a détourné les sociétés catholiques des véritables enjeux de la liberté — celle qui suscite les richesses.

Encore était-elle dans son rôle d'institution-témoin d'un royaume « qui n'est pas de ce monde », contre les pompes de Satan et l'idolâtrie de Mammon. À sa mère inquiète, Jésus au milieu des docteurs répond : « Je dois m'occuper des affaires de mon Père. »

Les miracles et les saints, l'Église est toujours lente à les reconnaître — quand elle les reconnaît. *A fortiori*, pour elle qui vit à l'échelle des millénaires, une adhésion sans examen à un développement anarchique, sans autre finalité que lui-même, n'était pas concevable. Les menaces qui pèsent sur le monde développé, après deux, trois ou quatre siècles de progrès, suffisent à nuancer le reproche d'aveuglement que des esprits systématiquement anticléricaux seraient tentés de lui faire. Il lui fallait le temps de trier le bon grain de la liberté qui crée, et l'ivraie de la liberté qui corrode.

Pour une approche éthologique

Il est temps, après ces impasses nombreuses, de revenir en arrière pour chercher, avec l'aide de quelques esprits clairvoyants, une piste qui nous mène plus loin. C'est l'objet de la VIIᵉ et dernière **partie**.

Les premiers jalons s'en trouvent dans quelques observations de Montesquieu ou, même si cela peut étonner, de Hegel, observateur de la distorsion entre l'Amérique du Nord et celle du Sud. Mais le premier qui ait véritablement exploré les ressorts mentaux de la mentalité économique moderne, c'est Bastiat. Il mérite d'être lavé des sarcasmes dont l'accable Marx, lesquels révèlent plutôt la pertinence de ses analyses. Après lui, avec Schumpeter et Hayek, la réflexion s'intéresse enfin à l'acteur. Derrière l'abstraction « capitalisme », il y a des capitalistes. Derrière les entreprises, ou plutôt avant, il y a des entreprenants. Derrière le marché, il y a des vendeurs et des acheteurs, des négociants et des consommateurs, des informateurs et des transporteurs.

Aucune histoire ne se joue sans acteurs. L'histoire économique moins que toute autre, si la caractéristique particulière de l'économie est de mobiliser les énergies par la compétition et de les mettre en synergie par l'échange. L'histoire immobile de l'Égypte ou de la Chine peut se dérouler avec des hommes façonnés pour être interchangeables. Les scribes, ou les mandarins, ont pour mission de garder jalousement l'ordre établi ; comment éviteraient-ils d'être des sabots d'enrayage de la nouveauté ? L'histoire du développement repose sur une infinité d'histoires individuelles, faites d'initiatives, de risques assumés, de mobilité intellectuelle, géographique et sociale, dans un climat propice au changement.

Peut-on se passer d'une démonstration mathématique, d'une modélisation, d'une mise en système ? Nombre d'économistes ont cherché à mettre le développement en équation. Ils ont bientôt buté sur une inconnue radicalement inconnaissable. L'expansion ne pouvait être mesurée par une simple combinaison du Capital et du Travail. Il fallut admettre l'intervention d'un *facteur résiduel,* et se résoudre à y englober des variables complexes, qui ne pouvaient se résumer qu'en un mot : culture.

Fort de cette caution, on peut définir ce que pourrait être une anthropologie du développement. Nous avons dit plus haut que, dans les décennies des origines, on voyait bien se jouer un combat entre des attitudes, des comportements, des valeurs, les uns stimulants, les autres paralysants. Les travaux d'un Lorenz et d'un Ruffié nous proposent une approche féconde : ils nous fournissent des clés d'interprétation, propres à nous donner accès à l'énigme du développement.

Si le développement, dans sa naissance, dans ses formes les plus actives, met en jeu tout le potentiel humain, et si pour cette raison on lui cherche une explication anthropologique, elle doit forcément s'inscrire dans la cohérence d'une vision de l'humanité. Ce n'est pas un nouvel homme qui est né en Hollande vers 1580. Nous n'avons pas assisté à une mutation génétique, à l'apparition d'un *Homo Modernus*. L'homme d'*avant* et l'homme d'*après* le déclic du développement détiennent le même potentiel ; ils diffèrent seulement dans sa mobilisation.

Chacun porte en soi des comportements inhibiteurs et des comportements libérateurs. La plupart des sociétés n'ont cherché à utiliser qu'une petite partie de ces derniers. La sécurité routinière a le confort des sentiers battus. L'exploration des voies nouvelles – pas seulement géographiques – comporte toujours une part de risque. Elle a un coût psychologique important ; décourageant, même, pour qui n'a pas confiance dans les bénéfices à venir, dans ses propres capacités à les susciter, dans la société dont il est membre. Le déclenchement se produit là où sont délibérément favorisés les comportements émancipateurs, là où sont surmontés les comportements engourdissants, là où équilibre et stabilité se trouvent et se prouvent dans le mouvement.

Rémanences de la divergence

Sans prétendre traiter à fond un sujet qui pourrait retenir pendant de longues années de nombreux chercheurs, on peut inventorier sur quelques points la situation étrange de l'Europe : au XIXe, au XXe siècle –, quand la présence sociale et mentale des Églises, catholique ou protestantes sans distinction, recule, que les États se sécularisent, que la « science » et le « progrès » ont bien conquis leur autonomie –, on bute sur le paradoxe d'une répartition géographique du développement qui continue, en gros, à reproduire la carte religieuse du XVIe siècle. La fracture opérée alors entre l'Europe de la Réforme et celle de la Contre-Réforme continue de diviser les sociétés du continent – comme elle sépare aussi les sociétés de civilisation européenne transplantées dans le Nouveau Monde. On se bornera à donner, en **Annexes,** quelques exemples de cette surprenante rémanence, qui gêne tant notre modernité qu'on préfère généralement l'occulter. Ce sont d'ailleurs ces contrastes qui m'ont conduit, voici bientôt cinquante ans, à m'engager dans cette enquête sur le développement, sur sa matrice mentale, sur la confiance dans la liberté.

PREMIÈRE PARTIE

AVANT LA DIVERGENCE

Chapitre 1

À la recherche des origines :
« décollage » ou « divergence » ?

Le « décollage » – « *take off* » – : les historiens anglais du développement ont imposé cette métaphore très visuelle, pour décrire le phénomène qui saute aux yeux dans la seconde moitié du XVIIIᵉ siècle. En Angleterre du moins, voici une société prospère, dynamique, créatrice, où se trouvent maints caractères, et maints travers, de nos sociétés développées.

Après la République des Provinces-Unies, l'Angleterre s'envole ; à sa suite, les nations d'Europe s'envoleront aussi. Mais ce n'est pas l'essor groupé d'une volée de moineaux. Les « décollages » se succéderont à de longs intervalles pendant le XIXᵉ siècle. Certains, en Europe méridionale, attendront le XXᵉ. Et après maint décollage, combien de ratés peuvent affecter la fragile mécanique ; combien de vols incertains, au ras des arbres...

La métaphore comporte sa logique : l'avion décolle ou ne décolle pas ; il s'arrache à la piste à un moment précis. Il passe, d'un coup, du mouvement guidé par ses roues, à celui que supportent ses ailes. Aussi, bien des historiens ont-ils cherché à dater exactement le décollage économique : 1760, selon T.S. Ashton ; 1770, selon A.P. Usher ; en 1783, assure W.W. Rostow ; tandis que J.U. Nef s'obstine à situer la première révolution industrielle quelque part entre 1575 et 1620.

On peut s'interroger. Les faits économiques et sociaux admettent-ils ces ruptures brusques ? Un empire politique peut naître ou s'effondrer en quelques mois. Mais dans l'évolution économique et sociale, les nouveautés soudaines sont-elles autre chose que des effets de perspective ?

À la métaphore aéronautique, il est donc permis de préférer une métaphore empruntée à la physique nucléaire : au *décollage* de l'avion, la *divergence* de la pile atomique. Elle se prépare dans l'opacité des mouvements d'atomes. Elle prend la forme d'une réaction en chaîne. Elle résulte d'une combinaison de causes et de conditions, beaucoup plus complexe que la simple rencontre d'une pression de l'air et d'une résistance de l'aile.

Certaines sociétés ont ainsi *divergé*. Ce fut l'aboutissement de processus lents, peu visibles ; mais une fois qu'ils sont en route, ils se poursuivent, s'enchaînent et interagissent comme dans une réaction nucléaire. Cette divergence est cumulative ; elle se nourrit de sa propre énergie ; elle est irréversible. Un avion qui a décollé peut être plaqué au sol par un mauvais coup de vent. En outre, pour passer du décollage d'Ader à celui de l'Airbus, il faut changer les moteurs, en augmenter la puissance. Mais une divergence de type nucléaire progresse par elle-même, sous l'effet de l'énergie qu'elle ne cesse de générer.

Un prélude médiéval

La préparation d'une société à cette dynamique intérieure se fait de longue main. Peuckert situait le « grand tournant » au XVIe siècle [1]. Immanuel Wallerstein [2] est remonté plus haut encore ; il a décrit un « prélude médiéval » – métaphore musicale, cette fois, qui traduit une certaine prudence : le prélude n'est pas la fugue.

L'image est d'ailleurs ambiguë. Ce « prélude » est-il la première partie du morceau, l'exposition d'un thème qui sera développé ensuite, mais bel et bien présent d'ores et déjà ? Ou bien n'est-il qu'un tâtonnement instrumental, la recherche d'une tonalité dont surgira, à un instant donné, une œuvre jusqu'alors imprévisible ?

Éclairons cette alternative à l'aide d'un exemple. On peut retenir, comme l'un des indices de la *divergence*, l'accès à un stade où l'agriculture ne se borne pas à assurer la seule subsistance [3].

C'est le cas dès le XIIe siècle [4]. Pourtant, la masse de la population reste accaparée par la production agricole. Si les paysans dégagent des surplus agricoles, après paiement en nature des redevances seigneuriales, c'est encore un résultat aléatoire. Mais la liquidation de ces surplus prend une importance propre. Le commerce des grains existe bien comme tel. Dans les villes portuaires du nord de l'Italie, il est une activité principale, et non un débouché secondaire ou occasionnel [5]. À partir de 1150, les marchés des villes « ménagent une issue aux surplus grandissants des domaines seigneuriaux, à ces énormes quantités de produits accumulés par le paiement des redevances en nature [6] ».

Est-ce le coup d'envoi d'une expansion économique ordonnée ? Ou le débordement circonstanciel d'un système saturé, dont certains savent faire leur profit – prélude à tâtons ?

Les commencements insaisissables

La recherche d'indicateurs globaux et significatifs est décevante. On est tenté de recourir à ceux qui servent communément aujourd'hui à mesurer les degrés sur l'échelle du développement : le revenu par tête, ou encore le taux d'urbanisation, le volume de la production et des échanges, le rendement, les transports, les communications, la consommation d'énergie, etc. Mais, pertinents et fiables quand le processus est bien engagé, ils sont défaillants et incertains dans ses commencements. Réduisant tout à la moyenne, ils ne peuvent mettre en évidence des données qui ne font qu'apparaître, en marge d'un ordre ou d'un désordre inchangé dans sa masse. Ils ne permettent pas à notre regard d'accommoder sur les faits significatifs d'un changement.

Les moyennes n'ont de sens que si la structure sociale qu'elles décrivent atteint un degré déjà suffisamment élevé d'homogénéité. Or, c'est précisément ce qui est en question : nous voilà donc au rouet. Un critère de développement est d'autant plus significatif que la structure qu'il décrit se développe effectivement.

La recherche de critères plus neutres, qui s'appliqueraient aussi bien aux sociétés non développées qu'aux économies développées, n'a pas donné, pendant longtemps, de résultats convaincants. Pierre Chaunu s'y est pourtant essayé, en travaillant sur la notion de consommation d'énergie, analysée selon ses diverses sources (animale, musculaire, combustible, hydraulique, éolienne) [7]. Il estime qu'aux XVe et XVIe siècles, l'homme européen consomme en moyenne cinq fois plus d'énergie que le Chinois [8]. Signe qu'il se passe en Europe quelque chose d'important. Est-ce, déjà, une distorsion ? Ce simple constat n'autorise pas une réponse. Il incite plutôt à multiplier et diversifier les questions.

Nous devons nous résigner encore à ne pas trouver, dans les comptes et décomptes, on ne sait quelle équation du développement, car nous n'en sommes qu'au prélude.

L'acte de naissance du développement

Sans nous priver des progrès décisifs accomplis par l'histoire quantitative, reconnaissons que les seuils n'ont de valeur que comparative et indicative, non absolue ni explicative. À eux seuls, ils ne sauraient établir et dater l'acte de naissance du développement occidental : selon le pourcentage choisi – et comment le choisir sans arbitraire ? – l'époque remontera ou descendra l'échelle du temps. Mais nous pouvons au moins en conclure que notre collecte de faits significatifs doit s'intéresser à ces siècles où certains calculs, même grossiers, révèlent des phénomènes qui présentent des analogies avec le développement. Que l'époque médiévale soit ou non un « prélude », il nous faut ouvrir l'oreille aux premiers sons un peu familiers pour nous.

Non pour déceler – rétrospectivement – des signes avant-coureurs : il n'est que trop aisé de faire le devin à rebours, comme si tout était prévisible. C'est au contraire l'imprévisible nouveauté qui retiendra notre attention.

Chapitre 2

État des lieux de la chrétienté occidentale

Jetons quelques coups de sonde dans les fondations médiévales de la vie économique en Europe. En dépit des catastrophes (toujours, la faim, la peste et la guerre), l'avancée, du XIᵉ au XIVᵉ siècles, ne fait pas de doute.

Il est plus difficile, en revanche, d'évaluer l'importance quantitative de ces mutations, et de mesurer leur effet d'entraînement. Les discussions d'historiens sur les buts de la lettre de change, l'invention de la comptabilité en partie double, les marchés à terme, sont matière à conjecture, voire à polémiques. Mais il faut bien se contenter d'un tableau de faits, et laisser en suspens l'appréciation de leur portée réelle. Leur mise en perspective suggère des lignes d'évolution, non une logique.

5 600 moulins à eau

Au XIᵉ siècle, apparaissent les premières organisations professionnelles, telle la corporation des maraîchers à Rome (1030). Le commerce devient une profession ; il n'est plus seulement un état social. On mentionne des banquiers à Mons et à Saintes (1044-1047). Un code maritime et commercial est promulgué à Trani, dans les Pouilles (1063). À Huy (évêché de Liège) comme à Milan, on s'affranchit de l'autorité épiscopale, moyennant l'octroi d'une charte de franchise. Les intérêts commerciaux sont assez importants, pour que Grégoire VII demande au roi de France le remboursement de sommes extorquées aux marchands italiens en France.

Venise installe des comptoirs dans l'empire byzantin ; Pise et Gênes font bientôt de même en Tunisie ; tandis que les marchands de Saint-Omer s'associent pour l'importation de la laine (1082). Partout en Europe, le mouvement communal traduit en termes de franchises politiques cette vitalité du négoce.

L'agriculture aussi progresse. Guillaume le Conquérant fait

dresser un État cadastral dans le *Domesday Book* (1086), qui dénombre 5 600 moulins à eau en Angleterre (1 pour 400 hab.). Dans le nord de la France, le cheval remplace le bœuf de labour, grâce à l'usage du collier de poitrail, importé par la « route de la soie » de Chine, où on l'avait inventé un millénaire plus tôt.

Le XIIe siècle aussi sera riche en mutations économiques et sociales. Les corporations de métiers s'étendent et se spécialisent. C'est surtout le siècle des premières grandes foires. Narbonne instaure pour sa foire la libre circulation des convois de sel et de marchandise dans le comté. Les foires de Champagne (Troyes et Provins) prennent leur essor ; les Anglais s'en inspirent et créent la foire de la Saint-Barthélemy à Smithfield (en 1133). Malgré de terribles famines (en 1125 en Flandre, 1126 en France, 1151 et 1162 en Allemagne), la poussée des échanges est irrésistible.

Les « jeux de l'échange »

La hanse des marchands de Cologne obtient un entrepôt à Londres : le *Guildhall*. Un an après la grande famine de 1162, on exploite des mines d'argent à Fribourg (l'industrie minière de Bohême commencera soixante ans plus tard). En 1179, est créée la foire de Leipzig.

Peut-on parler d'une internationalisation des échanges ? Voilà qu'apparaissent des marchands italiens à Ypres (dès 1127), puis aux foires de Champagne, bientôt protégées (1174) par un corps militaire. Les hanses font florès, de Londres à Novgorod.

Les formes juridiques de l'échange se précisent. Un siècle après l'apparition, à Venise, du contrat de *colleganza*, Gênes invente le contrat de *commenda* *. *Déjà, la rivalité économique est moins une question de ressources que d'organisation.* Comme le Concile de Latran condamne, en 1179, l'usure et le prêt à intérêt, on contourne la loi de l'Église en pratiquant la vente à terme à prix majoré, qu'une lettre pontificale de 1185 ne tardera pas à condamner à son tour. Mais rien n'empêchera Innocent III de canoniser un marchand, Homebon de Crémone, mort en 1197.

Pendant les trois siècles qui suivent, les « jeux de l'échange » et ses profits ne cessent de mobiliser des énergies – toujours inventives en ce domaine, parce que rien n'y est jamais acquis.

Tandis que les Génois étendent leurs comptoirs commerciaux, Amsterdam est fondée ; Venise voit naître les premiers métiers à soie, avant de traiter avec le sultan d'Alep (1207), puis le sultan d'Égypte (1208). À Sienne, est fondée la banque des Buonsignori

---

* *Colleganza* : contrat d'association (créé à Venise vers 1072) entre un prêteur et un négociant. La *commenda* en est, un siècle plus tard, la réplique génoise.

(1209). Le second XIIIᵉ siècle est celui des Gianfigliazzi, marchands de Florence, qui rayonnent vers la vallée du Rhône, mais aussi jusqu'à Montpellier et Carcassonne.

À Milan (1229), à Florence (1289), à Venise (1297), les marchands s'organisent en compagnies : le capitalisme commercial et banquier prend le pas sur le précapitalisme manufacturier – encore réduit au système de sous-traitance artisanale à domicile.

Les marchands allemands développent leurs comptoirs sur le pourtour de la Baltique. Un traité d'amitié et de liberté de commerce est conclu entre Lübeck et Hambourg. C'est l'axe fondateur de la Hanse (1230). Aussitôt, sont fondées Stralsund et Dantzig. Mais l'Église obtient l'interdiction en Allemagne des associations de métiers (1231), et tente de freiner le commerce au long cours : Grégoire IX condamne en 1227 le prêt à la grosse aventure, véritable contrat d'assurance maritime avant la lettre. Bravant les interdits de l'Église, la Ligue hanséatique intègre Kiel et Tallinn (1248) et bientôt Bruges (1252), puis Francfort-sur-Oder (1253), fondée depuis trois ans. La Hanse d'Allemagne est définitivement formée en 1281, par fusion des hanses de Cologne, Hambourg (1266) et Lübeck (1267).

Mais tout ne tire pas toujours dans le même sens. Avec l'ouverture des marchés, on voit des tentatives pour les protéger. En 1213, l'Angleterre interdit d'importer le drap flamand ; en 1295, Édouard Iᵉʳ prohibera même l'exportation des laines anglaises vers la Flandre.

Enclosures et expulsions

L'agriculture bouge aussi, ici ou là. En Angleterre, commence le mouvement des *enclosures*, avec le statut de Merton, 1236-1242 : les terres communales peuvent être acquises, moyennant l'obligation faite au propriétaire individuel d'édifier une clôture autour de son champ, ce qui n'est pas à la portée du premier manant venu. Les villes connaissent des tensions brutales, symptômes du mouvement. Des émeutes ouvrières et des révoltes populaires éclatent à Beauvais, à Abbeville, à Douai, à Rouen, à Leicester ; tandis que Grégoire IX est contraint de protéger les Juifs en France, par la bulle *Etsi judaeorum* de 1237.

Le milieu du XIIIᵉ siècle voit apparaître la lettre de foire à Ypres – et les premiers courtiers commerciaux, en Provence. Les changeurs, jusqu'alors ambulants, vont bientôt se rattacher à des villes : Barcelone, Gênes, Venise... En 1256, est créée à Provins la première banque française. Le siècle de saint Thomas d'Aquin se caractérise par l'émergence des questions financières et monétaires.

Avec saint Louis et son ordonnance sur la monnaie royale (1262), apparaît pour la première fois l'État souverain dans le domaine économique, en même temps qu'un commencement d'unification monétaire.

Six ans plus tard, l'expulsion de France des banquiers et usuriers « lombards » et juifs est l'indice d'une grave tension sociale, religieuse et culturelle, provoquée par l'essor commercial et financier de ce surprenant XIIIᵉ siècle. Tout comme ils seront plus tard tenus pour responsables de la peste, ils le sont des émeutes, des grèves ouvrières, des dévaluations. En juillet 1306, 100 000 Juifs sont expulsés de France, non sans avoir été dépouillés de leurs biens. 1268, 1277, 1299, 1306 : un rythme quasi décennal semble pris. L'expulsion générale du 22 août 1311 accélère le processus. Elle semble avoir été encouragée par la décision de Clément V d'anathématiser comme hérétique le prêt à intérêt, auquel excellent les Juifs.

Faillites et boucs émissaires

Commencent des faillites bancaires en série : les Riccardi à Lucques (1300), les Mozzi à Florence (1311), les Frescobaldi, les Buonsignori à Sienne (1309). La crise européenne de 1315 n'est pas loin, avec son cortège de famines. L'octroi de chartes régionales doit permettre au roi de France de rééquilibrer les comptes de la couronne ; Louis X entame par ailleurs une politique de déflation. Les foires de Champagne ne survivront pas à ce traitement de choc.

En Italie, les faillites bancaires se multiplient : les Buonaccorsi, Usani et Corsini (1341). En Angleterre, Édouard III fait emprisonner les agents des banques florentines Peruzzi et Bardi. Il doit à ces établissements respectivement 600 000 et 900 000 florins : curieuse façon de les rembourser. La peste noire vient balayer le tiers de la chrétienté occidentale. La législation en matière d'hygiène publique et d'urbanisme devient un souci primordial.

La Grande Peste a sévi au moment où le statut des travailleurs faisait l'objet d'édits royaux, tant en Angleterre (où Édouard III fixe salaires et prix en 1349-1351) qu'en France (où Jean le Bon promulgue en février 1351 la *Grande Ordonnance*, dans le droit fil de l'ordonnance de Philippe VI fixant en 1332 les salaires des ouvriers).

En 1367, un obscur villageois du nom de Hans Fugger s'installe comme tisserand de futaine à Augsbourg, tandis qu'à Wielicza, près de Cracovie, l'État polonais s'associe au financement et à la production du sel gemme. La vie reprend donc après le cataclysme.

Le commerce au long cours, les pèlerinages en Terre sainte, les entreprises de l'État, se combinent pour sillonner la Méditerranée et y assurer la présence dominante de Venise. « Les Vénitiens envoient chaque année cinq galées en Terre sainte, et elles arrivent toutes à Beyrouth qui est le port de Damas ; de là partent les deux qui mènent les pèlerins à Jaffa », note un voyageur, Ogier d'Anglure [1], en 1395. Notre témoin relève, à côté de cette expédition d'État, une multitude de « naves, coques, paufriers, mairans, destrières, grippories » – tous navires adonnés au commerce privé, ou à la course *.

Le siècle des Médicis

Le XVe siècle naît sous le signe de la circulation métallique, levier des échanges, et des banques municipales : *la Taula de Cambis* à Barcelone, mais aussi un établissement analogue de Francfort, et, quelques années après, la *Casa di San Giorgio* de Gênes, qui va devenir en 1408 une banque de prêt d'État. L'année suivante voit naître la Bourse de Bruges, flanquée symboliquement de la Maison des Génois et de celle des Florentins. L'Europe du Nord est alors irriguée par le Sud. Le fait nouveau est *l'endossement de la lettre de change* : une obligation contractuelle (dette d'argent) peut se transférer à d'autres parties.

Le siècle des Médicis – banquiers de la papauté de 1414 à 1476 – est aussi le siècle de la lettre de change : elle circule de Séville à Lübeck, en passant par les places financières principales de Valence, Barcelone, Medina del Campo, Montpellier, Gênes, Florence, Venise et Bruges, Nantes, Paris, Rouen. C'est également le siècle des accommodements avec le Ciel : Jacques Cœur obtient l'autorisation quinquennale des Papes de se livrer au trafic d'armes avec les musulmans (1446).

Les échanges s'intensifient. Depuis la suppression des péages de la navigation fluviale en Pologne, jusqu'à la convention commerciale entre la France et la Hanse allemande, et malgré les prohibitions anglaises contre le textile continental, les signes se multiplient : les « jeux de l'échange » sont pris au plus grand sérieux. L'ordonnance de 1482 sur la libre circulation des grains en France, et bientôt l'autorisation d'exportation hors de France (1484), le montrent assez. En amont de l'échange, la production s'organise. Le drap, la laine, la soie font l'objet, en France, en Angleterre, de réglementations. Les villes, berceaux des métiers, eux-mêmes levains de l'émancipation communale, seraient-elles dépassées par les prouesses de leur rejeton ?

Peut-on repérer, dans ces séquences de faits économiques, la régularité d'une logique interne, une évolution irréversible ? Ou bien la seule conjoncture dicte-t-elle les décisions et les comportements ? Lorsque Jean le Bon rappelle en France les Juifs qui en avaient été expulsés, et autorise l'installation (1360) de ceux qui

---

* C'est-à-dire aux opérations de navires corsaires.

voudront pratiquer le prêt à intérêt, quel est le mobile de sa décision ? Le réamorçage des échanges et des avances sur l'impôt. Peut-on, là-derrière, supputer un motif moins immédiat, un sentiment que la finance est le levier de la production et de l'échange ? Inversement, lors de la suppression de la commune de Rouen en 1382, ou de la prévôté des marchands à Paris, la même année, faut-il parler de régression, ou simplement de répression ponctuelle des émeutes sociales qui, cette année-là, font rage ?

L'aventure la plus inouïe de Don Quichotte

L'esprit médiéval est-il, en soi, anti-économique ? Est-il par principe confit dans les traditions, entiché d'immobilisme, inapte à la dynamique d'où le développement pourrait sortir ? Certes non. Si de nombreuses résistances se lèvent alors contre toute innovation technique et commerciale, encore fallait-il qu'il y eût innovation.

En voici une : le moulin à foulon. Il apparaît en France du côté de Grenoble, au XIe siècle [2]. Les « métiers » d'artisans et les magistrats urbains ne lui font pas bon accueil. Le nouveau procédé suscite la crainte – objectivement justifiée – d'une mise en chômage des foulons, les ouvriers préposés à cette tâche ; il heurte aussi le préjugé très répandu, en partie d'origine théologique, qui place le travail mécanique bien au-dessous, en qualité et en dignité, du travail ouvré de main d'homme. On n'oubliera pas non plus la crainte que provoquent ces moulins à foulon jusque dans l'âme du vaillant Don Quichotte de la Manche. Célèbre est l'aventure des moulins à vent, que le héros de Cervantes prend pour des géants. Beaucoup moins connue est celle des moulins à foulon (chap. XX : *De l'aventure la plus inouïe qu'ait jamais eue le chevalier fameux, mais dont se tira fort bien le vaillant Don Quichotte*). Égarés dans la nuit, Don Quichotte et Sancho Pança s'approchent d'un cours d'eau pour étancher leur soif. L'écuyer est effrayé « de grands coups, frappés en cadence, avec un grincement de fers et de chaînes, qui, joints au tonnerre de l'eau, faisaient un vacarme capable d'épouvanter tout autre que Don Quichotte [3] ».

Pour rassurer son écuyer, le chevalier proclame : « Ami Sancho, apprends que le Ciel m'a fait naître dans ce siècle de fer pour y ramener l'âge d'or. » Après une nuit passée à surmonter la peur, Don Quichotte se met en peine de découvrir « la cause, seule possible, de cet épouvantable bruit qui les avait tenus toute la nuit en alarme : c'étaient six moulins à foulon qui, par leurs mouvements alternatifs, produisaient tout ce vacarme. À cette vue, Don Quichotte demeura muet et faillit tomber de haut [4] ». Confrontation burlesque de l'âge d'or et de l'âge de fer, où retentit comme l'écho du désarroi causé par ces moulins inconnus.

La résistance à la mécanique s'observe dans les villes ; elle ne se rencontre pas dans les campagnes, moins organisées pour se défendre et où les seigneurs, très individualistes, sont à l'affût de tout moyen d'augmenter leurs maigres revenus [5]. Du XIIIe au XVe siècle, le foulage mécanique reflue de la ville vers la campagne ; la ruine des moulins urbains, paralysés par l'organisation des métiers, ne tarde pas à s'ensuivre.

Cet exemple paradoxal n'est pas exceptionnel. Ainsi dans le domaine du filage, où les réglementations urbaines feront longtemps obstacle au rouet, qui accélère les cadences : c'est chez les paysannes qu'il se répand. Il en alla de même pour le moulin à eau : ses applications dans l'artisanat vinrent bien après son usage au service de l'agriculture. S'il faut en croire Onslow Burrish, pénétrant observateur britannique du début du XVIIIe siècle, les Flamands auraient mis au point la fabrication du drap, et Baudouin de Flandres, dès le Xe siècle, en aurait protégé les foires annuelles. Mais trois cents ans après, les fabricants fuyaient le contrôle tatillon des villes [6].

Il faut retenir ce fait. La ville médiévale ne porte pas mieux le progrès que la campagne, bien au contraire. Au début du XIVe siècle, l'agriculture est encore le secteur qui draine toutes les innovations ; elle reste le support par excellence du commerce. Le commerce des produits manufacturés, tant en volume qu'en source de revenus, n'a pas le caractère primordial et moteur du commerce agricole.

Si, à cette époque, le développement a une chance de naître, ce n'est pas encore dans les villes, dans le commerce, dans les embryons d'industrie. C'est dans les campagnes, à travers les progrès de la production agricole. Exception faite, bien entendu, des organisations commerciales comme les foires, où s'esquisse une circulation internationale des biens et des personnes. Soulignons les personnes, en effet : les migrations foraines transportent savoirs, intérêts, curiosités, innovations. À Provins, comme dans les plus grandes foires, c'est de toute l'Europe qu'on vient depuis mai jusqu'à la Saint-Martin ; l'Europe s'y donne rendez-vous.

La performance des campagnes

L'agriculture progresse. L'Europe du XIVe siècle peut manger à sa faim. Les rendements agricoles moyens en ce siècle ont été estimés par Georges Duby à 4 ou 4,5 pour 1. Ce n'est pas une mince performance, si l'on songe qu'à l'époque carolingienne [7], ils plafonnaient à 2,5 pour 1. Le progrès réel est plus net encore, car il faut déduire les semailles de la saison qui suit : la récolte consommable ou vendable a doublé.

Seulement, cet accroissement du rendement agricole se produit sur une période trop longue pour que le changement soit vraiment perceptible aux contemporains. Comme on ne le sent guère, il n'ébranle pas les mentalités. L'agriculture progresse ; les mentalités ne bougent pas. Il faudra, paradoxalement, la conjoncture catastrophique des pestes du XIVe et XVe siècles pour que l'on se mette, ici et là, en quête résolue d'innovations agricoles. Jusqu'alors, l'agriculture médiévale reste prisonnière de ses contradictions.

Elle bute sur des obstacles d'ordre interne. Le mode d'exploitation agricole est tel, au Moyen Âge, que son développement est auto-limitatif : l'expansion des surfaces cultivées se heurte à un besoin de vastes pacages, dont les troupeaux, de moutons surtout, sont grands consommateurs ; l'essor de l'élevage va à l'encontre du souci permanent de protéger bois et forêts, ces viviers de ressources. Seules, des innovations radicales dans l'organisation de la structure agraire permettront d'échapper à ces cercles vicieux [8].

Quant aux villes, elles se murent — et pas seulement de murailles de pierre : elles se referment sur leurs acquis, se barricadent d'un protectionnisme peu propice au changement. L'inhibition de l'initiative et de l'innovation, la défiance envers l'individu, s'y expriment à travers une structure sociale de prédilection : la corporation. Elle se répand par toute l'Europe sous les noms les plus divers – métiers, confréries, communautés, hanses, guildes, arts, compagnies, « écoles » italiennes (*scuole*). Sous la bigarrure des termes, des statuts, des modes d'intervention, se retrouve partout le même souci d'offrir à leurs membres l'entraide et le soutien dont ils peuvent avoir besoin, en contrepartie d'une soumission au groupe. Mais ces secours constituent surtout des moyens de défense contre l'aventure urbaine et contre le pouvoir politique. Par leurs prohibitions, règlements, hiérarchies, les corporations ont pour but à la fois de protéger une profession contre toute menace extérieure, et d'y neutraliser la concurrence interne.

L'État, nouveau-venu

Au-dessus des villes et des campagnes, commence de se structurer un pouvoir nouveau-venu, celui des souverains d'États petits ou grands, ducs, princes ou rois. Ils obéissent à une logique propre, visant à consolider, défendre ou étendre les territoires dont ils commencent à savoir tirer revenus et gens d'armes.

La montée de ce pouvoir politique est accueillie avec méfiance. Il est vrai qu'elle est associée à un interventionnisme croissant : fiscalité, péages, octrois, taxes sur les transactions, monopole du sel, etc. L'État naissant ne se gêne pas pour s'ingérer dans les circuits économiques, pour tenter de plaquer sa carte des territoires sur celle des échanges. Pour lui, le commerce, l'industrie, la finance, sont des instruments politiques ; et non la politique, un instrument de la vie économique.

Cette mainmise politique ne fait que croître au fil du temps. En

France, elle a commencé sous Philippe le Bel et sous Charles VI, avec des préoccupations essentiellement fiscales : gourmande et habile, elle fait peser une contrainte sur le développement.

L'échec de Louis XI

Louis XI introduit une dimension nouvelle. Sa rivalité avec Charles le Téméraire, duc de Bourgogne, l'éclaire sur le jeu économique, et il va s'employer à renverser à son avantage les positions de l'échiquier commercial européen. Il entend court-circuiter l'axe Savoie-Genève-Bourgogne-Pays-Bas *.

Ses projets passent par Lyon : il y institue des foires et tente d'y développer l'industrie du drap et de la soie, en vue de contourner les foires de Genève et de concurrencer les fabricants piémontais et lucquois. Il joue sur l'interdiction et sur la promotion. Défense à tous les marchands du royaume de se rendre aux foires de Genève ; embargo sur les céréales et le vin destinés aux Bourguignons ; les navires vénitiens, génois et napolitains en provenance ou à destination des Pays-Bas sont pillés par les corsaires français. En revanche, tout est fait pour stimuler le commerce français, importation et exportation : développement portuaire, abaissement des taxes, suppression du droit d'aubaine pour les étrangers se fixant en France, établissement d'un régime de libre-échange avec l'Angleterre.

Aux États Généraux de juin 1483, Louis XI voudra même aller au fond des choses : il préconise la suppression des péages ou octrois intérieurs (il faudra attendre 458 ans avant d'y parvenir). Bien plus, il tente de faire sauter une barrière mentale d'importance majeure : il autorise les gens d'Église, les nobles, les officiers royaux à faire du commerce. Mais il ne sera pas vraiment suivi ; les traditions sont les plus fortes.

De toute façon, la précarité de la conjoncture menace tout acquis. La pression fiscale, la famine, les épidémies marquent son règne, aussi fortement que ses entreprises de développement économique. Si Louis XI accorde fréquemment aux villes des affranchissements de « toutes tailles, aides et subsides [9] », des levées extraordinaires, emprunts aux villes, amendes, confiscations ont tôt fait de compenser pour le Trésor royal ce manque à gagner [10].

L'économie est un moyen au service de la puissance, laquelle demeure d'essence territoriale. On comprend qu'il n'est pas mauvais de lâcher les rênes au négoce et à la finance ; si, toutefois, les circonstances suggèrent le contraire, on s'y résout bien volontiers.

Échec relatif de l'incitation étatique dans l'économie ? Oui, sans doute – et c'est le premier d'une très longue série. Mais force est

---

* La Maison de Savoie est alors suzeraine de Genève et alliée de la Bourgogne.

de constater aussi que les foyers économiques, s'ils ne sont pas appuyés sur un véritable État, sont condamnés à disparaître, ou, du moins, vite relégués au second plan. Le déclin de Florence, à la fin du XVe siècle, en témoigne. Pour le meilleur et pour le pire, le pouvoir politique et l'économie médiévale ont partie liée.

Ainsi, la physionomie du commerce médiéval demeure protectionniste. Il est hanté par la menace des rivalités politiques (Gênes-Venise, France-Angleterre, Espagne-Portugal), plutôt que stimulé par la concurrence que ces rivalités paraissent d'abord appeler.

L'État et les monopoles sont de connivence, comme l'a bien vu Fernand Braudel. Mais cette complicité ne constitue pas, on le verra, un facteur de développement.

Chapitre 3

Après la Grande Peste
ou faire autant avec moins d'hommes

À la fin du Moyen Âge, le potentiel de croissance de la chrétienté occidentale est immense. Mais il demeure d'une extrême fragilité. Les institutions commerciales et financières qui se développent çà et là ne sont pas accompagnées, notamment dans le domaine agraire, de la mutation structurelle qui serait indispensable. Il en résulte une étroite dépendance à l'égard de la conjoncture.

Les peuples cheminent sur la crête. Il suffit d'un coup de vent pour les précipiter à bas. Le calme revient, les rescapés reprennent leur progression. Au total, l'Europe est de plus en plus active ; elle se peuple ; ses villes grandissent.

Sur ce fond de conjonctures changeantes, qui lancent ou arrêtent les progrès, une conjoncture tragique change la donne. La catastrophe de la Grande Peste engendre de nouveaux comportements ; elle transforme le paysage et créera de nouveaux équilibres à la fin du Moyen Âge.

Le cataclysme et le rebond

Les pestes qui ravagèrent la chrétienté à partir de 1348, Pierre Chaunu [1] les désigne comme le « plus grand cataclysme de l'histoire » ; mais aussi comme une pierre de touche de la dynamique démographique.

Le cataclysme est assez connu. La peste fit son apparition en 1347 dans les territoires de la Horde d'Or, qui s'étendaient du Don à l'Ob par le nord de la Caspienne. Elle y dépeupla villes et villages et atteignit bientôt la Crimée, où elle fit chaque jour des milliers de morts. Les Vénitiens, les Génois, depuis le début du XIIIe siècle, avaient des comptoirs tout autour de la mer Noire : leurs navires portèrent le mal à Byzance, en Égypte, en Syrie, en Europe occidentale, où il entra par Messine, Venise, Gênes, Marseille et Barcelone. Les premières vagues de la pandémie emportent des millions d'hommes. Elles seront suivies d'autres. Les guerres

41

s'ajoutent au cataclysme de 1348 et se conjuguent avec lui. Guerre de Cent Ans entre la France et l'Angleterre, luttes intestines en Italie et en Castille, provoquent un exode des paysans vers la ville – lieu de relative sécurité militaire, mais de risque biologique majeur.

Personne ne compte les morts dans les campagnes. Nous connaissons mieux ceux des villes. Des cités peuplées et prospères perdent, en quelques années, la moitié de leur population : Florence, Ypres, Arras... Dans la Maurienne, cette région fort passante entre France et Italie, « la pestilence », au cours du seul été 1348, fauche plus de 40 % de la population adulte [2].

Les conséquences économiques du désastre sont énormes. Elles sont particulièrement ressenties dans l'agriculture. Décimation directe par la peste, ou exode vers les villes : les surfaces cultivées se réduisent brutalement, alors qu'elles n'avaient cessé de s'étendre pendant les siècles précédents. La peste et la guerre se donnent la main pour tuer.

Pourtant, dès que la peste et la guerre laissent un répit, la démographie reprend. Ces populations qui cohabitent avec la mort manifestent une extraordinaire vitalité. Est-elle le reflet d'une expansion économique, ou peut-être sa cause ? On est tenté de mettre en relation ce dynamisme démographique d'après le désastre, avec les économies actives du XVe et du XVIe siècles – comme on rapprochera plus tard le « miracle économique » du Japon et de l'Allemagne de leur écrasement en 1945.

N'allons pas trop vite. Les conditions se réunissent, il est vrai, pour que devienne disponible une force productive. Mais elles ne sont pas exploitées. Les immigrants ruraux dans les villes vont grossir les rangs des clientèles ; ils s'affilient à des corporations ; ils se surveillent mutuellement ; ils forment une masse de manœuvre pour les anciennes structures, plutôt qu'une ressource pour s'en débarrasser. Fait étrange, les pays qui « divergeront » aux XVIe et XVIIe siècles ne sont pas ceux qui auront connu la plus prompte reprise démographique. Ce sont au contraire ceux qui auront davantage accusé le coup, et pris plusieurs générations pour récupérer leur potentiel démographique d'avant la Grande Peste. Ainsi l'Angleterre, amputée à 40 %, aura besoin de vingt-cinq ans pour retrouver sa taille de 1348 – un peu moins de quatre millions d'habitants. Comme si, dans ce cas, l'ébranlement des structures et des habitudes avait été tel, qu'il avait fallu se relever sur de nouvelles bases, en inventant de nouvelles formules.

Frémissements de l'Europe agraire

Ce qui crée du neuf dans l'économie de la fin du Moyen Âge vient moins de la vitalité démographique pure et simple, que de la façon dont elle sait s'adapter aux conditions nouvelles et en relever le défi : *faire autant, avec moins d'hommes.*

Prenons l'agriculture. Elle retrouve plus vite ses niveaux de production que le nombre des bras de paysans. C'est donc que sa productivité a augmenté : on travaille davantage et mieux. Pourtant, il n'y a pas eu de progrès technique majeur, ni de l'outillage, ni des méthodes culturales, ni des plantes cultivées. Le progrès passe surtout, semble-t-il, par un processus de sélection, et particulièrement de sélection des terres. En agriculture, l'initiative économique va pouvoir être rationalisée, parce que l'homme s'est trouvé dans une situation où il avait à choisir, face à un potentiel agricole déserté, les éléments qui favoriseraient la plus forte productivité.

Le phénomène est d'autant plus notable, que les sociétés traditionnelles sont justement celles où le rendement par individu se fixe à un niveau dont il ne bouge plus [3]. Seules les circonstances sur lesquelles les paysans n'ont pas prise étaient censées pouvoir modifier ce rendement, et forcément en moins : gels, sécheresses, grêles, hannetons ou sauterelles, guerres...

Or, au début du XVe siècle, la conjoncture permet d'entrevoir ce qu'est un rendement supérieur à celui qu'on pouvait juger suffisant pour la satisfaction des besoins élémentaires – ceux de la survie. La recolonisation du sol européen s'accompagne d'une relative reconversion agricole. On choisit les meilleurs terroirs, on diversifie et on intensifie les activités. L'élevage progresse, mais ce n'est plus aux dépens des céréales. Une répartition nouvelle s'établit entre le pacage et le labour et, sur la table du paysan comme du citadin, entre la viande et le pain.

On améliore l'usage des terres : la jachère recule et le rendement s'améliore, parce qu'on apprend à varier les cultures sur le même sol. Les plantes fourragères, qui laissent reposer le sol pendant un an, servent à mieux nourrir les animaux. Or, l'assolement se répand plus tôt dans les régions situées au nord de l'Europe – Pays-Bas, Angleterre, Allemagne.

L'Europe du Nord est stimulée par le houblon et l'élevage ; l'abondance de bétail accentue en retour le recul de la jachère, grâce à l'épandage du fumier animal sur les sols les plus pauvres. En revanche, l'Europe du Midi reste dominée par la tradition de l'olivier et l'extension de la vigne, auxquels s'adjoignent les produits laitiers et la laine.

La tentation est grande d'opposer ces deux Europe. À preuve, l'existence au Sud de cultures « par tiers », et au Nord de cas d'assolement biennal [4]. Mais le contraste comporte des nuances. La connaissance fort parcellaire qu'on a encore de cette géographie des techniques agraires ne permet pas un bilan sûr. L'innovation agricole demeure, à cette époque, dispersée et fragile.

En revanche, une donnée oppose plus nettement le Nord et le

Sud : à savoir, l'origine de ces progrès ; autrement dit, leurs promoteurs. Au Sud, le développement et la croissance, quand ils se produisent, sont le fait du prince ; témoin l'action du duc de Toscane, du vice-roi de Naples, du duc de Ferrare [5]. Mentionnons l'exception de la Lombardie, où, comme aux Pays-Bas, négociants ou seigneurs indépendants prennent l'initiative. Au Nord, ce sont les suggestions du marché qui déterminent l'investissement en capital et en travail : ainsi, l'expansion de l'élevage laitier aux Pays-Bas ; ou encore, la reprise de la culture du seigle au XVIe siècle en Norvège [6], en raison de sa hausse relative par rapport au poisson et au beurre, conditionne les réflexes des négociants : stockage, écoulement...

Ces variations accoutument les paysans ou leurs maîtres à lever le nez de dessus les besoins immédiats de la demande locale, pour envisager les possibilités de marchés plus lointains. Inspecter, supputer, établir des liaisons, des réseaux : les grands domaines céréaliers deviennent coutumiers de ces pratiques. Même en Sicile, en Calabre, dans les Pouilles. Cependant, la dissociation entre production et satisfaction du besoin local est d'autant plus forte qu'on remonte du Sud vers le Nord.

Pourtant, jusqu'au milieu du XVIIIe siècle, les techniques céréalières mises en œuvre resteront sensiblement les mêmes qu'au début du XIVe. La nouvelle donne issue de la Grande Peste n'amorce pas un mouvement irréversible. L'évolution est lente ; elle n'a rien d'une révolution agraire : c'est que la denrée agricole est encore trop précieuse pour qu'on prenne volontiers le risque d'une innovation. On affronte trop d'aléas subis, pour en ajouter qui soient volontaires.

Les corporations bousculées

Du côté des « arts et métiers », peut-on parler d'essor ? Les corporations, malgré la guerre d'usure qu'elles soutiennent sans merci contre l'innovation, ne parviennent pas à enrayer le progrès technique. Les rouets se perfectionnent, permettant le bobinage du fil pour la confection des draps ; on apprend à travailler la soie [7]. Sans doute les exigences du luxe vestimentaire expliquent-elles le développement de ces activités. On fait venir de loin des colorants nouveaux : indigo, bois de brésil. Et il n'est pas indifférent que ce soit une activité fortement commerciale et pas uniquement productive qui entraîne ainsi un fort courant d'innovations.

Une révolution semble se faire jour dans les mentalités. C'est au XVe siècle qu'apparaissent, dans la griserie humaniste des innovations, l'esprit d'entreprise, l'individualisme, la concurrence, en marge de la réglementation et de l'inhibition hiérarchiques, que tente encore d'imposer l'organisation des métiers.

Cette vibration nouvelle s'étend sur toute l'Europe, sans qu'on puisse y distinguer encore des zones de plus ou moins grande aptitude au développement. L'Europe est parcourue par un réseau de sociétés de commerce, dont la Hanse et l'Italie forment les deux pôles, auxquels s'adjoint le pôle intermédiaire de la Flandre, reliée dès les XIIᵉ-XIIIᵉ siècles à l'Italie du Nord. De Cadix à Novgorod, ce réseau est assez homogène, et l'on ne peut déceler du côté du Nord les signes avant-coureurs des supériorités à venir. En 1472, c'est Barcelone qui brise la première le monopole des métiers.

À l'intérieur de la péninsule italienne même, la réussite de Milan, qui dispute la première place économique à Gênes et Venise, bientôt épuisées par leur rivalité, ne doit pas faire oublier la puissance de Naples. *Le prélude médiéval ne fait pas apparaître d'inégalité flagrante ou irréversible dans la répartition des potentiels manufacturiers entre Nord et Sud, Est et Ouest.* Toute l'Europe – la « chrétienté » – est peu ou prou logée à la même enseigne.

L'Europe manufacturière

À la fin du Moyen Âge, l'Europe manufacturière reste une Europe marginale. Mais dans ces marges, quelque chose bouge-t-il ? Oui, même si les contemporains perçoivent à peine ces mouvements. Quelques-uns, qui y trouvent leur intérêt, les voient. La masse les ignore. Déjà, la divergence apparaît dans ce regard.

Ce qui sera au cœur de la révolution industrielle est encore à la marge de la marge. Les travaux de John U. Nef [8] ont mis en évidence ce qui, dès cette époque, est absolument nouveau : dans le Nord, apparaît et commence à se diffuser le haut fourneau, qui permet d'obtenir de la fonte, puis de l'acier, en passant par le fer aciéré. Certes, il faudra attendre le XVIIIᵉ siècle pour que le charbon de terre se substitue au charbon de bois, multipliant la productivité des hauts fourneaux. Le haut fourneau est tard venu sur l'île britannique : 1496. Son rendement est tellement supérieur à celui des fonderies ou souffleries, qu'il permet des profits de 20 %, taux fort élevé si on le compare à celui des autres entreprises manufacturières.

Inertie, méfiance, peur de la nouveauté ? L'Europe du Sud prendra en tout cas deux à trois siècles de retard métallurgique, en maintenant obstinément le système des forges « à la catalane ».

Mais l'Europe industrielle reste surtout une Europe *textile*. Cette activité relie tous les espaces, urbains et ruraux, continentaux et maritimes. Née avec l'homme, elle est depuis toujours aussi autarcique que l'agriculture : car on se vêt avec les fibres que l'on cultive, ou la laine tondue sur les animaux que l'on élève. Elle a, certes, découvert l'échange depuis des siècles ; mais un échange réservé aux étoffes rares – produits de luxe. Voilà qu'elle découvre la dimension manufacturière.

L'autarcie paysanne et la manufacture se combinent d'ailleurs dans la sous-traitance. Toute production autarcique de drap constitue un réservoir d'emploi ; les drapiers des villes n'hésiteront pas à mettre à contribution la main-d'œuvre rurale, afin de tourner les pesantes réglementations des corporations.

Les campagnes connaissent alors une véritable expansion de la draperie ; mais elles en retirent des bénéfices sans en avoir pris l'initiative. Voilà qui est nouveau, par rapport aux siècles précédents. Les instigateurs, ce sont les marchands des villes, qui pratiquent, à Hondschoote, à Bailleul, à Armentières, à Valenciennes, à Tournai, la concentration verticale des échelons de la production. Aux Pays-Bas surtout, la libre concurrence et l'absence de règlements autorisent une forte expansion, dont un indice assez sûr est la nécessité dans laquelle se trouvent les drapiers flamands d'importer massivement le lin de Pologne et de Russie.

Spécialisations urbaines

Si les industries minières, salines, métallurgiques, textiles, meunières sont tributaires des capitaux urbains, elles ne le sont pas pour autant de la ville elle-même. Mais bien d'autres industries paraissent étroitement liées à l'essor urbain du XVIe siècle. Le simple accroissement démographique entraîne une métamorphose de l'artisanat : la confection, le cuir, la brasserie, la sucrerie, la préparation des harengs de la Baltique, vont devenir des activités urbaines à part entière.

Or, elles entraînent la spécialisation – laquelle suppose des échanges. Dès lors que l'activité dans une spécialité dépasse de manière significative la part d'auto-approvisionnement de la ville et l'écoulement des quelques excédents dans les foires, un déséquilibre se crée, qui amorce une dynamique commerciale. Il faut vendre pour produire et produire pour vendre. De nouveaux marchés s'ordonnent autour de ces spécialisations. Ce qu'une ville, tournée vers une activité, ne fabrique pas, elle doit l'acheter à d'autres.

Force est de reconnaître qu'au milieu du XVIe siècle, l'Europe du Nord se spécialise plus résolument que l'Europe méridionale. On peut citer le cas du travail du cuir, qui n'absorbe à Burgos et à Salamanque, pourtant réputées pour cette industrie, que 10 à 15 % de la population active, quand il atteint 20 à 25 % à Chester, Leicester et Northampton. Déduction faite de la consommation locale, on peut estimer que le degré de spécialisation à vocation exportatrice varie du simple au double entre ces villes espagnoles et ces villes anglaises. La capacité à provoquer ou à assumer une division du travail, qui favorise la concentration de capitaux, la qualification de la main-d'œuvre et l'organisation du marché, semblent donc, à la lueur de cet exemple, nettement supérieures en Angleterre à ce qu'elles sont en Espagne.

Non moins que la spécialisation, la diversification constitue un facteur décisif de développement économique. L'interdépendance économique et commerciale, ébauchée par la spécialisation, ne peut se maintenir avec fruit qu'à une condition : qu'une diversification judicieuse vienne limiter et compenser les effets d'une conjoncture défavorable par toute une palette d'industries de relais, propres à faciliter une reconversion.

Ainsi, la ville de Nuremberg se spécialise dans le travail des métaux : chaudronnerie, tournage, serrurerie, orfèvrerie. Elle s'ouvre les débouchés que représente la facture d'instruments de précision – optiques, astronomiques, géodésiques. Mais elle prend soin d'équilibrer son économie par l'industrie du cuir et celle du textile. Grâce à cette précaution, elle restera prospère, bien qu'elle ait perdu vers 1550 la première place pour la production des appareils de précision.

La question se pose alors de déterminer le sens du lien entre cette croissance économique et l'essor urbain. L'essor urbain est-il le *préalable* ou l'*effet* de la croissance économique ? Ou plutôt, l'un et l'autre interagissent-ils, au point de se trouver indissociables ?

Les premiers « entreprenants »

La ville n'était pas au Moyen Âge, nous l'avons vu, un milieu favorable à l'expansion. Elle était le théâtre d'un conservatisme à base de confréries, de corporations, de métiers, d'administration routinière et de pouvoir clérical. Pour que la ville devienne théâtre de croissance, il faut donc que la structure médiévale soit supplantée, au moins partiellement, par des structures favorisant l'innovation, stimulant l'esprit d'entreprise. Certaines villes ont mieux réussi cette conversion-là que d'autres. Pourquoi ?

La géographie physique, le site urbain, la localisation sur les itinéraires du commerce ne défavorisent à cet égard aucune partie de l'Europe. Séville, Lisbonne, Lyon, Lucques, Venise, Gênes, Rome, Londres, Dantzig, Anvers, Augsbourg, Hambourg, Nuremberg ont chacune leurs atouts. Et partout aussi, les villes jouissent d'une large autonomie politique. Quant aux catastrophes naturelles, économiques ou politiques – épidémies, incendies, disettes, guerres – elles sont chroniques et également partagées : aucune ville n'en est exempte.

De quel côté vient l'évolution ? Des « entreprenants ». Sée l'a montré à propos des commerçants et Ehrenberg à propos des financiers. Ceux-ci comme ceux-là gèrent et exploitent un réseau de comptoirs, commerciaux ou financiers, à l'échelle européenne. Ils font ainsi la fortune d'Anvers, dont la bourse est construite en 1531. La capacité économique de cette ville, avec ses 200 000 habitants « tant nationaux qu'étrangers » au XVIᵉ siècle, laisse songeur : elle était « capable de réunir 2 500 navires dans son port, un mois à l'ancre sans pouvoir décharger [9] ». De même, Lyon accueille les filiales des firmes génoises, milanaises, florentines, mais aussi augsbourgeoises (comme les Welser).

Grâce à ses financiers et à ses marchands, la ville n'est plus un espace de centralisation, une enceinte plus ou moins prospère. Elle devient un nœud de relations commerciales et financières, à la croisée des mailles d'un réseau européen ; mailles assez serrées pour que la faillite d'un Fugger se répercute de Dantzig à Lisbonne et d'Anvers à Séville.

Car le XVIᵉ siècle est *le siècle des Fugger*, comme l'a baptisé Richard Ehrenberg dans sa célèbre étude [10], où il établit que l'association des capitaux commerciaux et financiers était couramment pratiquée dès cette époque.

Sous la tutelle politique

Mais attention : Jakob Fugger le Riche échange ses prêts contre des monopoles. L'autorité politique troque ce qu'elle détient – la contrainte, le pouvoir d'interdire –, contre les fonds qu'elle n'a pas. Elle rémunère le risque financier sous forme d'exclusivité commerciale. De pareils contrats ne favorisent guère les réflexes d'une économie de marché, puisqu'ils privilégient le monopole sur la concurrence.

L'expansion des entreprises commerciales et financières n'est donc pas encore affranchie de la tutelle politique et militaire. C'est à l'abri du bras des princes que l'Europe du XVIᵉ siècle se lance dans l'aventure économique. Le caractère cosmopolite du précapitalisme financier des Fugger, des Welser, des Bonvisi, des Ruiz, ne doit pas masquer sa composante politique. Le dynamisme des villes suppose une initiative économique, qui ne peut déboucher sans caution politique.

Devant l'ensablement du port de Pise (1530), négociants et financiers assaillent le duc de Toscane de suppliques et de requêtes. L'idée d'un port de substitution est lancée ; mais les moyens manquent et la détermination des marchands s'épuise vite devant la difficulté. C'est Cosme de Médicis qui ordonne, à la fin des années 1530, la mise en chantier, à nouveaux frais, du port de Livourne. Les travaux s'échelonnent sur plus d'un demi-siècle. La durée de l'effort, comme les moyens qu'il suppose – mille cinq cents ouvriers salariés, appuyés par des forçats et des esclaves turcs – le montrent clairement ; on ne pouvait se passer d'un pouvoir étatique pour assurer cette réalisation, qui permettra à Livourne d'accueillir, après 1590, les vaisseaux céréaliers du Nord de l'Europe.

Ce trait n'est pas le fait de la seule Europe méridionale. En Angleterre même, le cosmopolitisme recule devant l'affirmation d'un capitalisme national. Sous l'impulsion énergique d'Élisabeth, les *merchant adventurers* sont systématiquement encouragés. Le traitement de faveur dont ils jouissent n'est pas sans rappeler les mesures de Louis XI en faveur des foires de Lyon, ou celles de François Ier pour le port de Marseille ou du Havre. Il y a pourtant une différence. Lorsqu'en 1598, l'établissement principal des Hanséates à Londres est fermé et ses occupants expulsés, ces mesures apparemment brutales ne font qu'entériner le lent déclin des Hanséates sur la Tamise. Un siècle auparavant, ils ne contrôlaient déjà plus que 14 % du commerce londonien. Si les méthodes autoritaires de la politique économique, que l'Angleterre s'est assurées au XVIe siècle, sont couronnées de succès, c'est qu'elles ne sont pas arbitraires. L'État prend acte, conforte, protège – mais, à la source, il y a l'activité et l'initiative de ces nouveaux « aventuriers ».

Les villes, enjeux des changements

Le dynamisme urbain, encouragé par le prince, mais irréductible à un « fait du prince », ne doit pas être confondu avec la croissance démographique.

Naples devient la première ville d'Occident, tout au long du XVIe siècle, où elle passe de 150 000 à 275 000 habitants. Or, c'est dans le même temps qu'elle amorce un relatif déclin commercial. Les fortunes réalisées par les marchands se trouvent reconverties dans des charges administratives ou dans la propriété foncière, et donc neutralisées pour l'économie.

La dynamique de Londres est tout autre. Sa population connaît une croissance plus vigoureuse encore : de 40 à 50 000 âmes vers 1500, elle grimpe à 224 000 habitants en 1605. Surtout, l'extension du port le long de la Tamise sert de moteur à cette expansion démographique, qui, contrairement à celle de Naples, revêt une signification économique hautement novatrice.

Toutefois, il est difficile d'interpréter les variations démographiques au XVIe siècle dans un sens uniformément positif : la raison majeure en est la recrudescence, à partir de 1575, d'épidémies et, plus généralement, la mauvaise conjoncture climatique et sanitaire de la seconde moitié du siècle. Mauvaises récoltes, disettes, dépopulation, hausse des prix se traduisent dans la forte dépression des salaires réels ; ceux-ci auraient diminué de moitié [11] entre 1500 et

1590. À Paris, à Lyon, en Allemagne, en Autriche, la situation n'est guère plus florissante. Les villes souffrent : insalubrité, tares sociales, formation de pègres mobilisables en vue des violences pour et contre la Réforme, dans les guerres religieuses et civiles qui embrasent alors l'Europe.

Pour combattre ces fléaux, les administrations urbaines font ce qu'elles peuvent ; ce n'est pas grand-chose. L'initiative la plus originale et la plus porteuse d'avenir vient de la Rome pontificale. Afin de lutter plus qu'en sermons contre les taux usuraires (c'est-à-dire, en pratique, supérieurs à 18 %) qui entretiennent et accélèrent la dégradation sociale, multipliant faillites et saisies, le gouvernement pontifical fera descendre les taux de prêts jusqu'à 5 %, parfois même jusqu'à 2 %, en utilisant justement des fonds provenant des liquidations judiciaires. Tel est le point de départ des « monts-de-piété ». Le sombre climat social qui règne dans les grandes métropoles stimule les initiatives de ce type.

Les villes deviennent ainsi, au XVIe siècle, le support de progrès dont nous mesurons aujourd'hui l'importance. Parfois, elles portent les changements. Souvent, elles les bloquent. Elles vivent difficilement, inégalement, des transformations dont l'origine n'est pas en elles.

L'homme au mal de mer

L'histoire des catastrophes, des guerres et des révolutions ne s'achève jamais. Pourtant, après les vagues successives de la Grande Peste, l'Occident chrétien va jouir d'un répit relatif. Deux ou trois générations ont ainsi pu capitaliser des acquis et avancer dans de nouvelles directions. Ce n'est pas un hasard si l'Europe, alors, se porte au-delà de ses frontières. La chrétienté et l'Islam stabilisent leurs nouveaux territoires : l'Islam s'installe dans les Balkans sur les ruines de l'Empire byzantin, mais il repasse vers le Sud le détroit de Gibraltar. Pour l'Europe ouverte vers le monde, l'Atlantique va se substituer à la Méditerranée ; un espace neuf remplace une mer encombrée d'histoire.

Un phénomène de très grande portée domine la sortie de l'époque médiévale : c'est l'expansion coloniale, à laquelle participent non seulement l'Europe politique, mais l'Europe financière et l'Europe intellectuelle.

Derrière cette entreprise qui allait changer la face du monde, un pionnier : Henri le Navigateur (1394-1460), infant du Portugal. Ironie de l'histoire, le fils du roi Jean Ier du Portugal n'a pas le pied marin. À peine monte-t-il sur la moindre embarcation, qu'il ressent le mal de mer. Il surcompense son handicap par le génie de la navigation. Depuis sa forteresse de Sagrès, il va conjurer sa faiblesse en organisant des expéditions rationnelles et efficaces.

Réaliste, concret, minutieux, il se montre attentif à toutes les dimensions de l'entreprise. Il ne lance une caravelle sur les côtes d'Afrique, avec mission de pousser un peu plus loin que la précédente, qu'après avoir analysé les informations collectées par celle-ci. Il préfigure Werner von Braun, qui ne se hasardera jamais dans une navette spatiale, mais, depuis les premiers V1 de Pennemünde jusqu'à la conquête de la Lune à partir de cap Canaveral, poursuivra implacablement son rêve méthodique, attendant de tirer les leçons d'un vol d'Apollo pour préparer la mise au point du suivant. Henri fait appel aux compétences extérieures : marins florentins et génois, astronomes allemands ; il perfectionne la météorologie, l'océanographie, la géodésie, améliore les instruments de navigation, modifie les caravelles. Sagrès devient une école de navigation et de colonisation. Diaz, Magellan, Vasco de Gama, Christophe Colomb ne sont que les élèves d'Henri le Navigateur.

Sous l'impulsion durable de cet *entreprenant*, la marine portugaise avait méthodiquement mené, dans les dernières décennies du XVe siècle, l'exploration de la côte occidentale de l'Afrique, du cap Vert jusqu'au cap de Bonne-Espérance, atteint par Diaz en 1487, dépassé dix ans plus tard par Vasco de Gama. Sur cette route du Sud, les alizés pousseront Fernando Cabral au Brésil, en 1500. De leur côté, les Espagnols, selon la folle et géniale intuition de Colomb (reprise, avouons-le, des compilateurs des XIIIe et XIVe siècles, comme Brunet Latin et Jean de Mandeville), cherchent vers l'Ouest « les Indes », c'est-à-dire surtout la Chine. Découvrant les Indes occidentales à défaut des orientales, ils y rattrapent vite le temps qu'ils avaient perdu au Sud par rapport aux Portugais.

On connaît bien les facteurs technologiques qui ont permis ces navigations au long cours : l'invention et le perfectionnement des instruments de visée astronomique, comme l'astrolabe, qui ne sera remplacé qu'au XVIIIe siècle par l'octant puis le sextant. Les facteurs psychologiques qu'on peut invoquer sont plus flous. Le « rêve héroïque et brutal », la quête ou la conquête du « fabuleux métal » sont incontestables. Mais que faut-il y voir ? Une volonté de s'assurer une arme économique qu'on croit absolue ? Un sous-produit de l'atavisme paysan qui pousse à toujours agrandir son territoire ? La recherche d'un authentique progrès ? Ou la passion du pillage ?

Entre monopoles et aventures

En 1469, « Fernao Gomes, riche bourgeois de Lisbonne, s'était engagé à faire explorer chaque année cent lieues sur la côte africaine au-delà du secteur reconnu, en échange du monopole du commerce de Guinée [12] ». De fait, l'entreprise coloniale, pour rentrer dans ses frais, s'efforce de compenser la dynamique qui pousse

51

les navigateurs toujours plus loin, par la statique du monopole — l'exploration par l'exploitation.

Mais la protection d'un monopole contraste trop avec la prospection d'espaces vierges, pour que l'équilibre puisse être longtemps respecté. L'entreprise coloniale obéit au précepte de Machiavel [13] : « L'homme ne croit s'assurer ce qu'il tient déjà qu'en acquérant du nouveau. » On ne peut garantir ses possessions qu'en les augmentant, maintenir sa puissance qu'en l'accroissant. Du coup, le cadre formel des monopoles retient mal un paysage mouvant, marqué par les rivalités, le risque, la précarité.

L'aventure échappe aux États qui la promeuvent. L'énergie humaine qu'elle exige s'accommode difficilement d'être placée sous la coupe du pouvoir politique. On verra les Anglais bénéficier de la complicité de marins et négociants portugais, las du monopole royal. La contrebande apparaît comme une pratique si générale, qu'elle constitue peut-être un contrepoids, faute duquel resterait sans force un des plus puissants ressorts de l'exploitation des Empires — l'enrichissement personnel, et non pas seulement celui du prince dont on plante ici ou là le drapeau.

Une autre régulation intervient. L'exploitation de l'empire colonial portugais n'est pas pure et simple mise à sac, à la fois étatique et privée, des richesses des Indes occidentales. L'organisation d'échanges réguliers, comme l'exportation du sucre de Madère vers les Pays-Bas, permet de s'assurer l'appoint financier, voire maritime, nécessaire à la mise en chantier des colonies. Le jeu commercial multiplie les profits, mais introduit d'autres données dans une équation de plus en plus complexe.

L'aventure coloniale introduit un facteur de déstabilisation, dont l'Europe commence alors à connaître les effets. Les royaumes du Sud y ont une avance qui devrait leur assurer la suprématie : et ils y comptent bien — l'Espagne surtout, que les liens dynastiques mettent en mesure de jouer, dans le même temps, le premier rôle au cœur du continent européen.

Ainsi, quand s'achève le premier tiers du XVIe siècle, au moment où la Réforme va déchirer l'unité de la chrétienté, l'Europe est un continent profondément travaillé par son mouvement en avant. Déjà, on peut y reconnaître des lieux où le progrès paraît aller plus vite, des micro-climats économiques et sociaux où commence à poindre la *divergence*.

Ici, elle s'affirmera. Là, elle fera long feu. L'énigme du développement ne trouve pas toute son explication dans ses antécédents.

Chapitre 4

Sous le signe de Gutenberg

Aux XIIIe et XIVe siècles, moins d'une personne sur dix sait lire en Europe. L'une des quelques novations qui marquent le passage du Moyen Âge aux temps modernes, c'est la révolution de Gutenberg.

Tourner nos regards vers elle, est-ce nous détourner de notre enquête sur le développement économique ? Nullement. La maîtrise des techniques de communication, qui suppose une solide instruction, est une des conditions du développement : elle permet la diffusion des compétences et de l'information, qui conditionnent l'innovation.

Gutenberg va même fournir la première occasion de constater en Europe une divergence, appelée à durer longtemps sur les mêmes frontières.

La « rue des imprimeurs »

Pour commencer, tel n'est nullement le cas. L'imprimerie débutante connaît un succès égal dans toute l'Europe. Née sur le Rhin, elle se propage d'emblée aux quatre coins de la chrétienté. Les écarts chronologiques sont affaire de quelques années à peine. Venise, Paris, Naples, Lyon, Cracovie, Louvain impriment leur premier livre au cours de la décennie 1470-1480. Certes, l'Espagne n'est touchée qu'après ; mais c'est aussi le cas des pays scandinaves. Sur le plan technique, les presses de Salamanque n'auront bien vite rien à envier à celles de Nuremberg.

Toutefois, dès le début du XVIe siècle, la Réforme semble mobiliser davantage l'imprimerie. Elle fait tourner les presses à haut régime : bibles, livres de prières en langue nationale. Dans les Allemagnes, où la protestation luthérienne s'étend, les ateliers se multiplient ; bientôt, elles comptent 60 % des presses de la chrétienté. Elles deviennent – cinq siècles après la Chine – le berceau de l'imprimerie à caractères mobiles. L'axe du Rhin se transforme, selon l'expression de Pierre Chaunu, en « rue des imprimeurs ». Cette suprématie n'a, semble-t-il, rien à voir avec la technique, mais beaucoup à voir avec la révolution religieuse qui travaille cette contrée.

Certes, au livre de propagande luthérienne, puis bientôt calviniste, répond le livre de contre-propagande catholique. La controverse se nourrit d'elle-même. Tout imprimeur n'est pas forcément un protestant. Pourtant, dans les faits, c'est le cas le plus fréquent. Plus de la moitié des livres imprimés dans les années 1517-1525 portent sur des sujets religieux [1]. Sur ces livres, 80 % sont acquis au courant luthérien. Dans la vallée du Rhin, neuf imprimeurs sur dix diffusent une production intellectuelle affranchie du magistère de l'Église. Luthériens et humanistes croient-ils davantage à l'efficacité du livre ? Ont-ils compris que, face à la parole institutionnelle des autorités civiles et religieuses, le livre est l'outil tombé du ciel ? Le prédicateur itinérant, le voyageur ami, le marchand qui passe, l'apportent avec eux, le laissent derrière eux. Le livre circule et demeure. Dans la solitude, à l'abri de la surveillance des autres, on peut se convaincre qu'il dit vrai.

La dénonciation par Luther du monopole clérical de la vie religieuse, auquel il oppose le « sacerdoce universel », va accentuer l'opposition entre une Europe où le livre est libérateur, et celle où il devient rapidement suspect, en raison même de la capacité de subversion qu'ont su lui donner les adversaires de Rome. Très vite, au Sud, l'on se méfiera de la Bible elle-même [2], parce qu'elle est un livre, que l'institution romaine veut soustraire au lecteur. Le résultat ne se fait pas attendre ; si l'on compare, au bout de quelques décennies, le développement culturel des catholiques soumis à la Contre-Réforme avec celui des minorités protestantes, celles-ci apparaissent vite comme le peuple du Livre : elles forment une élite de lettrés à côté de masses analphabètes [3].

La géographie de l'édition, facile à connaître, pose le problème d'une autre, plus insaisissable, mais sur laquelle des historiens ont beaucoup travaillé : la géographie des Européens qui savent lire et qui lisent.

À la fin du Moyen Âge, ceux qui savent lire et écrire se comptent par quelques dizaines de milliers. Ils sont passés par les écoles épiscopales, les couvents ou les universités. Ce sont des clercs, des religieux, des légistes – rarement des négociants ou des banquiers. Au XVIIᵉ siècle, le nombre de lecteurs se compte déjà par millions. Il ne définit plus une catégorie précise, un ensemble délimité de professions ou d'« états ». La plupart de ceux qui savent lire et écrire ne se servent qu'à l'occasion de leur savoir : il fait partie de leur culture. Mais ces millions ne sont pas également répartis.

La géographie du savoir-signer

Savoir lire, savoir écrire : la diffusion de ce phénomène n'est pas très aisée à suivre. Elle passe par des apprentissages qui n'ont guère laissé de traces. Les maîtres des écoles qui apparaissent alors un peu partout ne tenaient pas de statistiques.

Les historiens ont imaginé d'aller aux résultats, en examinant les signatures au bas des actes d'état civil. Riche ou pauvre, tout le monde se marie. Mais quand il faut signer, certains signent d'une croix ou déclarent « ne savoir signer ». D'autres savent au moins tracer les lettres de leur patronyme. Peut-être n'en savent-ils guère plus. Peut-être ne se servent-ils jamais de leur science que pour avoir le plaisir de prendre la plume, quand vient leur tour, et de s'installer à l'écritoire du notaire pour inscrire leur nom. Mais enfin, ils ont dû apprendre à tenir la plume, à reconnaître ces petits signes étranges, à les former eux aussi. Ils ont reçu une instruction élémentaire. Qu'une part de plus en plus grande de la population de toute l'Europe l'ait reçue, c'est un fait nouveau et essentiel, qui commence alors. Faute de mieux, appelons-le, avec ses historiens, « alphabétisation ».

Ne cherchons pas à nous fixer un pourcentage de « sachant-signer » qui signifierait on ne sait quel stade de développement. Ce sont les comparaisons qui sont significatives. En choisissant arbitrairement le seuil de 50 %, on détermine le moment où, dans un pays ou une région donnés, le nombre des « sachant-signer » [4] devient égal au nombre de ceux qui ne savent pas. Les résultats parlent d'eux-mêmes. Ils montrent des écarts considérables.

Ne retenons pour l'heure que la situation au terme du XVIIe siècle : les pays d'Europe occidentale [5] qui ont atteint les 50 % forment encore une bande verticale, allant de la Suède à la Suisse ; on y ajoute les régions de Londres et d'Édimbourg et l'on a fait le tour.

Cette répartition fait apparaître une géographie de l'instruction qui ne ressemble en rien aux cartes culturelles médiévales. Pas de zone de forte instruction autour des hauts lieux de la culture écrite – Oxford, Paris, Bologne, Montpellier, Salamanque. Plus étrange peut-être, il ne semble pas y avoir de rapport avec une implantation précoce de l'imprimerie. Car sous ce dernier angle, la Sicile serait mieux logée que la Scandinavie ; et l'Italie dans son ensemble l'emporterait sur l'Allemagne [6] (cf. cartes ci-après).

En revanche, le lien avec la Réforme paraît s'imposer. Les cartes sont pratiquement superposables. Mieux encore, si on suivait le film de la course au lieu de se contenter d'une photographie de l'arrivée, on verrait que la Belgique et l'Italie, bien parties vers 1500, piétinent et musardent au milieu du siècle, quand la Contre-

● Provinces (départements, comtés...) où au moins une presse a été mise en activité avant 1480

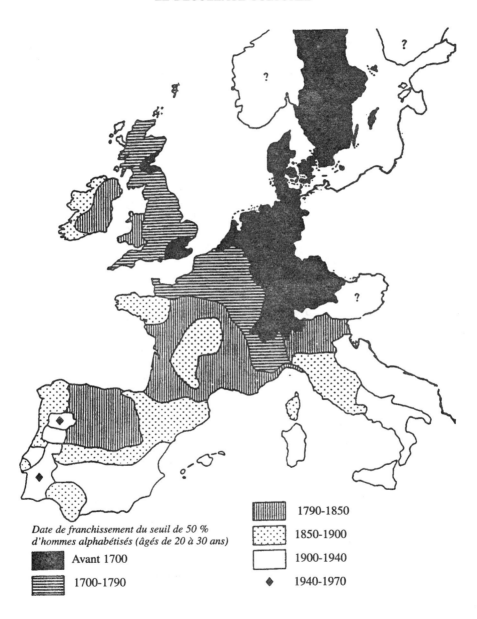

Date de franchissement du seuil de 50 %
d'hommes alphabétisés (âgés de 20 à 30 ans)

Avant 1700

1700-1790

1790-1850

1850-1900

1900-1940

◆ 1940-1970

Réforme s'y installe. À l'inverse, l'Écosse et la Scandinavie accélèrent brusquement le pas quand elles basculent dans la Réforme.

En Allemagne, certes, des régions protestantes comme le Hanovre sont moins alphabétisées que certaines régions catholiques, tels la Rhénanie et le pays de Bade. Mais ce sont là des contre-exemples marginaux. En outre, si la seule instruction primaire est plus répandue dans certaines régions catholiques d'Allemagne méridionale que dans certaines régions protestantes du Nord, les études secondaires rétablissent l'avantage en faveur des principautés protestantes [9].

Corrélation ou affinité ?

Pour une doctrine qui prône l'accès à la vérité par la seule Écriture – *sola scriptura* – en réaction contre le monopole ecclésial, on conçoit sans peine que le décollage culturel de l'alphabétisation est une condition *sine qua non* de diffusion.

Peut-on dire, réciproquement, que là où l'instruction se développe, le protestantisme progresse ? Il ne semble pas : en ce cas, l'Europe entière aurait dû passer à la Réforme au XVIIIe siècle.

La relation entre alphabétisation et esprit de la Réforme apparaît moins comme une corrélation mécanique de cause à effet, ou de condition à conséquence, que comme une affinité de mentalité. L'alphabétisation est à la fois l'amont et l'aval, la source et l'embouchure, de l'expansion de la Réforme. Les deux phénomènes s'entretiennent l'un l'autre, plus que l'un ne présuppose l'autre.

L'exemple suédois est éloquent [10]. L'Église luthérienne de Suède lance au XVIIe siècle des campagnes d'alphabétisation. Les résultats sont spectaculaires : on a calculé que 80 % de la génération qui arrive à l'âge adulte en 1700 sait lire et écrire. De plus, cette alphabétisation n'est nullement plaquée par l'autorité publique ; elle ne passe pas par une organisation, par des régiments de « hussards noirs ». Les familles la prennent en charge, sans la déléguer à l'école ni s'en décharger sur la collectivité. Elle est portée par toute une société.

La Réforme se diffusait d'autant mieux, que la population accédait à la lecture et à l'écriture. Les chimistes appelleraient ce processus circulaire *autocatalyse* : « réaction au cours de laquelle est produite une substance qui favorise la réaction elle-même et en augmente la vitesse ».

L'Europe des tard-lisants

Cette interaction a fonctionné au XVIe siècle, quand se constituait la carte religieuse de l'Europe. Mais celle-ci, au début du XVIIe siècle, est à peu près fixée. Dès lors, le développement de l'instruction ne modifie plus les frontières religieuses. La réaction ne fonctionne plus positivement, comme lorsque Réforme et instruction s'entraînaient l'une l'autre. En revanche, elle continue de fonctionner négativement : là où la Réforme est bloquée ou éradiquée, l'instruction progresse mal ou recule (en dépit, car rien n'est jamais blanc ou noir, du succès de l'enseignement jésuite dans les classes moyennes : négociants, artisans, magistrats).

Nous avons déjà noté ce contre-effet pour l'Italie ou la Belgique : dès 1700, du retard a été pris. Mais il ne va pas s'arrêter. Qu'on observe les dates auxquelles les diverses régions d'Europe franchissent le cap des 50 % de « sachant-signer » : les écarts ont de moins en moins de rapports avec la géographie initiale de l'imprimerie.

Voyez par exemple, en Espagne, la région de Valence, tôt pourvue en presses d'imprimerie : elle ne franchira qu'au XXe siècle le seuil des 50 % d'hommes alphabétisés. La Catalogne et l'Aragon, où la presse est également implantée dès avant 1480, devront attendre quatre siècles.

Le cas de la Sicile et de l'Italie du Sud n'est pas moins frappant : trois implantations de presses avant 1480 (Messine, Cosenza, Naples), mais cinq siècles de retard. Le reste de l'Italie est-il mieux loti ? Nullement. Une vingtaine d'implantations précoces de l'imprimerie – ce qui était, à l'époque, *la plus forte* concentration européenne – laisse la Toscane, la Romagne, les Marches, l'Ombrie et Rome patienter quatre cents ans avant de franchir le seuil des 50 % de « sachant-signer ». Vénétie, Lombardie et Piémont attendront trois siècles.

Spectaculaire régression culturelle que celle de l'Italie ! Pitirim Sorokin a dressé la statistique des découvertes scientifiques et des inventions technologiques par siècle et par pays [11]. De l'an 800 à l'an 1600, l'Italie aurait fourni 25 à 40 % des innovations réalisées en Occident. De 1726 à nos jours, sa part serait tombée autour de 3 %. *O tempora...*

Partout en Europe, on constate que les frontières de la distorsion culturelle, sauf en France au nord de la Loire, coïncident avec celles de la Réforme et la Contre-Réforme.

Ces faits peuvent-ils se relier à l'émergence du développement économique ? C'est une autre affaire. Sans doute y a-t-il encore loin, de l'alphabétisation à la mentalité entrepreneuriale. L'alphabétisation est une condition *non suffisante* du comportement économique moderne. Est-elle *nécessaire* ? Assurément : la maîtrise d'une comptabilité, la gestion commerciale, les relations avec fournisseurs et clients lointains requièrent lecture, écriture, arithmétique. On peut redire, après Mirabeau : « Depuis le commencement du monde, il y a eu trois découvertes qui ont donné aux sociétés politiques leur principale solidité. La première est l'invention de l'écriture ; la seconde est l'invention de la monnaie ; la troisième, qui est le résultat des deux autres, est la comptabilité. »

Un réseau d'échanges, c'est d'abord un réseau d'informations. Inversement, la confiscation de l'instruction, la surveillance étroite de sa diffusion, le contrôle inquisitorial des opinions ne pouvaient que retarder pour le plus grand nombre l'accès à la culture. Faut-il s'étonner, si le retard pris par les sociétés de la Contre-Réforme a pesé lourdement sur des aspects de leur développement qui n'ont en apparence rien à voir avec la religion ?

Et les femmes savantes

L'accès des femmes à la culture est un indice assez sûr d'une modernisation sociale et institutionnelle. Mais il faut se garder, ici comme ailleurs, d'une caricature : tout protestant n'est pas féministe, tout catholique n'est pas misogyne.

L'avocat protestant Paul Caillet juge en 1635 « le sexe féminin imbecille et incapable des fonctions viriles [12] ». En revanche, l'école de jeunes filles de Saint-Cyr, fondée par la très catholique Mme de Maintenon pour jeunes filles de la noblesse sans fortune, était fort en avance sur toute l'Europe. Les Ursulines ouvrent, tout au long du XVIIe siècle, de nombreuses écoles de filles. Là encore, la France est dans une position intermédiaire, entre le Nord réformé et le Sud contre-réformé. Il reste que, dans l'ensemble, l'éducation des jeunes filles fut beaucoup plus encouragée dans les pays protestants que dans les pays restés catholiques.

On a l'embarras du choix pour donner à des ecclésiastiques la palme de l'interdit culturel. Selon le Père jésuite Garasse, le livre « n'est pas un attribut féminin, comme sont la quenouille, le miroir et l'aiguille ». Les femmes et les filles doivent être « mises en garde contre la lecture », y compris celle de l'Écriture [13]. En Italie, notamment dans ses parties médidionales, en Espagne, au Portugal, l'instruction, découragée pour tous, notamment pour les milieux populaires, l'est encore plus pour les filles. En Hollande, en Angleterre, elle est au contraire encouragée. Cette distorsion laissera des traces dans notre XXe siècle (voir Annexes n° 13).

Pour beaucoup de femmes, l'adhésion au protestantisme sera avant tout « un appel à la vie intellectuelle [14] ». Dans le sillage d'Érasme, les réformateurs accentuent, au moins dans un premier temps, la nécessité de permettre à la femme d'aborder l'Écriture sainte.

Érasme, justement. Libre défenseur du libre arbitre, ce champion d'une Église éclairée, nourrie d'humanités et férue d'humanisme, représente, dans l'histoire culturelle et spirituelle de l'Occident, un moment d'émancipation sans rupture.

Chapitre 5

Le moment d'Érasme

L'examen de l'alphabétisation nous a projetés dans l'Europe déchirée par la Réforme. Mais n'allons pas trop vite. Attardons-nous au contraire sur ce demi-siècle qui va de 1480 à 1530, et où la chrétienté occidentale faillit réussir une émancipation en douceur des forces de liberté et d'innovation qui y étaient en gestation depuis deux siècles.

Nous l'avons vu dans le domaine économique, les éléments de la société de développement se mettent en place ; particulièrement, les attitudes intellectuelles qui constituent la nourriture mentale du développement. Dans le domaine de la culture, le remue-ménage est plus sensible encore. Il trouve son expression la plus vigoureuse et la plus lucide dans une grande figure : goûtons ce que fut ce moment d'Érasme – moment heureux, moment brisé.

Une pédagogie de la confiance

Érasme a proclamé son attachement et sa fidélité à l'Église catholique. Léon X voulait l'élever à la dignité de cardinal. Il refusa cet honneur pour garder son indépendance [1]. Mais il est loin d'être animé par l'esprit du futur Concile de Trente. Courtisé par François Ier, mobilisé par Henri VIII et le pape Adrien VI contre Luther (*De Libero arbitrio*, 1524), Érasme est avant tout un esprit libre.

Sa *Déclaration* de 1529 affiche cette attitude *libérale*, contre une attitude disciplinaire qu'il réprouve comme dangereuse : « Il faut former les enfants, dès la naissance, à la vertu et aux lettres *dans un esprit libéral* [2]. » Il oppose ce type d'éducation aux « claquements des férules, sifflements des verges, hurlements et sanglots, menaces atroces » qui font de l'école une « officine de bourreau » [3].

Le terme *libéral* employé par Érasme ne renvoie donc pas seulement aux « *artes liberales* », mais aussi et surtout à la formation de l'autonomie intellectuelle et morale : « Ce n'est rien de commander à des ânes ou à des bœufs ; c'est former des êtres libres dans la liberté qui est à la fois très difficile et très beau [4]. »

Il s'en prend à un théologien ordonnant à un préfet de collège de frapper un enfant pour la cause suivante : « Il n'avait rien fait, dit-il, mais il fallait l'humilier [5]. » Non qu'Érasme écarte tout châtiment corporel – mais à condition que ce ne soit qu'« *en dernier recours* » : « Si l'on n'obtient rien par les avertissements, les prières, l'*émulation*, la honte, les louanges et tous les autres procédés, le châtiment par les verges, si la situation l'exige en dernier recours, doit lui aussi être libéral et réservé [6]... »

Le *Manuel du soldat chrétien (Enchiridion militis christiani)* définissait déjà une pédagogie de la confiance. Loin de prôner la destruction ou le refoulement des penchants naturels, Érasme préconise une gestion des passions humaines, au moins pour celles qui sont « voisines des vertus ». Il ne faut que les infléchir. « Par exemple, quelqu'un est un peu emporté : qu'il mette un frein à sa vivacité et il sera plein d'entrain, *confiant* en lui-même, sans faiblesse, indépendant et direct [7]. » On est loin de la soumission empressée aux contraintes hiérarchiques, de l'abandon au supérieur « *perinde ac cadaver* », qui seront prônés par la Contre-Réforme, à la suite d'Ignace de Loyola.

Confiance dans l'individu indépendant, « *appuyé directement sur sa raison* », *et sur son énergie spirituelle stimulée par l'émulation,* tel est le programme d'Érasme. « Directement », c'est-à-dire en se débarrassant de la médiation inhibitrice de l'autorité hiérarchique.

De l'énergie spirituelle à la culture de l'innovation

« Jamais esprit humain ne se commande rien à soi-même avec énergie, qu'il ne le réalise [8]. » Remarquable affirmation. Cette énergie spirituelle, Érasme la conçoit comme une puissance d'innovation. Dans la *Lettre à Martin Dorp*, où il défend son *Éloge de la Folie*, Érasme reprend son destinataire : « Quand tu dis qu'il est sacrilège de s'écarter de textes approuvés par l'accord de tant de siècles et de tant de conciles, tu fais comme le commun des théologiens : tout ce qui est entré d'une manière ou de l'autre dans l'usage public, ils ont l'habitude de l'attribuer à l'autorité ecclésiastique. » Et il tourne en dérision ceux qui veulent que « nul n'ait le droit de modifier une leçon une fois admise [9] ».

Le goût de l'indépendance intellectuelle va de pair avec celui de l'audace, de l'imagination, de l'inventivité [10]. Ennemi acharné de la superstition et des hiérarchies, Érasme ridiculise le titre de « *Magister noster* » [11] – notre maître – que se donnent les théologiens. À l'argument d'autorité ou d'ancienneté, il préfère l'émulation, la comparaison, la compétence. En février 1516, il dédie à Léon X son édition et traduction annotée du *Nouveau Testament*. À la même époque, il écrit à Martin Dorp qui le mettait en garde contre la tentation de soumettre la Vulgate à une critique philologique : « Moi, j'ai traduit tout le *Nouveau Testament* d'après les manuscrits grecs, en mettant le texte grec en regard, *afin que tout le monde puisse aussitôt comparer* [12]. » Érasme veut donc en finir avec le monopole ecclésiastique de l'interprétation des Écritures ; en finir, car il est déjà bien entamé...

Semblablement, Érasme soustrait à « l'autorité figée de quelques-uns » ce qui lui paraît relever de la compétence de tout un chacun. Pour parler comme Louis Dumont, il choisit *l'homo aequalis*, contre *l'homo hierarchicus* : « On ne doit être asservi à l'autorité de personne si l'on s'occupe de la vérité [13]. » Cette compétence doit être non seulement libérée, mais élargie : « Je suis passionnément en désaccord avec ceux qui voudraient interdire aux ignorants de lire la Divine Écriture traduite dans une langue vulgaire... Je souhaiterais que toutes les femmes lisent l'Évangile et que ces textes soient traduits dans toutes les langues des hommes [14]. »

Érasme pressent déjà le « sacerdoce universel » : « Pourquoi limitons-nous à un petit nombre ce qui est la profession commune de tous ? Il n'est pas logique de reléguer les dogmes en la possession de ce tout petit nombre de gens, théologiens ou moines [15]. »

Sous les apparences d'une condamnation

Quelle application Érasme fait-il de sa démarche au domaine de l'économie ? Est-il, là aussi, un précurseur de la modernité ? Non ; en tout cas, pas directement. Son platonisme christianisé le laisse indifférent au monde des corps, des richesses, de l'industrie [16]. Le seul travail digne de ce nom est pour lui l'érudition, le progrès du savoir. De surcroît, en dépit de son indépendance d'esprit, son attitude vis-à-vis de l'argent demeure marquée par les tabous traditionnels.

Cependant, tout ce qu'il dit sur ce sujet n'est pas négatif, malgré les apparences. Dans l'un de ses *Adages*, Érasme reprend à son compte le préjugé aristotélicien concernant la stérilité de l'argent : « Car il est contre nature, comme Aristote l'a écrit dans sa *Politique*, que l'argent enfante l'argent [17]. » Mais c'est surtout pour mettre l'accent sur le fait que la véritable richesse vient de la fécondité de la terre et du travail des hommes.

De plus, la condamnation des usuriers, « presque considérée comme colonne de l'Église [18] », ne procède pas chez lui d'une hostilité irraisonnée. Il l'embrasse dans une condamnation beaucoup plus générale et de caractère moral : « La rage de posséder a fait de tels progrès qu'il n'y a nulle part dans la nature rien de sacré ou de profane dont on ne fasse sortir quelque revenu [19]. » L'usure est malfaisante, mais aussi les guerres coûteuses des princes, lesquels sucent « le malheureux peuple jusqu'à la moelle, comme si la fonction de prince n'était rien d'autre qu'une gigantesque affaire commerciale [20] ».

Ce point de vue moral pourrait aboutir à un mépris général à l'égard de tout commerce. Tel n'est pas le cas. Ce qui scandalise Érasme n'est pas le commerce en soi, mais sa perversion. Sur les formes qu'elle peut prendre, il met un doigt précis : « J'aurais plus vite fait d'approuver l'usurier, que cette sale engeance de marchands qui, par des fourberies, chassent en tous lieux un profit méprisable, achetant en gros ici pour revendre là plus de deux fois plus cher, en dépouillant le menu peuple avec leurs monopoles [21]. » Monopoles et, dirions-nous, abus de position dominante.

La mentalité érasmienne n'est pas anti-économique, pas plus qu'elle n'est anti-politique quand elle condamne les princes. Elle est pragmatique : seuls les effets que produisent sur le peuple les abus de la politique (les guerres) ou du commerce (les monopoles) entraînent condamnation. Quand il dénonce la dépravation du commerce, Érasme est donc bien *libéral*, pour reprendre un mot qu'il affectionne.

L'autonomie du jugement économique

Sur le prêt à intérêt, une petite phrase précise sa position, en établissant son autonomie de jugement : « Ce n'est pas que j'aie une hostilité particulière contre les usuriers, dont je vois bien que le métier *pourrait être parfaitement admis, si l'autorité des Pères ne l'avait jadis condamné.* » Sans avoir l'air d'y toucher, Érasme manifeste l'autonomie du jugement économique – et même moral. L'observation des faits actuels permettrait d'approuver le prêt à intérêt ; toutefois, l'autorité des Pères de l'Église l'a réprouvé. On s'incline, par discipline ; mais le jugement reste libre. « Jadis » laisse du reste une porte ouverte : ce que l'on a condamné jadis, pour des raisons de jadis, pourrait être approuvé aujourd'hui, pour des raisons d'aujourd'hui. Il ne réclame pas encore, comme on le fera bien plus tard, l'autonomie du *domaine* économique ; avoir affirmé, même implicitement, l'autonomie du *jugement* économique est, déjà, une avancée majeure.

Ses propositions, sans être marquées par l'imagination, ne sont pas dépourvues de cohérence. Ainsi, il critique vigoureusement la fiscalité qui tombe sur les pauvres et les producteurs (notamment, les paysans qui sont l'un et l'autre) et prône une fiscalité anti-somptuaire : « Le meilleur et le plus innocent moyen dont un prince puisse user pour augmenter ses trésors, c'est de faire peu de dépense. Car ce qui se dit en commun proverbe, que *l'épargne est un grand revenu*, a lieu chez les princes aussi bien que chez les particuliers. Mais si l'on ne peut éviter de faire quelque levée, quand ce serait même pour le bien du peuple, il sera bon d'imposer sur les marchandises étrangères qui ne servent pas tant aux nécessités de la vie qu'au luxe et à la curiosité, et sur celles qui sont seulement à l'usage des riches, comme les soies, les velours, l'écarlate, le poivre, les parfums et odeurs, les pierres précieuses et autres choses semblables [22]. »

Il serait sans doute excessif de faire de lui l'inventeur de la « TVA à taux majoré ». Mais il ne serait pas moins vain de le critiquer pour n'avoir pas compris que l'industrie de luxe peut constituer un levain du développement économique.

Plus importante que ces prises de positions partielles, d'ailleurs peu originales à l'époque, est son attitude intellectuelle d'ensemble. La modernité d'Érasme ne réside pas dans une doctrine économique, mais dans la méthode intellectuelle et le comportement moral qu'il recommande : indépendance du jugement, confiance dans la raison et dans l'énergie spirituelle, primat de la compétence sur l'autorité.

L'émancipation proposée

« *Amoureux de la liberté* [23] », Érasme éclaire l'aube du XVIe siècle d'un jour nouveau : il prône une religion fondée sur la confiance et non l'humiliation, la compétence et non l'autorité, l'émulation et non le monopole, la comparaison et non la violence, « *l'esprit humain commandant à lui-même* [24] » et non la hiérarchie, l'innovation et non la tradition, l'indépendance intellectuelle et non la soumission.

La figure d'Érasme montre ainsi que, dans les deux premières décennies du XVIe siècle, la chrétienté occidentale était encore libre de choisir ou non la modernité intellectuelle. Quelles que soient les inhibitions économiques dont Érasme porte encore la marque, elles ne sauraient masquer la prodigieuse émancipation qu'il propose à ses contemporains, comme encore au lecteur d'aujourd'hui.

Car Érasme fait des émules. Il n'est pas un météore isolé dans le ciel de l'humanisme chrétien. Pour s'en tenir à la France, l'érasmisme peut compter des figures aussi prestigieuses et fécondes que Guillaume Briçonnet (1470-1534), évêque de Lodève, puis de Meaux (1521) et Jacques Lefèvre d'Étaples, féru comme lui de traductions bibliques. Il soutient l'édition des *Commentaires introductifs aux quatre Évangiles* (1522), la traduction française des quatre Évangiles (1523), des Épîtres, des Psaumes (1524).

Le « groupe évangélique de Meaux » prospère et protège les humanistes, jusqu'à ce qu'il soit privé par les circonstances politiques du soutien de François Ier. La Sorbonne et le Parlement interprètent son silence sur l'invocation des saints, la Vierge Marie, les sacrements, le pape et la hiérarchie ecclésiastique, comme une critique tacite (1525).

Suspects de luthéranisme, ils devront s'incliner. Pourtant, Briçonnet avait pris des mesures fermes à l'encontre des luthériens de son diocèse [25]. Il avait même fait preuve de rigidité morale, par exemple dans sa décision disciplinaire du 15 août 1520 : « Défence et inhibitions des danses publiques et jeux déshonnêtes les dimanches et aux jours de fêtes de la glorieuse Vierge Marie. » « Les jours de fête, écrit Briçonnet, sont institués non pour le contentement du corps, mais pour le salut de l'âme, non pour rire et pour s'ébattre, mais pour pleurer [26]. »

C'est dire la force des tabous : un humaniste éclairé, lui-même, n'y résiste pas.

De la pourpre à l'Index : *le rejet d'Érasme*

Le succès d'Érasme, au cœur même de l'Église de son temps et auprès de ses plus hauts responsables, prouve que rien ne destinait l'Église catholique au durcissement autoritaire de la Contre-Réforme. Ce durcissement ne fut pas la manifestation d'une structure immanente, mais un choix : politique, culturel, religieux, intellectuel ; le résultat d'une conjoncture d'opposition qui poussa à noircir le trait.

Il y eut comme une réaction irrationnelle – une méfiance devant la libération érasmienne, presque une panique. Érasme, un an avant sa mort, s'était vu proposer par le pape le chapeau de cardinal : il est bientôt considéré comme hérétique. Rome le réévalue à la lumière de Luther, dont il a pourtant combattu la doctrine du *serf arbitre*. D'ailleurs, Luther vomit des injures contre Érasme : « venimeux polémiste, pourceau d'Épicure, écrivain ridicule, étourdi, sacrilège, bavard, sophiste, ignorant », et traite son œuvre de « mélange de colle et de boue, de balayures et d'ordures ».

Rien n'y fait. Un moine de Cologne invente la formule : « Érasme a pondu les œufs, Luther les a fait éclore. Que Dieu nous accorde d'écraser les œufs et de tuer les poussins [27]. » Son traducteur français périt sur le bûcher. Vers 1559, tous ses ouvrages se trouvaient à l'Index romain, avec la mention « condamné de première classe » *damnatus primae classis* ; et l'Inquisition en traquait les exemplaires. Le primat d'Espagne, Barthélemy Carranza, ne mourut-il pas lui-même en prison, pour avoir été érasmien [28] ?

À travers ce destin posthume, l'Europe laissait échapper sa chance d'une émancipation sans traumatisme – d'une « divergence » sans distorsion.

DEUXIÈME PARTIE

LA DIVERGENCE RELIGIEUSE

Chapitre 1

Sous le regard de l'Église

Nous voilà au seuil de la *divergence* qui va affecter l'Occident chrétien à l'époque moderne. Pour en apprécier la portée, il nous faut revenir en arrière. Il est temps de donner leur sens plein aux expressions qui viennent naturellement sous la plume : chrétienté médiévale, Occident chrétien. L'évolution économique – comme d'ailleurs l'évolution politique, sociale, culturelle – s'est déroulée sous le regard de l'Église. Dans les chapitres qui suivent, nous nous efforcerons de préciser quel rôle a joué cette Église omniprésente des siècles médiévaux, vigilante, sûre d'elle-même, méfiante à l'égard de l'économie et surtout à l'égard des forces qui poussaient l'économie en avant, à l'égard des premiers ressorts du développement.

Car ses doctrines incitent souvent à résister au progrès économique. Ses pratiques aussi, tant est considérable leur poids dans la société. L'Église romaine, jusqu'au XVIe siècle, est le plus gros propriétaire terrien de toute l'Europe ; le plus gros fournisseur et acheteur des produits du sol et du sous-sol ; le plus gros investisseur, le plus grand bâtisseur – et le premier mécène.

Puissance d'inhibition

On a peine, aujourd'hui, à mesurer la puissance d'inhibition dont disposait l'Église jusqu'à l'aube des temps modernes. Elle avait, par exemple, jeté à diverses reprises l'anathème, ou en tout cas la réprobation, à l'égard du lin, des mouchoirs, des viandes délicates, mais aussi du vin, de la musique profane *et même du rire*.

Cette dernière condamnation, justement, prêterait aujourd'hui à rire, ou à douter de sa véracité. Elle est pourtant un authentique fait d'histoire *. L'anathème reposait sur la constatation que, dans

---

* Jacques Le Goff lui a consacré son séminaire de l'École des hautes études en 1990. Nous avons pour notre part trouvé encore trace de cette condamnation tenace dans Mespolié, *Trois sortes d'examens très utiles pour faire une confession générale et particulière*. A Paris : chez Edmé Couterot, 1706.

l'Évangile, Jésus ne rit jamais. Des Pères de l'Église (notamment saint Basile, saint Jean Chrysostome et Clément d'Alexandrie) ont même dénoncé dans le rire une manifestation du Diable. Saint Benoît et les principaux fondateurs d'ordres ont *interdit le rire aux religieux en tout temps. Pour les laïcs,* le clergé édictait l'abstinence, en matière non seulement de relations conjugales mais de rire, *pendant le carême, les quatre-temps, les vigiles, et tous les vendredis de l'année.* Les confesseurs, après la Contre-Réforme, devaient être spécialement attentifs à ce point ; ils reçurent des consignes de sévérité.

Les grands scolastiques – saint Bonaventure, saint Albert le Grand, saint Thomas d'Aquin – ont commencé à distinguer entre le rire « *immodéré* », à proscrire absolument, en particulier dans les lieux de culte et lors des temps de pénitence, et le rire « *modéré* », qui était permis *en dehors de ces circonstances.* Il a fallu attendre le XIXᵉ siècle pour que certains théologiens suggèrent que l'absence de référence évangélique au rire de Jésus ne signifiait pas nécessairement que Jésus n'avait jamais ri.

C'est dire la capacité d'interdiction que détenait l'Église, dans tous les domaines de l'expérience humaine. Si elle a pu réprimer le rire – combien plus terrible sa condamnation du prêt d'argent, qui fait couler les larmes et parfois le sang de l'emprunteur incapable de rembourser !

Haro sur le marchand

Les marchands prennent décidément une grande place dans ce Moyen Âge tenté de faire sa mue. Pourtant, c'est en dépit de l'Église. Soyons justes : le préjugé anti-commercial ne lui est pas propre. Il rejoint une méfiance populaire invétérée envers l'intermédiaire qui vend ce qu'il n'a pas produit lui-même. « *Mercier vendeur de tout, faiseur de rien* », dit le proverbe. L'Église ne se prive pas de surenchérir.

Elle frappe l'activité « commerciale » d'interdit pour ses propres membres. Le canon 142 du code de droit canonique est sans appel [1] : « *Il est interdit aux clercs d'exercer, pour eux-mêmes ou pour autrui, le négoce ou le commerce, soit à leur profit, soit au profit des tiers.* »

La prohibition ne vise pas les laïcs, mais l'idée prévaut qu'on ne peut être à la fois négociant et bon chrétien : « C'est à peine, voire jamais, qu'un marchand peut plaire à Dieu *. » La littérature pieuse multiplie les récits de conversion, dans lesquels le riche marchand, touché par la grâce, cesse aussitôt tout négoce.

Mais l'édification des âmes est une chose, les choses de la vie

---

* *Homo mercator vix aut numquam Deo placere potest* [2].

en sont une autre, et l'Église s'accommode d'une activité qui, pour n'être pas sainte, demeure indispensable. Werner Sombart et Joseph Schumpeter ont su tirer de l'oubli les scolastiques italiens du Bas Moyen Âge qui, avec Bernardin de Sienne et Antonin de Florence, encourageaient l'investissement du capital *(ratio capitalis)* au détriment du compte de prêt *(ratio mutui)*.

En définitive, c'est moins l'activité commerciale qui paraît condamnable à l'Église, que son mauvais usage. La doctrine oscille entre la méfiance morale et l'acceptation pratique. *Elle accepte le fait du commerce, mais en récuse les valeurs.* L'équilibre se cherche à travers la notion du « bien commun ». Le commerce y concourt, soit ! Mais à l'inverse, le service du bien commun autorise l'intervention de l'autorité dans l'économie. Ce sont les « chefs, privés ou publics, qui ont à pourvoir la maison ou la cité des choses nécessaires à la vie [3] ». La longue carrière de l'État-providence a commencé.

Le « juste prix », et la liberté de l'échange

Au centre de l'activité commerciale, le prix. Il aura été l'objet d'une abondante réflexion au cours du Moyen Âge. Nous retiendrons celle que lui a consacrée Thomas d'Aquin, son philosophe le plus équilibré en même temps que le plus profond – et le plus écouté.

Sa théorie part du principe de l'égalité de l'échange. Chaque chose a un « juste prix », dont la valeur est déterminée par la réciprocité des besoins de l'acheteur et du vendeur. C'est en vue de « l'utilité commune » que sont établis l'achat et la vente. « Ce qui a été établi pour l'utilité commune ne doit pas être plus onéreux pour l'un que pour l'autre. Il faut donc que soit établi entre eux un contrat d'après l'égalité de la chose [4]... »

Cependant, Thomas d'Aquin admet que ce juste prix ne peut pas être toujours déterminé avec précision. Il n'est bien souvent qu'une estimation, qui peut comporter un écart par rapport au juste prix théorique (dont Thomas d'Aquin ne donne d'ailleurs pas le mode de calcul) – écart licite, pourvu qu'il reste « modéré ».

Le prix d'un achat antérieur fournit une référence pour la recherche de cette justice. Peut-on vendre plus cher qu'on n'a acheté ? Non, en principe. Mais Thomas d'Aquin atténue beaucoup la rigueur du principe : « C'est licite, soit que la chose ait été améliorée d'une façon quelconque, soit parce que le prix a été modifié à cause de la différence des temps ou des lieux, soit à cause du danger auquel on s'est exposé en transportant la marchandise d'un lieu à un autre [5]. »

Surtout, il établit sans la moindre ambiguïté, en termes d'une surprenante modernité, un point capital pour la société marchande.

71

Le « juste prix » d'une marchandise est « fixé légitimement entre acheteur et vendeur par une commune estimation », laquelle « implique *complète liberté de leur part, à l'exclusion de tout monopole, de toute coalition* de ceux qui détiennent la marchandise [6] », comme aussi de toute *baisse artificielle* des prix en vue d'éliminer un concurrent.

L'objectif est de ne pas laisser le prix à la discrétion du détenteur de la marchandise en introduisant le consommateur dans l'échange, qui définit l'équilibre du prix – sa justesse. Ce n'est pas la doctrine socialiste du « juste prix » : celle du prix taxé, fixé par l'autorité politique chargée de la sauvegarde du bien commun. Thomas d'Aquin se place dans un univers où la liberté du commerce demeure la règle.

Oui au négoce, non au profit

L'argumentation la plus intéressante est celle où le « Docteur angélique » se met en face du problème du *négoce* et du *profit*.

Il commence par distinguer deux sortes d'échanges. L'un, « quasi naturel et nécessaire », vise à la satisfaction des besoins du ménage ou de la cité. « Mais l'autre espèce d'échange, soit d'argent contre de l'argent, soit de biens quelconques contre de l'argent, a pour objet non les choses nécessaires à la vie, mais le profit. C'est le négoce, qui relève des négociants. L'échange du premier genre est louable, parce qu'il sert aux besoins naturels. *L'échange du second genre est blâmable, parce qu'en soi, il sert la soif du gain, qui ne connaît pas de borne et tend à l'infini. Ainsi, le négoce considéré en soi a un caractère honteux,* puisqu'il ne comporte pas une finalité honnête ni nécessaire [7]. »

L'intention est bonne, et pour ainsi dire « libérale ». Mais l'argumentation reste imperméable à la nature spécifique de l'acte marchand, qui, intrinsèquement, ajoute à la marchandise une valeur, par le seul fait qu'il la rend disponible sur un marché. La mentalité économique de Thomas d'Aquin privilégie la consommation sur l'échange. Ce sera encore le point de vue de Marx.

Schumpeter fait gloire à la pensée scolastique médiévale d'avoir modernisé les maximes du droit canon touchant la vie économique, en adoucissant leur application. De fait, Thomas d'Aquin arrondit quelques angles. Mais, toujours, en rappelant la règle. Et l'on peut même dire qu'il radicalise le principe, parce qu'il en propose une démonstration rigoureuse. Tolérant, voire bienveillant à l'égard des impératifs commerciaux et financiers, son discours renforce l'*incompatibilité entre doctrine catholique et intérêt économique*.

Cependant, le « Docteur angélique » n'est pas tout angélisme. Il reconnaît que l'idéal chrétien va bien au-delà de ce que prescrivent ou permettent les lois civiles. Celles-ci ont leur légitimité. Elles ne sont pas faites seulement pour les gens vertueux. Elles peuvent donc autoriser tout ce qui n'est pas destructeur de la société humaine. Thomas d'Aquin est du même siècle que Marco Polo, qui s'extasie devant les marchés où s'achètent les richesses du monde : « Il se fait à Tabriz grand trafic de diverses marchandises, car il s'y trouve grande quantité de pierres précieuses, de draps, d'or, de soie, de velours et autres espèces de marchandises. Y viennent, de diverses parties du monde, un nombre infini de marchands des Indes, de Bagdad, de Mossoul – et même des pays latins. On y vient faire commerce, car les marchands y trouvent de grands moyens de faire fortune en peu de temps [8]. » Thomas d'Aquin est trop réaliste pour ne pas admettre ces réalités-là, tout en les condamnant – il faut bien respecter les principes.

La méfiance de Montaigne

Au total, le commerce est reconnu comme nécessaire au bien commun, *sous l'étrange condition qu'il ne soit pas lucratif*, sans quoi il deviendrait fin en soi. Le marché doit se cantonner dans d'étroites limites. Cette conception est restée étonnamment stable.

Un siècle et demi après Thomas d'Aquin, il faut toujours que le profit s'excuse. Saint Antonin, florentin et archevêque de Florence (1389-1459), en trouve, bien sûr, des excuses : si le profit constitue « le salaire d'un travail », « s'il permet d'aider plus généreusement les pauvres ». Mais Antonin maintient le caractère peccamineux de la recherche du profit « en soi » [9].

Même ligne, au XVe siècle, avec Jean Gerson [10] : « Vendre une chose plus cher qu'on ne l'a achetée – si le gain va au-delà des difficultés, dangers ou améliorations dont on reçoit dédommagement – cela doit être considéré comme une faute ; et *la faute est plus grave encore si, ce faisant, on profite du besoin de son prochain.* » La question du *risque commercial* – frais de transports, périls courus – est donc prise en compte. Mais le *besoin* de l'acheteur ne doit pas autoriser le vendeur à hausser son prix. On sent une économie étreinte par l'angoisse permanente de manquer du nécessaire. Le négociant en blé ne doit pas spéculer en tenant les villes à la merci de leurs besoins...

En édictant ces préceptes sévères, l'Église faisait-elle autre chose que d'exprimer et de théoriser la méfiance des mentalités envers le commerce ?

Méfiance telle, que même un esprit libre comme Montaigne en est encore tout inspiré. Un chapitre célèbre des *Essais* ne comporte, une fois n'est pas coutume, aucune nuance : « *Le profit de l'un est dommage de l'autre* ». « Il ne se fait aucun profit qu'au dommage d'autrui [...]. Le marchand ne fait bien ses affaires qu'à la débauche de la jeunesse ; le laboureur, à la cherté des blés ; l'architecte, à la ruine des maisons [11]... »

Sans doute Montaigne se garde-t-il bien de prononcer quelque condamnation que ce soit. Mais il atteste, en plein XVIᵉ siècle, la permanence d'un comportement né de l'économie de subsistance, pour lequel la progression de l'un est liée à la récession de l'autre. La taille du gâteau est immuable : son partage ne peut se faire à l'avantage de l'un, sans que ce soit au détriment de l'autre. Les notions d'échange créateur ou de croissance économique ne sont pas encore entrées dans les esprits.

De Montaigne à Marx, cette vision archaïque ne fera que s'amplifier. Il n'y a pas de partenaires, mais seulement des adversaires. Le rapport économique est un antagonisme, non une synergie. On demeure en société de défiance.

Chapitre 2

Le tabou sur le prêt d'argent

Au cœur du dossier, la question du prêt d'argent, désigné du nom odieux d'*usure*. L'Église chrétienne l'interdit.

Cette interdiction, il est vrai, ne lui est nullement particulière. Le prêt d'argent rémunéré a presque universellement suscité la répulsion. La Bible [1], la *Politique* d'Aristote [2], le *Coran* [3] condamnent le prêt, quels que soient la forme et le taux de l'intérêt perçu. Cette condamnation a partie liée avec une conception de la vie économique qui est celle d'un espace clos – domestique, local, domanial, féodal, national : celle d'un *jeu à somme nulle,* où seule la production matérielle crée la richesse et fonde la valeur.

Droit d'usure, droit de guerre

Selon Aristote, l'activité commerciale, par opposition à l'activité domestique, « n'est pas naturelle, mais se fait aux dépens des autres ». Le commerce de l'argent, *a fortiori*, ne doit pas créer de richesses : il est contre nature, stérile et monstrueux. Il ne peut trouver place qu'en dehors de la communauté politique. Le *Deutéronome* aussi (XXIII,19-20) interdisait au peuple élu de pratiquer le prêt à intérêt entre Juifs, pour ne l'autoriser qu'avec des étrangers. Pour saint Ambroise, l'interdit concerne désormais le peuple des baptisés ; en revanche : « Réclame un taux d'usure à celui qu'il ne serait pas criminel de tuer [c'est-à-dire l'ennemi de l'Église]. Là où il existe un droit de guerre, il y a également un droit d'usure [4]. » L'usure est une autre forme de la guerre. Le principe d'une économie fermée – entre frères de sang, de race, de religion – et le principe d'une économie où la création de richesses est illégitime, sont en complète cohérence : on ne fait que consommer et remplacer ce qu'on consomme, de manière à reconduire l'ordre préalable.

Ainsi, le marchand de monnaie n'est pas un marchand comme les autres. Au IIIe siècle, Grégoire de Nazianze, Basile, Grégoire de

Nysse, Jean Chrysostome maudissent l'usurier *. Aussi l'usure est-elle interdite aux clercs, sous peine d'excommunication, dès le IVe siècle. Déjà, saint Augustin prône la prohibition de l'usure pour tous. *L'interdiction est effectivement étendue aux laïcs au VIIe siècle* [5].

Droit canon contre droit romain

Ces interdictions furent rendues nécessaires, parce que le droit romain autorisait des taux d'intérêt dont le maximum était fixé à 1 % par mois, soit 12 % l'an. C'étaient les *centesimae usurae*, les « centimes d'usure ». En principe, le prêt *(mutuum)* était gratuit, mais on admettait d'y joindre une convention d'intérêts *(stipulatio usurarum)*. Le *mutuum* s'appelle alors *foenus* : il n'y avait plus parfaite réciprocité, ni égalité des sommes prêtée et restituée. Le prêt, avec le temps, produisait de l'argent.

L'usure ne devenait condamnable *(odiosum)* que lorsque l'argent était prêté à un taux exorbitant *(iniquissimo foenore)*. Ainsi, lorsque le crapuleux Verrès prêtait à 24 %. Mais l'usure à 12 % demeurait parfaitement licite.

Cette tolérance du droit romain, les Pères de l'Église la dénonceront vigoureusement. *Quel que soit son taux, le prêt est réprouvé.* Saint Ambroise y voit une génération contre nature : « Viennent les calendes, le capital engendre le centime ; chaque mois, naissent les usures [6]. » L'argent *doit rester stérile* [7].

On ne saurait mieux résumer l'opprobre, qu'en rappelant, à la suite de Jacques Le Goff, la formule lapidaire du pape Léon le Grand : « L'intérêt de l'argent, c'est la mort de l'âme **. » On pourrait citer avec lui les Pères de l'Église qui l'avaient précédé – Tertullien, Cyprien, Augustin, Ambroise et Lactance : « Celui qui a prêté de l'argent ne recevra pas d'intérêt, afin que reste entier le bienfait qui porte secours à la nécessité [9]. » Ou encore : « Il est injuste de recevoir plus qu'on n'a donné [10]. » « Il n'est pas juste, écrit ailleurs Lactance, que le patrimoine des riches s'accroisse par le dommage des malheureux [11]. »

Il est de fait que le prêt à intérêt entame souvent la spirale de la faillite et engendre le malheur : que de biens aliénés, pour des prêts non remboursés à temps et gonflés de leurs intérêts ! C'est vrai dans le Moyen Âge européen, mais aussi sous tous les cieux, et à toutes les époques.

Saint Bonaventure résume l'idée aristotélicienne et biblique de la stérilité de l'argent : « L'argent ne fructifie pas par lui-même, mais son fruit lui vient d'ailleurs [12]. » (D'où l'adage : « *les pièces*

---

* Au Ve siècle, l'*Opus imperfectum super Matthaeum*, du pseudo-Chrysostome : « De tous les marchands, l'usurier est le plus maudit. »
** *Fenus pecuniae, funus est animae* [8].

n'engendrent pas de pièces ; les jetons ne font pas de rejetons [13]. »)
Seule l'activité humaine porte fruit, et ajoute de la valeur.

« Prêtez, sans rien attendre en retour »

La vigueur de la condamnation religieuse ne s'appuyait pas seulement sur quelques versets de l'ancienne Loi. Le Christ avait parlé aussi, dans l'Évangile de Luc. Sortis de leur contexte, ces versets condamnent l'usure et même, absolument, tout intérêt. Mais peut-on oublier que le contexte est celui, quelque peu provocant, du Sermon sur la montagne : « Aimez vos ennemis... Faites du bien à ceux qui vous haïssent... Tendez la joue gauche... Prêtez sans rien espérer... Ne redemandez pas votre bien à celui qui vous l'emprunte *. » *L'espoir* dont il est question ici n'est même pas celui de l'intérêt, mais du capital ; un instant avant, en effet, le Christ précise (verset 34) : « Et si vous prêtez à ceux dont vous espérez qu'ils vous rendent, quelle reconnaissance vous en aura-t-on ** ? »

Le Christ parle en Juif, à des Juifs à qui le prêt à intérêt est formellement interdit par le *Deutéronome* : ce qu'ils sont donc en droit d'attendre, ce n'est pas une rétribution de l'argent prêté, mais seulement la possibilité de recevoir un jour, en cas de besoin, la réciprocité du service rendu (il est remarquable que le même mot de la Vulgate, *mutuum*, signifie à la fois « emprunt » et « réciprocité »). De cette charité qui est au-delà de toute prudence et de toute loi humaine, l'Église n'a jamais prétendu faire une règle positive : elle est un appel à la sainteté.

Mais au Moyen Âge, l'appel se fait insistant, obsédant. Le pape Alexandre III mène une guerre sans merci contre le prêt à intérêt, refuse toute dispense, condamne la vente à crédit ou à terme avec augmentation stipulée, et déclare inacceptable l'aumône des usuriers, c'est-à-dire des prêteurs ou des banquiers. Cette intransigeance, l'immense majorité des emprunteurs, réels ou potentiels, y adhérait sans doute. La doctrine des Pères eut toujours, on le conçoit, la faveur de la masse. Elle est reprise constamment chez les prédicateurs. Les fulminations d'un Jacques de Vitry, vers 1240, illustrent un esprit de croisade contre la montée de l'argent [16]. Le prêt d'argent y est la cible, ainsi que, plus généralement, le profit, le surplus, la surabondance. « L'usurier » non repenti est voué aux tourments. Les chapiteaux des églises relaient ces prédications.

Dante, bien sûr, rencontre « l'usurier » dans son *Enfer*. Visitant avec Virgile le 7e cercle, peuplé de ceux qui ont fait violence à

---

* *Verumtamen diligite inimicos vestros... Mutuum date, nihil inde sperantes* [14].
** *Et si mutuum dederitis his a quibus speratis recipere, quae gratia est vobis* [15] ?

77

la nature, il ne peut réprimer ce cri : « La gent parvenue et les gains trop rapides ont engendré orgueil et démesure [17]. » Le capitalisme florentin est ainsi non seulement condamné, mais damné. Et c'est, au chant suivant, la vision de « la bête, image de la Fraude qui infecte le monde [18] ». Sa face, nous dit Dante, « est celle d'un homme juste : le reste du corps est celui d'un serpent ».

Ainsi de « l'usure » : le remboursement du *principal* (ou *capital* : la tête) est humain, la morsure des intérêts est bestiale... Au chant XI, il s'est fait expliquer par Virgile en quoi « *l'usure* offense la bonté divine [19] » : « l'usurier » est coupable parce qu'il « suit d'autres voies [20] » que la nature. C'est pourquoi le cercle où sont châtiés les « usuriers » est aussi celui des sodomites. « L'usurier » a *inventé une autre voie* dont l'homme puisse tirer avantage, tout comme les sodomites une autre voie où épancher leur concupiscence. Qui cherche la nouveauté usurpe une prérogative divine [21] et, démiurge monstrueux, subit le châtiment infernal.

La démonstration de Thomas d'Aquin

On est dans l'ordre du tabou – posé, transgressé, vengé. Albert le Grand le rappelle : « *L'usure* est un péché mortel. » Guillaume d'Auxerre juge le péché d'*usure* plus grave que l'homicide.

Avec Thomas d'Aquin, qui consacre une « question » entière de la *Somme théologique* au « péché d'usure [22] », nous avons une démonstration rationnelle, où se déploie l'extraordinaire vigueur et rigueur du « Docteur angélique ». On est loin des contorsions exégétiques de saint Ambroise et des explosions passionnelles du prêche populaire.

Saint Thomas prétend régler la question à l'aide du seul raisonnement, sans faire intervenir l'autorité de la Bible et des Pères, dont les citations contradictoires ne lui servent qu'à poser le décor. Sa démonstration repose sur une distinction essentielle, au sein de l'ordre économique :

– « Il y a des choses dont l'usage implique consommation : le vin se consume par son usage qui est d'être bu, et le blé par le sien qui est d'être mangé. »

– « Il y a des choses dont l'usage n'implique pas consommation : ainsi, user d'une maison, c'est l'habiter, ce n'est pas la faire disparaître. »

Thomas s'autorise alors d'Aristote, pour placer l'argent dans la catégorie des biens à consommer. Or, « dans les choses de cet ordre, on ne doit pas considérer à part l'usage de la chose et la chose elle-même ; dès que vous en concédez l'usage, vous concédez la chose par le fait même ».

Alors que je peux vendre l'usage de ma maison sans vendre la maison, je ne peux vendre séparément mon vin et l'usage de mon vin. Ce serait « vendre la même chose deux fois, autrement dit vendre une chose qui n'existe pas ». La particularité des biens à consommer est qu'on ne peut les louer sans les céder.

Du reste, si je prête un quintal de farine, je ne m'attends pas qu'on me rende la *même* farine. La farine que j'ai prêtée aura été consommée. J'attends seulement qu'on me rende *l'équivalent*. De même, si je prête 20 pièces d'or, je ne peux penser qu'on me rendra ces pièces d'or-là. Les pièces prêtées, l'emprunteur en a disposé avec la même liberté que s'il en était propriétaire. Il les a d'ailleurs empruntées pour les dépenser, pour payer un bien, régler une dette, acheter des semences : pour les « consommer ».

Traquer le péché dans ses refuges

La condamnation de l'usure pure et simple étant acquise, Thomas d'Aquin examine tour à tour les divers moyens souvent utilisés pour tourner la condamnation, et qui reposent tous sur l'idée qu'un avantage pourrait être consenti par l'emprunteur au prêteur pour des raisons extérieures au prêt en tant que tel.

Le *service rendu* ne peut être rémunéré. Si l'emprunteur veut exprimer sa reconnaissance par un don, c'est son affaire, qui ne peut faire l'objet d'une stipulation ni expresse, ni tacite.

Le *risque couru* ne peut pas davantage être pris en considération. En effet, l'emprunteur assume tout le risque : s'il fait mauvais usage de son argent, il doit néanmoins le rendre intégralement, ou en restituer l'équivalent ; du reste, Thomas d'Aquin ne condamne pas le *gage* que le prêteur peut exiger. Il fait, à cette occasion, une distinction très nette entre l'argent prêté et l'argent investi dans une affaire : « Celui qui confie son argent à un marchand ou à un artisan, par le moyen d'un contrat quelconque, ne transfère pas à celui-ci la propriété de son argent ; elle lui demeure ; et de même que c'est à son propre risque que le marchand s'en sert pour négocier ou l'artisan pour fabriquer, de même il peut à bon droit attendre qu'un profit lui en revienne comme de son propre bien. » La notion de risque est donc bien repérée. L'investisseur prend des risques avec son argent : il a droit à un bénéfice. Le prêteur ne prend aucun risque, il n'a droit à aucune rémunération.

Le *dommage subi* par le prêteur, privé pour un temps d'une somme qui peut lui devenir nécessaire, peut en revanche être *compensé*. Mais cela ne peut être calculé à l'avance, ni entrer dans le contrat de prêt, parce que ce dommage n'est nullement certain et que le prêteur a de nombreux moyens de l'éviter. C'est une compensation éventuelle, à régler après coup. Le cas auquel Thomas pense naturellement, c'est le défaut de remboursement à la date fixée : mais de justes indemnités de retard ne peuvent être en quelque sorte anticipées par une rémunération du prêt lui-même.

Les réponses du « Docteur angélique » excluent toute considération d'un manque à gagner, tout avantage fondé sur l'usage que le prêteur aurait pu faire de l'argent dont il se dessaisit au profit de l'emprunteur. Car, encore une fois, l'argent ne saurait être séparé de son usage. C'est à peine si Antonin, archevêque de Florence, osera contredire, un siècle et demi plus tard, saint Thomas : « Je crois que l'on peut exiger une compensation, pas seulement pour le dommage subi, mais également pour le gain qu'on aurait obtenu sans ce prêt, si l'on est un marchand habitué à investir son argent dans les affaires, ou même si l'on n'est pas marchand et qu'on a seulement l'intention d'investir son fonds dans un commerce légal ; mais pas si on est un homme qui thésaurise son bien dans des coffres [23]. »

La belle casuistique que voilà : rectifions *le mal de l'action avec la pureté de notre intention !* Trouvons *avec le Ciel des accommodements...*

La faille de l'usufruit

Le péché est donc traqué dans tous ses refuges, la condamnation poursuivie dans toutes ses conséquences. *L'argent ne peut rien produire par lui-même. Il est intrinsèquement stérile.*

Pourtant, la logique de saint Thomas n'est pas sans faille – et la faille est révélatrice.

On peut la localiser dans sa conception de l'*usufruit*. Il reconnaît que des biens fonciers – maison ou champ – portent usufruit : leur usage a un prix. C'est pour lui une évidence, qu'il ne cherche pas même à démontrer, lui que la passion de démontrer anime si fort et qui en a poussé l'art si loin. Cette démonstration-là serait fort intéressante. Car s'il est vrai que le prêteur d'argent, de vin ou de blé ne peut rien réclamer de ce que l'industrie humaine de l'emprunteur y aura ajouté, alors l'interdit pourrait s'appliquer au champ aussi : après tout, la forme « naturelle » d'un champ, c'est la friche. Du reste, si l'on prend les choses du côté du prêteur, quel est le travail du rentier de la terre, quel est le risque du propriétaire d'un domaine qu'il donne à ferme ? Thomas d'Aquin, pas plus qu'aucun théologien, n'a jamais avancé que ce rentier fût coupable d'aucun péché. Or, quelle est la différence *morale* entre tirer 5 % d'un capital donné, et, avec le même capital, bâtir une maison qu'on louera aux mêmes 5 % ?

Sans doute saint Thomas admettrait-il que des outils soient loués, par exemple le matériel d'un sabotier ou d'un tisserand : leur usage porte fruit. Pourtant, ils ne portent fruit que grâce à l'activité de l'ouvrier. Saint Thomas occulte cette réalité. Reconnaître que le champ est un outil pour produire, la maison un outil pour exercer son métier ou établir son ménage, et que c'est à ce titre que leur usage a son prix, c'eût été entrer dans une logique qui lui était étrangère. Quant à ranger l'argent au nombre de ces *outils*, c'était proprement inconcevable.

Cette conception de l'argent, comme bien à consommer et non comme outil, est un trait fondamental qui distingue la mentalité économique archaïque de la mentalité économique moderne. Celle-ci repose sur le crédit, c'est-à-dire sur *la confiance faite par le prêteur à l'emprunteur* pour qu'il rende le capital avec les intérêts, *la confiance de l'emprunteur en sa propre capacité* de rembourser *et en la rentabilité de l'investissement* dont il prend le risque. Ces confiances entrecroisées ont fait jaillir le développement et fondé le monde moderne.

Les séquelles de la mentalité archaïque dureront très longtemps, bien au-delà du Moyen Âge. La conception aristotélicienne et thomiste de l'argent comme bien à consommer sera mise en forme juridique par le jurisconsulte français Pothier dans son *Traité des contrats de bienfaisance* [24]. On la retrouve sous la plume des physiocrates, chez qui elle est associée au dogme de la stérilité de l'échange commercial. Ainsi, pour Quesnay, « le commerce par lui-même, et strictement parlant, est *stérile* [25] », parce que dans l'échange « considéré en lui-même, [il n'y a] rien à prendre ni à gagner pour l'un ni pour l'autre des contractants [26] ».

Ce trait de mentalité anti-économique, soutenu par une démonstration scolastique, devait connaître une grande fortune, et reprendre du service pour de longs siècles. On en relève encore, nous le verrons, maintes traces aujourd'hui

Au fond de cette mentalité anti-économique, il pourrait y avoir une motivation plus décisive, de l'ordre de la phobie, de la répulsion instinctive ou inconsciente, du préjugé invétéré, comme le laisse entendre cette curieuse remarque du *Traité des monnaies* de Nicolas Oresme, à propos de l'usure : « Il y a des arts mécaniques qui souillent le corps, tel que celui de l'égoutier, et d'autres qui souillent l'âme, comme c'est le cas de l'usure [27]. »

Dans les forces qui travaillent à la divergence européenne, on ne cessera de revoir ce préjugé à l'œuvre.

Chapitre 3

Les tolérances incertaines

Pour Thomas d'Aquin, les lois civiles sont, légitimement, moins exigeantes que l'appel de la vertu. Reste que les lois civiles sur l'usure se sont trouvées placées, au Moyen Âge, sous la pression de la condamnation religieuse. À maintenir les tolérances du droit romain, les législateurs finissaient par se sentir mauvaise conscience.

Le pouvoir séculier au service de l'Église

Chaque État prenant en compte à sa façon, et diversement selon les temps, la pression ecclésiastique, l'Europe chrétienne n'a pas présenté une situation homogène. Charlemagne reçoit du pape Adrien mission d'appliquer sévèrement les canons, décrétales et instructions relatifs à l'usure. L'*Admonition générale* du capitulaire d'Aix-la-Chapelle (789) constitue la première prohibition de l'usure faite aux laïcs dans la législation séculière.

En France, à mesure que la législation royale embrasse plus de domaines et s'étend sur plus de territoires, l'interdiction progresse. Au début du XIVe siècle, Philippe le Bel prend des ordonnances qui se réfèrent à la condamnation religieuse : « Nous déclarons que nous avons réprouvé et défendu toutes manières d'usures, de quelque quantité qu'elles soient, comme elles sont de Dieu et des Saints Pères défendues [1]. »

Mais la pratique du prêt à intérêt est trop répandue pour que soit appliquée une prohibition générale. Aussi une ordonnance de 1311 s'emploie-t-elle à réprimer les seules usures « *trop grièves* », c'est-à-dire trop lourdes – supérieures à 20 % du capital.

Il y a là comme un double langage. Ainsi, le IVe Concile du Latran (1215) punit les usures « graves et immodérées ». Mais la condamnation de principe n'est pas levée. Elle ne distingue toujours pas entre un intérêt modéré, qui serait licite, et un intérêt excessif, qui serait seul qualifié d'usure, et qui seul serait illicite. Parfois, les rois eux-mêmes concèdent des *privilèges d'usure*, par dérogation non seulement au droit canonique, mais encore à leurs propres ordonnances. Villes nouvellement rattachées au domaine royal, villes frontalières, villes de grand commerce, villes de foires se voient concéder et renouveler des privilèges d'usure. Dans tous les cas, c'est l'urgence économique qui dicte une attitude de tolérance. Tolérance, naturellement, révocable : les Juifs, « Caorciens » et « Lombards » sont régulièrement accusés de dévorer leurs débiteurs. On les expulse : mais leur expulsion est préjudiciable au commerce et aux finances, et il faut bien, d'une façon ou d'une autre, par la fenêtre sinon par la porte, laisser rentrer le prêt à intérêt.

Ainsi, en 1224, Louis VIII ouvrait aux Lombards la place de Paris, pour cinq ans, qui se renouvelèrent. Mais son fils saint Louis, soucieux d'appliquer les règles canoniques, les expulsa en 1268... Ils furent encore chassés plusieurs fois du royaume : c'est donc qu'ils y étaient revenus [2].

Au demeurant, les rois avaient de bonnes raisons de comprendre la nécessité du prêt d'argent : les besoins de la guerre et de la diplomatie les poussaient sans cesse à emprunter.

Un cas douteux : le prêt de commerce

On n'emprunte pas toujours pour se tirer d'un mauvais pas, pour acheter un lopin de terre ou pour marier sa fille. Le riche marchand aussi peut emprunter, pour réussir une bonne affaire, grâce à l'argent réuni. Le négociant peut emprunter cent écus pour en gagner mille. Est-il *juste* que le prêteur ne voie revenir que ses cent écus – alors que, sans eux, les neuf cents n'auraient pas été gagnés ?

La doctrine classique, avec Thomas d'Aquin, répond qu'il faut choisir. Si l'on veut participer au gain, il faut participer au risque, et c'est le contrat de société ; mais dans le contrat de prêt, il n'y a pas de risque, donc il ne peut y avoir de gain. Du gain assuré, sans rien faire ni rien risquer, serait immoral.

Nous distinguons entre le « prêt de consommation » et le « prêt de production » : cette distinction est récente, elle n'est explicite qu'au XVIIe siècle [3]. Dans les faits, on la connaît depuis toujours. Mais c'est pour la refuser : un texte de saint Ambroise, inséré dans les *Décrets* de Gratien, « réprouve comme usuriers ceux qui donnent de l'argent aux marchands, à condition d'avoir une part du gain fait sur les marchandises qu'ils achètent [4] ». En France, la législation royale emboîte le pas. Ainsi, l'ordonnance de 1579 réitéra l'interdiction de l'usure, « *encore que ce fût sous prétexte de commerce* [5] ».

Pourtant, le double langage des autorités politiques médiévales a été d'usage courant. La réalité, ou l'intérêt politique, a suggéré des exceptions. Philippe VI en a ainsi prévu une pour les commerçants des foires de Champagne et de Lyon [6] (1331). Les privilèges accordés aux marchands de Lyon seront renouvelés par la suite (1487, 1601, 1634, 1665, 1679). « La pratique en étendit l'application à tous les prêts commerciaux, même hors foire [7]. » La vie économique a ses raisons, que la raison théologique ne connaît pas – ou feint délibérément d'ignorer.

À l'occasion d'opérations de change, les commerçants se prêtaient mutuellement à intérêt, « dont le montant variait suivant le cours de la bourse ». C'est le *cambium bursae,* pratiqué en Flandre au XVIe siècle. On justifiait cet intérêt par le fait que la monnaie est l'outil du commerçant : s'il s'en prive en le prêtant, il a droit à une compensation. Charles Quint consacra cet usage en 1540 : « Un intérêt est permis aux bons marchands, selon le gain qu'ils pourraient raisonnablement faire [8] », jusqu'à concurrence de 12 %. Il y a de l'Érasme là-dessous.

Il est clair que l'argent n'est pas ici considéré comme une ressource inerte, un simple étalon, une quantité fixe et morte. Il porte en lui une promesse de profit, compte tenu des mains dans lesquelles il passe (« bons marchands ») et de la conjoncture. Mais ce qui a cours en Flandre, sous la protection d'un prince éclairé comme Charles Quint – qu'on disait parfois érasmien –, n'a pas cours dans toute l'Europe.

L'ingéniosité contre la règle

L'Église à son tour – comme par son fait mais en sens inverse, les pouvoirs politiques – est sensible aux pressions : celles que la réalité fait peser sur ses propres certitudes. On peut avancer provisoirement que la doctrine de l'Église en matière de commerce et de crédit n'a inhibé que ceux dont la mentalité économique était vulnérable. *L'obstacle était plus dans les mentalités que dans l'Église.*

Certains ont même soutenu que ses condamnations ont favorisé l'apparition de techniques financières sophistiquées, qui permettaient d'y échapper. Dès les XIVe et XVe siècles, les sociétés à commandite simple, le crédit, la lettre de change sont systématiquement pratiqués. L'interdiction est tournée par l'élaboration de formes de crédit plus perfectionnées que le prêt à intérêt, seul objet de la condamnation : par exemple, la manipulation des taux de change, révisés à chaque échéance du remboursement d'un prêt.

En feignant d'accorder un service dans l'espace (le règlement entre places distinctes), les banquiers pouvaient dissimuler l'inavouable : qu'ils rendaient un service dans le temps (la fructification de l'argent au *pro rata temporis*). Le temps, qui n'appartient qu'à Dieu – maître du temps – pouvait, par ce subterfuge, rapporter quelque profit aux hommes.

Mais ce que l'on n'admet toujours pas, c'est l'autonomie de la sphère économique par rapport à l'autorité religieuse.

Il a fallu aux marchands toute l'ingéniosité de leur métier, pour déjouer les pièges des canonistes et des juristes. Des contrats commerciaux invoquent le risque couru par le capital, en cas de naufrage, vol, accident. « Le *periculum sortis* (danger encouru par le capital) autorise celui qui a engagé des fonds dans une affaire à demander une récompense, même sous la forme d'un profit périodique [9]. » Il ne récompense pas l'investissement en tant que tel, mais l'angoisse présumée d'un « Que diable allait-il faire dans cette galère ? »

C'est principalement le cas du prêt maritime. Grégoire IX (1227-1241) l'avait condamné dans la décrétale *Naviganti*. « Celui qui prête une certaine quantité d'argent à un navigateur ou à un marchand allant en foire, avec l'intention de recevoir quelque chose au-delà du capital, parce qu'il assume un risque, doit être considéré comme usurier [10]. » Mais cette décrétale ne put être maintenue dans sa rigueur ; les commentateurs s'employèrent bientôt à en réduire la portée. Le « prêt à la grosse aventure » s'étendit sans trop de peine en pratique.

On peut enfin s'interroger, du point de vue économique lui-même, sur le résultat de cette prohibition relative. Les avis divergent. Tawney y vit une inhibition de toute activité financière. Keynes, au contraire, y voyait une stimulation : le maintien de faibles taux d'intérêts rendait possible une « incitation suffisante à investir ».

Une chose, cependant, est la condamnation de taux d'intérêts élevés ; autre chose, l'argumentaire féroce utilisé pour la motiver. Or, celui-ci reflète un état d'esprit dont les refus s'étendent bien au-delà de l'objet apparent de la condamnation. Dès lors, quelles que fussent les exceptions circonstancielles, une telle prohibition ne pouvait qu'exercer un rôle de frein.

L'usure a été combattue par le Magistère catholique au nom de principes foncièrement anti-économiques. Toute concession était une occasion d'assener la règle à nouveau. Les acrobaties casuistiques visaient à maintenir *le primat absolu du théologique sur l'économique.*

Monts-de-piété, ou d'impiété ?

L'exemple des monts-de-piété, souvent invoqué pour montrer la relativité des interdits romains, éclaire singulièrement cette question.

Un projet de ce genre fut proposé, dès 1326, par l'évêque Durand de Saint-Pourçain. « Cette institution serait utile au bien public : car l'absence de prêts cause à beaucoup de graves préjudices. »

En 1389, Philippe de Maizières développa également, dans le *Songe du vieil pèlerin*, un « projet de crédit populaire [11] ». Cette « œuvre de miséricorde » sera dotée par le roi. « Elle sera chargée de faire aux pauvres gens des prêts sur bons gages valant plus que l'argent qu'ils recevront. En rachetant leur gage, les emprunteurs pourront offrir, sans y être contraints, *la dîme* de ce qui leur aura été prêté, pour servir à augmenter le capital primitif donné par le roi [12]. » On le voit, cette bonne œuvre laisse intacts les principes. L'intérêt de 10 % (la « dîme ») ne serait qu'un libre don de l'emprunteur – un concours apporté à la solidarité, qui ne revêt pas de caractère vexatoire, conserve une dimension charitable, donc religieuse, et se sauve ainsi de l'interdit ecclésial.

C'est en Italie même que l'idée sera mise en œuvre, au XVe siècle, avec la bénédiction des papes. Il s'agit clairement d'œuvres de bienfaisance. La question à laquelle on s'efforce de répondre est celle-ci : comment interdire effectivement l'usure sauvage – notamment celle que pratiquent les « Juifs » – et la remplacer par une méthode qui soit, elle, conforme à la doctrine qu'on dit évangélique ?

Il n'est pas indifférent que le projet soit venu des franciscains, bons connaisseurs de la pauvreté urbaine. À Pérouse, en 1462, le frère mineur Michel de Milan prêche contre les abus de l'usure : à son incitation, la commune supprime les privilèges dont jouissaient à cet égard les Juifs, et ouvre le premier *mont-de-piété*.

Les papes Pie II et Paul II ne manquent pas d'approuver les statuts des monts-de-piété, qui, sur le modèle de celui de Pérouse, naissent un peu partout en Italie. Or, très vite, ces institutions réclamèrent un intérêt modéré, disons plutôt une redevance, qui servait à payer les frais d'administration.

Était-ce licite ? Pouvait-on légitimement exiger l'intérêt permettant le bon fonctionnement du prêt ? Rivalités entre ordres religieux aidant, la controverse fut bientôt ouverte. Les dominicains et les ermites de saint Augustin attaquent cette entreprise franciscaine. « Leurs monts-de-piété sont des *monts d'impiété* ! », clame Nicolas Barian dans un libelle de 1496.

Là où il y a gain, il y a péché

Les franciscains répondent par un *distinguo*. Tout prêt peut être subdivisé en deux opérations distinctes : d'une part, le prêt lui-même, qui demeure gratuit ; d'autre part, un « louage de services », conclu entre l'emprunteur et les employés qui manient l'argent et gèrent les gages. En somme, l'« intérêt » ne sert pas au profit du prêteur ; il sert au salaire de son caissier.

Il fallut trancher. Le Pape soumit la controverse au Concile du Latran qui, le 4 mai 1515, donna raison aux franciscains par la bulle *Inter multiplices* : « Les monts-de-piété, où, uniquement pour couvrir les dépenses causées par le traitement des employés et les frais d'administration, un intérêt modéré est perçu en plus du capital, sans qu'il y ait de gain pour ces établissements, n'ont nulle apparence de mal et ne donnent aucun aiguillon de péché. Bien plus, un tel prêt est méritoire et ne doit pas être estimé usuraire [13]. »

Les monts-de-piété ne sont pas des institutions à but lucratif, mais à but charitable. Ils ont seulement le droit de recouvrer sur les emprunteurs leurs frais de fonctionnement. De la polémique, sort indemne le principe qu'on ne fait pas profession lucrative de prêter. L'argent ne rapporte pas d'argent. Ni gain, ni perte. *Le tabou théologique lié au profit, c'est-à-dire à la vie économique, demeure donc intact.*

À la veille de la Réforme, l'Église catholique réaffirme ainsi la finitude et la clôture des royaumes terrestres. L'économie des biens matériels n'est pas l'économie du salut.

Chapitre 4

Calvin,
ou la distinction libératrice

Ni Luther, ni Melanchthon, ni aucun autre des Réformateurs ne leva la condamnation du prêt à intérêt, avant Calvin. Il fut le premier à réinterpréter la Bible, affirmant que la loi divine n'interdit pas l'usure, et que la loi naturelle la permet [1]. L'emploi d'un capital a un prix. Le prêt d'argent est un service rendu, une peine méritant salaire. L'argent n'est pas stérile.

À l'école des marchands

Si Calvin est le premier à avoir fondé en doctrine le prêt à intérêt, c'est sans doute parce qu'il a été à l'école de la vie économique et juridique. Il a commencé par être l'élève du jurisconsulte Pierre de L'Estoile, à Orléans. À Bourges, avec Alciat, il apprend ce qu'est un contrat, une hypothèque. Il est descendu à Paris chez un riche négociant, Étienne de La Forge. Il est loin d'un Luther et de ses préjugés paysans et monacaux à la fois. Il a sous les yeux, à Strasbourg et à Genève, le spectacle d'économies en plein élan. Il en distingue le précieux, *l'indispensable ressort : le crédit* [2].

Il s'installe à Genève. Cette vieille place marchande bénéficie de « franchises » qui sont attestées au XIVe siècle et remontent peut-être plus haut. Un de leurs articles dit expressément : « On ne peut inquiéter les prêteurs, ni séquestrer, ni saisir leurs biens, ni en faire l'inventaire, ni y prétendre en quelque façon que ce soit [3]. »

Ce que l'Église avait toléré à Genève, Calvin a voulu en établir, de plein droit, la légitimité naturelle et religieuse. Avant lui, l'intérêt est interdit en principe, quitte à être autorisé dans des cas particuliers en nombre grandissant. Avec Calvin, il devient licite de plein droit, quitte à en limiter l'application chaque fois qu'il paraît contraire à la règle d'équité et à la règle de charité.

Au fond de l'attitude économiquement positive de Calvin, malgré toutes ses restrictions morales, on trouve cette idée que l'argent est lui-même une marchandise, et donc productif au même titre que n'importe quelle autre marchandise [4]. En ce sens, Calvin adopte le point de vue d'une économie moderne, celle où le prêt de production, ou prêt d'entreprise, prend le pas sur le prêt de consommation. Sans en saisir encore toutes les conséquences, Calvin pressent l'importance de la notion de placement. L'argent ne fructifie pas spontanément, mais il peut néanmoins fructifier s'il s'investit.

C'est le sens de la *Lettre sur l'usure* de « Jehan Calvin à quelqu'un de ses amis » (1545) [5]. Plutôt qu'une discussion exégétique ou spirituelle, il s'y propose de considérer « ce qui est *expédient* [6] ». « Car si totalement nous défendons les usures, nous étreignons les consciences d'un lien plus étroit que Dieu même ; si nous permettons le moins du monde, plusieurs, incontinent, sous cette couverture, prennent licence effrénée [7]. » Il navigue entre deux périls. D'un côté la prohibition, de l'autre l'abus. Comment franchir cette porte étroite ?

« Dieu n'a point défendu tout gain »

L'attitude de Calvin par rapport à l'usure est finalement ambivalente. Du point de vue moral, la question le gêne et sa réponse est négative : « Je ne voudrais jamais conseiller à personne de mettre son argent à intérêt quand il pourra l'employer d'une autre manière [8] ». La *Lettre sur l'usure* est plus ferme encore : « Certes, il serait bien à désirer que les usures fussent chassées de tout le monde, même que le nom en fût inconnu [9]. » Et plus loin : « Usure a quasi toujours ces deux compagnes inséparables, à savoir cruauté tyrannique et art de tromper [10]... » On ne saurait prononcer plus claire condamnation morale.

Mais Calvin n'a pas dit là son dernier mot. Pragmatisme oblige : « parce que cela est impossible, il faut céder à l'utilité commune [11] ». De même : « Dieu n'a point défendu tout gain, qu'un homme ne puisse faire son profit. Car que serait-ce ? Il nous faudrait quitter toute marchandise : il ne serait point licite de trafiquer de façon que ce fût les uns avec les autres. » L'*intérêt et le profit* tirés d'un prêt d'argent sont donc légitimes : « Et pourquoi ? Pour les trafics : d'autant qu'on ne peut se passer de cela. » C'est légitime, puisqu'on ne peut pas faire autrement : triomphe du pragmatisme.

C'est dans ce contexte d'utilité commune que Calvin réinterprète les Écritures : « Il n'y a point de témoignage ès Écritures par lequel toute usure soit totalement condamnée. Car la sentence de Christ, vulgairement estimée manifeste, a été faussement détournée en ce sens [12]. » Ou encore : « La loi de Moïse (*Deut.* 23,19) est politique, laquelle ne nous astreint point plus outre que porte équité et la raison d'humanité [13]. » L'*Écriture se réfère à des circonstances historiques qui ne sont pas les nôtres* : « La situation du lieu auquel

Dieu avait colloqué les juifs et beaucoup d'autres circonstances faisaient qu'ils trafiquaient entre eux commodément sans usures. Notre conjoncture n'a point de similitude [14]. »

La règle d'équité doit seule prévaloir : « Je conclus maintenant qu'il faut juger des usures non point selon quelque certaine et particulière sentence de Dieu, mais seulement selon la règle d'équité [15]. »

« Je confesse ce que les enfants voient »

Tout d'abord, Calvin critique l'argumentation des Pères, dans ce qu'elle prétend avoir de rationnel, et qui vient d'Aristote : « La raison de saint Ambroise est trop frivole à mon jugement : à savoir que l'argent n'engendre point l'argent. Je reçois pension du louage de maison. Est-ce pour ce que l'argent y croît ? [...] L'argent n'est-il pas plus fructueux ès marchandises, qu'aucunes possessions qu'on pourrait dire ? Il sera loisible de louer une aire en imposant tribut, et il sera illicite de prendre quelque fruit de l'argent ? [...] Les marchands, comment augmentent-ils leurs biens ? Ils usent d'industrie, direz-vous. Certes, je confesse ce que les enfants voient, à savoir que si vous enfermez l'argent au coffre, il sera stérile. Et aussi nul n'emprunte de nous à cette condition qu'il supprime l'argent oiseux et sans le faire profiter. Par quoi le fruit n'est pas de l'argent mais du revenu [16]. »

En détruisant le dogme de la stérilité de l'argent, Calvin ouvre la carrière – inconsciemment, peut-être – à des générations de prospères banquiers helvètes.

Avec Calvin, naît de façon explicite le *capital mobilier*. La pensée économique du Réformateur annonce une nouvelle attitude face à l'argent. L'argent n'est pas seulement un moyen d'échange ; la monnaie, pas seulement un étalon ; elle est aussi, et peut-être avant tout, un moyen d'entreprise, une condition du développement. « Supprimer l'argent oiseux, *le faire profiter* [17] », telle est, selon Calvin, la loi de l'emprunt.

Dieu et César : une nouvelle interprétation

La discussion sur l'usure s'inscrit dans une réflexion plus générale, et d'un enjeu plus considérable, sur la distinction entre la sphère de Dieu et la sphère de César.

Calvin laïcise l'usure, comme il laïcise tout ce qui appartient au « gouvernement civil » : « Mais celui qui saura discerner entre le corps et l'âme, entre cette présente vie transitoire, et la vie à venir, qui est éternelle, il entendra pareillement assez clairement que le Royaume spirituel de Christ et l'ordonnance civile sont choses fort différentes... Toutefois, cette distinction ne tend point à cette fin que nous réputions la police [l'administration de la cité] pour une chose pollue [sale] et n'appartenant en rien aux Chrétiens [18]. »

C'est pourquoi Calvin s'inscrit en faux contre la manière de parler d'« aucuns phantastiques », selon lesquels « c'est une chose trop vile pour nous, et indigne de notre excellence, de nous occuper à ces sollicitudes immondes et profanes, concernant les négoces de ce monde ».

Distinction donc, mais pas indifférence. C'est toute une manière de parler et d'agir, de penser et de vivre hors du monde ou contre le monde, que réfute Jean Calvin.

Cette distinction entre le royaume spirituel et l'ordonnance civile ne fait pas de Calvin un pragmatique aveugle. La règle morale conserve son exigence ; mais c'est une exigence aussi que de la concilier avec l'ordre civil – et donc l'ordre de l'économie [19].

L'aphorisme sur Dieu et César a surtout servi, jusqu'à Calvin, à justifier l'obéissance au pouvoir civil. Il sert désormais à légitimer un ordre de la société civile, à la fois imparfait et nécessaire.

Du bon usage de la loi

Calvin se heurte à un dilemme. D'un côté, il est porté par le mouvement protestant vers la Bible, par le souci de ressourcer la religion dans ses origines scripturaires, particulièrement en prenant en considération l'Ancien Testament. D'un autre côté, il voit bien les périls que pourrait receler le « fondamentalisme » biblique, l'obéissance à la lettre des Écritures. Il ne fallait pas qu'en se débarrassant de tout ce que la tradition de l'Église avait ajouté aux textes sacrés, on se retrouvât en tête à tête avec la loi mosaïque dans toutes ses minuties. Calvin ne pouvait oublier que le Christ, puis saint Paul, avaient très explicitement pris leurs distances avec cette loi, tout en déclarant l'accomplir.

C'est pour sortir de ce dilemme que Calvin a élaboré, sur la loi biblique, une exégèse dont la portée est grande dans sa réflexion économique.

Expliquant le *Pentateuque*, Calvin distingue les lois morales, les lois cérémonielles et les lois judiciaires [20]. Les lois cérémonielles et les lois judiciaires, quand même elles sont la conséquence concrète de lois morales, ne constituent qu'une enveloppe historique, donc circonstancielle. Elles concernaient le peuple d'Israël à l'époque des patriarches ; elles ne sauraient être transposées telles quelles à nos époques [21]. Nous avons vu l'application de cette prise de distance à la question de l'usure.

La loi morale elle-même revêt deux aspects, qu'il importe de ne pas confondre : elle tient l'office de « pédagogue » et d'« aiguillon », poussant l'individu dans la voie du salut personnel ; elle tient d'autre part « l'office politique », prescrivant une morale collective, contenant la société dans les règles nécessaires à sa survie.

L'exigence de la loi morale n'a pas la même rigueur, selon que la morale est personnelle ou collective. On ne peut exiger, comme règle sociale pour tous, l'idéal que l'on propose à l'individu. Voilà proscrit l'angélisme dans la loi politique. Thomas d'Aquin, nous l'avons vu, avait déjà ébauché cette distinction essentielle. Calvin la précise et en suit toutes les conséquences.

Cette adaptation n'est pas renoncement frivole à l'esprit de « la loi de Dieu baillée par Moïse [22] ». Elle implique de discerner entre ce qui, dans la révélation biblique, relève de la contingence historique – et ce qui vient de l'esprit vivifiant qui l'anime. L'ordre, qu'il soit social, politique, temporel ou spirituel, ne doit pas être conformation au passé, mais *réformation du présent*, renouvellement incessant des réformes que commande l'Évangile, réflexion permanente sur la société et la loi [23].

Une anthropologie positive

Calvin adopte ainsi une attitude de liberté spirituelle vis-à-vis de l'Écriture. L'éthique calviniste n'est pas soumission de l'action à des principes révélés, mais réactivation de ces principes, débarrassés de tout voile historique contingent, et assumés de façon personnelle, libre et responsable. Le croyant selon Calvin se soumet au seul tribunal intérieur de la conscience. Cette forme de piété renforce l'indépendance spirituelle et la discipline volontaire de l'individu.

Prenons un exemple dans un domaine qui n'est qu'apparemment éloigné du champ économique : celui du sexe. Dans l'*Institution de la religion chrétienne*, Calvin traite de « phantaisie froide et sotte » l'identification du péché originel avec la seule sexualité [24]. Dans ses commentaires de l'Écriture, il souligne les textes qui valorisent l'union conjugale, ainsi que l'entière dignité de l'homme, âme et corps. « Dieu a béni la société du mari et de la femme par lui ordonnée », écrit-il en commentant la *Genèse* [25]. Ou encore : « l'homme, étant en sa nature entière, n'a rien eu qui ne fût honorable [26] ». Il y a là une anthropologie fondamentalement positive.

Servir le mendiant sans entretenir la mendicité

Passons du réformateur genevois à la Genève réformée : on y trouve maintes expressions de cette attitude à la fois positive et pragmatique.

Prenons l'exemple de la mendicité [27]. Elle est interdite et réprimée, comme « contraire à bonne police », par des « officiers postés à l'issue des églises, pour ôter de la place ceux qui voudraient résister ». Le devoir de charité est assumé collectivement par l'Église et par la communauté civile. Mais cette entraide refuse d'être une simple assistance, qui confinerait l'ancien mendiant dans un état de dépendance institutionnalisée. L'adaptation souple et créative succède à la condamnation rigoureuse. On se propose d'aider les nécessiteux à retrouver ce que nous appellerions leur autonomie. On assure, dans le cadre de l'hospice, l'instruction de leurs enfants. Quant aux adultes, on s'occupe de leur réinsertion professionnelle.

Tel est le sens de l'*ordonnance sur l'hôpital* du 12 mai 1553 : évaluer et promouvoir les aptitudes pour voir, parmi les patients, « lesquels sont propres à mettre dehors à métier ou service [28] », c'est-à-dire ceux qui sont aptes à exercer une activité économique. Le mendiant n'est plus la pierre de touche de la charité évangélique, mais sa pierre d'achoppement. La véritable charité entend servir le mendiant sans entretenir la mendicité. On est loin de la mentalité chrétienne traditionnelle, qui, encouragée par une interprétation littérale des Béatitudes, voit dans la mendicité l'occasion de la charité, et ne cesse d'entretenir celle-là avec celle-ci, mariant ainsi clientélisme et bonne conscience.

Le spirituel et le temporel, selon Melanchthon

Spirituel et temporel : ce dualisme, dont Calvin fut le premier à tirer les conséquences quant au rôle de l'argent, ne lui était pas particulier. Il est au cœur du luthéranisme aussi, tel que, par exemple, Melanchthon l'exposait déjà en 1530 dans la *Confession d'Augsbourg* : « Tout en initiant les cœurs à la connaissance de Dieu, à la crainte de Dieu et à la foi, à la justice éternelle et à la vie éternelle, l'Évangile nous laisse libres, au-dehors, d'user des dispositions temporelles légitimes de quelque nation que ce soit, parmi lesquelles nous vivons, tout comme il nous laisse la liberté d'user de la médecine ou de l'architecture ou de la nourriture, de la boisson ou de l'air », écrit Melanchthon [29]. La distinction entre le « règne du Christ » et le « règne civil » a bel et bien une fonction libératrice.

Au nombre des confusions entre le religieux et le civil que dénonce Melanchthon, la pesanteur des prescriptions rituelles et les nombreuses interférences entre vie civile et vie religieuse. « Or, il est manifestement contraire à la parole de Dieu de faire des lois ou d'édicter des commandements, dans la pensée que, si on les observe, on obtient la grâce. Car c'est porter atteinte au glorieux mérite du Christ, que de s'aviser de mériter la grâce par de telles observances. Nul n'ignore que, par suite de cette prétention, les ordonnances humaines se multiplièrent dans la chrétienté, tandis que la doctrine de la foi et la justification par la foi furent tout à fait réprimées. Chaque jour, on édictait de nouveaux jours de fêtes, de nouveaux jeûnes, on instituait de nouvelles cérémonies et une nouvelle génération de saints, en vue de mériter par ces œuvres la grâce et tous les bienfaits de Dieu [30]. »

La multiplication des prescriptions supposées moralisatrices, tant religieuses que civiles, est clairement mise au compte d'une doctrine de la « justification par les œuvres » – confusion du spirituel et du temporel, du droit humain et du droit divin – dont les conséquences peuvent également valoir sur le plan économique. Un certain discrédit est jeté par là sur le travail, ou sur toute activité qui n'est pas ordonnée à ce salut par les œuvres.

C'est ce qu'indiquait discrètement Melanchthon : « De là sont venues ces innombrables prescriptions, selon lesquelles ce serait commettre un péché mortel que d'effectuer un travail manuel en des jours fériés, même si l'on ne scandalise personne [31]. »

Adaptation, réforme, discernement, mise à jour : tels étaient déjà les mots d'ordre de la *Confession d'Augsbourg*, sur une question qui engage la signification de l'activité humaine. La *servile obédience au passé*, l'*accablement des consciences* « à l'aide de traditions sans nombre... ne s'accordent pas avec le temps où nous vivons [32] ». Voilà *« l'erreur romaine »* que Melanchthon, avec patience et sans violence, essaie de redresser.

Un anti-fatalisme

Revenons à Calvin, parce qu'il a été le plus avant dans cette réflexion émancipatrice ; au point qu'on peut parler d'une pensée économique et sociale qui lui est propre ; au point que l'on peut envisager les conséquences économiques et sociales de sa Réforme, non comme un simple épiphénomène, mais comme la mise en œuvre d'un projet humain.

L'ermite, le moine fuient le monde. Ils s'en protègent. Ils lui dénient toute valeur. L'éthique calviniste, elle n'est pas anti-mondaine, mais bien trans-mondaine. Selon Calvin, il n'y a pas de « différence entre la nature et les dons de l'Esprit ; car il n'y a ni puissance, ni industrie ou dextérité, qu'on ne doive reconnaître venue de Dieu [33] ».

En particulier, les notions d'*échange*, de *marchandise*, de *trafic*, perdent leur tonalité dépréciative, pour se hausser au rang d'emblèmes de la vie chrétienne. « Ceux qui emploient en bons usages les grâces qu'ils ont reçues de Dieu, il est dit qu'ils *trafiquent* ; car la vie des fidèles est bien proprement comparée à *un train de marchandises*, parce qu'ils doivent comme *faire échange* et *troquer* les uns avec les autres, pour entretenir la compagnie [34]. »

La vie économique n'est donc pas reléguée au rebut spirituel, vouée au mépris et à la honte. Elle est plutôt une bonne image de l'aventure humaine et, plus qu'une image, le lieu même où s'éprouve la valeur humaine : « L'industrie de [l'habileté avec] laquelle un chacun exerce sa charge, et la vocation même, la dextérité de bien conduire, et autres grâces, sont comme marchandises, parce que la fin et l'usage en sont qu'il y ait une communication naturelle entre les hommes [35]. »

Telle est l'interprétation donnée par Calvin de la parabole des talents. Les grâces, capacités et dispositions reçues par l'homme doivent être communiquées, diffusées, échangées entre les hommes. *L'économie du salut n'est pas contraire à l'économie politique. Même si elles ne se confondent pas, elles se rejoignent : il y a là une vraie révolution mentale.*

Avant d'être une éthique de l'ascèse rationnelle ou de la prédestination, le calvinisme est d'abord une éthique de la communication, de l'échange, du développement des capacités – de la fructification des talents. Ce trait fondamental paraît de nature à expliquer le coup d'accélérateur que donne le calvinisme à l'activité économique, financière et commerciale, partout où il est bien reçu – bien plus que les thèses complexes, où s'égarera Max Weber, sur la « double prédestination » ou sur la « probation ».

Selon une telle éthique, les biens matériels ne sont pas rejetés comme manifestations de la vanité du monde, mais compris pour leur valeur de pédagogie du salut, en tant qu'ils sont « véhicules et signes de la grâce générale de Dieu [36] ». Dans un sermon sur l'*Épître aux Éphésiens,* Calvin célèbre sur le mode lyrique la possession des biens dans laquelle l'homme est entré par la grâce de Dieu : « Quand donc Dieu nous a ainsi logés, afin de nous faire posséder tant de biens, ne voilà point un don inestimable [37] ? » Ce don, le chrétien peut en user librement, si c'est pour le faire fructifier.

Le calvinisme est une éthique du travail. Commentant la *Genèse,* Calvin écrit : « La tranquillité de la foi n'a aucune affinité avec [la] paresse [38]. » C'est dans l'activité terrestre que se résorbe, en sérénité et confiance, la prétendue « tension eschatologique » qui est censée déchirer le calviniste entre patrie terrestre et patrie céleste.

Des entreprenants et hommes d'affaires de Genève ont été interrogés en 1991 sur l'empreinte laissée par Calvin dans la finance et la politique [39]. L'enquête – précise et approfondie, qualitative et non statistique – confirme entièrement ce que nous avons avancé théoriquement : l'inanité de l'explication de Max Weber par la prédestination ou par l'ascèse rationnelle. Le calvinisme n'est pas un fatalisme perfectionné : c'est un anti-fatalisme. Par une sorte de reconnaissance de dette envers un Créateur transcendant, inflexible mais bon, il libère l'homme de l'angoisse des décrets divins. Il ouvre une carrière au dépassement de soi sur terre.

Conscience et confiance

Telle est la liberté chrétienne selon Calvin : non l'observation scrupuleuse de lois extérieures, ni la soumission anxieuse à une conscience tracassière, mais l'obéissance intérieure et autodéterminée d'une personne à sa vocation. « Car Dieu ne s'arrête point à la montre externe, mais regarde l'obéissance intérieure du cœur, de laquelle seule dépend toute l'estime de nos œuvres [40]. »

Calvin s'élève contre les scrupules de conscience qui inhibent l'activité extérieure : « Si quelqu'un a commencé à douter s'il lui est licite d'user de lin en draps, chemises, mouchoirs, serviettes, il ne sera non plus après assuré s'il lui est licite d'user de chanvre ; à la fin, il commencera à vaciller s'il peut même user d'étoupes. Car il répétera en soi-même s'il ne pourrait pas bien manger sans serviette, s'il ne pourrait pas se passer de mouchoirs... S'il fait scrupule de boire bon vin, il n'osera après en paix de sa conscience en boire de passé ou éventé, ni finalement de l'eau meilleure ou plus claire que les autres. Bref, il sera mené jusque-là, qu'il fera un grand péché de marcher sur un fétu de travers.

« Nous voyons en somme à quelle fin tend cette liberté, c'est à savoir à ce que puissions sans troublement d'esprit appliquer les dons de Dieu à tel usage qu'ils nous ont été ordonnés ; par laquelle *confiance* nos âmes puissent avoir paix et repos avec Dieu [41]. »

La foi calviniste n'est pas une « inquiétude de l'âme », mais la quête d'une paix, d'une « *confiance* » délivrant la conscience des scrupules qui la « brident et la mettent aux liens ».

C'en est donc fini de la malédiction intrinsèque des richesses. Seuls leur abus, leur mauvais usage peuvent nuire. La vocation naturelle de l'homme va à l'échange, à la consommation, au développement. L'ironie ravageuse de la démonstration vise directement les prohibitions tatillonnes, génératrices d'inhibition générale, qui caractérisaient l'Église d'alors, depuis l'interdiction des mouchoirs de lin jusqu'à celle du rire.

« À notre plaisir et récréation »

La modernité de Calvin consiste à ne pas invoquer les silences de l'Écriture comme autant d'interdits : le Livre Saint n'est pas un empêchement de vivre.

Ni privation, ni excès. Calvin condamne le luxe et la luxure, non le bien-être et la jouissance : « Car pourquoi sont maudits ceux qui sont riches, qui ont maintenant leur consolation, qui sont saoulés, qui rient, qui dorment dedans lit d'ivoire, qui conjoignent possession avec possession, desquels les banquets ont harpes, luths, tambourins et vins ? Certes et l'ivoire, et l'or, et les richesses sont bonnes créatures de Dieu, permises, et même destinées à l'usage des hommes, et n'est en aucun lieu défendu ou de rire, ou de se saouler, ou d'acquérir nouvelles possessions, ou de se délecter avec instruments de musique, ou de boire vin. Cela est bien vrai. Mais quand quelqu'un est en abondance de biens, s'il s'ensevelit en délices, s'il enivre son âme et son cœur aux voluptés présentes et en cherche toujours de nouvelles, il recule bien loin de l'usage saint et légitime des dons de Dieu [42]. »

Ce texte va loin. Le libre usage des biens ne s'ordonne pas seulement à des fins de nécessité, mais encore « à notre plaisir et récréation [43] ». Il a fallu cette large ouverture, pour que le calvinisme devienne un tel encouragement à l'activité économique. Si la réussite matérielle n'avait dû servir, dans une vision étriquée de l'ascétisme calvinien, qu'à fournir des preuves d'une élection, les Réformés se seraient enfermés dans une casuistique de la foi aussi stérilisante que la casuistique romaine des œuvres. Tel n'a pas été le cas, grâce à la profondeur de la vision de Calvin.

Le rire, le plaisir, l'argent, le commerce, le travail, la réussite personnelle, la prospérité de la cité – tout ce qui fait « le propre de l'homme » est assumé, en conscience, en confiance.

Dans le champ de l'économie, en particulier, Calvin refuse la frilosité. Le mot d'ordre est : faire fructifier tous les dons de Dieu.

La vie économique ne saurait se réduire à la distribution plus ou moins équitable de richesses en quantité constante ; l'échange des produits est intrinsèquement productif ; l'échange de l'argent lui-même produit un revenu. Calvin a déplacé la mentalité économique, du *partage* des richesses, vers la *création* des richesses. Surtout, il a émancipé de la sphère théologique les questions économiques. L'argent, entre les mains de l'entreprenant, devient un agent de production, et non plus seulement un étalon stérile [44].

Sur ce point comme sur d'autres, c'est moins le contenu doctrinal que l'attitude, moins l'idéologie que la méthode, qui font la distorsion entre Calvin et les canonistes, entre Réforme et Contre-Réforme, entre modernité et archaïsme.

Chapitre 5

La permanence d'un tabou

Sans doute Calvin n'avait-il qu'enfoncé une porte entr'ouverte, si l'on songe que, dès le xive siècle, la scolastique s'ingéniait à rendre possible le prêt à intérêt [1]. Mais parce qu'il l'avait enfoncée avec insolence et fracas, Rome s'employa à la refermer.

Parce que la Réforme réhabilite le prêt à intérêt ; parce que la levée de ce tabou devient signe distinctif du calvinisme ; parce qu'elle est fort bien accueillie, naturellement, de tous ceux qui détiennent quelque argent et de ceux qui en cherchent pour financer leurs projets – l'Église catholique se raidit. Et elle va entraîner le raidissement des pouvoirs politiques qui évoluent dans son orbite. Le *Catéchisme du Concile de Trente* (1566) n'y va pas de main morte : « L'usure fut toujours un crime très grave et très odieux, même chez les païens... Qu'est-ce que prêter avec usure ? Qu'est-ce que tuer un homme ?... Il n'y a pas de différence » (chap. 35, IV).

La controverse précise les positions des uns et des autres. Elle les oppose terme à terme. On peut les résumer dans un diptyque :

Position catholique	Position calviniste
L'argent est seulement le *moyen* d'échanger des biens.	L'argent est *en soi* un bien.
L'argent est naturellement stérile ; il est contre nature de lui faire produire un revenu.	Il est conforme à l'ordre naturel que l'argent engendre de l'argent.
Quel que soit son taux, tout intérêt demandé pour un prêt d'argent est illégitime.	Si les préceptes de la charité recommandent de prêter sans attendre rien en retour, le droit naturel autorise le prêt à intérêt.
Même rendu licite par le droit positif, le prêt à intérêt demeure contraire à la loi naturelle et divine.	Les lois civiles qui réglementent le prêt à intérêt sont conformes à l'ordre naturel.
Est seul légitime l'intérêt qui compense un dommage subi par le prêteur.	Est légitime l'intérêt qui assure au prêteur un juste profit.
Seule l'activité humaine est féconde.	L'argent est fécond, pour peu qu'il permette à l'activité humaine de s'exercer.

Accentuation de la divergence

Cette divergence s'accentue en France au cours des guerres de religion.

L'assemblée du clergé à Melun (1579) et le concile provincial de Reims (1583) rappellent durement les anciennes prohibitions et ordonnent « aux curés d'annoncer *tous les dimanches* au prône que les usuriers sont frappés d'excommunication [2] ». Les conciles provinciaux de Toulouse (1590) et de Narbonne (1609) s'encolèrent : ils reconduisent la condamnation avec toujours plus de menaces.

Les ordonnances du roi, au cours du XVIe siècle, jouent le rôle de bras séculier de l'Église. Dès avant la Réforme, elles prescrivaient de rechercher d'office les coupables d'usure. Le pouvoir monarchique s'en donne maintenant les moyens : par des édits de 1564, 1565, 1567, il institue des commissions particulières pour diligenter ces recherches. Le parlement de Paris le suit.

Voici, par exemple, son arrêt du 26 juillet 1565 : « Enjoint icelle cour à tous ceux et celles qui en savent et connaissent aucuns [usuriers] de quelque état, qualité et condition qu'ils soient, marchands ou autres, tant hommes que femmes, de venir en révélation [de les dénoncer] sous peine de cent livres d'amende, à ce que telle manière de gens, comme pestilents et pernicieux à la chose publique, soient du tout exterminés. » Les peines sont renforcées : par l'édit de mars 1567, le bannissement perpétuel s'ajoute aux amendes et confiscations de biens, en cas de récidive. L'édit du 15 janvier 1576 prescrit même aux juges d'appliquer à l'occasion une peine corporelle [3].

De plus, *ces pénalités sont applicables, quel que soit le taux de l'usure*. Le Moyen Âge distinguait entre les usures excessives et les usures modérées. La distinction est effacée par l'ordonnance de Blois de mai 1579 : « Faisons inhibitions et défenses à toutes personnes, de quelque état, sexe ou condition qu'elles soient, d'exercer aucune usure ou *prêter deniers à profit et intérêt*, ou bailler marchandise à perte de finance par eux ou par autres, encore que ce fût sous prétexte de commerce public ; et ce sur peine, pour la première fois, d'amende honorable, bannissement et condamnation, etc. [4]... » Cet article, confirmé par une ordonnance de 1629, *demeura en vigueur jusqu'en 1789*, c'est-à-dire pendant deux cent dix ans.

Les tribunaux appliquaient ces ordonnances en toute rigueur, soutenus par les plus grands jurisconsultes, comme Pothier ou Domat. *Tout prêt devait être gratuit*. Même les intérêts de retard, bien qu'ils fussent licites, devaient être autorisés par décision de justice [5]. Cette sévérité ne connaissait d'accommodements que dans la France méridionale, pays de droit écrit, où se maintenait le prestige des anciennes lois romaines. Si, en Provence, la loi de l'Église était strictement observée [6], dans les ressorts des parlements de Toulouse et de Bordeaux, le prêteur poursuivi n'était pas nécessairement tenu de restituer au débiteur les intérêts convenus [7].

Pendant ce temps, dès la fin du XVIᵉ siècle, le prêt à intérêt avait été admis officiellement en Suisse, en Angleterre et en Hollande.

Vix pervenit : *l'encyclique de l'ambiguïté*

Rome est toujours dans Rome, et nous allons mesurer la persistance de ses interdits. En plein XVIIIᵉ siècle, une encyclique va fixer à nouveau la doctrine. Benoît XIV (1740-1758) est un pape particulièrement ouvert et tolérant, respecté par Voltaire et Frédéric II : c'est lui qui abolit l'Inquisition en Toscane et affirme qu'on ne réconciliera jamais les Protestants que par la douceur. Il protège même la liberté du commerce. Son intervention est sollicitée parce que la ville de Vérone a voulu emprunter une somme d'argent à 4 % : peut-on l'y autoriser ?

L'encyclique *Vix pervenit* (1745) est sa réponse. Elle commence par un rappel sévère de la condamnation traditionnelle, mettant même les points sur les i : « Il ne servirait à rien de dire que ce profit n'est pas excessif, mais modéré ; qu'il n'est pas grand mais petit [8]. » Le profit du prêt d'argent est dénoncé, une fois de plus, comme « intrinsèquement pervers », *quel que soit son taux.*

L'ouverture vient d'ailleurs : il peut exister des « titres extrinsèques au contrat de prêt d'argent... [qui] créent une raison très juste et très légitime d'exiger, suivant les formalités ordinaires, quelque chose, en plus du capital dû à cause du prêt [9] ». Le Pape évoque alors le souci de fournir « une multiplicité de moyens et de manières licites d'alimenter le commerce, de maintenir et de promouvoir, pour le bien public, un négoce productif [10] ». C'est au nom de cette nécessité du « bien commun » que l'encyclique, finalement, autorise l'emprunt de la ville de Vérone.

Mais il ne faudrait pas en profiter pour trop élargir la brèche : « Il serait téméraire et déraisonnable de croire qu'il se trouve toujours d'autres titres légitimes au prêt ou bien, sans parler du prêt, qu'il se présente partout d'autres contrats justes, titres ou contrats permettant de recevoir une augmentation modérée en plus du capital intégral, argent, blé ou autre chose. » La légimation par le « bien commun » ouvre la voie aux emprunts publics : elle la ferme d'autant plus hermétiquement aux prêts privés.

Benoît XIV oscille donc entre le blâme radical et l'indulgence, et semble préoccupé d'affirmer le pouvoir doctrinal de l'Église plus qu'une quelconque rationalité économique. Cette attitude sera appelée à durer. Devant les bouleversements scientifiques, techniques, politiques qui affectent la chrétienté, l'Église catholique, sur la défensive, cherchera d'abord à sauvegarder son autorité, en vue du salut des âmes et des corps, plutôt qu'à favoriser le progrès matériel.

Benoît XIV n'ignore pas que l'on s'interroge, souvent de bonne foi. Raison de plus pour mettre en garde. Qu'on « ne s'attache pas trop à ses opinions particulières ; mais qu'avant de répondre, on consulte plusieurs écrivains [théologiens] de grand renom ; qu'on embrasse ensuite le parti qu'on verra clairement appuyé, non seulement sur la raison, mais encore sur l'autorité [11] ».

L'acteur de la vie économique est donc démis de sa responsabilité propre. La raison est enfin reconnue comme partie prenante dans les choix économiques ou financiers ; mais *sous la réserve expresse qu'elle s'accorde à l'autorité du Magistère.*

Combats de retardement

L'histoire de ce long combat de retardement n'était d'ailleurs pas finie. Un siècle après *Vix pervenit*, le décret du Saint-Office du 29 juillet 1836 rendit universelles les prescriptions, au demeurant vagues, du texte de 1745. Cela n'avait pas empêché le Magistère, quelques années plus tôt, par le décret du 18 août 1830, *Non esse inquietandos*, promulgué sous Pie VIII, de décider qu'il ne fallait plus « inquiéter les confesseurs qui absolvent ceux qui prêtent à intérêt aux commerçants, ou même ceux qui prêtent en s'autorisant de la loi civile, pourvu qu'ils obtiennent de leurs pénitents une promesse de soumission aux décisions ultérieures du Saint-Siège [12] ».

Ces décisions « ultérieures » ne sont jamais venues. En 1889, cette réserve fictive est elle-même levée : les confesseurs peuvent absoudre sans condition. Ce qui laisse tout de même entendre qu'il subsiste une faute.

L'enseignement explicite devient plus prudent. Léon XIII s'en prend, dans *Rerum Novarum*, à « l'usure *dévorante* ». Si les foudres de l'Église ne s'étaient jamais déchaînées que contre l'usure dévorante, sans doute, dans les nations latines, la croissance eût-elle été moins retardée, l'investissement créateur de richesses mieux accepté, le développement moins convulsif.

La force du préjugé : « obéir ou cesser d'être chrétiens »

On le voit : l'attitude des canonistes, des juristes séculiers, des marchands face à l'argent aura, pendant des siècles, trouvé sa pierre de touche dans la question de « l'usure », c'est-à-dire en fait de l'autorisation du prêt à intérêt, du loyer de l'argent. Prescriptions, ordonnances, prohibitions, tolérances de fait – on voit s'installer un complet contraste entre deux attitudes divergentes par rapport à l'argent, expression de deux options anthropologiques fondamentales.

Si fondamentales, qu'il ne faut pas tout imputer aux législateurs – Rome ou Calvin.

Ne croyons pas que Rome soit loin des Français : pour ne parler que d'eux, ils ont intériorisé ses interdits. N'imaginons pas que les édits royaux combattent un désir général de prêter ou d'emprunter à intérêt. Tout au contraire, ils s'appuient sur le préjugé populaire.

Les XVIIᵉ et XVIIIᵉ siècles – ceux mêmes où la révolution économique prend son essor aux Provinces-Unies puis au Royaume-Uni – retentissent en France d'imprécations contre l'usure, le commerce, l'accumulation des richesses. « C'est la plus grande des injustices... puisque c'est déclarer la guerre au genre humain, et chasser plus de gens que la guerre ne peut faire », s'écrie le père Thomassin. Et de proposer son idéal d'auto-subsistance : « Si personne n'acquérait et ne possédait que ce qui est nécessaire pour son entretien et pour celui de sa famille, il n'y aurait point d'indigents par tout le monde [13]. » L'égalité par la pénurie : le propos rend un son moderne, et même post-moderne...

S'il fallait résumer d'un trait cette hostilité de principe, l'intransigeante formule de Souchet suffirait, dans son *Traité de l'usure* de 1776 : « Les raisonnements sont inutiles ; il faut obéir, ou cesser d'être chrétiens. »

Du tabou au bouc émissaire

C'est bien le langage du préjugé. Il est si fort, si répandu, que les avocats du prêt à intérêt, comme Turgot dans son *Mémoire sur les prêts d'argent* [14] (1769), ne peuvent que s'interroger sur les obstacles que leur démonstration rencontre dans les profondeurs de la psychologie.

La flétrissure du prêt à intérêt n'est pas née tout armée de « l'autorité des théologiens rigides [15] ». Ils n'ont que « contribué à étendre cette opinion [16] ».

Pour Turgot, « la source du préjugé des théologiens est dans la nature des hommes. Car, quoiqu'il soit doux de trouver à emprunter, il est dur d'être obligé de rendre [17]. » L'opprobre attaché au prêt à intérêt exprime une tendance à l'irresponsabilité économique : la peur qu'inspire le créancier, c'est la peur d'avoir à rendre des comptes.

Même atténuée par mille subterfuges [18], la condamnation de principe, cristallisant la haine populaire, fait peser une lourde inhibition sur toute initiative économique.

Une vingtaine d'années après Turgot, Jeremy Bentham, dans sa *Défense de l'usure* (1787), lance ses sondes plus profond dans la psychologie populaire. Il part du constat que, même en Angleterre où l'argent porte intérêt depuis longtemps, le préjugé antique subsiste.

Tout se passe, remarque Bentham, comme si l'argent ne pouvait, sans infamie, devenir lui-même objet de libre transaction ; comme si la liberté ne pouvait sans s'avilir pénétrer la sphère pécuniaire. Personne n'éprouve de honte à tirer le plus grand parti possible de l'usage qu'il concède d'une maison ; mais s'il « cherche à faire valoir une somme d'argent de la manière la plus avantageuse, à en tirer 6 ou 7 ou 10 %, [il] mérite le nom flétrissant d'usurier [19] ».

D'après Bentham, le prêt à intérêt a été le bouc émissaire du tabou de l'argent – et, pour comble, les Juifs ont dû prendre en charge la même fonction expiatrice.

L'argent est à la fois maudit et convoité ; d'autant plus convoité qu'il est plus maudit. La solution adoptée fut la suivante : « Laisser les Juifs gagner de l'argent comme ils l'entendaient, et le leur prendre ensuite toutes les fois qu'on en avait besoin [20]. » L'on commit des boucs émissaires au service de l'argent et l'on tira profit de leur flétrissure sans en être touché.

Bentham détecte ainsi, même dans la pratique libérée et tolérante de son pays, les traces profondément inscrites d'une mentalité d'hostilité à l'égard de l'argent et de ceux qui en tirent profit. Il permet du même coup d'évaluer la force du tabou, quand rien ne le retient dans les réflexes populaires, et que tout le légitime dans la doctrine religieuse et les lois positives.

Deux siècles de retard

Deux ans après Jeremy Bentham, en 1789, l'abbé Rougane, comme en préface à la Révolution française, dédiait aux États Généraux ses *Nouveaux patrons de l'usure réfutés, y compris le dernier défenseur de Calvin sur le même sujet* [21]. Jolie façon de fêter le millénaire du capitulaire de Charlemagne, publié à Aix-la-Chapelle en 789, *Au sujet des usures (De Usuris)* : « Item dans le même concile ou dans les décrets du pape Léon, non moins que dans les canons des apôtres, et comme le Seigneur l'a lui-même ordonné dans sa loi, interdiction totale à quiconque de prêter quoi que ce soit à intérêt [22]. » Ce qui n'empêcha pas l'Assemblée nationale, le 3 octobre 1789, d'autoriser – enfin – le prêt de l'argent « avec intérêt suivant le taux déterminé par la loi [23] ». Avec deux siècles de retard par rapport à la Suisse, à la Hollande et à l'Angleterre.

Mille ans de vie – et plus – au tabou de l'usure. Quels que soient les accommodements avec le Ciel ou les tolérances de fait, un tel préjugé a, d'évidence, à la fois produit et traduit une puissante réprobation.

Là où, à la suite de Calvin, un fossé a pu protéger de la condamnation morale le libre usage de l'argent, le déploiement du crédit et du profit a permis à l'économie d'exalter ses forces de transformation. Ailleurs, dans le même temps, l'inhibition de la mentalité économique contractait ces mêmes forces.

Chapitre 6

Le concile de la fermeture

De nombreux travaux récents ont mis en évidence que la Contre-Réforme ne se résuma pas à une période de lutte contre la Réforme ; qu'elle fut marquée par un vigoureux renouveau religieux, « une puissante vague de ferveur populaire [1] ». Le catholicisme n'a pas seulement maintenu ou rétabli son emprise sur d'immenses territoires de la chrétienté, en mobilisant ses réseaux de pouvoir et ses capacités de répression. Il a su rencontrer l'adhésion intime et profonde de dizaines de millions d'hommes et de femmes.

N'empêche : le catholicisme d'après Luther et Calvin n'est pas le même qu'avant. Il s'est durci au feu du combat. Il a, certes, ressourcé son élan religieux – et comment méconnaître les accomplissements d'un Ignace de Loyola, d'un François de Sales, d'un Jean Eudes, d'un Vincent de Paul ? Mais il s'est aussi renforcé dans ce qu'il recèle d'organisation hiérarchique et d'exercice implacable du pouvoir.

Le mot de la fin

Ce raffermissement du catholicisme en tant que société, on ne peut pas en trouver plus fort témoignage que dans le Concile de Trente. C'est logique : le centralisme catholique devait se réaffirmer d'abord en son centre, dans sa hiérarchie rassemblée autour du pontife romain.

Il est inutile à notre propos de refaire l'histoire de ce concile. Mais il importe de montrer *comment*, au moment même de réformer l'Église, Trente a agi en *inhibiteur*.

Du 13 décembre 1545 au 4 décembre 1563, sont tenues vingt-cinq sessions, dont le but est ainsi proclamé : « Pour l'accroissement et l'exaltation de la foi et de la religion chrétienne, pour l'extirpation des hérésies, la paix et l'union de l'Église, la réforme du clergé et du peuple chrétien, pour l'humiliation et l'extinction des ennemis du nom chrétien [2]. »

Vaste programme, qui suscitera de fait un travail intense. L'œuvre du Concile s'étend à de très nombreux sujets : mœurs, discipline ecclésiastique, famille, relations sociales, musique, architecture. Le Concile initie des réformes qui mettront des années, des décennies à entrer dans les faits. Peut-on les résumer d'un mot ? Peut-on d'une formule saisir l'esprit du Concile ? Plutôt que de nous y risquer, transportons-nous au dernier jour de cette assemblée, à l'instant où elle va se disperser. Écoutons le finale.

Nous voilà le 3 décembre 1563. Présidant à la clôture du Concile, le cardinal de Lorraine dialogue avec les Pères. Il implore la bénédiction divine sur les empereurs, les rois, les princes et les républiques qui ont protégé le Concile : il souligne ainsi la dimension géopolitique du combat de la Contre-Réforme.

Puis il s'écrie : « Sacro-saint Concile œcuménique de Trente ! Confessons sa foi ! Gardons à jamais ses décrets ! » « Toujours confessons-la. Toujours gardons-les [3] ! » répondent les Pères.

Et voici les trois dernières invocations :

Les Pères : – *Fiat, fiat* ! Amen, amen !

Le Cardinal : – Anathème à tous les hérétiques !

Les Pères : – Anathème, anathème [4] !

Anathème est le mot de la fin, comme il avait marqué l'ouverture. Il est l'alpha et l'oméga de Trente : condamner, excommunier, exclure ; poser des bornes visibles et intangibles entre la Vérité et l'Erreur, entre Dieu et le Diable ; immobiliser tout débat ; se prémunir contre la liberté, ou du moins contre ses séduisants abus.

L'ordre voulu par Dieu

Bien sûr, l'œuvre positive du Concile est impressionnante. *Doctrinale et réformatrice*, elle va être le point de départ d'un puissant regain de la foi. Ses effets se feront sentir jusqu'à l'aube du XXe siècle. Sursaut puissant, Trente atteint son objectif : une plus grande gloire de Dieu. Il rompt avec des décennies d'interrogations, redresse la foi chancelante, ravive l'espérance en la mission divine de l'Église. Trente renforcera aussi la charité : les ordres charitables sont les fils du Concile de Trente. Et quelle explosion artistique et musicale...

Mais il n'est pas indifférent que le Concile se termine sur une note négative, celle de l'anathème. De même, les décrets dits de réformation font la chasse aux abus et placent très haut l'exigence à l'égard du clergé. Mais ils légitiment avec la plus grande vigueur l'institution cléricale – la hiérarchie sacrée.

C'est à la veille de se disperser, dans sa session de l'été 1563, que le Concile les proclame, bouclant en quelque sorte son œuvre.

La doctrine n'est pas nouvelle, certes, mais les anathèmes successifs bloquent toute évolution.

Anathème, celui qui nie que « la hiérarchie a été instituée par l'ordre de Dieu » et que cette hiérarchie est « composée d'évêques, de prêtres et de ministres [du culte] ». Cette hiérarchie ne dépend pas, comme toutes les autres hiérarchies sociales, de l'homme. Fixée par Dieu, *elle est intangible.*

Anathème, celui qui prétendrait « que ceux qui ne sont ni ordonnés ni commis bien et légitimement par la puissance ecclésiastique et canonique, mais qui viennent d'ailleurs, sont pourtant de légitimes ministres de la parole de Dieu » (canon 7). La parole de Dieu ne parle pas légitimement en dehors de la bouche d'un prêtre. La parole de Dieu est confiée à l'institution de l'Église, comme *un monopole.*

L'affirmation de la hiérarchie n'est pas gratuite. Sur elle, repose l'affirmation d'une autorité sans concession. À elle, de défendre la vraie doctrine. Pour nous, le contenu de cette doctrine importe moins que la façon dont elle est défendue et imposée. Là est la véritable distorsion de mentalité entre Réforme et Contre-Réforme.

Les circonstances renforcent ainsi la tendance impérieuse de l'Église catholique. Dans le préambule de la session XXI, « le Saint Concile de Trente... interdit à tous les fidèles chrétiens d'être assez téméraires pour à l'avenir croire, enseigner ou prêcher autre chose que ce qui sera expliqué et défini dans les décrets suivants »... L'Église entend maintenir ses ouailles dans un état de *dépendance intellectuelle,* au moyen de la hiérarchie.

La foi et les œuvres : *piété catholique contre confiance réformée*

La doctrine établit aussi une distorsion dont l'importance ne saurait être assez soulignée. La doctrine luthérienne de la justification « par la seule foi » *(sola fide)* trouve dans le Concile de Trente un adversaire acharné. Le Concile proclame donc la valeur « *méritoire* » des bonnes œuvres, contre leur valeur seulement « *probatoire* ». « Si quelqu'un dit que la justice reçue n'est pas conservée et encore augmentée devant Dieu par les bonnes œuvres, mais que les œuvres sont seulement les fruits et les signes de la justification et non aussi la cause de son accroissement, qu'il soit anathème [5]. »

Mais le rejet de la « seule foi » est aussi un refus de la seule confiance *(fiducia).* C'est ce qu'énonce formellement le canon 12 : « Si quelqu'un dit que la foi justifiante n'est pas autre que notre confiance *(fiducia)* en la divine miséricorde nous remettant nos péchés à cause du Christ ; ou que cette confiance seule nous justifie, qu'il soit anathème [6]. »

La doctrine de Trente réaffirme, en toute logique, l'importance de la crainte du salut. Le canon 8 légitime la peur de l'enfer – *gehennae metus* [7].

Le libre arbitre de l'homme défendu par la doctrine catholique est donc, dans ce contexte, moins l'affirmation d'une *confiance en soi-même*, d'une sereine responsabilité, que l'occasion de la défiance de soi et de la crainte de tout ce qui n'est pas contrôlé par l'Église. De même, la valorisation des œuvres n'est pas un encouragement à l'activité comme telle. Car ces « bonnes œuvres » doivent être intrinsèquement méritoires : leur orientation salutaire doit obéir à une économie divine et non pas seulement humaine.

À rebours, le principe luthérien de la corruption de toutes les œuvres humaines – fût-ce « des bonnes œuvres elles-mêmes [8] » – abandonne la sphère de l'activité humaine à ses propres lois. Il la libère en quelque sorte de la tutelle théologique. Cette conséquence logique avait sans doute échappé à Luther – mais non à Calvin. L'espoir d'une récompense par les œuvres paralyse l'activité économique. L'abandon de cet espoir libère l'activité économique des tabous et des règles étrangers à son bon régime, c'est-à-dire aux principes et méthodes qui la régissent rationnellement.

Aux yeux de l'Église catholique, c'est une hérésie que de chercher le salut dans la seule foi, et non par les œuvres. L'abandon de l'activité humaine à ses propres lois témoigne d'une « présomptueuse confiance *(fiducia)* et d'une certitude, se reposant en elle seule, de la rémission de ses péchés » *(in illa sola quiescenti)* [9]. Et le Concile d'opposer à la piété la confiance, « cette vaine confiance éloignée de toute piété » (« *vana haec et ab omni pietate remota fiducia* ») [10].

Ces textes du Concile n'ont certes pas une teneur économique directe. Leur signification anthropologique nous apparaît cependant comme décisive : la *confiance*, séparée de l'obéissance, est déclarée vaine et vaniteuse ; tandis que la *piété* repose sur l'inquiétude du salut, et subordonne l'action humaine – les « œuvres » – à l'économie... du salut.

L'héritage de la défiance

Une certaine spiritualité restera marquée par cette doctrine de la défiance de soi. Saint François de Sales veut que « nous cheminions dans la défiance de nous-mêmes ». Bien sûr, il ne s'agit pas d'un traité d'économie, ni de conseils aux marchands. Mais les deux premiers chapitres du *Combat spirituel*, d'une portée générale, insistent sur cette disposition indispensable pour la lutte intérieure. Une inhibition de plus, pour ceux dont la fonction exigerait la confiance en soi et dans les autres.

Dans un sens analogue, saint Vincent de Paul professe la *confiance en la Providence* à l'exclusion de la confiance dans sa créature [11]. On retrouvera plus tard, chez Henri-Marie Boudon, auteur de *Dieu seul*, les traces de cette confiance exclusive en Dieu : « J'aimerais mieux mourir que d'avoir le moindre appui sur aucune créature, ni sur aucun moyen humain [12]. »

Nul ne songe à soutenir que le Concile de Trente a délibérément voulu engendrer une *société de défiance*. Néanmoins, mal équilibrée, mal reçue, ou étendue à des domaines qu'elle ne visait pas directement, la doctrine de la « vaine confiance » *(vana fiducia)* a pu renforcer certaines composantes fatalistes, propres à inhiber *l'éthos de confiance*.

Du reste, certains moralistes catholiques ont bien vu le danger. Un siècle après Trente, le Père Nicolas du Sault affirme que la confiance en Dieu n'exclut pas la confiance placée dans les moyens humains. On lit dans son *Traité de la confiance en Dieu* [13] : « Dieu ne prétend pas rendre les lumières qu'il nous a données inutiles par le soin qu'il a de nous. » La confiance en soi est légitime quand elle se réduit à la confiance en Dieu, elle est blâmable quand elle se passe de la confiance en Dieu.

Le Père du Sault ne faisait que rééditer la doctrine thomiste de la confiance *(fiducia)*, affirmation d'une espérance solide dans l'action, qui nous porte à des fins vertueuses, avec la certitude d'y parvenir. Mais si Thomas d'Aquin distinguait la *fiducia* de l'espérance *(spes)*, c'était pour mieux réintégrer la première dans la seconde : « L'espérance, comme vertu théologale, nous fait nous confier à Dieu ; la confiance nous fait nous confier à nous-mêmes, mais dans la soumission à Dieu [14]. »

Les Pères conciliaires de Trente n'ignoraient pas ces nuances. Mais l'époque n'était plus aux nuances. Dans le contexte de rébellion des protestantismes, il fallait sacrifier la confiance à la soumission.

Écritures et tradition

On ne s'étonnera pas que le Concile de Trente ait apporté beaucoup d'attention à la maîtrise de la diffusion de l'écrit. Les Pères avaient une conscience aussi aiguë que les Réformés, et que les historiens modernes, de l'importance du livre : tant le Livre par excellence, la Bible, fondement de toute doctrine et de toute foi, que les livres qui propagent convictions et doutes, vérités et mensonges, piété et impiété.

Le sujet s'imposa dès l'ouverture du Concile. Le premier soin des Pères est de fixer *ne varietur* la liste « canonique » des livres sacrés : on sait que les luthériens avaient modifié la liste traditionnelle. C'est l'objet du premier décret. Quant au deuxième, relatif à la Vulgate, il s'en prend expressément « aux esprits entreprenants... se fiant à leur propre jugement [15]... », qui refusent d'admettre l'autorité de cette traduction (dont les Pères reconnaissent qu'elle s'écarte souvent du texte hébreu). Parce que la Vulgate est une version reçue dans l'Église depuis mille ans, parce que de nombreux conciles antérieurs l'ont citée, elle doit être considérée comme « authentique ».

Le document du 17 mars 1546 va plus loin. Il compte au nombre des abus : « la multiplicité des éditions de l'Écriture » ; « l'impression et la vente, sans autorisation des supérieurs, des textes scripturaires et des commentaires qu'on y ajoute, non sans y mêler parfois des erreurs [16] » ; la « facilité avec laquelle certains interprètes dans les choses de la foi et des mœurs détournent l'Écriture sainte du sens que l'Église et le consentement unanime des Pères ont toujours tenu ».

Le remède consiste, sous des peines que le Concile déterminera, à *interdire* que, dans l'exposé et la discussion des vérités, l'on s'éloigne du sens admis par l'Église [17] : elle affirme par là, *contre tout pluralisme*, sa mission d'unification du peuple de Dieu, et donc *son privilège exclusif d'interprétation de l'Écriture.*

Il ne suffit pas de réprimer la production de textes, il faut encore en réformer la consommation : « Ceux qui communiqueraient ces livres et les divulgueraient en manuscrits, avant qu'ils ne soient examinés et approuvés, seront soumis aux mêmes peines que les imprimeurs. Ceux qui les posséderont chez eux, ou les liront, seront traités comme s'ils en étaient eux-mêmes les auteurs [18]. »

Renforcement du contrôle hiérarchique, méfiance envers les interprétations nouvelles et le recours au jugement personnel, prolifération de décrets disciplinaires, de canons frappant d'anathème toute expression d'un dissentiment avec la hiérarchie – tels sont les traits que les contemporains ont retenus des textes tridentins.

Au climat de libre exploration créé par la Renaissance, la Contre-Réforme catholique oppose une atmosphère d'étroite surveillance ; tout comme à la « confiance » *(fiducia),* elle oppose une « piété » qui subordonne les œuvres à un contrôle ecclésiastique, véritable monopole mental.

La confiance condamnée

Prenons la mesure de la régression, en parcourant un des innombrables « manuels du confesseur », les *Trois sortes d'examens très utiles pour faire une confession générale et particulière* [19] de Mespolié (1706).

Parmi les fautes commises contre la foi, Mespolié mentionne celle-ci : « Si vous avez examiné trop curieusement quelque article de la foi [20]. » L'autorité prime la compétence ; l'obéissance exclut la recherche.

Parmi les fautes commises contre l'espérance, Mespolié évoque la confiance placée ailleurs qu'en Dieu ; il condamne la confiance dans les créatures, à la faveur d'un bel amalgame : « Si vous avez mis votre confiance dans les créatures, comme sont le démon, les hommes, les richesses [21]... »

Bien entendu, le péché contre la charité n'est pas moins largement entendu : « Si vous avez préféré à Dieu les choses de ce monde, les biens, les hommes, l'argent et les plaisirs ; si vous avez fait vos actions, vaqué à votre travail plutôt par coutume, par intérêt ou pour plaire aux créatures, que pour plaire au Créateur [22]. »

La prohibition du travail dominical se double d'un dénigrement de l'activité lucrative : « Si vous avez sans nécessité passé des contrats, travaillé à des procès pour gagner de l'argent, ou vaqué à d'autres œuvres pareillement serviles sans nécessité [23]. » La question du prêt à intérêt reste brûlante : « Si vous n'avez pas rendu un bien que vous possédez injustement, ou si, en ayant douté, vous n'avez pas fait votre possible pour vous en éclaircir. Les héritiers des usuriers et de ceux qui ont volé le public sont dans ce cas [24]. » Là encore, l'amalgame est éloquent – et se présente avec les traits de l'évidence en ce début de XVIIIᵉ siècle.

Dans l'Église contre-réformée, pour un Du Sault, combien de Mespolié !

Un contestataire : Paolo Sarpi

Il serait naïf de présenter le Concile de Trente comme l'expression unanime d'un choix de société effectué par l'Église catholique dans sa totalité. Dans le concert de louanges qui suivent sa clôture, s'élèvent des voix de protestation, qui ne sont pas seulement les voix protestantes. Écoutons maintenant l'une de ces voix.

Le *Traité des bénéfices* de Fra Paolo Sarpi, auteur de l'*Histoire du Concile de Trente* (1619) qui devait lui valoir la haine de tant de catholiques, se présente comme un tableau historique des rapports du spirituel et du temporel dans l'Église catholique. La bienveillance n'y règne pas.

Celui que Bossuet qualifiera de « protestant déguisé » est un moine. Né en 1552 à Venise d'un négociant ruiné, il entre chez les Servites, reçoit la prêtrise, s'intéresse à la circulation du sang et, depuis 1575, porte le titre de théologien de la Sérénissime Seigneurie de Venise. Membre du Conseil des Dix, il s'oppose avec succès à Paul V, lors du conflit qui s'élève entre Venise et le Saint-Siège. Il meurt en 1623, après avoir échappé à maint attentat.

Cicéron avait traité *De Officiis*, des devoirs. Ironiquement, Sarpi disserte *De Beneficiis, sur les « bénéfices »*, les « bienfaits » que l'économie ecclésiastique s'est assurés au détriment de l'économie civile : immunités, exemptions fiscales, accumulation de terres. Sous prétexte de gloire de Dieu et d'utilité commune, l'Église a parasité la vie économique et pris en charge l'acquisition et la distribution du plus grand nombre de biens possible [25].

On comprend que Sarpi le Vénitien – et malgré son état de religieux – penche plus en faveur d'une *autonomie de l'économique par rapport au religieux,* que de la mainmise du religieux sur l'économique.

Il présente l'Église comme une entreprise dont la rapacité n'a d'égale que son inventivité en matière de mesures fiscales. La multiplication des dîmes en est l'exemple le plus frappant : « Ce fut encore un moyen d'augmenter notablement les richesses, que de bien éplucher la matière des dîmes, et de procéder par censures contre ceux qui ne les payaient pas, contraignant même de payer non seulement les dîmes prédiales des fruits de la terre, mais encore les dîmes mixtes, c'est-à-dire, outre celles des fruits et du bétail, encore les personnelles qui dépendent de l'industrie [l'ingéniosité] et du travail des hommes [26]. »

Quant au Concile de Trente, son intention de remédier à la pluralité des bénéfices ecclésiastiques, à leur succession héréditaire et à la non-résidence des titulaires, déboucha sur une concentration desdits bénéfices entre les mains du Pape [27].

Sarpi fait donc à l'Église catholique le procès que lui ont fait déjà Érasme et Luther, celui d'une accumulation de richesses sans rapport avec sa charge pastorale ; mais ici l'accusation va plus loin : Sarpi établit le grief de parasitisme économique.

L'Église aurait donc prêté le flanc, non seulement à une critique d'*inhibition passive de la vie économique,* mais à un sévère reproche de *spoliation monopolistique de la richesse* produite par l'homme, que l'Église avait la prétention de pouvoir seule gérer et distribuer selon la justice de Dieu : charité bien ordonnée commençait et finissait par soi-même.

Sans doute, tout n'est-il pas à prendre au pied de la lettre, dans les féroces critiques de Sarpi. Mais elles montrent comment, un siècle après Luther, un prêtre pouvait encore, du sein de l'Église, discerner sans complaisance *les handicaps qu'elle infligeait à la vie économique dans les pays où elle régnait en maîtresse.*

TROISIÈME PARTIE

LA DIVERGENCE
DU DÉVELOPPEMENT

Chapitre 1

Concomitance ambiguë
entre deux bouleversements

La seconde moitié du XVIᵉ siècle voit Amsterdam prendre la tête de l'Europe commerciale et financière. Sa primauté s'impose dès la chute d'Anvers la catholique (1559) *. Elle va s'affirmer dans la révolte des Pays-Bas contre Philippe II – qui aboutit, en 1572, à la sécession des sept provinces du Nord, et à l'humiliation du prince le plus puissant de la chrétienté.

Ce bouleversement dans la carte des lieux de la puissance politique et économique est inséparable d'un bouleversement religieux. C'est la première fois que nous rencontrons cette concomitance. Elle ne va plus cesser de nous solliciter.

Pourtant, la querelle de la religion ne suffit pas à donner la clé de cette histoire. *Amsterdam était montée en puissance commerciale bien avant de devenir la place forte du calvinisme.*

Ce n'est pas seulement vers un refuge religieux que fuiront en masse les calvinistes du Brabant et de la Flandre du Sud : c'est aussi vers une ville active, où ils savent pouvoir trouver l'emploi de leurs « arts et métiers ».

Une société de liberté

Au cœur des Pays-Bas espagnols, éclate une divergence jusqu'a-lors larvée. La chrétienté occidentale – celle des Habsbourg et des Valois, des Stuart ou des Plantagenêt – cesse d'être logée à la même enseigne. La révolte des Pays-Bas sonne le glas de l'empire de Charles Quint – cet empire étendu du Danube à l'Atlantique, du Mexique à l'Autriche, sur lequel « le soleil ne se couchait jamais » – mais qui va lui-même succomber au sommeil.

Quand, en 1551, Philippe II se voit donner en partage, avec l'Espagne et ses colonies, les Pays-Bas espagnols, il ne peut les

---

* Comme nous l'avons montré dans *Du « miracle » en économie, Leçons au Collège de France,* Odile Jacob, 1995.

115

sous-estimer. Ce sont 200 villes commerçantes et manufacturières, affranchies depuis le XVe siècle des lourdes réglementations des corporations et des guildes, réparties entre la Zélande, le Hainaut, la Flandre, l'Artois, le prestigieux duché de Brabant et le plus rustique duché de Gueldre. C'est Anvers, centre du monde commercial, et qui en fait transiter 40 % des frets. Sa Bourse est le rendez-vous de l'univers occidental. Les Pays-Bas sont la poule aux œufs d'or de la couronne d'Espagne, à laquelle ils rapportent un revenu douanier d'un million de ducats, et un revenu fiscal sept fois supérieur à l'argent des Amériques.

Le calvinisme s'est répandu dans tout cet ensemble, au sud comme au nord, mais davantage dans cette Hollande dont nous avons précédemment * souligné la précoce dynamique commerciale. Dès le XIVe siècle, le comté de Hollande était devenu un foyer d'invention et d'immigration industrielle. Le foulage et la teinture des draps faisaient de Leyde une ville prospère. Au milieu du XVe siècle, Leyde achète plus de 15 % de la laine anglaise exportée vers Calais et exporte chaque année quelque 20 000 vêtements. Les deux tiers au moins de sa population vivent de l'industrie textile. Dès 1560, le commerce hollandais domine la Baltique : il y assure 70 % du volume des échanges et y a largement supplanté les villes de la Hanse [1]. La prospérité des sept Provinces du Nord n'est pas la conséquence de leur sécession en 1572. Disons plutôt que la contestation du joug politique, fiscal et inquisitorial, renforcé par Philippe II, a galvanisé l'expression d'un besoin d'accomplissement économique et social, assez fort pour trancher les liens d'une union mal assortie.

L'acharnement de Philippe II à extirper l'hérésie mettra le feu aux poudres : installation de tribunaux d'exception comme le Conseil Sanglant de Bruxelles (1567) ; exécution des gouverneurs Egmont et Hoorne (1568), d'abord associés à la « pacification ». La « guerre de la liberté » (1565-1648) exprime, ou plutôt confirme, l'émergence d'une nouvelle Europe. La cause calviniste va signifier avant tout l'*indépendance politique et la liberté économique*.

Après 1572, le calvinisme des Provinces-Unies est très largement un calvinisme de migrants. Or, cette immigration de tant d'étrangers survient dans un pays sans habitude de gouvernement central, fort économe de réglementations limitant l'activité économique. Cette souplesse facilite l'accueil. En retour, l'immigration renforce puissamment un mode de fonctionnement que nous pouvons appeler déjà libéral.

L'exigence commerciale domine tout : chacun comprend que la République calviniste est vouée à l'échec, si elle limite ses ambitions à son plat pays. Quand elle obtient enfin de l'Espagne un traité

---

* Dans « Le miracle hollandais » (*Du « miracle » en économie, Leçons au Collège de France, op. cit.*, pp. 74-79).

qui reconnaît son indépendance, elle y fait inscrire son droit de commerce avec les Indes orientales. Rien ne doit borner son horizon. Tout se déduit de sa volonté de réussir, et de sa conviction qu'on ne peut réussir que par le commerce. Les Hollandais d'aujourd'hui pratiquent la culture hors sol. Mais c'est depuis l'origine qu'ils pratiquent la « culture hors sol » de leur prospérité et de leur puissance.

Cet état d'esprit sécrète des structures qui, à leur tour, entretiennent cet état d'esprit. Ils se renforcent mutuellement, et il est sans doute assez vain de chercher à séparer, dans cette constante interaction, la part du mental et la part du structurel.

L'Europe pivote

Les Provinces-Unies, depuis l'Union d'Utrecht de 1579 jusqu'à l'invasion par la France révolutionnaire (1795), ont conservé la même organisation politique. Dès 1576, sept États ou Provinces sont représentés aux États-Généraux – dont les décisions requièrent l'unanimité, une voix étant accordée à chaque province. La flotte elle-même, qui comptait tant, pour le salut et la richesse de la nouvelle République, était soumise à une direction collégiale. Nulle part n'est ressentie la nécessité d'une autorité centralisée, parce que tout fonctionne bien sans elle. Il est vrai que les dimensions réduites des Provinces-Unies facilitent les mécanismes d'auto-régulation horizontale : marché, interdépendances économiques immédiates, solidarité géo-stratégique. Reste que d'autres États de taille équivalente maintiendront et renforceront les procédures réglementaires verticales.

Il vaut la peine de comparer un instant cette décentralisation, à la structure du royaume espagnol, son adversaire malheureux. Lui aussi, il connaît un certain degré de décentralisation. Ainsi, la province d'Aragon conserve au début du XVIe siècle une assemblée législative, un budget propre et un système juridico-social autonome. Mais elle n'y trouve nulle stimulation de son économie : ses industries se bornent à un marché de luxe, à visée locale. L'Espagne connaît aussi des organisations élaborées d'agents économiques : la vieille *Mesta*, association des producteurs de laine espagnols, et la *Casa de la contratacion de las Indias*. Mais la *Mesta* a tout fait pour entraver la naissance d'une industrie espagnole.

Quant à la *Casa*, ce monopole d'État établi à Séville, et servi par une bureaucratie lourde, coûteuse et peu sûre – pillage, détournement, concussion, etc. –, elle devait faire perdre à l'Espagne sa suprématie monétaire chèrement conquise.

Enfin, l'expansion coloniale espagnole, quand elle s'avéra profitable, profita surtout aux banquiers génois, qui exerçaient un contrôle presque total sur le commerce avec l'Amérique.

Déclenchement au Nord – blocage au Sud. Coup d'accélérateur au Nord – coup de frein au Sud. Ouverture au Nord – verrouillage au Sud. Le scénario de la divergence européenne peut sembler caricatural, voire manichéen.

Toutefois, ce ne sont pas les frontières géographiques, mais bien les barrières mentales qui dessinent les contours de cette divergence.

Les nouveaux Phéniciens de l'Europe

La performance des Provinces du Nord, enrôlées dans l'Union d'Utrecht sous la bannière de la Hollande, laisse pantois un XVIᵉ siècle pourtant familier des exploits, des conquêtes, de l'expansion. D'autant que la Hollande n'en est pas à son coup d'essai.

Mais son envol politique, économique et religieux cloue littéralement sur place une Espagne jalouse et vindicative. Pour les observateurs du XVIᵉ au XVIIIᵉ siècle, c'est l'occasion de décrire, d'admirer, et peut-être de comprendre.

Le voyageur florentin Lodovico Guicciardini, dès 1567, l'ambassadeur britannique à La Haye, sir William Temple, en 1673, l'observateur anglais Onslow Burrish en 1728, soulignent le contraste entre le handicap géographique du pays et la prospérité d'une population qui a fait le pari du commerce et des manufactures sans pour autant tourner le dos à l'agriculture – bien au contraire. Les Pays-Bas du Nord compensent leur dépendance céréalière (ils manquent de la moitié du grain nécessaire à leur subsistance alimentaire) par d'ingénieux choix de cultures plus productives (lin, chanvre, colza, houblon, tabac). Ou de cultures utiles à leur industrie : à l'instar des Phéniciens, ils se spécialisent davantage encore dans la teinture du drap et cultivent, à défaut du murex, le pastel et la garance, introduite par des réfugiés flamands [2].

Mais l'essentiel de l'énergie hollandaise s'investit, c'est vrai, dans le commerce. Jusqu'en 1666, les trois quarts du capital actif à la Bourse d'Amsterdam sont engagés dans le commerce de la Baltique – où les Hollandais ont supplanté les villes hanséatiques, puisque, depuis 1560, ils y assurent 70 % du volume des échanges.

Oui, les Hollandais sont les nouveaux Phéniciens de l'Europe. De même que le phénix renaît de ses cendres, le Hollandais réchappe obstinément, par son propre esprit d'initiative, à l'invasion des eaux, conformément à la devise du blason zélandais : « Je lutte et j'émerge », *Luctor et emergo*.

Amsterdam n'est pas seulement l'entrepôt du commerce planétaire. C'est aussi le nœud central d'un réseau d'information économique et commerciale sans précédent [3]. La fiabilité de ces renseignements est telle que les agents des compagnies françaises et anglaises des Indes vont y chercher les chiffres des cargaisons de leurs propres vaisseaux.

La confiance inspirée par le marchand ou par le banquier hollandais devient quasi proverbiale [4]. De même, les États-Généraux de Hollande *inspirent confiance.* Ils empruntent couramment à 3,75 % et même, lors de la deuxième guerre avec l'Angleterre (1664), à 3 % ; et l'emprunt est couvert en 48 heures – alors que, dans la même Angleterre et en France, les taux doivent grimper à 10 % et 15 %.

Confiance – tel pourrait être le fin mot de l'affaire. Il n'a pas échappé à sir William Temple dans ses *Remarques sur l'état des Provinces-Unies des Païs-Bas, faites en l'an 1672.* « Le commerce exige la *confiance* entre les particuliers, la *confiance* dans la sûreté publique, la *confiance* au gouvernement [5]. » La « guerre de la liberté » aura été une lutte pour conquérir et asseoir cette confiance, contre la défiance qu'entretenait la dépendance vis-à-vis de l'Espagne. Mais la lutte contre l'invasion espagnole fut aussi une lutte contre le fatalisme.

Endiguer le flot du fatalisme

Non au fatalisme : toute la pratique hollandaise met en évidence ce refus. Et pourtant, cette république est calviniste ; elle s'est fondée sur l'énergie concentrée dans des hommes prêts à mourir pour défendre l'idée de la prédestination. Il y a là quelque chose de paradoxal.

Pour débrouiller ce paradoxe, on peut démontrer, *a posteriori,* que la croyance dans la prédestination porte exclusivement sur le salut de l'âme, sa destinée *post mortem*, et non sur l'ici-bas. Pour ce qui est de la vie terrestre, elle n'est nullement l'affaire de Dieu. La Providence ne s'en mêle pas. C'est à l'homme de faire son chemin – dans une complète liberté. La croyance en une surdétermination divine, dans l'ordre du salut, a été en quelque sorte compensée par une exaltation de la responsabilité personnelle, dans l'ordre de la vie tout court.

À ce couple prédestination-liberté, s'oppose le providentialisme flou qui est de tradition dans la mentalité religieuse médiévale – et qui prévaut dans les pays qui resteront catholiques. Les *veigas* portugaises n'étaient ni plus ni moins faciles à assainir que les *polders* des Pays-Bas [6]. Ici, et non là, le fatalisme économique et agricole a cédé devant le volontarisme *. Certaines sociétés, dans

---

* Nous avons donné un exemple criant de cette divergence mentale dans nos *Leçons au Collège de France.* Tandis que les Hollandais refusent de subir leur destinée et entendent *se sauver des eaux* en aménageant leurs polders, les Espagnols renoncent à canaliser le

certaines conditions, ont refusé la fatalité. Il s'est trouvé que la première à établir avec autant d'éclat, devant l'histoire, l'efficacité de ce refus, fut une république bâtie autour de sa foi dans la prédestination...

Les calvinistes pour ou contre le libéralisme

Ce paradoxe n'est pas seulement idéologique. Il s'est inscrit aussi dans les faits, et l'histoire du calvinisme en Hollande n'est pas de nature à faire penser qu'il y a entre lui et la mentalité économique moderne une harmonie préétablie.

Les Provinces-Unies sont déchirées, dans leurs premières années, par de vigoureuses controverses théologico-politiques. Elles opposent protestants « arminiens » et calvinistes purs et durs – sur la doctrine de la prédestination, justement. Tenants du libre arbitre, les disciples d'Arminius se trouvaient en position de contestataires du dogme officiel. Tout naturellement, ils se faisaient aussi les avocats de la tolérance, de l'autonomie des convictions religieuses et philosophiques par rapport au pouvoir politique. L'enjeu de ces querelles dépassait donc les minuties de la théologie de la grâce. Il n'est pas surprenant que d'autres sujets de controverse se soient greffés sur celui-là. L'attitude à l'égard de l'argent en fut un. Voetius, calviniste intransigeant, jetait l'anathème sur l'argent, tandis que Saumaise, humaniste et arminien, allait chercher chez le rabbin Menasseh ben Israël les arguments qui défendraient le mieux le prêt bancaire.

Du côté des Arminiens, le rapport entre l'activité économique et les convictions religieuses est plus aisé. Ce sont des libéraux avant la lettre ; et des libéraux cohérents : ils voient l'homme comme un être de liberté (et c'est pourquoi la doctrine de la prédestination les rebute) ; ils veulent tout à la fois la liberté religieuse, la liberté politique et la liberté économique.

La grande surprise de l'histoire hollandaise est leur défaite. Ils ont formé un parti – et ce parti sera abattu, ses chefs condamnés. Pourtant, tout ce qui compte, dans la Hollande ambitieuse de devenir une puissance marchande, tout ce qui nous semble constituer son identité, était avec eux : la bourgeoisie entreprenante, les régents, les « Messieurs » de la Compagnie des Indes orientales, et jusqu'au Grand Pensionnaire Oldenbarnevelt, le sauveur de la Hollande dans les années difficiles.

Mais la maison d'Orange jeta son poids dans la balance du côté des calvinistes intransigeants. Il est vrai que les Arminiens – crai-

---

Tage et le Manzanares : « Si Dieu avait voulu que ces deux rivières fussent navigables, un seul *fiat* aurait suffi, et il serait attentatoire aux droits de la Providence d'aménager ce qu'elle avait voulu laisser imparfait [7]. »

gnant que la reconquête des Pays-Bas du Sud par la maison d'Orange ne risque de ressusciter Anvers, la vieille rivale abattue – étaient favorables à la paix avec l'Espagne. C'est sous ce prétexte que Maurice de Nassau fit arrêter Oldenbarnevelt qui, réputé coupable de haute trahison et de sédition, fut décapité en 1619. L'humanisme libéral des « régents des villes » et des Grands Pensionnaires, âmes du développement commercial des Provinces, avait trouvé dans le calvinisme orthodoxe et populiste de la maison d'Orange un ennemi aussi mortel que la maison d'Espagne.

Les historiens ne manquent pas d'explications contingentes pour motiver le choix des Nassau. La plus simple est peut-être qu'ils voyaient dans le calvinisme populaire la base militante de l'aventure hollandaise et de leur propre puissance : on ne pouvait s'en couper.

Du reste, la chute des Arminiens n'arrêta pas le commerce. L'esprit d'entreprise survivait à ceux qui avaient voulu bâtir sur lui un parti politique. Il n'y avait pas de contradiction entre le calvinisme et le commerce. Il n'y avait eu que des oppositions entre leurs expressions politiques.

Enregistrons cependant l'insuffisance d'une explication de l'ascension hollandaise par la vertu propre du calvinisme en tant que tel. Mais reconnaissons aussi, provisoirement, le fait que le calvinisme aura donné vigueur à cette jeune société néerlandaise et qu'on ne peut imaginer celle-ci sans celui-là – pas plus qu'on ne peut la concevoir sans sa conviction commerciale. Ajoutons cette idée d'Henry Mechoulan, l'un des meilleurs analystes du « Siècle d'or » hollandais : la liberté, étant chèrement acquise et chèrement défendue, est incompatible avec l'indifférence à l'égard du profit. Les calvinistes des Pays-Bas avaient tant sacrifié d'or pour acquérir et conserver leur liberté, qu'ils ne pouvaient mépriser... l'argent.

Chapitre 2

Le décollage anglais : la dispute du commencement

Si les universités européennes remettaient en honneur la tradition des fameuses « disputes » médiévales, des *quaestiones disputatae* – sur le commencement du monde, le sexe des anges ou la quadrature du cercle – il y a fort à parier qu'elles rencontreraient l'inévitable question des origines et de la date de la « Révolution industrielle » en Grande-Bretagne.

Nous nous sommes prêté ailleurs à cet exercice d'école, toujours instructif [1] : chaque nouvelle mise en perspective des performances économiques, précoces ou tardives, modifie la chronologie supposée de cette « révolution ».

Plus tôt ?

À l'appui des versions « primitivistes », on peut citer le doublement du tonnage de la marine anglaise entre 1580 et 1630 – lui-même préparé par douze années d'unification administrative et d'harmonisation tarifaire à l'époque des Tudor (1530-1542). On pourrait même remonter à l'épopée des drapiers du xve siècle, qui mobilisent une importante main-d'œuvre dans les comtés du Sud-Ouest, par un système de sous-traitance à domicile *(putting out system)* [2].

Étrangement, le siècle des Révolutions (1648 et 1688), siècle de bouleversements sociaux, de nouvelles donnes institutionnelles, de querelles dynastiques et religieuses, réussit à la Grande-Bretagne. Comme si la mentalité anglaise découvrait, dans le développement de l'activité économique, une vocation plus impérieuse et une perspective plus absorbante que les aléas politiques. C'est déjà la mentalité du *business as usual* – « les affaires comme d'ordinaire » – qu'on retrouvera encore lors des bombardements allemands sur Londres, entre 1940 et 1942.

Au demeurant, comme par un fait exprès, dès que cessent les troubles, une certaine vitalité, celle du commerce extérieur, s'essouffle : les échanges avec l'Europe connaissent un ralentissement notable de 1689 à 1750. Mais sans doute est-ce l'effet du rétablissement d'un fort marché intérieur, qui reste le *moteur* du développement britannique et permet la transformation, progressive et homogène sur le territoire, du capital commercial en capital manufacturier, tandis qu'une certaine mobilité sociale marque les progrès de la productivité agricole.

On peut encore évoquer les figures aristocratiques de Lord Townshend, apôtre infatigable, en plein XVIIe siècle, de l'assolement à base de navet et de trèfle ; ou l'activisme hydrographique du duc de Bridgewater, précurseur, au nom prédestiné, du développement des canaux.

Ou plus tard ? Le hasard et la nécessité

Il faut, selon W.W. Rostow, attendre 1783 pour que le taux d'investissement dépasse 10 % du revenu national, seuil, selon lui, de l'entrée dans un processus de croissance auto-entretenue *(self sustained)* et d'une orientation industrielle irréversible.

Une évolution, disait Bergson, c'est une révolution sans en avoir l'air. Comment sortir de la controverse autour de la Révolution industrielle en Angleterre ? Si, comme le prétend Rostow, « tout a commencé » en 1783, nous ne pouvons guère proposer une explication qui invoque des attitudes mentales, et surtout qui repose sur une configuration culturelle datant de deux siècles ou plus, celle de la Réforme.

Si, en revanche, des comportements économiques actifs ont mûri, lentement mais sûrement, valorisant l'entreprise commerciale et industrielle, le crédit à l'investissement, l'innovation, la mobilité géographique et sociale, nous sommes fondés à chercher des causes du côté de l'éthologie. Le développement économique, aussi spectaculaire que soient soudain ses effets, ne sera plus alors de l'ordre du hasard, mais de la nécessité intérieure.

Or, l'industrie moderne – c'est-à-dire des ateliers organisés pour une production massive et homogène, faite pour être écoulée sur des marchés qu'elle façonne autant qu'elle y répond – l'industrie est apparue en Angleterre au XVIe siècle. Elle n'a plus cessé d'y prospérer.

Le mariage « industriel »

Ann Kussmaul a récemment apporté une contribution décisive à cette question, en établissant le caractère progressif et régulier de la croissance économique anglaise. « Le résultat le plus étonnant est la croissance parfaitement régulière de l'importance relative de la main-d'œuvre occupée dans l'industrie, non seulement au XVIIIe siècle et au début du XIXe, mais dès la fin du XVIe siècle [3]. »

Pour arriver à ce résultat, Ann Kussmaul a eu recours à une méthode indirecte fort originale. Au lieu de tenter une évaluation directe, réputée impossible, elle s'est intéressée à la fréquence des mariages en fonction des saisons, telle que l'on peut la mesurer à partir des registres paroissiaux.

On a remarqué depuis longtemps que les paysans ont une époque pour les mariages, comme ils en ont une pour toutes leurs activités. Le mariage est une occupation saisonnière. Il trouve volontiers sa place dans la période qui suit une intense activité économique : la fin de l'automne pour la culture, la fin du printemps et le début de l'été pour l'élevage. En revanche, dans les villes, les mariages ne connaissent pas les mêmes contraintes ; ils s'étalent plus régulièrement dans le cours de l'année. Avec l'industrialisation rurale, apparaît quelque chose de nouveau : des mariages toute l'année dans les paroisses rurales. À travers ces comportements, qui laissent une trace indiscutable et quantifiable dans les registres paroissiaux, on peut suivre l'expansion de l'industrialisation rurale.

L'image obtenue est saisissante : on assiste à une lente montée de la proportion des mariages de type « industriel » : ils passent de 10 % de l'ensemble en 1549, à 30 % en 1821, pour les paroisses non urbaines. Ce mouvement est accompagné par une croissance démographique des villes, bien sûr, mais aussi des paroisses rurales industrialisées, alors que les paroisses restées rurales stagnent.

De quelque façon qu'on prenne la question, rien n'a commencé en 1783. Le mouvement vient de beaucoup plus loin, de beaucoup plus profond. *Ce qui apparaît comme un déclenchement subit n'aurait pas été possible sans une lente maturation cachée* – la *divergence* de la pile atomique.

Le commerce entraîne l'industrie

La question demeure : quel est le levier, puissant et régulier, de cette « révolution industrielle » – qui est, en réalité, plutôt évolution que révolution ? Nous avons souligné l'importance de l'entreprise commerciale, du risque calculé et assumé par les *merchants*. Peut-on corroborer cette présomption ? L'effort économique anglais a-t-il été stimulé par l'entreprise commerciale ?

L'Angleterre est une île, c'est entendu. Mais cela ne suffit pas à faire que ses habitants soient maîtres ès arts du commerce. On peut aussi bien s'enfermer dans une île, viser l'autosuffisance et s'en contenter. Voyez, à la même époque (et depuis lors), l'Irlande, la Corse ou la Sardaigne.

Or, certaines sources permettent, sinon de répondre à cette question, en tout cas de mettre sur la voie d'une réponse. Il suffit de constituer, à partir des données déjà publiées [4], deux indices calculés sur une période assez étendue.

Le premier est l'indice de la production industrielle, le second mesure le commerce extérieur. On observe que l'indice de la production industrielle marque, autour de 1780, une inflexion vers une croissance plus élevée. Ce changement de rythme correspond aux périodisations traditionnelles du décollage, du « take-off », au sens de W.W. Rostow.

Le commerce extérieur, lui, avait pris une forte avance, ce que n'avait pas vu Rostow. Certes, il chute pendant la guerre d'Indépendance américaine, où l'insécurité des convois maritimes limite les échanges ; mais son rythme de progression est, sur tout le cours du siècle, supérieur à celui de la production. Il précède de beaucoup, en tout cas, le décollage de la production industrielle.

Ce n'est qu'à partir de 1800 que les deux indices croissent de façon parallèle.

Comparaison de l'indice de production industrielle avec celui du commerce en Angleterre (1700-1860) [5]

	1700	1775	1785	1800	1860
Commerce extérieur	4,60498	5,47638	5,11446	6,80869	9,12642
Production industrielle	4,60517	4,99043	5,01728	6,25767	8,08948

La priorité du décollage du commerce extérieur, amorce d'une production enfin libérée du carcan de l'auto-consommation, correspond aux encouragements prodigués depuis les Tudor aux *merchants*.

La production industrielle destinée au commerce extérieur n'est donc pas un résidu, un surplus, dû à une relative sous-consommation intérieure. Elle est déclenchée par le dynamisme du commerce extérieur ; elle est appelée pour en satisfaire les exigences ; elle est sommée d'en alimenter la puissance.

La prétendue « révolution industrielle » de la fin du XVIIIᵉ siècle, c'est simplement le moment où la réaction en chaîne, préparée de longue date, produit des effets désormais visibles à l'œil nu.

Chapitre 3

La divergence coloniale

Entreprises contre Empires

Au terme du xvie siècle, l'Europe est plus âprement divisée qu'elle ne l'a jamais été, la division religieuse suscitant et impliquant les divisions politiques. Mais division n'entraîne pas encore distorsion. À la fin du xviie siècle, c'est fait. La question coloniale le montre assez.

Le xviie siècle voit se construire, en marge des Empires issus de la péninsule ibérique, puis en concurrence avec eux, d'autres *entreprises coloniales* – auxquelles le mot d'*empire* ne convient pas. Elles ne sont pas des prolongements de l'État, mais l'œuvre de compagnies de marchands.

Dans le même temps, les empires espagnol et portugais vont de déboires en déboires. Fondés sur la course aux trésors, ils en connaissent tous les aléas.

D'abord, la fraude. Elle est énorme. On constate que les « *cargadores* » faisaient enregistrer par la *Casa de la contratacion de las Indias* la sixième partie, en 1630, de ce qu'ils déclaraient dix ans auparavant : la différence n'était pas due à une exploitation qui s'épuisait, mais à une fraude dont l'organisation avait progressé à vue d'œil. En 1659, le marquis de Villarubia fit partir des Amériques une charge évaluée à 25 millions de piastres ; 5 millions seulement seront enregistrés à l'arrivée à Santander [1]. À la prévarication des agents officiels, s'ajoutaient contrebandes et pirateries. En 1628, toute la « flotte de l'argent » de la Nouvelle-Espagne – 15 millions de piastres – fut capturée par des Hollandais. Ces larges ponctions furent souvent faites avec la complicité des Portugais ou des Espagnols eux-mêmes, qui semblent avoir désespéré que leurs empires pussent se doter d'une organisation économique rigoureuse, créatrice, diversifiée, au lieu de se borner à épuiser, l'un après l'autre, les filons de métal précieux.

Au contraire, l'installation anglaise et néerlandaise, aux Amériques comme aux Indes occidentales, revêt une signification économique moderne.

Pour les Portugais et les Espagnols – qui restent dominés par une mentalité agraire, selon laquelle la puissance se confond avec la propriété de la terre –, c'est l'extension *territoriale* qui importe à la gloire de la Couronne. La prospérité se mesure à l'aune de la seule conquête, ou de la prédation de ressources déjà existantes – et les seules qui vaillent, après quelques illusions perdues, sont celles de l'or et de l'argent.

Pour les Anglais et les Hollandais – qui ont complètement adopté la mentalité marchande –, ce qu'il faut chercher dans les colonies, c'est une extension *commerciale*. On essaie de nouvelles cultures. On organise des entreprises agricoles intensives. Par exemple, la canne à sucre : dans les Caraïbes, les Anglais ; et au nord-est du Brésil, les Hollandais, qui y réorganisent cette culture, importée de Madère par les Portugais au XVIᵉ siècle. Le tout favorisant un fructueux négoce.

Ces deux modèles s'opposent point par point : l'extension impérialiste et la colonisation économique.

Le tabac et le sucre

Au fur et à mesure qu'avance le XVIIᵉ siècle, ce dernier modèle de l'aventure européenne outre-mer se substitue au premier. De surprenants taux de croissance témoignent d'une véritable création économique, presque *ex nihilo*. Les Portugais avaient, au XVᵉ siècle, découvert les vertus du tabac : simple curiosité botanique et plaisir de privilégiés. Mais les vrais « inventeurs » du tabac sont ceux qui savent l'exploiter : les Anglais de Virginie et du Maryland, dont les plantations méthodiques et les relais commerciaux créent une offre et une demande. De 10 tonnes en 1619, les exportations de ces deux provinces atteindront 11 000 tonnes en 1699-1701 : 1 100 fois plus en quatre-vingts ans [2].

Là encore, le contraste est frappant. D'un côté, l'esprit de mise en valeur économique et commerciale. De l'autre, l'us et abus d'un capital géophysique et d'une force de travail. Le vice-roi don Luis de Velasco le constate naïvement en 1600, dans un rapport sur les mines du Potosi : « Comme la principale richesse de ce royaume consiste dans le service des Indiens, personne n'est satisfait du nombre de ceux qu'il reçoit par la voie de la répartition légale. Les plus démunis ou les plus déçus cherchent à s'en procurer par voie de négociations avec les caciques, sans se faire scrupule, quelquefois, de recourir à des moyens malhonnêtes [3]. »

Il est vrai que l'esprit d'entreprise et l'exigence de rentabilité sont accusés d'avoir restauré l'esclavage, en diffusant les plantations de canne à sucre : une exploitation cruelle de la force de travail ici, et là une autre, qui la vaut bien. C'est à la Barbade anglaise que le modèle de l'exploitation sucrière par l'esclavagisme a été mis au point : la première plantation y date de 1637 ; en 1660, cette petite île était devenue le plus gros producteur de sucre du monde – et le plus gros importateur d'esclaves. Le modèle se diffuse rapidement, à mesure que la consommation européenne augmente. Mais les îles espagnoles continuent d'ignorer le sucre : Cuba ne le découvre que grâce aux Américains, *après* l'abolition de l'esclavage [4].

La substitution

Cette confrontation de deux modèles avait d'ailleurs commencé, subrepticement, sous les pavillons espagnol et – sauf pendant la période de fusion du Portugal et de l'Espagne – portugais. En effet, depuis les bases en Europe (Séville ou Lisbonne) jusqu'aux comptoirs les plus éloignés, on constate une infiltration, financière à l'origine, de Florentins, de Génois, mais surtout d'Hanséates, de Néerlandais et, de plus en plus, d'Anglais. Leur participation au financement, puis au négoce et à l'approvisionnement des Amériques, est telle qu'au début du XVIIe siècle, on peut affirmer [5] que *le commerce des colonies, c'est-à-dire l'essentiel de leur richesse, échappe déjà aux possesseurs des empires.* En 1619, un témoin privilégié, Damiao de Olivares, s'alarme : « Le commerce de l'Espagne avec l'Europe est entre les mains des étrangers pour les cinq sixièmes, et le commerce des Indes, pour les neuf dixièmes. »

La divergence qui se produit en Europe aux XVIe et XVIIe siècles se reflète donc outre-mer : les Indes orientales vont voir les Anglais et les Hollandais se substituer aux occupants ibériques. Sans doute cette substitution prend-elle parfois des formes violentes, sur un mode classique : c'est *manu militari* que les Portugais sont délogés par les Anglais à Elmina, en Afrique (1604), ou par les Hollandais au nord-est du Brésil. Mais elle se fait surtout par la force d'une économie conquérante ; ainsi en Indonésie.

Écoutons l'aveu d'un marchand portugais, jaloux des succès hollandais. Pourquoi, gémit-il, ses compatriotes ont-ils « plus haute opinion de l'art militaire que des connaissances commerciales, qui, avec de *l'industrie* [traduisons : avec de l'esprit d'entreprise], auraient pu les rendre riches [6] » ?

De fait, la politique agressive, d'abord préconisée par les « régents » de la Compagnie hollandaise des Indes orientales, évolue graduellement vers la constitution plus pacifique de réseaux commerciaux.

C'est dans la mesure où elle rompt avec le modèle ibérique des *conquistadores* que l'entreprise coloniale hollandaise est prospère. Qu'elle se remette à l'école de ses concurrents, et c'est l'échec, au

Brésil, de la Compagnie hollandaise des Indes occidentales (1621-1654) [7].

La Hollande, puis l'Angleterre, se sont substituées à la suprématie coloniale espagnole ou portugaise – dans la mesure même où elles ont choisi de pratiquer un type *divergent* de colonisation.

La confiance comme outil de travail

La colonisation est un laboratoire. Les colonisateurs s'y révèlent dans leur vérité. Nous pouvons comparer, à conditions « naturelles » égales, des types de conduites et d'initiatives économiques qui, elles, ne sont pas identiques. Plus clairement encore qu'en Europe, où les interférences de l'économique et du politique ne permettent pas toujours de dégager les lignes d'une distorsion, la colonisation fournit des indices indiscutables de la capacité ou de l'incapacité à créer un espace économique doté d'une dynamique de croissance – bref, à développer par auto-induction, et non pas simplement à exploiter par prédation, un potentiel économique.

Il est intéressant de noter que le fonctionnement des Compagnies néerlandaise et anglaise des Indes orientales révèle une supériorité d'organisation et de conception, de motivation aussi, par rapport aux organes analogues des Portugais, des Espagnols ou des Français *. Nous n'en retracerons pas ici l'odyssée. Résumons simplement les traits les plus frappants de ces entreprises britannique et néerlandaise et esquissons en regard le portrait d'une colonisation française – celle du Canada.

Les Compagnies hollandaise et anglaise des Indes orientales – la fameuse *Vereenigde Ostindische Compagnie*, ou VOC, et l'*East India Company,* héritière de la *Levant Company* – voient le jour à l'aube du XVIIᵉ siècle, en 1602 et 1600 respectivement. Leur vocation, commerciale et non territoriale, leur fait préférer la recherche d'esclaves ou de comptoirs – plutôt que la coûteuse conquête de terres.

Ce qui frappe avec la VOC, c'est la *confiance* qu'elle trouve chez les souscripteurs d'un capital – 6 500 000 florins – immobilisé pour dix ans ; confiance que récompense le doublement pur et simple des actions émises par chacune des chambres de la compagnie. Celles-ci se répartissent et gèrent le capital (la moitié pour Amsterdam, le quart pour la Zélande, le reste pour Rotterdam, Delft, Hoorn et Enkhuizen), dans la plus parfaite autonomie logistique. Les revenus substantiels que la compagnie offre aux actionnaires sont le fruit d'une politique commerciale très élaborée, qui va jusqu'à émettre des monnaies de négoce, pour développer un

---

* Nous leur avons consacré une partie de nos *leçons au Collège de France* de 1994 [8].

marché inter-asiatique propre à intéresser les potentats indigènes au développement de l'échange.

La gestion du capital de la Compagnie anglaise des Indes orientales met plus de temps à se stabiliser. Contrairement à son homologue hollandaise, aucune concentration du capital (chaque directeur étant plafonné à 3 %). Une large place est laissée à l'initiative des cadres. Des atouts maîtres : la supériorité des équipages de la marine anglaise ; une quête incessante d'innovations et d'adaptation commerciale. Et surtout, une *confiance* dans les décisions des agents de la Compagnie.

Les instructions, pourtant drastiques et circonstanciées, que l'*East India Company* transmet à Lord Macartney, premier ambassadeur en Chine du roi d'Angleterre en même temps que de la Compagnie, proclament avec force cette confiance : « Dans tous les cas, nous entendons laisser à votre discrétion une large latitude d'action, dans vos recherches de la réduction du coût de nos investissements en Chine, et nous avons *confiance en votre discernement et votre zèle*. Il n'est pas dans notre intention de vous préciser la marche à suivre [9]. » *Confiance* : le mot clé, qu'il faut souligner, mais qui se double toujours d'un rigoureux contrôle *a posteriori*. La direction de la compagnie revient, au point 29 de ses instructions, sur cette notion de *confiance* : « La preuve la plus sûre de la *confiance* que nous mettons en vous [...]. Nous sommes *confiants*... »

Nouvelle-France ou France nouvelle

Le cas de la Nouvelle-France forme un contraste saisissant avec le succès commercial anglais. Évoquons-en les caractéristiques majeures, dans les limites de ce XVIIe siècle où les comportements économiques se mettent à différer le plus sensiblement.

Écho ou contrecoup des troubles survenus en France, la colonie française ne parvient pas à monter en puissance démographique – alors qu'au sud, les colonies anglaises se peuplent rapidement. Quinze mille « Canadiens » sont comme perdus sur les rives du Saint-Laurent ; les trois bourgs de Québec, Trois-Rivières et Montréal ne sont que de gros villages. Et pour cause : le flux d'immigrants français au Canada est dérisoire. Au mieux quatre mille entre 1608 et 1671, et guère plus entre 1671 et 1740. Comment l'expliquer ?

Le courant initial d'immigration vers la « Nouvelle-France » avait porté vers les rives du Saint-Laurent une majorité de protestants, et particulièrement de protestants saintongeais. C'était le cas de Pierre du Gua *, le premier à établir un poste sur le Saint-Laurent,

---

* On écrit aussi du Gast.

et probablement de Samuel Champlain lui-même (1567-1635), le « père de la Nouvelle-France ».

Les attaches protestantes de celui-ci, que son prénom biblique laisse déjà présumer, ne font guère de doute. Mais c'est devant un prêtre catholique qu'il épouse en 1610 Hélène Boullé, elle-même fille de deux calvinistes [10].

Avec du Gua puis avec Champlain, les commencements de la Nouvelle-France ont été baignés dans l'œcuménisme préconisé par le roi qui avait professé que « Paris vaut bien une messe ». La commission reçue du Roi en l'an 1603 enjoignait à Pierre du Gua « de laisser vivre chacun selon sa religion [11] ».

Vingt ans plus tard, le père Sixte Le Tac constate que la colonie « étoit entre les mains d'une Compagnie presque toute hérétique [12] ».

Les choses vont changer avec Richelieu. Il privait les protestants de l'exutoire que représentait pour eux l'émigration dans les Terres neuves. Pourtant, les protestants avaient de plus en plus de raisons de chercher ailleurs une « terre promise » ; ce n'était pas le cas des catholiques. Résultat de l'exclusive catholique et de l'exclusion protestante : le Canada français fut bien alors la Nouvelle-France, mais non une France nouvelle.

Les remèdes inutiles

Sans doute Richelieu avait-il emprunté aux Hollandais l'idée d'établir au Canada une compagnie à charte. Ce fut la « Compagnie des Cent Associés », qui se vit confier la jouissance du territoire « en toute propriété, justice et seigneurie ». Mais ces « associés » ne sont pas des marchands. Ce sont des hommes de culture terrienne, qui ne pensent qu'à se partager la possession de ce pays vide ; ils s'attribuent de vastes territoires, sans la capacité ni peut-être même l'idée de les mettre en valeur ; mais cette occupation bloque toute autre initiative.

Richelieu, cependant, avait maintenu Champlain dans son autorité, malgré son origine douteuse, au moment même où il interdisait aux protestants de le rejoindre. Champlain nourrissait de grands projets pour la Nouvelle-France, aussi bien pour la mise en valeur agricole que pour le commerce des fourrures, ou encore l'exploration d'une nouvelle route de la Chine. Ils étaient marqués au sceau de l'esprit d'entreprise. Faute d'hommes, ils n'aboutirent pas.

Plus tard, Jean Talon (gouverneur de 1665 à 1672) s'évertua à faire venir des émigrants – catholiques, puisque telle était la contrainte. Non sans succès : de 1667 à 1685, la population tripla. Mais ce fut au prix de procédés qui, à terme, inhibèrent la colonie. Il chercha en effet à fixer les soldats et les officiers du régiment de Carignan, par des concessions de terres aux premiers et de seigneuries aux seconds. Rien ne pouvait être moins propice au développement de l'esprit d'entreprise. Cette importation du régime seigneurial stérilisait la motivation des petits colons.

Entre temps, Colbert avait, en 1663, retiré son privilège à la Compagnie des Cents Associés, mais c'était pour créer une Compagnie française des Indes, qui n'était qu'un *ersatz* étatique des compagnies de négociants de type anglais et hollandais.

Fort avisé, Talon tenta de jouer, avec cette nouvelle donne, un jeu nouveau. Il voulut renouer avec l'idée d'une vocation maritime et commerciale, en cherchant à organiser, à l'instar des Hollandais dans les Indes occidentales, des échanges triangulaires qui permettraient d'équilibrer la balance commerciale de la Nouvelle-France. Il obtint le droit de traiter lui-même avec les Indiens et même, en 1669, la liberté générale du commerce. Un tel effort de libéralisation eût été salutaire, s'il s'était maintenu. Malheureusement, il fut abandonné dès le départ de Talon (1672). Selon le mot désabusé du nouveau gouverneur, il restera « deux activités essentielles : la conversion des âmes et la chasse des castors [13] ».

Hibernation de l'esprit d'entreprise

La longue glaciation hivernale du Saint-Laurent n'explique pas seule cette hibernation de l'esprit d'entreprise. Dans un contexte géographique donné, tout n'est certes pas toujours possible. Les vues de Champlain et de Talon sur le développement de la Nouvelle-France étaient-elles utopiques ? Vauban, à la fin du même siècle, plaide, dans ses *Oisivetés,* pour « l'accroissement ou plutôt la réhabilitation du Canada » : « Il est sûr qu'au lieu de 13 à 14 000 âmes qu'il y a présentement dans le Canada, trente ans après, c'est-à-dire vers l'an 1730, il y en pourrait avoir 100 000, que si nous supposons tout ce monde-là marié, et le renouvellement des générations se faire de trente en trente ans, donnant seulement quatre enfants à chaque mariage, il se pourrait très bien sans miracle que deux cent quarante ans après, c'est-à-dire vers l'an 1970, il se trouverait plus de monde au Canada qu'il n'y en a jamais eu dans toutes les Gaules. Total, 25 millions de personnes en neuf générations [14]... » En 1970, le Canada comptait 21 millions d'âmes. Voilà comment une chimère – immigration aidant – devient réalité ! Sauf que moins d'un tiers seulement était d'ascendance française.

Les projets n'ont jamais manqué pour le Canada français. Et certains furent conçus par les hommes les mieux placés pour les réaliser. Richelieu, Colbert : chacun de ces deux grands étatistes s'était fait une certaine idée de la Nouvelle-France. Mieux encore, tous les deux reconnurent, et voulurent imiter, la supériorité d'un modèle de colonisation dont l'origine ne devait rien à l'État. Mais au cœur de l'imitation, s'était logé le ver du monopole public, stérilisateur de l'initiative privée. Colbert avait dû réviser la copie de son maître – et cent ans après lui, l'État, qui avait voulu s'arroger un privilège exclusif, dut reconnaître, dans le verdict des armes, que s'il avait su entreprendre, il n'avait pas su accomplir.

L'échec n'était-il pas inscrit dans la contradiction de 1627, quand Richelieu interdit aux protestants d'aller mettre en œuvre eux-mêmes le système que la France empruntait à une république protestante ?

Chapitre 4

Le déclin espagnol

En dépit de ressources économiques et culturelles brillantes, l'Espagne du XVIᵉ siècle donne déjà des signes de déclin. Le « Siècle d'or » est le siècle de l'or, ou plutôt, de l'argent du Potosi ; mais aussi le siècle d'une fabrication monétaire énorme, démonstration éclatante de richesse à la face des places financières italiennes, puis des cités de l'Europe du Nord. On se contente de cet étalage orgueilleux, cependant que l'esprit d'initiative et d'entreprise est bridé, quand ce n'est pas brimé. L'élan de la « reconquête » sur les musulmans se fige dans une pose héroïque, celle de l'*hidalgo* halluciné, ennemi du travail et des moulins à vent. Image d'Épinal ? Voire...

Les échecs de Philippe II

Tout semble indiquer pourtant la puissance et la gloire. Le partage voulu par Charles Quint prive Philippe II des possessions germaniques. Mais il règne, en revanche, de 1556 à 1598, sur l'Espagne, les Pays-Bas, l'Italie, les possessions américaines et, à partir de 1580, sur le Portugal et ses colonies. Intelligent et consciencieux, servi par une administration de juristes, il entreprend avec énergie un règne personnel : tout semble destiner l'Espagne à conserver, voire à accroître sa suprématie planétaire.

Au lieu de l'expansion, le déclin. L'Espagne va tomber de haut.

Au XVIᵉ siècle encore, Barcelone reste le siège d'une intense activité industrielle. Séville possède 1 600 métiers à tisser, sur lesquels travaillent 13 000 ouvriers. Tolède et Ségovie regorgent de manufactures de soie et de textiles. Mais le marasme n'est pas loin.

Même sur le plan où Philippe II situe ses ambitions, il connaît l'échec. On a vu plus haut comment la répression de l'hérésie politique et religieuse dans les Pays-Bas avait en grande partie échoué. Face à l'Angleterre schismatique et concurrente, la défaite de l'Armada (1588) montre que l'Espagne était « invaincue, mais non pas invincible ». Plus que par les Anglais, c'est par une mer houleuse qu'est balayée la flotte. Défaite par le mauvais temps : faut-il voir là un symbole ? L'Espagne n'aura vécu son heure de triomphe qu'à Lépante (1570) contre les Turcs – ennemis archaïques, ou plutôt, comme elle, en voie d'archaïsme.

L'échec est encore plus sévère sur les terrains que l'État juge secondaires : ceux de l'économie. Le métal précieux est surabondant. Il brûle les mains espagnoles. Via l'Espagne, il passe des mines d'Amérique aux coffres des financiers étrangers – qui financent l'entreprise militaire espagnole. Plus encore que de son or, l'Espagne se vide d'activité. À l'instar de Rome au même moment, elle est le lieu où l'exaltation de la croyance coïncide avec l'augmentation des dettes. L'Espagne connaît trois banqueroutes, en 1557, 1575, 1597.

Les clivages sociaux s'accusent. Les exclusions se multiplient : persécution des morisques * et des marranes **. En 1559, interdiction est faite aux Espagnols d'étudier dans les universités étrangères – sauf Rome, Bologne et Naples. Effarant tarissement des effectifs espagnols à l'Université de Montpellier : ils sont 248 pendant 50 ans, entre 1510 et 1559 ; ils ne sont plus que 12 pendant les 40 ans qui suivent, de 1560 à 1599. L'Espagne redoute des universités qui peuvent fabriquer des hérétiques.

On est obsédé de la « pureté du sang » ; et cette obsession entraîne le déclin du commerce et de l'industrie. L'exaltation de l'honneur, au Siècle d'or espagnol, tout au moins sous le très catholique Philippe II, inhibe la dynamique sociale, économique et politique. Elle aboutit à exclure et à diviser [1]. Elle laissera longtemps son empreinte.

Honneur sans profit contre honneur du profit

L'image de l'*hidalgo* absorbé dans sa rêverie chevaleresque, abandonnant sa demeure à la ruine, laissant en friche la terre qu'il n'a pas vendue, est à l'évidence une caricature. En revanche, il est constant que le laboureur *(labrador)*, surtout s'il est aisé, encore le mépris de l'*hidalgo,* surtout s'il est appauvri. La réussite économique du premier est insupportable à la faillite du second.

Certains moralistes, comme Pablo de Leon, cherchent bien à réhabiliter le travail et la terre. Mais ils savent qu'ils luttent contre le préjugé général : « Les laboureurs et les bergers, qui fournissent le pain et le vin et produisent des moutons et d'autres choses

---

* Musulmans d'Espagne ou du Portugal convertis au catholicisme.
** Juifs convertis par contrainte ou par intérêt (mais qui, le plus souvent, restaient en secret fidèles au judaïsme, tout en pratiquant ouvertement le christianisme). En espagnol, *marrano* signifie « excommunié », « maudit », « damné » et même « porc ».

nécessaires à la vie, sont considérés par tous comme des hommes vils et méprisables [2]. »

Les « arts et métiers » ne sont pas logés à meilleure enseigne : viles occupations, « *oficios viles* ». L'idée fixe de la dérogeance paralyse l'économie du pays, en coupant celle-ci des classes dirigeantes.

Lorsque le peintre Velasquez, au sommet de sa gloire, postule pour l'« habit » de Santiago *, son ami Zurbaran fait l'éloge de sa famille en ces termes : « Les Velasquez n'ont jamais pratiqué un métier mécanique et vil... Jamais on n'a pu dire qu'il tînt boutique, comme tant d'autres peintres ». Le conseil des ordres militaires proscrivait en effet toute occupation *basse* ou *manuelle* : joaillier, peintre si l'on peint pour gagner sa vie, brodeur, tailleur de pierre, maçon, aubergiste... 148 témoins défileront pour attester que Velasquez n'a jamais reçu d'argent pour un tableau.

Les artisans eux-mêmes intériorisent l'image que les élites leur renvoient. Un voyageur, Barthélemy Joly, en 1583, conseiller et aumônier d'Henri IV, visite l'Espagne en compagnie de l'abbé Boucharat, supérieur de l'ordre de Cîteaux. Il trouve ces artisans obsédés par le modèle aristocratique de l'oisiveté ostentatoire : « Ils sont dédaigneusement assis près de leur boutique dès les deux ou trois heures de l'après-dînée, pour se promener avec l'épée au côté ; s'ils arrivent à amasser deux ou trois cents *reales*, les voilà nobles ; il n'y a plus d'ordre qu'ils fassent rien, jusqu'à ce qu'étant dépensés, ils retournent à travailler et en gagner pour fournir à cet équipage extérieur. L'entretien duquel, ils appellent : "*sustentar la honra*" (soutenir sa réputation). Voilà leur honneur sans profit, qui cause la stérilité d'Espagne [4]. »

L'honneur sans profit : la formule est diamétralement opposée à celle que l'on rencontre sous la plume des Dix-sept Messieurs du directoire de la Compagnie hollandaise des Indes orientales : « Il a l'honneur, celui qui obtient du profit [5]. » On ne saurait mieux résumer la divergence de mentalités.

Certes, « le mépris du travail et l'outrance de l'oisiveté ** [6] » avaient été dénoncés comme une tare sous Charles Quint, par un certain Venegas : « Le défaut est qu'il n'y a qu'en Espagne que l'on considère le métier mécanique comme un déshonneur *** [7]. » Mais c'est un cri à peu près isolé. À peine le trouve-t-on repris un peu plus tard, sous Philippe II, par Luis de Ortiz, conseiller financier à la cour d'Espagne : « Que l'on fasse exception aux lois

---

* L'ordre de Santiago était le plus prestigieux ordre de chevalerie militaire. Pour y être admis, Velasquez remue ciel et terre, c'est-à-dire le Vatican. Une première lettre du cardinal Panciroli (décembre 1650) appuie sa démarche auprès du nonce apostolique de Madrid. En vain. Il faudra l'intervention directe du Pape (novembre 1658) pour fléchir le conseil de l'ordre de Santiago [3].
** *El menosprecio del trabajo y descomedimiento de la ociosidad.*
*** *Se tiene por deshonra el oficio mecanico.*

du royaume qui rabaissent et méprisent les ouvriers mécaniques, et que l'on en fasse d'autres en leur faveur, en leur donnant des honneurs et des charges [8]. » L'appel n'est pas entendu. Un autre solitaire, Gaspar Gutierrez de los Rios, le répète vers 1600, engageant l'autorité royale « à honorer et favoriser ceux qui travaillent et non les inactifs, quel que soit leur état [9] ». Sans atteindre plus d'effet.

Le statut social et moral du marchand est également jugé inférieur, et même à celui du « laboureur ». Contrairement à celui-ci, le marchand tire ses gains « des biens d'autrui, la plupart du temps au grand dam de leurs propriétaires, et rarement sans user de quelque tromperie [10] ». La notion même de commerce est vouée au soupçon.

Seul le grand négoce échappe à ce discrédit. Un peuple de *conquistadores* était mal placé pour le récuser tout à fait. Le négoce international est reçu comme une activité « *hidalga* » [11]. Étrange séparation cependant, qui entraîne un effet de compensation : plus est justifié le négoce quand il s'agit d'échanges à longue distance, plus est rabaissé le commerce de terrain, le commerce des humbles. Encore convient-il de rentrer bien vite dans l'ordre : pour devenir un vrai *hidalgo*, on doit abandonner aussitôt les activités négociantes, sur lesquelles s'était acquis le droit d'accès à la classe supérieure des *hidalgos*. Juché sur la tour crénelée, on repousse l'échelle qui a permis d'y grimper.

La guerre sociale

Le règne de Philippe II est marqué par une véritable guerre sociale, dont les armes sont l'honneur, l'orthodoxie religieuse et la pureté du sang *(limpieza de sangre)*. Or, les victimes de ce système d'exclusion se trouvent être précisément les couches dynamiques de la société espagnole : juifs « convertis » (les *conversos*), *morisques, marranes* du Portugal – rattaché à la couronne d'Espagne en 1580.

Ces exclusions sont collectives. On définit des ensembles, des catégories ; on les isole, on les écarte – sans acception des personnes. Le mécanisme brime systématiquement toute émergence de l'individualité. À travers l'idée d'honneur, aurait pu se définir une société reconnaissant le mérite, l'accomplissement personnels. Ce qu'on voit émerger, c'est tout le contraire d'un personnalisme. L'Espagne pousse jusqu'à l'extrême une logique collectiviste de l'honneur.

Elle n'a pas même confiance dans les conversions qu'elle opère. Ce n'est pas l'une des moindres contradictions du système social et religieux espagnol, que de persécuter ceux-là mêmes qu'il a contraints à abandonner leurs croyances. Il est vrai que bon nombre de nouveaux chrétiens *(cristianos nuevos)*, loin d'être de zélés prosélytes du catholicisme espagnol, sympathisaient avec l'érasmisme [12].

Certains auteurs vont encore plus loin. « Qu'est-ce qui est pire, descendre de Maures, de Juifs ou d'hérétiques ? » se demande Antonio Agustin dans son *Dialogo de las armas*. Voici sa réponse : « Je pense que le pire est de descendre d'hérétiques ; et je vois qu'en droit, les fils et les petits-fils des condamnés pour hérésie sont infâmes, et ne peuvent avoir ni charges, ni dignités [13]. » La mauvaise graine du protestantisme, on la sait vivace... Il faut poursuivre dans les enfants et les petits-enfants le péché des pères et des grands-pères.

Le rôle de l'Inquisition : un faux procès ?

Comment, à ce point, ne pas poser la question de l'Inquisition ?
Trois pays ont accusé un grave retard économique. Trois ont manqué l'industrialisation du XIXe siècle. Tous trois ont été le théâtre privilégié de l'Inquisition moderne : Portugal, Espagne, Italie. Faut-il croire à une simple coïncidence [14] ?
Sans doute serait-ce un procédé inquisitorial, que de charger l'Inquisition de tous les péchés. Son procès doit être instruit sans préjugé. Mais les travaux de Jean-Pierre Dedieu aident à répondre à deux questions.
L'Inquisition a-t-elle coupé l'Espagne des grands courants économiques et intellectuels de l'Europe du Nord ?
A-t-elle effacé de la culture espagnole des traits propices au développement économique ?

1. Il ne fait pas de doute que l'Inquisition a fait obstacle au libre mouvement des personnes. Elle a travaillé à dresser un rideau de soupçons, de procédures, de parchemins, entre l'Espagne et l'extérieur. L'Espagne est devenue un pays où l'entrée même comportait un risque.
Fréquenter des hérétiques fut un motif suffisant pour de nombreuses condamnations. Les marchands espagnols qui commercent avec La Rochelle sont suspects d'hérésie ; on leur fait grief de n'avoir pas dénoncé les protestants qu'ils ont rencontrés. Cette persécution ne concerne pas seulement les Espagnols. Les étrangers sont particulièrement soupçonnés. Parmi les personnes comparaissant devant le tribunal de Tolède, un quart sont des étrangers entre 1561 et 1620, et près de 40 % au XVIIe siècle.
La proportion s'affaiblit au XVIIIe siècle. Moindre vigilance, moindre xénophobie inquisitoriale, ou simplement découragement des étrangers et fermeture du pays ? S'ils ne sont plus qu'un sur cinq parmi les accusés de Madrid, il faut noter que, parmi eux, se trouvent « quelques-uns de ces spécialistes importés à grand prix

pour initier les Espagnols aux techniques modernes [15] ». Étranges pratiques : *on les paie cher pour venir, et on les poursuit parce qu'ils sont venus.*

Le système souffre naturellement des exceptions. On signale des cas de tolérance « à cause du commerce ». Nécessité fait loi. L'Inquisition s'est vue contrainte de lever l'obstacle de temps à autre, pour que son intolérance fût tolérable.

Une observation du même type peut être faite pour ce qui touche la circulation d'ouvrages mis à l'Index. La police et l'Inquisition ne sont pas si bien faites, qu'il ne pénètre en Espagne beaucoup de livres interdits. Inefficacité bureaucratique, corruption des agents, multiplication des « licences de lecture » sous prétexte d'étude ou de controverse, mauvaise volonté des libraires : l'étanchéité du système est loin d'être absolue. Mais ce relâchement n'est pas le signe d'une tolérance de fait substituée à l'intolérance de droit ; il témoigne simplement que la vigilance n'est plus aussi nécessaire. L'essentiel du travail est déjà accompli. *L'Inquisition a gagné les esprits.* Elle n'a plus besoin d'être aux aguets, lorsque l'inhibition culturelle est devenue à ce point un caractère acquis – et transmissible. La pression sociale, les habitudes mentales finissent par rendre le système inquisitorial presque superflu. Ce n'est pas tant lui qui est frappé d'obsolescence au XVIIIe siècle, que la vitalité espagnole.

Il faut donc éviter de faire de lui, ou en tout cas de lui seul, l'appareil maléfique engendrant de toutes pièces un climat économiquement stérilisant. Par bien des aspects, l'Inquisition n'est que l'instrument des mentalités dominantes. Elle n'a pas inventé la répression : elle l'a exercée parce que l'esprit public l'exigeait. L'exclusion et la persécution sont un choix social de l'Espagne entière [16]. Philippe II lui-même commença par résister aux *Statuts sur la pureté du sang,* avant de les accepter sous la pression d'une demande presque unanime [17]. De même que la Révocation de l'Édit de Nantes sera décidée en 1685 par Louis XIV, parce que la grande majorité des Français la lui réclamaient.

Retombées sur l'économie

2. L'objectif de l'Inquisition n'est pas, certes, de poursuivre systématiquement les comportements qui seraient de nature à stimuler l'initiative économique. Ce n'est pas son domaine ; il ne faut pas chercher de ce côté la cause des mécanismes inhibiteurs. Le mépris dans lequel était tenu le travail dans l'Espagne du Siècle d'or, et notamment le travail artisanal, industriel ou commercial, l'Inquisition n'y est pour rien.

Mais, indirectement, l'effet négatif sur l'économie est patent. On poursuit *marranes* et *conversos* pour des raisons religieuses : mais à travers eux, on atteint l'économie espagnole dans ses œuvres vives. La culture commerciale et financière était répandue dans ces communautés persécutées, dispersées, refoulées. « Quelque 12 % des 7 500 accusés recensés à Tolède appartiennent au monde de la finance et du commerce, évidemment sur-représenté. Les deux tiers étaient des *conversos* [18]. » L'appauvrissement économique a été le prix payé pour la purification ethnique.

Et le Portugal ?

Dans les *Procédures curieuses de l'Inquisition du Portugal contre les francs-maçons* [19], on peut lire la mésaventure d'un marchand anglais, qui peut servir à illustrer le fonctionnement d'une société de défiance.

C'est l'histoire d'une famille suisse, originaire de Berne. Le père, chirurgien, s'installe en France, où il jouit de l'appui de puissants protecteurs. L'édit de Fontainebleau l'en chasse. Il se rend donc avec sa famille à Londres, où il s'établit et se fait naturaliser dès son arrivée.

Son fils, John Coustos, devenu lapidaire, tente d'aller faire fortune au Brésil. Il se rend à Lisbonne afin d'en demander la permission au roi : « Mais ce monarque, s'étant fait informer de mes talents et de la connaissance que je pouvais avoir des pierreries, me refusa ma demande, de l'avis de son conseil, pensant que j'étais trop expert pour aller dans un pays où il croit qu'il est à propos de tenir les peuples *dans l'ignorance* totale des trésors qui les environnent de tous côtés [20]. »

S'établissant alors à Lisbonne, notre lapidaire tombe bientôt « entre les mains de la cruelle Inquisition », dont le pouvoir est « plus despotique encore au Portugal qu'en Espagne [21] ». Dénoncé et emprisonné, il sera torturé, condamné à une peine de quatre ans sur les galères. Le salut viendra... de l'Angleterre. Coustos réussit à y faire passer son appel au secours et l'ambassadeur britannique obtient sa libération en 1744 : « Je me vois de retour, écrit l'auteur, dans cet heureux pays où l'homme peut jouir des privilèges de la liberté [22]. »

Au-delà du destin individuel de John Coustos, son regard sur la conception portugaise de l'exploitation coloniale mérite d'être retenu [23] : l'exploitation de *l'ignorance,* qui est prudemment entretenue.

Pieux chômage

Sans préjuger de la relation qui les unit, on peut constater la coïncidence entre certains comportements anti-économiques et certaines pratiques religieuses. Énumérons, à la suite de Bennassar, les plus frappantes.

Quand la guerre d'Amérique mit l'insécurité dans tout l'Atlantique, les plus solides assureurs maritimes d'Angleterre et de Hollande refusèrent, à n'importe quel prix, de couvrir les risques. Ceux de Barcelone continuèrent comme par-devant : ils s'étaient placés sous la protection de Notre-Dame de Montserrat[24]. Une dévotion superstitieuse dispense du calcul économique, dans le même temps où, en Hollande et en Angleterre, le calcul économique se substitue à la dévotion superstitieuse.

Il était courant, encore au XVIIIe siècle, d'exiger, sous serment, un acte de foi en l'Immaculée Conception, pour entrer dans les corporations d'artisans et dans les confréries religieuses qui, doublant les corporations, organisaient la vie cultuelle du métier, tout en gérant les institutions de secours mutuel.

Le prestige d'un saint, son lien avec telle ou telle cité ou province, son appartenance à tel ordre religieux influent, étaient l'occasion d'obtenir du pouvoir civil le chômage de sa fête. Il n'est pas certain que le peuple chrétien en fût bien édifié, mais il est sûr que le travail en souffrait. Le nombre de ces fêtes chômées avait été si fort multiplié, que des plaintes commencèrent à s'élever. Elles s'adressèrent à Rome, car il ne fallait pas moins que l'autorité pontificale pour revenir sur les droits des saints.

Benoît XIV recommanda la diminution des fêtes chômées. Les diocèses suivirent plus ou moins volontiers l'injonction. À Tolède, l'archevêque fit ce qu'il put ; mais, après réduction, il restait encore quatre-vingt-quatorze fêtes générales, auxquelles s'ajoutaient les fêtes paroissiales. Encore était-ce le chiffre officiel, au-dessous de la vérité. Le total des jours fériés par an, à la fin du XVIIIe siècle, atteignait, selon Bennassar, « au moins cent soixante-dix[25] ».

> *Le mal est que dans l'an s'entremêlent des jours*
> *Qu'il faut chômer ; on nous ruine en fêtes ;*
> *L'une fait tort à l'autre ; et Monsieur le curé*
> *De quelque nouveau saint charge toujours son prône.*

Au moins le savetier de La Fontaine enrageait-il de ce chômage forcé. En Espagne, on s'y accoutume fort bien. De mieux en mieux.

La pauvreté entretenue par la société d'assistance

On peut même affirmer que l'Église espagnole a entretenu, dans les deux sens du terme, la pauvreté. Elle aime tant les pauvres, qu'elle les multiplie. Elle les secourt avec zèle, parce qu'ils « exercent une fonction sociale et religieuse, en donnant au riche l'occasion de se vouer aux bonnes œuvres[26] ». Elle les assiste avec une telle efficacité, que la pauvreté devient un état dont on peut tout à fait s'accommoder. Ce que nous appelons l'aide alimentaire atteint des proportions prodigieuses : à Séville, en 1679, 14 000 pains distribués par jour ; à Cordoue, 3 000 livres de pain – qui nourrissent parfois jusqu'à 7 000 personnes [27]. On comprend la réaction d'un visiteur anglais, pourtant admiratif devant ces manifestations de la charité ecclésiastique : « Quel stimulant pouvons-nous trouver ici à l'industrie ? Qui va donc creuser un puits, si on lui apporte l'eau de la fontaine ? A-t-il faim ? Les monastères le nourriront. Est-il malade ? Un hôpital est prêt à le recevoir. A-t-il des enfants ? Il n'a pas besoin de travailler pour les élever : ils sont tous bien pourvus, sans qu'il ait à s'en soucier. Est-il trop paresseux pour se mettre en quête de nourriture ? Il lui suffit de se retirer à l'hospice [28]. »

La société d'assistance espagnole est perverse dans ses effets. Elle fait rouler le cercle vicieux du non-développement. L'investissement des riches – c'est-à-dire principalement des gens d'Église – est dénué de tout caractère productif. Quant aux pauvres, ils n'ont qu'à se laisser vivre dans leur état de pauvres. Ce système est aux antipodes du système hollandais qui, dans le même temps, ne veut offrir aux pauvres que du travail rémunéré.

Mais il arrive que le système espagnol rencontre sa limite : c'est le cas en Estrémadure. La pauvreté y est si effroyable, que même l'assistance ne peut plus y pourvoir. À Trujillo en 1557, 45 % de pauvres ; à Caceres en 1597, 42 %. Dès lors, le dénuement de la population la pousse à émigrer. Et quels émigrants ! Les Cortès, Pizarro, Paredes, Orellana, Núñez de Balboa, Pedro de Valvidia... étaient tous originaires de l'Estrémadure [29]. Ils n'emportent pas avec eux du savoir-faire, des talents économiques, ni même tout simplement des habitudes de travail. Ils ont une revanche à prendre sur la vie ; mais ils ne savent la prendre que par la mise à sac.

Dans la conquête des espaces américains, on trouve l'expression d'une vitalité, mais d'une vitalité largement négative. Le caractère réactif de ce comportement explique que l'exploitation de l'empire espagnol s'apparente plus à la prise qu'à l'entreprise, au coup de force qu'à l'effort, au pillage qu'au développement.

À son tour, l'émigration des héros affamés de l'Estrémadure vers les Amériques va être à l'origine du relatif non-développement – politique, économique, culturel, social – du sous-continent américain.

Une belle fiesta

Un siècle et demi plus tard, et en apparence malgré ces conquêtes, mais plutôt, en réalité, à cause d'elles, le déclin espagnol est patent. En voici un témoin : Alexander Stanhope, qui occupe, de 1690 à 1699, les fonctions d'ambassadeur à la cour de Madrid. Avec tout l'or de l'Amérique, « en dépit de l'afflux de tant de flottes et de galions [30] », le numéraire est d'une « rareté telle qu'il faut le voir pour le croire ». L'armée est composée pour moitié de mercenaires allemands et wallons, mourant de faim et prompts à déserter. La marine, en l'espace de dix ans, est passée de dix-huit « bons vaisseaux » à deux ou trois. Remédier à ces maux ? Comment serait-ce possible, pour une Espagne que déchirent les querelles intestines, les rivalités, les jalousies, et qui se cuirasse d'un immobilisme « fier et hautain », faisant mine d'être « la plus grande nation du monde », comme au temps de Charles Quint [31].

Une lettre de son fils James complète le tableau. Elle est écrite de Palma de Majorque, au printemps de 1691. L'ambassadeur y est accueilli et son fils raconte que la réception a été dérangée par un événement – une fête très espagnole, mais à laquelle l'ambassade a été aimablement conviée : un *autodafé*. En deux semaines, quarante-sept « juifs et hérétiques » sont envoyés au bûcher, en deux fournées. Cela ne suffit pas : « une autre *fiesta*, titre qu'on donne au jour consacré à un acte aussi exécrable [32] », est annoncée. Sombre fête punitive, où les seules lumières sont celles des flammes.

S'étonnera-t-on de l'identité des victimes ? « La plus grande part des criminels qui ont déjà été et seront mis à mort étaient les hommes les plus riches de l'île, et les propriétaires des meilleures maisons de la ville [33]. » La remarque est bien d'un Anglais : pour quelles obscures raisons religieuses ces Espagnols font-ils périr leur élite économique ?

« L'Espagne est devenue les Indes de l'étranger »

Il ressort de ces analyses que le déclin espagnol n'est pas imputable aux seuls revers enregistrés par « la démographie, les prix, le commerce et la production autour de la période 1590-1652 [34] », comme on l'a soutenu. Cette explication reste tautologique : ce que « déclin » dit en gros, elle le dit en détail.

On peut conclure au contraire, avec Henry Kamen [35], qu'un « schéma de dépendance » affectait toute cette économie et l'empêchait de mettre en valeur ses énormes ressources. Il interdisait tout contact fructueux avec les idées et les pratiques économiques qui, ailleurs, faisaient la preuve de leur efficacité. Le caractère structurel et qualitatif de cette inhibition explique l'embarras tenace des historiens de l'économie pour décrire le déclin de l'Espagne et lui assigner des repères chronologiques [36].

Quant aux Espagnols eux-mêmes, ils ne se firent pas faute d'imputer le déclin de leur commerce aux étrangers – pourtant passablement exclus de la vie politique et culturelle de l'Espagne, mais non, il est vrai, de sa vie commerciale ou financière. Cette dépendance à l'égard de l'extérieur était bien visible dans la domination du capital génois ou flamand – ce qu'atteste la formule lancée aux Cortes de Valladolid dès 1548 : « L'Espagne est devenue les Indes de l'étranger [37] ».

En 1670, l'activité du port de Cadix force l'admiration du consul de France ; mais il oublie de préciser que ce commerce est pour les cinq sixièmes entre les mains de l'étranger [38]. La flotte marchande espagnole disparaît. Ce sont des navires étrangers qui assurent au XVIIe siècle tout le trafic d'Alicante, le deuxième port espagnol. Ils ne donnent pas forcément la priorité aux quelques négociants espagnols : « Le marchand Felipe Moscoso dut attendre, en 1675, six mois avant de trouver un navire suffisamment vide pour prendre en charge sa cargaison de savon à destination d'Amsterdam [39]. »

Ainsi, l'Espagne est moins un empire colonial, qu'un royaume colonisé. Colonisé deux fois : de l'intérieur, par la monarchie castillane, sa bureaucratie cléricale, son inquisition, ses guerres ruineuses et le soutien constant qu'elle apporte à l'immobilisme et à l'exclusivisme sociaux ; de l'extérieur, par les marchands et financiers venus de l'étranger, dont les moindres ne furent pas – ironie de l'Histoire – les Flamands et les Hollandais, ses propres sujets, puis ses propres rebelles.

« Une prospérité qui s'écoule comme un torrent »

Qu'aura été, en définitive, le déclin espagnol ? Un reflux inéluctable, ou un recul contingent ? Cette question a jeté Fernand Braudel dans de grandes contradictions. Il souscrit sans réserve à la thèse « conjoncturaliste » de Rapp sur le reflux et la décadence du monde méditerranéen ; pourtant, il sait aussi voir et dénoncer la démobilisation des élites espagnoles, la crise de l'investissement – un « drame économique, dit-il, la bourgeoisie barcelonaise plaçant en terres son argent » et « ne se risquant plus dans les affaires maritimes [40] ».

Mais le drame, contrairement à la tragédie, n'est pas fatalité. Ses acteurs ont, sur la scène économique, une responsabilité. Le désengagement financier et commercial espagnol, la dévitalisation ibérique dans la compétition européenne, sont des choix qui ont leurs raisons propres, et non les simples effets d'un mécanisme incontrôlable.

On se permettra de penser que, dès 1753, le diagnostic rendu par François Véron de Forbonnais dans ses *Considérations sur les finances d'Espagne* s'approchait davantage de la vérité. Dommage que ni Marx, ni Max Weber, ni Fernand Braudel ne l'aient médité, ni sans doute lu.

Pour Forbonnais, le déclin espagnol commence en 1516 – à la veille de la Réforme de Luther. Dans une page fulgurante, il dresse l'état de la question : « Une grande abondance des plus riches productions dont la nature ait favorisé la zone tempérée ; de vastes possessions dans les contrées les plus fertiles du nouveau monde ; des mines inépuisables en or et en argent ; une marine puissante ; un commerce actif ; de bonnes lois, une population nombreuse, un peuple fidèle, doué d'un génie et d'une constance propres à exécuter de grandes entreprises : tous ces objets présentent sans doute l'idée de la plus formidable puissance qui puisse se rencontrer dans un pays de la même étendue que l'Espagne. »

C'est en effet de ce point de vue qu'on doit considérer cette monarchie, au moment où Charles V en réunit toutes les couronnes sur sa tête en 1516. « Cette grande prospérité s'écoula comme un torrent : en moins d'un siècle, on en reconnaissait à peine les vestiges, et dès l'an 1619, on voit des écrivains espagnols former des projets sur le rétablissement politique de leur empire [41]... »

Écoulement, écroulement, le tableau est saisissant. Après le constat, l'analyse : « Un changement si frappant a souvent exercé les raisonnements des politiques spéculatifs. Les principales causes qu'ils en ont apportées sont l'expulsion des Maures et des Juifs, la population [le peuplement] des colonies, les fréquentes transmigrations à raison de l'éloignement des diverses parties qui composaient la monarchie espagnole en Europe, et surtout l'abandon de l'agriculture et la perte de l'industrie [42]. »

Autrement dit, l'Espagne fait les frais de son intolérance, de sa discrimination ethnique envers une population pourtant paisible et laborieuse ; elle subit par ailleurs un surcoût logistique dû à son hégémonie continentale. Quant à l'agriculture et à l'industrie, les « deux jambes » sur lesquelles elle devrait marcher, elles l'abandonnent. Ou plutôt, c'est l'Espagne elle-même qui s'en est amputée.

Forbonnais compare les revenus de l'Angleterre (179 775 000 livres tournois) au produit des rentes générales et provinciales de toute l'Espagne (72 656 805 livres tournois) [43]. « Ce parallèle conduit naturellement à penser que la prodigieuse différence qui en résulte est causée par l'abandon de l'agriculture et des arts [techniques] [44]. » La « perte » de l'industrie lui apparaît moins comme un accident inévitable, que comme un abandon volontaire – un désengagement économique.

« La ruine de l'agriculture doit être attribuée à quelque principe vicieux dans l'administration [45] » – taxes excessives sur les grains, gestion des greniers publics par des chefs « sans zèle, sans intelligence, sans ordre et souvent sans probité [46] ». Observateur averti de la distorsion économique et sociale qui marque l'Europe, Forbonnais compare les politiques agricoles hollandaise et anglaise à celle de l'Espagne – prévoyance, souplesse, dynamique importatrice ou exportatrice d'un côté ; rigidité tarifaire de l'autre [47]. Divergence oblige.

Quant au commerce, « l'erreur funeste, [...] la source principale de son affaiblissement » est de l'avoir « soumis à la Finance, qui ne peut jamais tenir que de lui sa vigueur ». Funeste inversion des rôles, qui installe en Espagne son « cortège de fraudes [48] ».

L'esprit de conquête – réalité ou fiction ?

En fait, ce qu'il est advenu du royaume d'Espagne, au XVIIᵉ siècle, oblige à reconsidérer ce qu'il a accompli, au XVIᵉ. Si ses conquêtes dans le Nouveau Monde ont exprimé sa vitalité, qu'est-elle devenue ? Pourquoi a-t-elle perdu sa force ?

Ces questions ont poussé plusieurs historiens à chercher des explications du côté des mentalités. Cependant, leur réponse fait appel à une sorte d'histoire mentale conjoncturelle, sinon événementielle. Pour Wallerstein, l'expansion outre-Atlantique n'aura été que « le reflet d'une réaction psychologique » à la défaite de la chrétienté devant les Turcs musulmans. Pour Pierre Chaunu, c'est « un phénomène de compensation, une sorte de fuite en avant ». Pour Parry [49], le ralentissement, notable à partir de 1557, du processus d'expansion s'expliquerait par l'expérience malheureuse des visées impériales de Charles Quint en Europe : elle aurait servi d'avertissement contre tout risque expansionniste supplémentaire, et provoqué un recroquevillement sur les positions acquises.

Mais ne convient-il pas de chercher au-delà de la conjoncture ? Comment faire l'impasse sur la coïncidence exacte entre l'époque même de la conquête, celle où la vitalité espagnole peut être censée s'exprimer à plein, et l'entreprise de « purification ethnique » menée en Espagne même ?

Ce comportement agressif à l'égard des minorités économico-religieuses commence en 1492 : les Juifs sont expulsés l'année même où Christophe Colomb tente son aventure pour le compte de l'Espagne. L'effort d'exclusion s'affirme, avec ce qui subsiste de l'ennemi mauresque converti de force, en 1502 et 1525. Même ces conversions ne suffisent pas ; l'Espagne doute, non sans raisons, de leur authenticité ; et tout au long du XVIᵉ siècle, elle persécute marranes et érasmiens. Elle expulse en 1609 la minorité pseudo-religieuse des Morisques, quelque 300 000 hommes, travailleurs agricoles – sans même avoir égard aux conséquences inévitables sur l'exploitation des vastes domaines de l'aristocratie latifundiaire.

L'esprit des élites espagnoles ne s'est pas investi dans la recherche d'une harmonie socio-économique, mais dans un rejet violent, qui devait lui mettre à dos ses principaux créanciers. L'histoire ne montre pas d'exemple d'une expansion économique fondée sur l'expulsion d'une catégorie socio-économique. Ce qu'il y avait de bourgeoisie espagnole a concouru sans réserve à ce mouvement, quand elle ne l'a pas provoqué. Au lieu de chercher des « Amériques intérieures », elle n'a songé qu'à expulser des « indigènes » de son propre sol, à qui elle imputait l'état d'inhibition de la vie économique du pays – une inhibition dont elle était elle-même la première responsable. Un tel comportement ne semble pas attester – malgré qu'en ait Wallerstein [50] – « autant d'esprit d'entreprise que d'autres régions d'Europe ».

Ailleurs, l'immigration juive, protestante, et en général celle des minorités religieuses, fut extrêmement bénéfique au développement économique, à l'innovation, à la recherche de structures sociopolitiques libérales. Ici, la défiance exprimée par les expulsions massives, suivies d'une émigration contrainte, s'avéra ruineuse. En croyant se purifier, l'Espagne se vidait de son propre sang, entraînant à sa suite dans la ruine les zones européennes qui avaient été liées à son ascension par le biais commercial et financier : « l'Italie du Nord, l'Allemagne du Sud, le Portugal, Anvers, Cracovie [51] », à savoir des bastions du catholicisme.

Comme le déclin du Portugal, il paraît difficile d'expliquer le déclin de l'Espagne par une simple « hypersensibilité » à la « contraction économique » qui a caractérisé le XVIIᵉ siècle, pour reprendre l'expression de Pierre Chaunu [52]. Ou plutôt, cette hypersensibilité est l'indice d'une vulnérabilité mentale de l'Espagne : son acharnement à poursuivre de sa vindicte les Espagnols non catholiques atteste une sorte de rage sourde et tenace contre l'univers mental et social de l'activité entrepreneuriale.

L'essor de la conquête n'a rien eu d'une entreprise créatrice. Il s'est réduit à une entreprise guerrière.

Et l'Italie – berceau du mal romain ? Elle est pillée, au long de la divergence, par tout ce qui compte en Europe.

L'Italie, c'est d'abord Naples, la plus grande ville de la chrétienté latine – au moment de la Réforme, elle dépasse Paris. En 1606, elle est peuplée comme deux fois Venise, et presque trois fois Rome. En deux siècles, on peut voir Naples mourir... et croupir dans la mendicité, la délinquance, la prostitution. Naples, c'est un Vésuve éteint : les fumerolles du *bel canto* indiquent de beaux restes – mais, si l'on excepte la construction du Palais Royal (XVIIᵉ-XVIIIᵉ) et du Théâtre San Carlo (1737), aucun chantier d'activité n'est mis en place.

Tel est le scénario du repli italien. Les élites prennent, au XVIIᵉ siècle, une retraite anticipée sur le reste de l'Europe [53].

Les inventeurs du mal romain sont les premiers à y succomber. Ce mal est un mal d'âme. Car les ressources sont là. Il ne manque que l'énergie de les exploiter.

Chapitre 5

France-Angleterre :
la divergence de l'innovation

Passée l'heure – le siècle – de gloire hollandaise, une gloire arrachée de haute lutte aux flots et aux fléaux espagnols, un nouveau tandem vient sur le devant de la scène européenne : France-Angleterre.

L'opposition de ces deux nations revêt une signification d'autant plus importante que, si l'on s'en tient à l'aspect quantitatif (volume du commerce, production, revenu par tête), l'écart qui les sépare à la fin du XVIIe siècle tend à se réduire au cours du XVIIIe. Donnons-en, à la suite de François Crouzet [1], deux exemples.

À la mort de Louis XIV, la valeur du commerce extérieur de la France dépasse « à peine la moitié de celle du commerce anglais » ; à la veille de la Révolution, le niveau atteint est « très voisin ». Quant au volume de la production industrielle (manufactures, métallurgie, textile), la France soutient brillamment la comparaison avec l'Angleterre.

La supériorité britannique ne serait-elle qu'un mythe français auto-dépréciateur ?

Faiblesses commerciales d'une réussite économique

Si l'on veut comparer globalement la croissance des deux économies, il importe de rappeler l'ordre de grandeur des populations française et britannique : entre 1700 et 1781, la population française passe de 21,5 à 26 millions d'âmes (+ 21 %) ; celle de l'Angleterre, entre 1700 et 1790, de 5,1 à 7 millions (+ 37 %) [2].

Faut-il conclure avec Crouzet « que l'accroissement de la production et du revenu réel moyens par tête fut à peu près du même ordre dans les deux pays, et possiblement plus rapide en France [3] » ?

Gardons-nous de répondre avant d'avoir tenté une analyse qualitative. Celle-ci révèle de profondes distorsions, qui montrent assez que la croissance de la production et celle du revenu par tête ne sont pas les indices infaillibles du développement : ils peuvent dissimuler une stagnation d'origine politique ou sociale ; ou des talons d'Achille, là même où l'on aurait plutôt conclu à l'avantage.

Prenez la culture de la canne à sucre et du café à Saint-Domingue. Les Français peuvent s'enorgueillir d'y avoir atteint des coûts de production fort avantageux par rapport aux Caraïbes anglaises. Mais l'extrême réussite de cette colonie n'a d'égale que l'extrême dépendance de la France à son égard. À la veille de la Révolution, les trois quarts des échanges avec les colonies françaises se faisaient avec Saint-Domingue ; la réexportation de son sucre constituait près du tiers des exportations totales [4]. Quand la France perdra Saint-Domingue dans les soubresauts de la Révolution, les conséquences économiques seront énormes. *A contrario*, la diversification du commerce colonial britannique lui a permis de digérer aisément la perte – politique, mais nullement économique – des Treize colonies d'Amérique. L'indépendance américaine fut bien la pierre de touche de l'organisation du commerce britannique et de sa capacité de résistance à une conjoncture désastreuse.

Autre dissymétrie révélatrice : le commerce anglais exporte des produits de l'industrie, pour environ les deux tiers du volume des exportations. Dans les exportations françaises, les produits industriels ne comptent que pour les deux cinquièmes [5]. Sans doute le marché intérieur avait-il de quoi absorber l'activité des industries naissantes de la France. Mais la structure du commerce extérieur de la France ressemble davantage à celle d'un pays sous-développé – majorité de produits bruts – ; celle du commerce extérieur britannique, où l'industrie domine, est déjà celle d'un pays développé.

Il existe bien certains secteurs où les deux économies convergent plus qu'elles ne divergent (par exemple, l'industrie lainière, l'industrie de la toile ou celle de la soie). Mais, au total, c'est bien la distorsion qui l'emporte. Le poids de la ville, de l'industrie et du commerce est beaucoup plus important en Angleterre, dans la population active, dans le revenu national [6].

Une dynamique d'innovation industrielle

Surtout, la capacité d'innovation paraît très inégalement distribuée. La liste est impressionnante, des améliorations et innovations apportées aux techniques de production, au cours du XVIIIe siècle anglais. Quelle en est la nature, et quelles en sont les causes ?

On pourrait alléguer l'exemple de John Lombe, allant dérober à Livourne les secrets des machines italiennes à filer la soie, et construisant une fabrique en 1717 sur leur modèle, pour corroborer la thèse de Braudel – une véritable piraterie intellectuelle et technologique, dont la Méditerranée serait l'infortunée victime et les Européens du Nord les malins bénéficiaires. Mais l'industrie de la soie n'a certes jamais été le fleuron de l'industrie anglaise. Dans les domaines centraux de l'industrialisation – métallurgie, mécanique et textile – les innovations décisives seront du cru britannique le plus pur. Au demeurant, l'adaptation des innovations des autres n'est-elle pas une autre forme d'innovation ? Le Japon et les « dragons » – petits ou grand – en feront plus tard la superbe démonstration.

Ce qui frappe d'abord, c'est le caractère presque exclusivement industriel des découvertes et inventions anglaises du XVIIIe siècle. Tout se passe comme si l'invention avait quitté le domaine spéculatif, pour répondre au souci d'améliorer les techniques de production. Rappelons seulement quelques-unes des plus saillantes, qui s'enchaînent à un rythme rapide :

1705 : Machine à vapeur de Thomas Newcomen (1663-1729).

1709 : Amélioration de la production de la fonte par modification de la composition du combustible (coke et tourbe mélangés) et augmentation de la puissance de la soufflerie, par Abraham Darby père.

1718 : Dispositif automatique de manœuvre des robinets de la machine à vapeur de Newcomen, par Brighton.

1733 : « Navette volante » dans le métier à tisser de John Kay.

1735 : Les Darby père et fils utilisent pour la première fois le coke métallurgique en haut fourneau.

1740 : Huntsman obtient de l'acier par fusion.

1756 : Smeaton met au point le ciment, mélange de chaux et d'argile.

1758 : Elias Whitney invente le concasseur à vapeur.

1765 : Watt réduit la dépense de charbon de la machine de Newcomen.

1767 : James Hargreaves met au point la « *spinning jenny* », rouet à main perfectionné.

1767-1768 : Thomas Higgs et Richard Arkwright mettent au point le « *waterframe* », machine à filer mue par une roue hydraulique.

1774 : John Wilkinson perfectionne le forage de la fonte ; Samuel Crompton met au point la « *mule jenny* » *.

1778 : Tour à fileter de John Wilkinson.

1783 : Henry Cort et Peter Onions : *puddlage* de la fonte.

1785 : Edmund Cartwright met au point un métier à tisser à vapeur.

1786 : Watt et Boulton livrent la première machine à double effet (puissance de 50 chevaux).

1792 : William Murdock expérimente l'éclairage au gaz de houille [7].

Telle est la litanie d'un siècle d'épopée technologique. Elle appelle au moins deux remarques.

---

* Métier à tisser sur lequel Karl Marx a abondamment glosé. Ainsi appelé parce que, tel le mulet, il est le croisement du *waterframe* et de la *spinning jenny*.

1. Les innovations techniques se provoquent l'une l'autre et se succèdent en s'accélérant, comme autant d'étapes d'une réaction en chaîne. La vapeur, le filage et tissage, la métallurgie sont les trois axes selon lesquels se propage cette réaction : axes parfois sécants, par exemple dans le cas du tissage à vapeur.

2. Qui sont les innovateurs ? Rarement des théoriciens ; le plus souvent, les industriels eux-mêmes, confrontés aux problèmes d'approvisionnement en matières premières, d'insuffisance de la production, d'archaïsme professionnel, et stimulés par les défis de la concurrence ou l'appel du marché.

Les Darby sont maîtres de forges à Coalbrookdale. Huntsman ? Un horloger de la région de Sheffield. James Hargreaves ? Un tisserand. Thomas Higgs est ouvrier peigneur. Arkwright, coiffeur. Samuel Crompton, fileur et tisserand. John Kay, simple fabricant de peignes pour machines à tisser. Henry Cort est maître de forges et Peter Onions contremaître. Edmund Cartwright, lui, est pasteur ; Newcomen, fondeur et forgeron. Le développement des « Instituts mécaniques », qui visent à faire pénétrer l'esprit scientifique dans la pratique ouvrière et artisanale, aura ainsi fourni, selon l'expression heureuse de Maxine Berg, « un antidote culturel à la division du travail ».

Caractères de l'invention française

À ces bricoleurs-inventeurs, on opposera les savants français de la même époque, astronomes, mathématiciens, chimistes et physiciens de haute volée. Réaumur écrit en 1722 *L'art de convertir le fer forgé en acier*, dont le travail restera sous-estimé ; et les Clairaut, d'Alembert, Maupertuis, Lavoisier lui font une brillante compagnie. En 1760, Clairaut refait la théorie du mouvement des comètes, avec plus de précision que Halley. Mais deux ans auparavant, c'est un Anglais (huguenot français d'origine...), Dollond, qui met au point des objectifs améliorant les images d'observation astronomique.

Opposera-t-on l' empirisme britannique au goût français pour la spéculation ? Gardons-nous des caricatures. Les montgolfières et aérostats sont bien français (ils n'auront d'ailleurs pas d'application pratique majeure avant le milieu du XIXe siècle ; et à l'origine de la découverte des Montgolfier, on trouve les observations de Priestley [8]). Il reste que, le plus souvent, la recherche britannique s'intéresse plus systématiquement aux applications industrielles et commerciales que la française.

Là réside une distorsion profonde entre invention anglaise et invention française. La première est sensible à un résultat productif, ordonné à un progrès matériel. La seconde sacrifie l'utilité sur l'autel de la science « désintéressée ». L'attrait de l'utile est, en tout cas, découplé de l'attrait de l'idée pure. Il faudra ainsi attendre 1802 pour que Jacquard rende praticable l'idée du métier à tisser à carton perforé, que Vaucanson avait imaginé en 1747 – cinquante-cinq ans plus tôt. De même, il faudra attendre trente ans pour que le *Mémoire concernant la fabrication de la soude* de Nicolas Leblanc (1761) débouche sur la fabrication effective de ce produit de nettoyage, essentiel pour l'industrie : le brevet de fabrication sera délivré le 25 septembre 1791, et la première fabrique installée à Saint-Denis.

Le détour par l'Angleterre

En Angleterre, on va beaucoup plus vite de la construction théorique à l'application pratique. En 1799, 300 machines à vapeur de Watt auront déjà été livrées à l'industrie, tant sur place qu'à l'étranger ; la première d'entre elles n'avait été vendue que treize ans auparavant. Watt n'a pas dédaigné de compromettre sa prestigieuse réputation de savant dans des spéculations profitables [9].

L'opposition entre une mentalité technologiquement utilitaire et un esprit scientifique vierge de tout intérêt économique peut se résumer en un exemple : la coïncidence chronologique, en 1792, du premier essai d'éclairage au gaz de houille par l'Anglais W. Murdock, avec la publication de la *Philosophie chimique* du Français Fourcroy.

La Grande-Bretagne ne s'est pas contentée de « produire » des innovateurs, elle a su les attirer ; ainsi de l'Allemand Frederik Koenig [10], inventeur de la presse « rotative », établi à Londres, où son système sera inauguré par le *Times* en 1814.

L'histoire de Philippe de Girard, inventeur français, montre comment la France néglige de jouer ses propres atouts. En 1810, Napoléon lança un concours destiné à retenir la meilleure machine à tisser le lin, sur lequel, faute de coton anglais, on devait se rabattre. Mais le lauréat, Philippe de Girard, fut frustré de la prime. Il partit s'installer en Pologne, où il fonda, à la demande et avec l'appui du tsar russe, une entreprise de tissage. De là, sa machine passa en Angleterre, et c'est d'Angleterre qu'elle nous revint, vingt-cinq ans plus tard. Il fallut d'ailleurs que des industriels allassent en pirater les dessins sur place.

Le cas de Girard est loin de constituer une exception. Paul Bairoch cite la machine à papier continue de Robert : passée en Angleterre en 1801, elle ne fut réintroduite en France que vers 1830. Plus connu est le cas du marquis Claude de Jouffroy d'Abbans, dont le bateau à vapeur flotte sur le Doubs en 1784 et qui, renié par sa propre famille pour avoir « dérogé », passe outre-Manche pour chercher une reconnaissance.

Ainsi, la France a plusieurs fois condamné à l'exil l'innovation

152

technique, avant de la rapatrier en catimini. Ces erreurs se paient à chaque fois d'un bon quart de siècle de retard. Pour le haut fourneau à charbon, outil majeur de la révolution industrielle, né en 1735 en Angleterre, il n'est allumé pour la première fois en France qu'en 1785, et il fallut une quarantaine d'années avant que l'usage de la houille commençât à s'y généraliser [11] : au total, en ce domaine, le retard peut s'estimer à soixante-quinze ans.

La distorsion franco-anglaise

Une autre façon de mettre en évidence cette distorsion franco-anglaise est le comptage réalisé par Derry et Williams dans leur *Histoire de la technologie* [12]. Résumons-le en un tableau.

Faits techniques répertoriés pour l'Europe continentale [13]

Période	Europe continentale sans la France	France	Angleterre	Total
1600-1700	8	10	8	26
1700-1750	4	3	8	15
1750-1800	4	12	24	40

On peut, certes, interpréter ces données dans le sens d'une primauté relativement tardive de la technique anglaise. Elle n'est vraiment affirmée, dégagée de toute précarité, qu'à compter de la seconde moitié du XVIIIe siècle. Cependant, la comparaison des deux siècles pris en bloc est déjà éloquente. Alors que l'Europe continentale sans la France se contente de conserver exactement son niveau d'un siècle à l'autre, la France augmente sa part de 50 % et l'Angleterre quadruple la sienne. Et si la fécondité en faits techniques double en Angleterre dans la première moitié du XVIIIe, on notera, pour la même période, le relatif coup de frein français. Il est certes compensé par un bond en avant dans la seconde partie du XVIIIe siècle. Mais si l'on calcule maintenant en « parts de marché » de l'inventivité européenne, on voit qu'au XVIIe siècle, l'Angleterre comptait pour 30 % et la France pour 40 %. Dans la seconde moitié du XVIIIe, la France est descendue à 30 % et l'Angleterre fait le double.

Briseurs ou empêcheurs de machines

La différence entre l'invention scientifique et technique de part et d'autre de la Manche ne tient pas à l'état des économies respectives : nous avons vu que la France était prospère et dynamique – y compris dans son activité industrielle. Il faut donc l'expliquer par d'autres raisons : facteurs plus ou moins favorables à l'innovation, valeurs collectives plus ou moins propices au développement.

Or, si le cadre institutionnel anglais, bien plus léger que le français, freine moins le courant d'innovations, il n'est pas sûr que le climat social ait favorisé leur adoption. Toutes ces nouvelles machines ou techniques se proposent de modifier les modes de production habituels. Lorsque le tisserand John Kay réalise sa « navette volante » *(flying shuttle)*, en 1733, permettant de produire des pièces plus larges en plus grand nombre, sa maison est détruite par des artisans et ouvriers en colère.

En 1777-1779, les artisans, privés de travail, multiplient les destructions de « *spinning jenny* » [14], la machine à filer inventée par James Hargreaves en 1765. À la suite de l'invention du métier mécanique d'Edmund Cartwright, les frères Grimshaw s'associent avec l'inventeur pour construire une fabrique de 400 métiers à vapeur. Elle sera détruite par les ouvriers tisserands avant même d'entrer en fonction [15]. L'histoire britannique de l'innovation et de la modernisation industrielle est rude, conflictuelle. Mais, finalement, le progrès passe en force.

En France, la situation est différente. Les ouvriers n'ont pas à casser les nouvelles machines : les règlements corporatistes se chargent d'empêcher leur introduction. La navette volante est considérée chez nous comme hors la loi, puisqu'elle modifie les cadences de production par ouvrier, ainsi que le format des textiles produits. En France, certes, on fraude avec le règlement : mais ce n'est pas pour imposer des novations, c'est pour biaiser avec les exigences de qualité imposées par les ordonnances.

Moteurs anglais

François Crouzet invoque un autre facteur : la sollicitation exercée en Angleterre par l'existence d'un marché national unifié, sans douanes ni péages [16], prolongé par les colonies, avec lesquelles la métropole constitue une vaste zone de libre-échange. J.M. Utterback complète le raisonnement en calculant que 75 % des innovations forment une réponse aux besoins du marché, tandis que les 25 % restants résultent de la mise à profit quasi aléatoire d'une occasion technique [17].

Mais s'il est vrai que le marché sollicite, encore faut-il être en mesure de lui répondre – de recueillir et d'interpréter ses signaux, d'y être attentif, de vouloir y obéir : bref, d'avoir une mentalité économique.

Rostow [18], prenant le même problème par un autre biais, examine l'augmentation du nombre de brevets d'inventions industrielles, plus forte en Angleterre qu'en France, et conclut à une « demande opérationnelle d'inventions » plus faible en France qu'en Angleterre. Non que les Britanniques aient à relever des défis techniques plus exigeants. Il invoque des données culturelles générales : la scolarisation et l'alphabétisation, dont nous avons mentionné plus haut [19] l'importance, en corrélation avec la Réforme calviniste. Les collèges écossais presbytériens auraient joué un rôle de premier plan dans le développement d'une mentalité innovatrice, c'est-à-dire utilitaire et non pas seulement spéculative : James Watt, à la fois théoricien et industriel, en est un bon exemple [20]. Que l'Écosse elle-même ait été moins industrialisée que l'Angleterre ne l'empêche pas d'approvisionner, en ingénieurs et entrepreneurs, maintes industries britanniques.

Rostow mentionne aussi le caractère stimulant du *non-conformisme,* qu'il soit presbytérien ou « dissident » – *dissenter.* D'autres chercheurs ont établi que, sur un échantillon d'« innovateurs » industriels, 41 % étaient des « non-conformistes » – alors que ceux-ci ne représentaient que 7 % de la population [21]. Une telle sur-représentation peut-elle laisser indifférent ?

On pourrait objecter le phénomène d'émigration des *dissenters* vers les colonies. Mais, chez ces hommes-là du moins, émigration et innovation participent d'un même état d'esprit : la volonté de se créer un autre environnement – ailleurs, ou sur place. L'émigration est pour eux une « innovation géographique » ; et l'innovation, une « émigration mentale [22] ».

Les inventeurs entre la science et l'économie

Non seulement il nous apparaît aujourd'hui que, dans la phase initiale de « divergence » technique et industrielle, la palme revient aux praticiens plutôt qu'aux théoriciens ; mais encore, ce fait n'avait pas échappé à l'attention des contemporains. « C'est un fait bien connu, disait en 1785 l'avocat Adair plaidant pour Richard Arkwright *, que les inventions les plus utiles dans toutes les branches des arts et manufactures sont l'œuvre, non de philosophes spéculatifs enfermés dans leur cabinet, mais d'*artisans ingénieux,* au courant des procédés techniques en usage, et connaissant par la pratique ce qui fait le sujet de leurs recherches [23]. »

Cette observation est importante. Car, depuis le XVIIe siècle, la science européenne progresse à pas de géant et, grâce à une circulation active des publications, d'une façon assez uniforme – sans distorsion notable. Si la technologie avait été une simple

---

* Inventeur en 1768 du *waterframe*, qui, remplaçant définitivement la production du fil à la main, déclasse la filature à domicile et le petit artisan.

application des progrès scientifiques, il faudrait expliquer pourquoi cette application fut beaucoup plus inégalement distribuée que l'activité scientifique. Homogénéité et excellente diffusion des progrès scientifiques, mais cloisonnement des progrès techniques : fait majeur du XVIIIe siècle.

Ainsi, l'invention industrielle est allée son propre chemin. Cette autonomie de la technologie par rapport à la science caractérise le *début* de l'ère des innovations en chaîne. Elle tendra à s'atténuer par la suite. Aux inventeurs-praticiens du XVIIIe siècle, se substitueront peu à peu les ingénieurs. Car, au fur et à mesure des progrès, les problèmes techniques deviendront de plus en plus complexes et exigeront de plus en plus de connaissances scientifiques. Aujourd'hui, le rapport entre la science et la technique, au sein des bureaux d'études, est nécessairement intime.

Une longue montée en puissance

Ce constat fait place nette pour une autre hypothèse, que Paul Bairoch défendra : le technique est déterminé par l'économique, plutôt que l'inverse. Il a pu calculer que dans trois cas sur quatre, ce sont les suggestions du marché qui provoquent l'invention. Mais les travaux de Bairoch font plus qu'établir une théorie mécaniste et déterministe, qui ferait dépendre automatiquement l'innovation technique de la demande économique. Ils ont montré que cette demande est la suite d'une longue montée en puissance.

Prenant l'exemple de l'industrie textile, il constate « que l'usage de techniques plus évoluées ne se généralise qu'après que ce secteur a connu une forte progression [24] ». Richard Arkwright fait ainsi breveter son *waterframe* en 1769, et peut amorcer la production de fil de coton en 1771. Mais, selon les chiffres de Bairoch, au cours des trente années qui avaient précédé, la consommation de coton brut par l'industrie anglaise avait plus que doublé [25]. Elle ne pouvait plus soutenir cette surprenante progression dans les mêmes conditions techniques de production. Il semble donc qu'un effet de seuil explique la généralisation d'une technique propre à économiser le temps des ouvriers.

Ce ne sont pas des hasards techniques qui ont fait la révolution industrielle. Une longue et puissante évolution économique, amorcée d'abord dans les esprits puis dans les faits dès la fin du XVIe siècle, et toujours soutenue depuis lors, a fait éclore les techniques d'où est sortie une révolution dans le travail humain.

Finalement, la divergence de l'innovation procède d'une mentalité d'innovation, ancrée dans le comportement britannique plus d'un siècle avant Arkwright, Boulton et Watt. On en veut pour preuve le témoignage d'un homme qui présida aux destinées de l'Angleterre au soir du XVIe siècle : Francis Bacon.

La mentalité d'innovation

Un fait, cela se respecte : c'est le pragmatisme. Cela peut aussi se changer : c'est l'innovation. Pragmatisme et innovation sont les deux aspects indissociables d'une attitude qui s'intéresse au réel.

Au cœur de la réussite, il y a la mentalité d'innovation. Les historiens peuvent aujourd'hui la déceler, dès les premiers moments du développement. Les acteurs eux-mêmes n'en ont pris conscience que lentement. Néanmoins, l'un des *Essais* de Bacon (1597) aborde le sujet. Quand on sait à quel point il a œuvré pour la défense et l'illustration d'une science moderne, débarrassée des préjugés de la tradition scolastique, on ne saurait s'en étonner.

Reste que la démarche est encore prudente. Bacon oppose l'habitude, la coutume, en apparence bien adaptées, et l'innovation, inconnue, gênante. Pourtant, l'innovation est une nécessité, mais négative. Elle est la seule réponse possible au processus destructeur du temps : « Chaque remède est sans contredit une innovation, et celui qui ne veut pas appliquer des remèdes nouveaux doit s'attendre à des maux nouveaux, car le temps est le plus grand des novateurs ; et si le temps détériore forcément les choses, et que la raison et la réflexion ne les améliorent pas, quelle sera la fin ? [...] Il est vrai que ce qui est fixé par l'habitude, même s'il est médiocre, est au moins ajusté à son environnement ; et les choses qui ont longtemps fonctionné ensemble sont en quelque sorte accommodées les unes aux autres, tandis que les nouvelles s'accordent moins bien, et, si leur utilité est profitable, leur désaccord est gênant ; en outre, elles ressemblent aux inconnus, qu'on admire plus et qu'on aime moins. »

Cette objection, si complaisamment rapportée, Bacon la réfute cependant lui-même, en précisant : « Tout cela serait exact si le temps ne bougeait pas. Mais il évolue, au contraire, au point que le maintien obstiné de la coutume n'est pas moins fâcheux que la nouveauté ; et ceux qui respectent trop le passé ne sont qu'un objet de mépris pour le présent. Il serait bon par conséquent *que, dans leurs innovations, les hommes suivent l'exemple du temps lui-même, qui innove abondamment, mais posément et par degrés presque insensibles* ; autrement, tout ce qui est nouveau est si inattendu qu'il brutalise ; il avantage toujours certains et nuit à d'autres, et celui qui en profite le tient pour une chance dont il remercie le temps, mais celui qui est lésé le tient pour une injustice, qu'il imputera à l'innovateur [26]. »

Nous verrons bientôt que, dans les sociétés protestantes, *innovation* et *novateur* ont une connotation flatteuse. À l'inverse, dans les sociétés catholiques, *innovation, novateur* constituent un grave chef d'accusation.

Turgot : ranimer l'émulation et l'industrie

En dehors même du débat religieux et politique, la question de l'innovation s'est donc imposée dans les débats contemporains sur le développement économique et social.

On a vu combien, en France, la réglementation corporatiste et manufacturière faisait obstacle à l'innovation industrielle. Dans l'accusation qu'il porte contre le régime corporatif, Turgot ne se fait pas faute d'observer que celui-ci entrave l'esprit d'initiative et l'émulation : « Nous voulons, en conséquence, abroger ces institutions arbitraires, qui éteignent l'émulation et l'industrie, qui privent l'État et les arts de toutes les lumières que les étrangers y apporteraient ; qui retardent les progrès de ces arts, par les difficultés multipliées que rencontrent les inventeurs [27]. »

Encore une fois, de même qu'à propos de la « noblesse commerçante », on voit la différence entre la France d'une part, l'Angleterre ou la Hollande de l'autre. D'innovation, on ne *parle* guère dans les sociétés qui « divergent » : on la pratique, on la recherche, on la décrit, on y applaudit. En France, il s'agit d'en démontrer l'utilité par le discours, par la controverse ; au risque de réveiller les vieux réflexes défensifs que la controverse religieuse a durcis.

Il y a les pays des praticiens de l'innovation ; et il y a ceux de ses théoriciens. Il y a des sociétés où l'innovation se prouve en marchant ; et d'autres où on ne cesse d'en discuter les preuves.

Chapitre 6

Où le mercantilisme bifurque

Peu à peu, nous voyons s'établir un constat d'affinité entre la modernité économique d'une part, la liberté religieuse, culturelle, politique et économique d'autre part. Il peut donc sembler paradoxal de nous attarder sur la pratique du mercantilisme, qui s'ingénie à faire obstacle à la liberté des échanges. Il le faut pourtant, puisque ce système a été pratiqué aussi dans les pays que nous voyons « diverger ».

Le terme même de mercantilisme n'est pas le fait de ses adeptes, mais bien de ses détracteurs, physiocrates et libéraux du siècle des Lumières. À commencer par Adam Smith, qui en définit les principaux traits au livre IV de *La Richesse des nations*.

Le mot recouvre des réalités très diverses. À travers cette diversité, la pratique du mercantilisme est justement la pierre de touche de la distorsion européenne. Entre le mercantilisme espagnol ou italien et le mercantilisme anglais, se creuse un abîme que le mercantilisme français, appelé souvent colbertisme, tentera de combler, dût-il faire le grand écart.

De l'obsession monétaire à la protection des industries

Le mercantilisme se déploie au XVIIᵉ siècle. C'est alors aussi qu'il s'explique, s'argumente, se codifie. Mais, dans les faits, il a commencé bien avant, sous forme de mesures ponctuelles qui visaient à protéger le marché manufacturier d'une nation et à surveiller les mouvements de métal précieux.

C'est ainsi que, pour s'en tenir à la France, Louis XI interdit les épices et les soieries du Levant, à moins qu'elles aient été transportées sur les « *galées de France* * » – interdiction levée quelques années plus tard et remplacée par des taxes. Au fil du

---

* Véritable Acte de Navigation, près de deux siècles avant le *Navigation Act* britannique de 1651.

XVIᵉ siècle, vont se succéder en France de très nombreuses interdictions analogues. Essayons de mettre un peu d'ordre dans leur multiplicité.

1. Dans un premier temps (1464-1564), la protection du marché national vise indifféremment matières premières et produits manufacturés. L'idée directrice est de mener une « *guerre de l'argent* ». On refuse la concurrence commerciale de l'étranger, ce qui évite les sorties d'argent (mais n'en fait point rentrer) ; ou au moins, on établit des droits compensatoires. Dès cette première étape, les prohibitions désignent clairement un ennemi économique (Espagne, Italie, etc.).

2. Dans un second temps (à partir de 1572 surtout), c'est l'exportation de matières premières propres à être transformées à l'étranger qui fait l'objet de prohibitions. Une idée fait son chemin : que le développement manufacturier national doit au moins exploiter la totalité des ressources en matières premières du territoire national. On préfère, s'il le faut, importer le savoir-faire (allemand pour la métallurgie, italien pour la verrerie, flamand pour la draperie...). Henri IV fait appel en 1601 aux compétences artisanales et manufacturières de l'Europe entière, dont il fera imiter la façon : « or filé façon de Milan » (1603), « cuirs dorés façon d'Espagne » (1604), « toiles fines façon de Hollande » (1605). En tout cas, on ne laissera plus faire par d'autres ce qu'on peut faire soi-même. Tel le Corrège relevant le défi de la *Sainte-Cécile* de Raphaël : « Et moi aussi, je suis peintre ! »

3. Dans un troisième temps (à compter de 1581), la protection douanière ne frappe plus à l'aveugle les marchandises étrangères, mais prend en considération les termes de l'échange, taxant d'autant plus les produits que leur valeur ajoutée est plus forte, et ne les épargnant que s'ils ne peuvent pas être réalisés par les manufactures nationales.

On peut donc dire qu'au XVIᵉ siècle, s'accomplit une mutation décisive dans la mentalité économique : à la simple obsession de la fuite du numéraire, se substitue la volonté de drainer numéraire et finance par la production de biens essentiellement manufacturés. Les interdictions d'exporter les métaux précieux ou de monopoliser le marché des changes cèdent le pas à une politique d'encouragement à la production manufacturière.

Encore ces encouragements doivent-ils être prodigués sur un mode qui rencontre l'adhésion et suscite la confiance. C'est là que la France et l'Angleterre divergent. La première participe d'un volontarisme étatique, autoritaire et coercitif. La seconde, d'une collusion nationale d'intérêts politiques, manufacturiers et même agraires.

Qui en parle ?

On peut aborder la distorsion anglo-française sur le mercantilisme en précisant qui parle du sujet.

Les mercantilistes français sont tous, ou presque, des serviteurs de l'État : conseillers du Roi comme Jean Bodin ou Barthélemy de Laffemas, ministres comme Richelieu et Colbert, officiers des Monnaies et des Finances, contrôleurs généraux comme Orry [1].

Antoine de Montchrestien [2] fait figure d'exception. C'est un fils d'apothicaire, autant dire un homme de rien ; de plus, un aventurier : vaguement poète et jouant au gentilhomme, il tue un homme en duel, passe en Angleterre « pour éviter d'être pendu » (dira *Le Mercure de France* en 1621), y fréquente les huguenots qui s'y sont réfugiés et y font leurs affaires ; puis fait un profitable mariage en Hollande, où il crée une fabrique d'ustensiles. Dans les deux pays, il a beaucoup observé, s'est informé de tout. De retour en France, il cherche à établir des ateliers sur le modèle anglais. Il fonde à Ousson-sur-Loire une aciérie et une fabrique de couteaux, de lancettes et de faux. Puis il se lance dans la théorie. En 1615, il rédige un *Traité de l'économie politique*, dédié à Louis XIII et Marie de Médicis ; ouvrage qui, présenté au garde des Sceaux l'année suivante, vaudra à son auteur le titre de baron. C'est assez dire qu'en dépit de ses origines « entrepreneuriales », Montchrestien recherche la caution de l'autorité politique.

Un drame met fin à cette carrière peu commune : il est tué le 8 octobre 1621, alors qu'il se mêle à un soulèvement huguenot en Normandie. Cela ne signifie pas forcément qu'il ait embrassé la religion réformée. Mais nous devons, encore une fois, constater l'affinité entre l'esprit de modernisation et la cause de la Réforme. Relatant sa mort, *Le Mercure de France* parle de cabale provoquée par l'incompréhension du pays face à ses innovations industrielles.

Montchrestien détonne. À part lui, les apologistes de l'activité commerçante ne sont point des marchands. Car c'est bien d'une apologie qu'il s'agit, et il y a matière ! De l'aveu de Barthélemy de Laffemas, « s'il y a mépris au monde, il est sur le marchand [3] ». La défense du marchand est le fait de non-marchands.

Qui sont les mercantilistes anglais ? En majorité des entreprenants, moins soucieux de conseiller le Prince en recevant de lui quelque charge, que d'organiser leur propre suprématie commerciale, financière puis manufacturière, tant à l'intérieur du royaume que sur mers et continents. Lorsqu'ils ne sont pas directement entreprenants, au moins leur activité est-elle liée au commerce ou à l'industrie. Ainsi Thomas Mun, Josiah Child, Charles Davenant sont avocats ou directeurs de l'*East India Company*. Dudley North est un « *merchant* » et, à ce titre, sera maire de Londres. Aussi les discussions autour de la politique mercantiliste sont-elles en Angleterre le fait des acteurs de l'économie, les premiers intéressés ; non d'administrateurs à l'abri des conséquences de leurs actes. On peut, sans forcer le trait, opposer un empirisme britannique au volontarisme étatique français [4].

Les hésitations du mercantilisme français

Entrons dans les propos des uns et des autres.

En France, les mercantilistes ont une démarche hésitante, indirecte, ambiguë.

Certes, Antoine de Montchrestien paraît clair : « Ce n'est point l'abondance d'or et d'argent, la quantité de perles et de diamants, qui fait les États riches et opulents ; c'est l'accommodement des choses nécessaires à la vie et au vêtement. Nous sommes devenus plus abondants d'or et d'argent que n'étaient nos pères, mais non plus aisés et plus riches [5]. » Colbert semble lui répondre : « Il n'y a que l'abondance d'argent pour un État qui fasse la différence de sa grandeur et de sa puissance [6]. »

Toutefois, Montchrestien lui-même n'est pas exempt d'ambiguïté. Son exaltation des marchands vise-t-elle l'accroissement de l'aisance matérielle du pays, ou la « grandeur et puissance » du seul État ? « Les marchands, affirme-t-il, sont plus qu'utiles à l'État, et leur souci de profit qui s'exerce dans le travail et l'industrie fait et cause une bonne part du bien public. Pour cette raison, on doit leur permettre l'amour et quête du profit [7]. » Mais sa conviction n'est pas fidèle jusqu'au bout au critère de « l'accommodement des choses nécessaires à la vie et au vêtement [8] ». Elle dévie vers « les choses nécessaires à la gloire du prince », même si cette nécessité demande aux princes de « faire trouver à leurs sujets les moyens de s'enrichir ».

Au lieu que l'argent soit considéré comme le moyen du développement, le développement manufacturier que suggère Montchrestien n'est que le moyen de s'enrichir. Il est vrai que l'une des préoccupations de Montchrestien est de convaincre Louis XIII qu'ainsi il se procurera le nerf de la guerre : « Il est impossible de faire la guerre sans hommes, d'entretenir des hommes sans solde, de fournir à leur solde sans tributs, de lever des tributs sans commerce [9]. »

Dans sa finalité, le mercantilisme français est ordonné à l'État, même si les moyens qu'il prescrit sont propres à développer l'industrie et le commerce. Témoin le conseiller à la Cour des comptes Poullain, notant dans son *Traité des monnaies* (1621) : « Comme la viande est la nourriture du corps, de même la monnaie en un État est la viande qui le nourrit. »

L'encouragement prodigué au commerce et aux métiers les réduit au statut d'instruments de la puissance monétaire, donc militaire, donc politique, de l'État ; et ce, non moins chez Montchrestien que chez Colbert.

Sur ce point, l'opposition avec le mercantilisme hollandais ou anglais est flagrante. Tous les Anglais répudient nettement la priorité au métal, au profit d'une priorité au commerce. Le choix n'est pas abstrait. Il préfigure le débat moderne sur le monétarisme – politique de stabilité monétaire à tout prix – et sur la production industrielle freinée par les rigidités monétaires, au détriment, pour finir, de la valeur monétaire elle-même...

Ce débat trouve son application pratique dans le commerce du Levant. Les Hollandais le développaient en autorisant les sorties d'espèces. Fallait-il les imiter ? Or, Mun, Child et Davenant démontrent l'efficacité de la position hollandaise [10]. Colbert ne fait que s'y résigner.

Une transition vers le libéralisme

Le mercantilisme anglais constitue déjà une transition vers le libéralisme. Privilèges et monopoles vont s'estomper progressivement, au profit de la confiance dans la liberté commerciale et financière et dans sa capacité propre de régulation. Quand, après 1678, le cabinet de Londres prend des mesures protectionnistes contre le commerce français, elles suscitent les critiques en règle de Child, de North, de Davenant. « Nous perdons dans le commerce avec la France, disait ce dernier, mais si nous ne commerçons pas avec la France, celle-ci achètera moins à l'Espagne et à l'Italie, qui à leur tour ne nous offriront plus les mêmes débouchés [11]. »

Certes, le célèbre *Navigation Act* n'est pas précisément inspiré par cette philosophie. Il assure à la flotte marchande britannique le monopole du commerce, à l'entrée comme à la sortie. Il défend « à tous bâtiments dont les propriétaires, les maîtres et les trois quarts de l'équipage ne sont pas sujets de la Grande-Bretagne, de commercer dans les établissements et colonies de la Grande-Bretagne [12] ».

Il en résultera le doublement rapide, pendant la seconde moitié du XVIIe siècle, du tonnage marchand. Mais cette protection n'empêche pas les « mercantilistes » anglais de maintenir des principes qui relativisent de telles décisions politiques : « Du point de vue du commerce, le monde entier n'est qu'un seul peuple, à l'intérieur duquel les nations sont comme des personnes [13]... »

Le protectionnisme de l'Acte de Navigation ne saurait donc être admis que comme un expédient provisoire. Mais ce provisoire durera deux siècles – avec un bénéfice évident pour les Britanniques et pour l'expansion de leur flotte de commerce, de leur marine de guerre, de leurs comptoirs, de leurs découvertes maritimes, de leur empire colonial, de leur langue et de leur culture.

Pourquoi la tentative de Louis XI n'avait-elle pas connu le même succès ? Question de mentalité, de ténacité ; de moyens, aussi. Les Britanniques avaient l'opiniâtreté collective, le goût de la mer, les bateaux et les hommes qui leur permettaient d'exercer ce monopole.

Chapitre 7

France-Angleterre :
les suites politiques de la divergence

Montchrestien a inventé le terme, promis à un grand avenir, d'*économie politique* : « On ne saurait diviser l'économie de la politique, sans démembrer la partie principale du tout [1]. »

Pour Davenant, au contraire, l'économie n'est pas la partie d'un Tout politique : « Aucun peuple n'est jamais devenu riche par des interventions de l'État ; mais c'est la paix, l'industrie, la liberté et rien d'autre qui apportent le commerce et la richesse [2]. » Pour le Français, commerce et industrie sont les *moyens* de la puissance de l'État. Pour l'Anglais, c'est l'inverse : l'État est au service de la puissance commerciale et industrielle.

Résumons cette opposition, en confrontant Colbert : « Le commerce est la source des finances, et les finances sont le nerf de la guerre [3] », et William Pitt senior, ministre de Sa Majesté, en 1756 : « Quand le commerce est menacé, le recul n'est plus possible : il faut se défendre ou périr [4]. »

Ainsi, *le Français commerce pour se battre, l'Anglais se bat pour commercer*. Pour la France, le bénéfice du commerce va à l'État ; en Grande-Bretagne, l'État doit se contenter de se faire le rempart des intérêts particuliers, et n'empiéter sur eux que le moins possible. Deux univers différents.

Centrée sur l'attitude face au commerce, la divergence France-Angleterre trouve une expression privilégiée dans la divergence institutionnelle des deux pays. Évoquons-en trois aspects.

Une divergence politique

La divergence politique concerne la représentation des acteurs de l'économie dans les instances de la décision politique.

En France, ils n'y sont présents d'aucune façon. L'économie est administrée par des administrateurs.

En Angleterre, la Chambre des Communes fait une place aux négociants, qui représentent tout naturellement les villes marchandes : Londres, Bristol, etc. Quand est créé, en 1695, le *Board of Trade* – Conseil du commerce –, ils sont associés à ses travaux.

La liaison politique se fait aussi dans l'autre sens. Nobles lords ou modestes *esquires* investissent dans les opérations commerciales, maritimes ou manufacturières. En Angleterre, les cadets des familles nobles ne sont pas nobles : ils doivent essaimer ; la voie des affaires leur est ouverte, parcours obligé pour retrouver, par leur fortune ou leur mérite, un rang social, voire un titre nobiliaire, comparables à ceux de leur père et de leur aîné [5].

La représentation d'une « classe mercantile » au Parlement n'est pas la confiscation du pouvoir par une « oligarchie », mais un commencement de reflet de la nation entière, dont il faut souligner la relative mobilité sociale. C'est en quoi la constitution des *joint stock companies*, sociétés anonymes dotées d'un capital social propre, sera le fleuron du mercantilisme anglais – plus national qu'étatique. La diversité sociale de ceux qui leur apportent des fonds est surprenante : elle va de membres de la famille royale à de simples boutiquiers [6].

Une divergence statutaire et financière

La divergence France-Angleterre prend tout son relief dans la différence de statut des compagnies de commerce, comme les Compagnies des Indes anglaise et française – outils majeurs de l'expansion et de la compétition dans les nouveaux modes et mondes de l'échange.

Ainsi, *les compagnies anglaises résultent d'un effort de la société civile. Les compagnies françaises représentent une décision de l'État.*

En Angleterre, qu'il s'agisse des entreprises individuelles ou des sociétés anonymes – *regulated companies* ou *joint stock companies* –, toutes sont autonomes. Le système hollandais est voisin. Dans ces deux modèles, la confiance est la règle. L'État va jusqu'à déléguer sa souveraineté sur des comptoirs, ou même sur des colonies, à des compagnies dont le fonctionnement lui échappe largement.

En France, au contraire, les compagnies de commerce sont étroitement dépendantes. Le capital vient surtout de l'État, ce qui donne à celui-ci le droit de nommer les directeurs, de déterminer les profits à distribuer. L'État prétend compenser ces contraintes par des exemptions et autres privilèges. Mais ces avantages ne confèrent pas, loin de là, aux compagnies françaises la souplesse dont jouissent leurs homologues britanniques.

Le résultat est qu'elles ont beaucoup de mal à trouver leur place dans le tissu normal des intérêts commerciaux. Les investisseurs éventuels ne se précipitent pas pour participer à des entreprises dont ils voient bien que la maîtrise leur échappera. D'ailleurs, on se défie d'eux. Les encouragements prodigués par Colbert – fiscalité, honneurs, monopoles, prêts, commandes – sont immanquablement assortis de contrôles et de réglementations aux effets contre-productifs. Ces situations seront génératrices d'un climat d'hostilité réciproque entre la bourgeoisie négociante des villes portuaires – Bordeaux, Nantes, Marseille, La Rochelle, Toulon – et le dirigisme commercial de l'État. Le soupçon règne.

Divergence d'organisation : règlement contre régulation

La troisième divergence concerne l'organisation : elle se traduit par la *réglementation* colbertiste, à contre-pied de la *déréglementation* que connaissent la Grande-Bretagne et son empire – déréglementation d'ailleurs relative et progressive, qui fait place peu à peu à la régulation naturelle par le marché, en évitant soigneusement le dérèglement.

Dans le domaine manufacturier, obsession réglementaire et libéralisation progressive s'opposent avec plus de netteté encore.

Sous la période Cromwell, les corporations à monopole avaient vu leurs biens confisqués. Elles ne se rétablirent pas lors de la Restauration (1660) et disparurent progressivement. Dans le même temps, au contraire, Colbert, par l'ordonnance du 13 mars 1673, systématisa et durcit le système des jurandes. Il y mit son génie d'organisateur. Le résultat fut un contrôle universel des corps de métiers.

L'Angleterre s'est débarrassée du système corporatif. Colbert veut débarrasser la France de tout ce qui n'est pas incorporé au système des jurandes. On ne saurait taxer d'incompétence l'administration colbertiste. On peut au contraire s'émerveiller de la qualité du travail et de l'extraordinaire connaissance, dont elle témoigne, du fonctionnement *réel* des techniques et des professions artisanales – ce qu'on appelait « les arts » et les métiers.

Des 317 articles de l'*Instruction du 18 mai 1671* pour la teinture des laines, le grand chimiste Chaptal a dit que c'était « le meilleur traité de teinture qui fût alors connu [7] ». Et ce n'est que l'un des 150 règlements aussi détaillés, dont chacun était sans doute « le meilleur traité qui fût » sur le sujet dont il traitait, de la bonneterie au papier, des soieries à la quincaillerie.

Mais cette encyclopédie des arts et métiers, cent ans avant l'*Encyclopédie*, et cent vingt ans avant le Conservatoire national des arts et métiers, n'était pas seulement ni d'abord une encyclopédie. C'était avant tout un règlement. Il figeait les techniques au point qu'elles avaient atteint. L'entreprise aurait pu être utile, si les successeurs de Colbert avaient su mettre autant d'énergie à modifier et amender ses « instructions », qu'il en avait mis à les réunir. Il eût fallu qu'ils eussent tous son génie. C'était improbable. Pour ne prendre qu'un exemple, il faudra attendre trois quarts de siècle (1759) pour que soit autorisée en France la fabrication des toiles peintes, jusqu'alors « *prohibées* comme nuisibles aux manufactures de soie et de laine [8] ».

Cette réglementation ne manquait pas de vigueur répressive. Que l'on se reporte, pour illustrer l'état d'esprit inquisitorial des règlements de manufacture, à l'arrêt du 24 décembre 1670 : « Que les étoffes manufacturées en France qui seraient défectueuses et non conformes aux règlements, seraient exposées sur un poteau de la hauteur de 9 pieds, avec un écriteau contenant le nom et surnom du marchand ou de l'ouvrier trouvé en faute ; qu'après avoir été ainsi exposées pendant quarante-huit heures, ces marchandises seraient coupées, déchirées, brûlées ou confisquées suivant ce qu'il aurait été ordonné ; qu'en cas de récidive, le marchand ou l'ouvrier serait blâmé en pleine assemblée de corps, outre l'exposition de ses marchandises, et, enfin, que, la troisième fois, *il serait mis et attaché audit carcan pendant deux heures avec des échantillons de marchandises sur lui confisquées* [9]. » On croirait lire un arrêt de la très sainte Inquisition.

Outre-Manche, ces autodafés textiles expiant « des fautes » ne furent pas absents, mais ils ne furent pas le fait de l'État. La résistance à l'innovation ne fut pas institutionnalisée, comme elle le fut en France. On peut voir là un facteur d'explication de la relative stérilité des inventeurs et savants français : le protectionnisme manufacturier ne protège pas seulement de toute innovation le marché, mais la production elle-même.

Promotion sans confiance

On ne saurait reprocher au mercantilisme français d'avoir fait peu de cas des marchands ; mais il les place sous surveillance. Lorsque Richelieu suggère qu'il faut « donner prix au trafic et rang aux marchands [10] », quel est son projet ? Il n'entend soustraire la classe des marchands au mépris des nobles d'épée ou de robe, que pour la soumettre mieux aux hiérarchies administratives de l'État. Le commerce n'est qu'un moyen, dont il faut se saisir, fût-ce sous la contrainte : « Le roi a connu qu'on ne pouvait procurer l'abondance à ses peuples que par le moyen du commerce... Il s'applique à introduire le commerce, *dût-il même contrarier le génie de la nation* [11]. »

L'équité oblige à relever chez Colbert des propos qui le montrent conscient du danger : « Il faut laisser faire les hommes qui s'appliquent sans peine à ce qui convient le mieux ; c'est ce qui procure le plus d'avantages. » « Tout ce qui tend à restreindre la liberté et le nombre des marchands ne vaut rien [12]. » On attribue encore à Colbert cette profession de foi : « La liberté est l'âme du commerce. »

Il faut admettre pourtant que cette liberté fut mise sous surveillance. « Je vois le mieux et je l'approuve, mais c'est le pire que je suis » : *Video meliora proboque, deteriora sequor.*

L'erreur de Colbert est moins d'appréciation que d'exécution. Le diagnostic n'est pas faux. Mais le remède – l'organisation corporatiste de toute la classe manufacturière et marchande – va figer les forces vives de l'innovation dans un carcan étatique. Quoi qu'on ait pu dire pour réhabiliter le système de Colbert, son génie de l'organisation se défie de l'entreprise privée. Il aime et honore les marchands, mais son excès d'affection les étouffe.

Sous la plume de Colbert, on lit des formules qui font penser à ce goût des valeurs de travail qu'on attribue volontiers au protestantisme. Il se méfie ouvertement d'un univers moral qui dévaloriserait le travail, « source de tous les biens spirituels et temporels ». Son exaltation du travail manufacturier ou marchand s'accompagne d'un rejet intéressant de l'oisiveté, voire de la contemplation. Il constate qu'« il n'y a pas de moines en Hollande et en Angleterre », et que « les profits [...] qu'apportent les constitutions de rentes » y étant moindres qu'en France, elles ne peuvent « servir d'occasion à l'oisiveté ».

Cependant, la priorité étatique pervertit cette saine approche. Colbert promeut le travail en vue de l'ordre public, au lieu de garantir l'ordre public en vue du travail. Le travail n'induit pas à la maîtrise de soi, mais à la soumission : « Lorsque les peuples gagnent leur vie par la manufacture, ils sont assurément plus obéissants aux autorités spirituelles et temporelles [13]. » C'est la défiance qui dicte la politique mercantile de Colbert. Procès d'intention ? Non. De son propre aveu, il est lui-même « *le seul homme auquel il puisse faire confiance* [14] ».

La concurrence, refusée ou désirée

En France, il faudra attendre plusieurs décennies avant que ne s'élèvent, sur le système colbertien, des voix dissonantes. Dans l'article *Fondation,* que Turgot rédige pour l'*Encyclopédie,* ne lit-on pas : « Faut-il accoutumer les hommes à tout demander, à tout recevoir, à ne rien devoir à eux-mêmes ? [...] Les hommes sont-ils puissamment intéressés au bien que vous voulez leur procurer, *laissez-les faire,* voilà le grand, l'unique principe [15]. » Et dans son *Éloge de Vincent de Gournay* : « Un homme connaît mieux son intérêt qu'un autre homme à qui cet intérêt est entièrement indifférent [16]. » Les notions modernes de motivation, de besoin personnel de relever un défi, apparaissent clairement.

Toutefois, la mentalité dominante ne va pas dans ce sens. Elle s'exprimera par la violence des réactions au projet d'édit déposé par Turgot le 9 février 1776. Un lit de justice enregistre l'édit le 12 mars 1776. Mais Turgot devra quitter ses fonctions de contrôleur général deux mois plus tard. Maurepas cédera aux préjugés ambiants et rétablira les corporations. Il faudra attendre que l'étouffement de l'activité manufacturière finisse par avoir raison des résistances : en 1779, Necker, en créant la « marque de grâce », laisse les manufacturiers libres de choisir entre la fabrication réglementée et la fabrication libre : « Nous avons eu dessein, disait-il, d'*encourager le talent et l'esprit d'invention* en *affranchissant de toute espèce d'examen et de visite* les étoffes que l'on voudrait fabriquer *librement* [17]... »

À l'inverse, les Anglais vont, depuis longtemps et sans crainte, jusqu'au bout de leurs principes : « Le commerce des Indes orientales, en nous apportant des articles fabriqués à plus bas prix que les nôtres, aura très probablement pour effet de *nous obliger à inventer* des procédés et des machines qui nous permettront de produire avec une main-d'œuvre moindre et à moindre frais, et par là d'abaisser les prix des objets manufacturés [18]. » Ce commerce fera disparaître, en effet, « celles de nos industries qui sont les moins utiles et les moins profitables ».

Une fois de plus, transparaît le génie britannique, synthèse de la liberté du commerce et du développement industriel – laquelle procède en stimulant l'innovation.

On serait tenté de formuler ce trait d'éthologie comparée : tandis que le Français répugne instinctivement à la concurrence commerciale, l'Anglais s'en remet à elle comme à un guide salutaire. Ce qui est pour le premier objet de défiance, sera pour le second occasion d'un défi.

La travail et les pauvres

Nous avons laissé de côté, dans l'évaluation de la performance britannique, l'aspect social et humain. Il est temps de l'évoquer [19].

Quels que soient ses excès, sa violence inhumaine et ses effets pervers, la législation sociale en Angleterre témoigne d'un refus du fatalisme en matière de pauvreté. *Le travail est considéré comme la seule issue au besoin.* Des Tudor à Victoria, une législation sociale se développe. Elle oscille entre la répression pure et simple et l'assistance, entre la mise à l'épreuve et l'incitation, entre la protection et la cruauté. On ne saurait la juger en bloc.

Au cours de la première moitié du XVIᵉ siècle, est menée une lutte sans merci contre les « réfractaires au travail ». L'administration des Tudor encourage les chasses à l'homme, rémunère la capture des vagabonds, veille à ce que les peines prévues soient appliquées sans faiblesse : travail forcé en maison de correction, déportation, marquage au fer rouge. Parallèlement, les pauvres disposés au travail, une fois mis à l'épreuve, sont intégrés à la vie de la paroisse où ils effectuent – déjà – des travaux d'utilité générale. 1557 voit la création de Bridewell, première manufacture-prison, bientôt imitée en deux cents exemplaires.

La fin du XVIe siècle est marquée par la législation élisabéthaine : le *Statute of artificers, labourers, servants of husbandry and apprentices* de 1563 réglemente le travail forcé : réquisition, obligation pour toute personne entre 12 et 60 ans de travailler. Ce n'est pas le chômage qui est hors la loi, comme le voudrait un homme politique français du temps présent ; c'est le travail qui est imposé.

La fin du siècle est scandée par les *Poor Laws* (1572, 1575, 1597, 1601), chaque paroisse employant les pauvres jugés aptes au travail sous la surveillance d'un inspecteur des pauvres. Un demi-siècle de luttes politiques et de révolutions laisse alors flotter la législation ; elle connaît un regain de rigueur avec la restauration de Charles II. Au XVIIIe siècle, les « maisons de travail » *(workhouses)* se généralisent ; le *Workhouse test Act* de 1723 remet en vigueur l'usage d'une épreuve du travail pour les indigents.

Jusqu'au XVIIIe siècle, la controverse bat son plein autour de la charité sociale. *L'assistance aux pauvres entretient-elle la misère sociale ?* C'est l'inquiétude de Hutcheson, le maître d'Adam Smith à Glasgow.

Il faudra attendre le *Gilbert's Act* de 1782 et le *Pitt's Act* de 1795 pour que la législation, assouplie et humanisée, équilibre le devoir d'assistance et celui de travailler pour subsister. Une sorte de salaire minimum garanti est appliquée. Le XIXe siècle voit pourtant le retour des *workhouses* et la suppression de certaines garanties. L'Angleterre de Dickens et de Marx s'installe.

Que cette alternance de mesures socialement bénéfiques ou maléfiques ait accompagné le développement manufacturier de la Grande-Bretagne, ne signifie pas que tout développement économique soit nécessairement délétère sur le plan social.

Le libéralisme sauvage ou « manchestérien » allait provoquer les progrès du *Labour Party* et surtout, au siècle suivant, la réaction de l'État-providence, du *Welfare State*. Entre ces deux excès, se chercheront les modalités d'action économique et sociale d'un État qui garantisse sans paralyser, qui dynamise sans se substituer à l'initiative et à la responsabilité individuelles, qui confie et délègue sans démissionner. Là encore, la divergence franco-britannique sera éloquente. Mais cela est une autre histoire : celle d'aujourd'hui.

Chapitre 8

Réforme et Contre-Réforme

Gloire passée de Venise, ascension d'Amsterdam. Décadence espagnole, émergence hollandaise. Ankylose française, mutation anglaise. Ces couples contrastés suggèrent une interrogation. Quel rapport entre leurs divergences, et la divergence religieuse ? Simple coïncidence ? Superposition de conjonctures ? Ou profonde affinité ?

Superposons les cartes

Une constatation simple, qu'on laissera à Pierre Chaunu le soin de formuler : « Regardons les cartes, celle de 1980 et celle de 1560 ; elles sont presque superposables. Ce qui a été fait n'a jamais été défait. Tout s'est joué de 1520 à 1550. Une fois marquées, les frontières entre Réforme et Contre-Réforme n'oscilleront plus. À 95 %, les cartes du milieu du XVIe siècle et de la fin du XXe siècle se superposent. Ordonnons les pays et les régions par ordre de revenus par tête décroissant, par ordre d'investissement dans la recherche-développement. Ordonnons les pays et les régions par ordre de date d'entrée, suivant les classifications aujourd'hui classiques de W.W. Rostow, dans les étapes du décollage et de la croissance soutenue. Nous retrouvons toujours en tête, à plus de 80 %, des pays en majorité protestants ou à culture dominante protestante et, aux places en flèche, de tradition calviniste [1]. »

Ces quelques phrases soulignent deux phénomènes de fond. Le premier est que la Réforme n'a pas été un épisode de l'histoire. Sur certaines régions, sur certaines sociétés, elle a agi de façon continue. D'autres régions, d'autres sociétés sont restées catholiques, dans le contexte nouveau, et durable lui aussi, d'un catholicisme redéfini par rapport à la Réforme, en opposition à elle.

La seconde affirmation que contient ce propos prend tout son sens dans la première. Que la carte du développement se puisse superposer à la carte de la Réforme incite à la réflexion, parce qu'il s'agit, dans les deux cas, de phénomènes de longue durée.

Les sociétés qui sont entrées en Réforme n'en sont pas sorties. Ce sont elles aussi qui sont entrées les premières en développement et y ont, dans l'ensemble, maintenu leur avance jusqu'à nos jours. Il y a coïncidence de l'espace, mais aussi du temps.

Quelle que soit l'interprétation donnée au clivage Réforme/Contre-Réforme, il importe de décrire *comment* le monde protestant « diverge » ; *comment* le monde catholique stagne [2] et même régresse. Avant de rechercher les facteurs d'explication, nous nous bornerons à souligner les corrélations entre, d'une part, Réforme et accélération culturelle, politique, économique, sociale ; d'autre part, *a contrario*, entre Contre-Réforme et ralentissement, voire recul politique, culturel, économique, social.

Ce constat a été effectué, dès la fin du XVIᵉ siècle, par maints observateurs, qui en donnent des explications suggestives ; curieusement, il a fallu attendre trois siècles, Marx et surtout Max Weber, pour que les historiens, puis les sociologues, s'en préoccupent.

Chiffrer le fatalisme du laboureur castillan

La difficulté est de passer de cette constatation massive, à une analyse plus détaillée [3]. Pour établir des corrélations fines, il faudrait pouvoir s'appuyer sur des chiffres incontestables – or, justement, ils ne sont disponibles, pour un État donné, qu'à partir du moment où il est déjà engagé dans le développement. Le goût et la pratique de la statistique sont même un des signes les plus manifestes du développement. Les longues périodes de gestation demeurent quasi impénétrables à la quantification. Cette difficulté n'a rien qui doive surprendre : l'Histoire n'est pleinement quantifiable que là où ses acteurs ont eux-mêmes compté, enregistré, estimé, évalué – même si la démographie historique a su mettre au point des méthodes de mesure indirecte, en dépouillant par exemple les registres paroissiaux.

Quand bien elle serait praticable, la quantification donnerait-elle toutes les clés ? Comment chiffrer le fatalisme du laboureur castillan, l'esprit d'entreprise du négociant anglais ? Impossible de ne pas les prendre en compte. L'interprétation de la corrélation débouche forcément sur le qualitatif, et cette dimension soulève de nouveaux problèmes – de définition, de subjectivité des interprètes, etc. Il faut éviter le piège des explications tautologiques : les sociétés « entreprenantes » font des « entrepreneurs » parce qu'elles favorisent « l'esprit d'entreprise » – comme l'opium fait dormir parce qu'il a une « vertu dormitive ».

Pour aller au-delà des présomptions d'interdépendance, il conviendrait, comme le souligne Chaunu, d'isoler et de définir les « médiateurs » qui font le lien entre les deux phénomènes. Il faudrait identifier des variables qui évoluent comme les deux phénomènes et qui sembleraient donner un sens à la corrélation. Sur tout cela, autant le dire, la recherche est très loin du compte.

Ainsi, au nombre des médiations entre Réforme et réussite économique, se trouveraient la « modification de l'âge du mariage » et la « première poussée de l'alphabétisation [4] », qui interviennent au début du XIVe siècle. Le retard du mariage et sa relative libéralisation auraient diminué la mortalité des femmes en couche, augmenté la stabilité des mariages, permis une gestion à plus long terme de l'ambition familiale et professionnelle. La Réforme se serait implantée plus facilement dans les secteurs géographiques et sociaux les plus gagnés par ce double processus modificateur [5].

Or, ce double processus est largement antérieur à la Réforme. Est-il un de ses antécédents ? Une de ses causes ? Et la Réforme, à son tour, n'a-t-elle pas approfondi cette double rupture avec le mode de vie médiéval ? Elle a poussé les feux de l'alphabétisation et promu la dignité de la femme. *Comme pour mieux nourrir le terrain dans lequel elle avait si bien pris racine.*

Mais si tel est le processus, *la Réforme est-elle la mère du développement, ou bien l'une et l'autre sont-ils deux formes d'une même libération à l'égard des structures de la société médiévale ?*

Il semble bien que l'on soit en présence d'une « spirale vertueuse », qui nous permet d'échapper à un strict déterminisme. Les *fins* y ont plus de poids que les *causes* : tout se passe comme si l'émancipation religieuse et l'essor du développement se donnaient l'un l'autre pour fin, renouvelant ainsi le sens du terme *affinité* que nous avons retenu pour décrire leur relation.

Des catholiques aussi ?

Mais avant de se lancer dans l'interprétation du fait, il faut être sûr qu'il est établi. Or, il peut être contesté sur ses deux versants. N'y a-t-il pas un développement catholique ? Le développement des pays protestants est-il lié à leur protestantisme ?

Le premier de ces doutes, certains exemples peuvent le nourrir. Nous avons déjà évoqué le plus frappant : le cas de la France. Elle était prospère au XVIIIe siècle. Mais on peut avancer qu'elle l'eût été deux fois plus avec le système hollandais ou anglais.

On peut encore scruter l'Autriche de Léopold Ier (1658-1705). Il relève ses États, durement éprouvés par la guerre de Trente Ans. Il s'entoure de conseillers comme Wilhelm von Schröder, qui proposait, « dès 1684, la création d'une banque de dépôt cautionnée par le souverain [6] » ; comme le père Rojas, un religieux, ou Joachim Becher, dont le *Discours politique* (1668) attribuait le retard économique de l'Allemagne à l'absence d'esprit d'entreprise [7], et proposait en exemple la Hollande, pays d'hérétiques.

Des manufactures voient le jour, souvent à l'initiative de grands officiers de la Couronne et d'aristocrates. C'est du colbertisme, façon autrichienne. Mais le même Léopold établit un règlement pour diviser la société en cinq classes (réduites plus tard, non moins arbitrairement, à trois) et prescrire avec la plus grande minutie les vêtements que chacune d'elles devait porter et le genre de cuisine qu'elles devaient goûter. Dans les États de Habsbourg, les encouragements prodigués par la monarchie pour soutenir le négoce sont rarement suivis d'effets. Des édits autorisent les nobles à faire le commerce de gros, mais devant l'opposition des corporations, de certaines cours de justice, et même de l'opinion, ils demeureront sans effet. Il y a décidément, dans le développement télécommandé, quelque chose qui ne marche pas.

Pourtant, quelques exemples paraissent plus convaincants. Chaunu a attiré l'attention sur eux : ce sont des zones géographiques situées à proximité de pays protestants. Sur ces marches-frontières de la catholicité, la mentalité protestante semble avoir eu indirectement une influence positive. C'est le cas, par exemple, de la Lorraine, alphabétisée à 80 %, voire 90 % au XVIIIe siècle [8]. Chaunu insiste sur les progrès « dans les secteurs de la France du Nord-Est et du Nord-Ouest, où l'Église catholique se défend, par les mêmes armes, contre les pressions protestantes [9] ». Nous aurons bien d'autres occasions de rencontrer ce concept fécond de « frontière de catholicité », où l'émulation joue à plein.

Pologne : le développement interrompu

Rien, en effet, ne condamnait les pays catholiques à la stagnation culturelle, voire à la régression des ouailles inhibées par les interdits de l'*Index,* pour peu que l'Église acceptât la coexistence, et à plus forte raison la compétition, avec les Églises réformées. Quand cette compétition est acceptée, l'ouverture obtient de notables résultats.

Quand la Contre-Réforme s'abat, c'est la fermeture. Transportons-nous aux marches, dans la très catholique Pologne.

De la fin du XVe siècle au début du XVIIe, elle a connu un développement étonnant. Dans les villes, se dressent hôtels municipaux, vastes halles, palais de familles patriciennes richement ornés. Cracovie est la Florence de l'Europe centrale ; elle a été construite par des architectes italiens. Sous les arcades de l'université Jagellon, se pressent des étudiants venus de toute l'Europe, autour de maîtres illustres, tel Copernic. Le trafic de Gdansk (Danzig) s'accroît sans cesse jusqu'au début du XVIIe siècle, pour culminer en 1618. Les écrivains réclament avec succès la diffusion de l'instruction : grâce à l'existence d'un millier d'écoles, le quart de la population masculine sait lire et écrire.

Et voici qu'au début du XVIIe siècle, la Pologne entre en décadence. Pour elle, la régression n'est pas seulement relative, mais absolue. Elle est la seule nation où la part de la paysannerie dans la population totale *augmente* fortement (de 65 % au XVIᵉ siècle à 75 % au XVIIIᵉ), aux dépens des autres catégories sociales, en particulier de la bourgeoisie. Les villes se dépeuplent [10].

La Pologne est systématiquement *reféodalisée*. L'obscurantisme et la superstition remplacent l'humanisme, la curiosité, la tolérance du XVIᵉ siècle. La noblesse se targue de mépriser l'instruction. Au château des Branicki, l'écurie abrite deux cents chevaux et la bibliothèque cent soixante-dix livres [11].

Les objections de Trevor-Roper

L'idée que le protestantisme et, plus particulièrement, le calvinisme, seraient à l'origine de la naissance du capitalisme moderne a eu, avec le grand historien anglais Hugh Trevor-Roper, un contradicteur documenté et tenace, mais fort influencé par Marx. Il ne nie pas, bien sûr, que le développement soit apparu en pays protestant, ni que le centre de gravité économique de l'Europe se soit, aux XVIᵉ et XVIIᵉ siècles, déplacé du Sud au Nord, de la Méditerranée catholique à la mer du Nord protestante [12]. Il doute seulement que la cause soit à chercher dans le domaine religieux.

Classons et examinons les objections qu'il a accumulées. On peut les regrouper sous quatre chefs principaux, en n'oubliant pas que la discussion porte sur le XVIᵉ et le XVIIᵉ siècle seulement :

1. Le calvinisme n'est pas, intrinsèquement, l'instigateur d'*un esprit du capitalisme* tel que le définit Max Weber : à bien des égards, le luthéranisme ne lui cède en rien – et pourtant, les États luthériens d'Allemagne ou de Scandinavie sont restés inertes pendant la période considérée.

2. Les nombreux entreprenants calvinistes ne se sont jamais distingués par un véritable engagement religieux ; ils sont calvinistes de naissance ou d'occasion, mais leur confession semble très déconnectée de leurs intérêts et de leurs motivations [13].

3. Leur vrai dénominateur commun n'est pas la religion, mais la propension à émigrer : c'est la *diaspora* hollandaise qui a insufflé à l'Europe l'esprit du capitalisme – ou plutôt, qui a entretenu et fait prospérer un esprit hérité du capitalisme médiéval.

4. C'est dans la structure politique et sociale (villes-républiques autonomes, contre États princiers et monarchiques) que réside la distorsion fondamentale, qui « rend compte de cet extraordinaire essor de certaines sociétés protestantes et du déclin des sociétés catholiques au XVIIᵉ siècle [14] ». La collusion sociologique entre papisme et États monarchiques, entre bureaucratie ecclésiastique et bureaucraties princières, est « le bouleversement social qui submergea les sociétés catholiques [15] ». Elle brisa l'élan, qui pouvait

se déployer, au contraire, dans des structures politiques plus légères, moins capables de brider l'autonomie de l'économique, ou moins enclines à le faire. Mais les Princes luthériens de l'Empire ne firent pas mieux... Examinons point par point ces affirmations.

Pas seulement les calvinistes ?

1. Pour contester le lien entre la primauté du développement et l'essor du calvinisme, Trevor-Roper invoque deux exceptions. L'Écosse, riche en charbon et dotée d'un système calviniste rigide, aurait dû progresser plus vite que l'Angleterre, dont l'anglicanisme est « bien proche du papisme en ce qui concerne l'économie [16] ». Et « Amsterdam, ville arminienne, assura aux Provinces-Unies leur étourdissante prospérité, tandis que la Gueldre calviniste demeurait le fief de châtelains bornés, de cette classe qui [...] fut toujours ennemie du progrès commercial [17]. »

L'Écosse est, certes, un cas limite. Knox y a d'emblée donné au calvinisme un tour d'intransigeance et d'exaltation, qui n'était pas propice aux activités « mondaines » de l'économie. Le pays est demeuré longtemps encore en proie à ses divisions et à sa pauvreté. Ce que le calvinisme avait de positif a été en quelque sorte exporté. Un système d'éducation particulièrement efficace a fourni des promotions d'émigrants armés pour réussir. Le calvinisme écossais n'a pas développé l'Écosse, mais a fortement aidé à développer l'Angleterre. Quant à l'Église anglicane, aussi peu supérieure au « papisme » qu'elle ait été dans sa doctrine économique, elle eut au moins la vertu de rester prudemment dans l'ombre.

Le cas d'Amsterdam vaut d'être évoqué. Il suggère que l'antinomie Réforme/Contre-Réforme, contrairement à la thèse de Max Weber, n'est pas une question de contenu dogmatique (car, sous ce rapport, les Arminiens sont plus proches des catholiques que des calvinistes) ; mais qu'elle reflète une attitude plus – ou moins – *libre et responsable* face à l'activité politique, économique, sociale, culturelle (et en cela, les marchands « arminiens » sont aux antipodes de la mentalité « contre-réformée ») [18].

Trevor-Roper fait beaucoup de cas du fait qu'au début du XVIIe siècle, « les champions de la cause protestante n'étaient pas calvinistes, mais luthériens » : Christian IV de Danemark et Gustave-Adolphe de Suède. Force lui est cependant de constater que les deux monarques luthériens firent appel exclusivement à des entrepreneurs calvinistes pour soutenir leurs finances, se fournir d'armes, exploiter leurs ressources minières, organiser la logistique de leurs entreprises politiques et militaires. Ce fut, à Copenhague, le cas des frères De Willem, calvinistes venus d'Amsterdam, et après eux d'une autre famille calviniste, les Marcelis. En Suède, c'est Louis de Geer, liégeois mais calviniste, qui assied sur les mines sa propre puissance et celle du roi. Ce furent Willem Usselincx, fondateur de la Compagnie suédoise des Indes occidentales, Abraham et Jacob Momma, entrepreneurs miniers en Laponie et financiers de la reine Christine, enfin les frères Spiering – aux origines de la banque de Suède. De l'aveu même de Trevor-Roper, « la Suède et le Danemark luthériens furent modernisés et financés par les entrepreneurs calvinistes [19] ».

Plus saisissant encore est le rôle joué par les calvinistes hollandais ou français dans le financement des armées du royaume de France, sous Henri IV mais aussi sous Richelieu. Rambouillet et Tallemant, ainsi que Jan Hœufft, importé par Henri IV pour l'assainissement des lacs et marécages [20], Barthélemy d'Herwarth (intendant des Finances en 1657, puis contrôleur général) qui finança la politique allemande de Mazarin : « Monsieur d'Herwarth, déclara un jour le cardinal en présence du jeune Louis XIV, a sauvé la France et la couronne royale. » Ajoutons Olivier de Serres rénovant l'agriculture ; Montchrestien, les techniques financières ; les tapisseries flamandes des Gobelins, protestants eux aussi ; le banquier Jacques Conrart et son fils Valentin, que Richelieu chargera d'organiser la future Académie française. Même Sa Majesté très catholique le roi d'Espagne a recours à ce genre de talents, en la personne d'un calviniste bernois, François Grenus.

Ainsi, les monarchies catholiques, elles aussi, n'ont pu se passer du savoir-faire et de l'audace entreprenante des calvinistes. Témoin Hans de Witt à Prague, dans l'ombre du comte Albert von Wallenstein. Témoin encore Philippe IV d'Espagne, faisant appel « aux marchands de Hambourg pour gérer le commerce extérieur et veiller au ravitaillement de sa flotte [21] ». Mais Hambourg aussi vit sur le dynamisme de la *diaspora* hollandaise. La banque de Hambourg, créée en 1619, ce sont les Hollandais. « En 1623, lorsque le gouvernement fit mainmise sur les vaisseaux étrangers ancrés dans ses ports, on découvrit qu'au moins 160 vaisseaux " hanséatiques " étaient en réalité hollandais [22]. »

Force est de reconnaître que la supériorité des calvinistes en matière d'entreprise industrielle et d'activité financière est largement reconnue, attestée et utilisée au XVIIe siècle. C'est le cas dans les monarchies luthériennes. C'est le cas dans les pays de la Contre-Réforme. Une telle collaboration y montre que la raison d'État et l'intérêt du pays ont parfois primé l'ostracisme et le fanatisme.

Calvinistes par accident ?

2. Trevor-Roper est prêt à reconnaître cette suprématie : ne collectionne-t-il pas les faits et gestes qui la confirment ? Mais c'est pour mieux lui refuser l'épithète de calviniste. Il dresse un véritable procès d'intention aux plus fameux, aux plus audacieux de ces

entreprenants. Il réduit à l'accident leur appartenance à la religion calviniste. Il les laïcise.

Peut-on cependant les taxer à ce point de cynisme ou d'hypocrisie ?

Certes, quand un Hans de Witt ou un François Grenus se mettent au service d'une puissance catholique, on est en droit de douter de la fermeté de leur « calvinisme ». Pourtant, ne nous hâtons pas. N'oublions pas le caractère exceptionnellement libéral du commerce hollandais, et sa relative autonomie par rapport aux relations extérieures. Le commerce avec l'ennemi – s'agît-il même d'armes, de munitions, de navires – n'était pas seulement toléré en temps de guerre ; il sera même reconnu plus tard comme un droit. Ce primat du commerce sur la politique est suspect aux yeux de Trevor-Roper. Mais ne fait-il pas justement partie d'une véritable éthique du calvinisme marchand ?

Plus pertinente sans doute est son observation – assassine à l'égard de Max Weber – sur le train de vie fastueux et les dépenses somptuaires des entrepreneurs calvinistes, leur goût des honneurs et de l'ostentation. La Suède offre aux entrepreneurs les délices de Capoue. Elle les paie en terres immenses, elle les couvre de titres de noblesse. De même, Hans de Witt en Bohême et Barthélemy d'Herwarth en France achètent hôtels, châteaux, palais. De même que s'est manifestée une obsession de la dérogeance, détournant la noblesse de l'activité marchande, de même on pourrait parler d'un fantasme de l'arrogance, qui pousse l'entrepreneur à rompre avec son passé bourgeois, pour conquérir les privilèges du gentilhomme et achever son ascension sociale.

Fort de ces quelques exemples, Hugh Trevor-Roper a beau jeu de dauber sur « l'ascétisme rationnel séculier », en quoi Max Weber voyait un trait dominant de l'idéal-type de l'entrepreneur calviniste.

Concédons ce point à Trevor-Roper. Pourtant, ces hommes ont un dénominateur commun : si ce n'est pas la passion religieuse, c'est une propension à émigrer. Des pèlerins, plutôt que des fidèles.

Plus émigrés que calvinistes ?

3. Trevor-Roper attire l'attention sur le fait que « ni la Hollande, ni l'Écosse, ni Genève, ni le Palatinat – les quatre sociétés calvinistes par excellence – ne produisirent leurs propres entrepreneurs [23] ». Le groupe social des entrepreneurs – si l'on peut parler de groupe en ce cas – est essentiellement formé de migrants, et plus encore, de fils de migrants. *La Hollande a été bâtie sur l'émigration des Flamands calvinistes du Sud. Et les trois autres sociétés calvinistes, très largement, à partir de ces Néerlandais, eux-mêmes fils de l'immigration.*

Jusque-là, nous pouvons suivre la description de Trevor-Roper, étayée par des chapelets de noms, et appuyée sur une documentation solide. Mais rien ne l'autorise à affirmer que, la majorité de ces immigrants étant des Néerlandais, « certains d'entre eux n'étaient peut-être calvinistes qu'à ce titre [24] ».

Ou plutôt, ce « titre » n'est sans doute pas aussi contingent que Trevor-Roper le laisse entendre. Une propension à émigrer vers les pays où les conditions sont favorables à l'entreprise commerciale et financière (ces conditions fussent-elles occultes, comme dans l'ombre des Princes catholiques) semble être précisément l'essentiel du credo de ces calvinistes « par accident ».

Les émigrés d'Anvers, de Gand, de Malines, de Louvain étaient calvinistes. Fuyant le Sud, ils ont insufflé à Amsterdam la modernité marchande et financière, qui allait faire de cette place la première d'Europe. Cette modernité était assise sur la longue expérience économique des cités flamandes, mais c'est en somme l'exil qui a libéré chez ces « Méridionaux » toutes leurs potentialités.

L'assurance maritime se crée à Amsterdam en 1592, importée par des Flamands du Sud – « plus évolués », dit Trevor-Roper : Le Maire, de Tournai, et Jacob de Velaer, d'Anvers [25]. Tout évolués qu'ils étaient, ils furent contraints d'aller évoluer ailleurs. Le fait de l'émigration importe plus que leur origine « méridionale ».

Dans le même sens, Trevor-Roper invoque l'absence de banquiers à Amsterdam avant le XVIIe siècle. La banque en 1609, la Bourse en 1611 doivent leur existence aux immigrants flamands [26]. Peut-on en conclure qu'elles « furent conçues selon un modèle méridional et catholique [27] », comme l'affirme Trevor-Roper ? Le modèle n'était pas plus catholique qu'il ne sera calviniste. Le modèle d'une banque est bancaire, selon une rationalité propre : le mérite des calvinistes exilés a été d'aller au bout de cette idée simple.

Sans doute faut-il se garder des caricatures. Selon le Grand Pensionnaire Oldenbarnevelt lui-même, arminien il est vrai, les catholiques représentaient, dans les Provinces-Unies de 1619, « la plus saine et la plus riche partie » de la population [28]. Ce que confirme l'estimation de Violet Barbour : en 1631, le tiers des habitants d'Amsterdam les plus riches est d'origine méridionale [29].

Cet argument n'eût pas déplu à Trevor-Roper. Ces catholiques-là ne vivaient pas leur catholicisme comme on le vivait à Rome, à Tolède ou même à Paris. La tolérance dont ils jouissaient les englobait. Ils étaient assimilés par l'environnement social, inspirés par l'esprit du lieu. Le même phénomène pourra s'observer chez les catholiques des États-Unis, religieusement romains, mais éthologiquement *white-anglo-saxon-protestant* (WASP).

Reconnaissons qu'en insistant sur l'importance de la « diaspora » flamande, Trevor a mis le doigt sur un phénomène majeur : *la migration des élites comme facteur du développement.*

La migration crée une dynamique de rupture ; elle libère. Encore faut-il que les migrants soient porteurs d'un savoir-faire, animés par une forte motivation ; et aussi que la société d'accueil soit ouverte. Ainsi, il est avéré que les calvinistes flamands en Écosse ont eu le plus grand mal à y créer une industrie textile, et qu'ils s'y sont heurtés à la farouche opposition du clergé calviniste. Dans ce cas, le repliement sur soi d'un rigorisme religieux a rejeté la greffe.

En pays catholique, le bon accueil fait aux immigrés flamands n'a pas suffi à créer la synergie du développement. Il n'a pas servi à l'Espagne que tout son commerce fût aux mains de négociants des Pays-Bas (pour deux tiers anversois, pour l'autre tiers liégeois ou wallons). L'osmose ne s'est pas faite. En France, la situation est différente : les Flamands hérétiques y sont très actifs et puissants, mais peu nombreux. Ils se laissent absorber, à travers richesse et honneurs ; au bout du compte, ils perdent leur fécondité.

Bureaucratie d'Église et d'États

4. On peut suivre Trevor-Roper quand il oppose les républiques, fondées sur la mer et le commerce, aux États monarchiques, fondés sur la terre et la guerre. On peut le suivre quand il décrit les « anciens centres » de la puissance économique, qui se sclérosent en laissant la bureaucratie gérer leurs intérêts et leur procurer la finance. On peut reconnaître avec lui que Venise, république marchande par excellence, s'est appuyée sur cette culture libérale pour résister à la Contre-Réforme et écarter ce que celle-ci avait de plus stérilisant. Il n'a certes pas tort, quand il insiste sur les virtualités de développement qu'il y avait dans la philosophie érasmienne, et sur les moyens de la vivre qu'offrait Venise. Mais peut-on nier qu'il y ait le moindre rapport entre ces structures bureaucratiques et le fait religieux de la Contre-Réforme ? Il ne voit, par exemple, dans les « restrictions corporatives », rien qui tienne à la confession. Pourtant, les corporations n'ont-elles pas partie liée avec les structures des confréries ? Les habitudes et même les talents de la bureaucratie civile n'ont-ils pas trouvé leur origine dans une imitation de la bureaucratie cléricale ? La collusion de celle-ci avec les régimes monarchiques, voire despotiques, ne fait aucun doute [30]. Le désintérêt des bureaucraties ecclésiastiques – évêchés, chapitres, ordres religieux – pour une vie économique « qui n'était pas nécessaire à leurs besoins [31] » a servi à la fois de modèle et de rempart aux bureaucraties monarchiques centralisées.

Pareilles idées ne constituaient certes pas « une attitude intellectuelle propice au milieu commercial ». Ce milieu ne pouvait que souhaiter la diminution du nombre des clercs, la réduction de leur influence sur les laïcs, la suppression de leurs privilèges fiscaux (dîme), sociaux et économiques. L'érasmisme n'était pas exclusivement marchand, mais le marchand pouvait trouver dans Érasme les principes d'une émancipation intellectuelle de la vie séculière par rapport à la vie religieuse. Et la pratique de la « dévotion moderne », d'une piété intérieure, ne doit pas être disjointe de la volonté de voir le champ des entreprises terrestres libéré d'une influence ecclésiastique qui se montrait de plus en plus stérilisante.

Reste que la voie érasmienne a été bloquée par le heurt qui a opposé Luther et Calvin à l'Église romaine. L'émancipation que la culture érasmienne aurait permise dans le sein de la catholicité, ne s'est réalisée que dans la rupture du schisme.

Catholiques et protestants : un choix de valeurs

Une piété télécommandée par les interdictions ou les ordres d'une hiérarchie paraît bien de nature à constituer un environnement défavorable à l'esprit d'initiative et d'innovation. Au contraire, une piété intériorisée lui est favorable. À toute entreprise, il faut une finalité qui la dépasse. La plus grande gloire de Dieu peut fournir ce supplément d'âme. La plus grande gloire de la nation aussi : on retrouve cette motivation présente au cœur des prouesses japonaise, coréenne, chinoise. En un temps de doute sur les valeurs, de « consumérisme » facile et devenu un « droit acquis », ces dépassements de soi-même nous semblent quelque peu appartenir au passé. Aux époques de foi, ils pouvaient enflammer les êtres.

L'affrontement catholiques/réformés traduit une profonde divergence culturelle. Il vaut la peine de visiter l'arène des polémiques qui font rage. Elles en disent long sur les comportements intellectuels, politiques et sociaux qui s'affrontent sans merci.

Pour réaliser son *Répertoire des ouvrages de controverse entre catholiques et protestants en France, de 1598 à la Révocation de l'Édit de Nantes*, Louis Desgraves [32] a compulsé et identifié 7 171 livres. Même avide, le lecteur peut être découragé de se plonger dans cette masse d'ouvrages plus ou moins lisibles. Mais la simple liste des titres est pleine d'enseignements. Elle renseigne sur les principaux objets de controverse : la dénonciation des abus liés à l'exercice du ministère ecclésiastique [33], les points de doctrine, les tentatives de réconciliation, les récits de conversion et d'apostasie, le rôle et le statut de l'Écriture sainte. Elle manifeste la passion des adversaires, qui atteint des sommets jumeaux avec l'hyper-catholique traité d'Albert Grawer : *Absurda absurdorum absurdissima, calvinistica absurda* [34] ; ou avec le super-protestant : *La chasse de la bête romaine, où il est recherché et évidemment prouvé que le Pape est l'Antéchrist* [35].

Mais au-delà des sujets obligés, sous la surface passionnelle, découvrons trois aspects qui, peut-être même sans que les protagonistes en aient conscience, les opposent.

1. la sensibilité à la nouveauté, à l'invention, au changement ;

2. la naissance d'une idéologie de la tolérance œcuménique ;
3. le rapport au pouvoir hiérarchique.

La « nouveauté » : chef d'accusation principal

1. L'examen des titres du *Répertoire* s'avère du plus grand intérêt, pour qui veut mesurer l'opprobre attaché aux notions de nouveauté et de progrès (comme le lecteur le verra en *Annexe* de notre travail, sur une base textuelle plus diversifiée).

C'est une lutte à qui saura, mieux que l'adversaire, se prévaloir de l'*antiquitas,* et le charger du crime de nouveauté.

Toutefois, la symétrie n'est pas parfaite. L'accusation de nouveauté ou de « prétendue Réforme » est d'abord le fait des catholiques romains, qui présentent les « *novatores* » comme fauteurs de « *discordia* » et d'« *inconstantia* » [36], et s'en prennent aux « conséquences impies » de ces inventions humaines [37].

Le réformé est présenté comme un « *novator* » [38], qui, comme tel, ne peut que produire des « *errores novatorum* » [39], ou encore ces « *prophanes nouveautés* » [40], « *prophanas novationes* » [41] qu'un Étienne Moquot, de la Compagnie de Jésus, ou un Vincent de Lerins imputent aux protestants. Nouveauté, fausseté, hérésie sont synonymes [42], sous la plume féroce du jésuite François Veron. On va même jusqu'à forger des néologismes, telle la salutaire « *paléopistie* », qu'on oppose à la perverse « *néopistie* » [43] : la confiance dans l'ancien contre la confiance dans le neuf.

Ce n'est que par contrecoup, pour retourner le compliment, que l'accusation de nouveauté est argumentée par le parti protestant contre les catholiques. La *Nouveauté du Papisme* [44] est incriminée, et les réformés s'en prennent à leur tour aux « *inventions et artifices* » [45] de Rome ou des ordres réguliers. Le père François Veron s'indigne, naturellement, de ce retour à l'expéditeur [46].

La *Lettre* de Daillon (1677), « dans laquelle les Églises protestantes sont pleinement justifiées des choses qu'on leur impute, et particulièrement des accusations de nouveauté... [47] » atteste que la « nouveauté », est perçue comme un grave chef d'accusation.

L'opposition de la Réforme et de la Contre-Réforme manifeste la force de l'identification traditionnelle du vrai à l'ancien [48], et du faux au nouveau. Cette identification est majoritairement catholique ; mais elle déteint, si l'on peut dire, sur l'ensemble de la controverse qui oppose le parti de Rome aux religions issues de la Réforme protestante. C'est ainsi que Pierre Jurieu écrit en 1680 un *Préservatif contre le changement de religion* [49], le changement désignant l'abjuration de la religion réformée. Reste que la phobie du changement, de la nouveauté, de l'altération est moins ancrée dans la mentalité protestante que dans la catholique. Même présentée comme une restauration, la Réforme demeure une réforme

– et permanente. L'Église réformée est toujours à réformer : *ecclesia reformata semper reformanda.*

La réconciliation religieuse : un thème protestant

2. Si le thème de la « nouveauté » fait l'objet d'un ping-pong, celui de la réconciliation religieuse est nettement plus unilatéral.

En effet, les tentatives catholiques de conciliation inter-religieuse ressemblent plutôt à des mises au pas, dans lesquelles la réunion, le retour au giron de l'Église romaine est une réduction oppressive [50]. Témoin la *Méthode nouvelle de bâillonner les ministres de France et réduire les dévoyez à la religion catholique* [51].

À cette façon d'envisager la réunification, on opposera l'apologie de la paix interconfessionnelle entre ceux « qui ont quelque diversité soit d'expression, soit de méthode, soit même de sentiment [52] ». D'abord réservé aux relations des Églises protestantes entre elles [53], le projet d'établir une « tolérance dans la charité [54] » peut s'étendre aux relations avec la religion catholique.

Cette idée, que nous appelons aujourd'hui *l'œcuménisme,* est typiquement protestante, comme celle d'une concorde religieuse apportant la paix internationale [55]. Ainsi, Noël Aubert de Versé publie en 1684 *Le Protestant pacifique,* ou « Traité de la paix de l'Église, dans lequel on fait voir par les principes des Réformes que la foi catholique ne choque point les fondements du salut : et qu'ils doivent tolérer dans leur communion tous les chrétiens du monde, les Sociniens et les Quakers même, dont on explique la religion [56] ». Ce polémiste, adversaire de Bossuet, dépasse la controverse théologique [57] pour plaider une *Tolérance des religions* [58], titre que donne Henri Basnage de Beauval à son propre ouvrage.

Mûri par un siècle et demi de controverse, le *Projet des Réformés de France... pour la conservation de la liberté de conscience* [59], qui paraît à La Haye en 1685, trouvera pour toute réponse la Révocation de l'Édit de Nantes.

Puissance ecclésiastique et autonomie du politique

3. L'un des sujets de controverse les plus fréquemment abordés est celui du pouvoir ecclésiastique.

Tandis que les protestants veulent une *Puissance ecclésiastique bornée à l'Écriture et par elle* [60], et s'opposent, par exemple, à la *Tyrannie que les papes ont exercée depuis quelques siècles sur les rois d'Angleterre* [61], les catholiques se montrent très attachés à la notion de hiérarchie [62]. Mieux encore, les *Nouvelles lumières politiques pour le gouvernement de l'Église* [63] du cardinal Palavicin accentuent l'emprise du religieux sur la politique,

que Pierre Jurieu dénoncera en 1683 dans *La politique du clergé de France* [64]. Contre cette emprise, un *Droit des Rois* [65] est défini et développé par Jean Bedé de La Gormandière, à partir de 1611. Les nombreuses rééditions [66] de cet ouvrage attestent la force de l'opposition protestante à la théocratie catholique. La *Défense pour la hiérarchie de l'Église et de notre Saint Père le Pape* [67] n'en reprend que de plus belle, sous la plume de Pierre Biard et Théophraste Bouju.

Il est question non seulement de l'organisation hiérarchique interne à l'Église, mais de l'autorité des papes sur les rois, comme l'indique la *Briève confutation du Cardinal du Perron, sur la harangue par lui prononcée aux États derniers sur la puissance qu'il voulait attribuer au Pontife romain sur l'autorité des Rois* [68].

La fréquence des controverses sur la hiérarchie, l'autorité, « l'obéissance due aux supérieurs [69] » prouve que la distorsion Réforme/Contre-Réforme engage, au-delà de la controverse religieuse, un véritable choix de société : les notions d'individu, de responsabilité, d'initiative, d'autorité en constituent l'enjeu décisif.

Le lecteur aura pensé que nous nous acharnions contre le Concile de Trente. Relativisons. Les débats tridentins ont cherché à ressaisir une situation qui explosait : acte de guerre spirituelle, en réponse à d'autres, déclenchés par Luther et Calvin. On se défend en contre-attaquant. On tire sur tout ce qui bouge. Comment s'étonner que l'Église se protège de terribles assauts, alors qu'un esprit aussi libre que Montaigne, saisi de panique devant la Réforme, glorifie le conservatisme ? Comment s'étonner qu'en de tels périls, une chrétienté nourrie d'Aristote ait marqué une aversion pour ces nouveautés dont il dénonçait par principe les dangers ?

Montaigne après Aristote : non à l'innovation

Montaigne proclame : « *L'innovation* est de grand lustre, mais elle est interdite en ce temps, où nous sommes pressés et n'avons à nous défendre que des *nouvelletés* [70]. »

Penseur libre, sinon libre penseur, il échappe à toute inféodation dogmatique. Le « mol oreiller » du scepticisme lui épargne les excès partisans : « Quand ma volonté me fait donner à un parti, ce n'est pas d'une si violente obligation que mon entendement s'en infecte [...] Mon intérêt ne m'a fait méconnaître ni les qualités louables en nos adversaires, ni celles qui sont reprochables en ceux que j'ai suivis. Ils adorent tout ce qui est de leur côté [71]. » Montaigne avoue « les inconvénients que la modération apporte [...]. Je fus pelaudé à toutes mains : au Gibelin j'étais Guelfe, au Guelfe Gibelin [72] ».

Le fondement de ce prudent refus de s'engager ? « Le monde n'est qu'une branloire pérenne [...]. La constance même n'est qu'un branle plus languissant [73]. » Aussi la fermeté dans la résolution et la ténacité d'un parti pris sont-elles à bannir de ce monde en perpétuel changement : « L'obstination et l'ardeur d'opinion est la plus sûre preuve de bêtise [74]. » « Il n'y a que les fols certains et résolus [75]. »

« Ondoyant et divers [76] » comme le cours du monde, Montaigne sacrifie son goût pour la découverte sur l'autel de la défiance envers l'inconnu et de la soumission à l'autorité. « Quelque apparence qu'il y ait en la nouvelleté, je ne change pas aisément, de peur que j'ai de perdre au change. Et puisque je ne suis pas capable de choisir, je me tiens en l'assiette où Dieu m'a mis. Autrement, je ne me saurais garder de rouler sans cesse. Aussi me suis-je, par la grâce de Dieu, conservé entier, sans agitation et trouble de conscience, aux anciennes créances de notre religion, au travers de tant de sectes et de divisions que notre siècle a produites [77]. »

Le relativisme cher au voyageur – tout se vaut, rien n'est certain – : un rideau de fumée. Par-derrière, un conservatisme frileux engonce Montaigne dans la force de l'habitude : « *Je me suis dégoûté de la nouvelleté, quelque visage qu'elle porte,* et ai raison, car j'en ai vu des effets très dommageables. » Le changement ne paie pas : « Ceux qui donnent le branle à un État sont volontiers les premiers absorbés dans sa ruine [78]. » De la Réforme, Montaigne va jusqu'à dire que « par accident, elle a tout produit et engendré : voire et les maux et ruines qui se font depuis sans elle et contre elle [79] ». Comme plus tard, dans la salle de classe où Charles Bovary fera son entrée, le fauteur de troubles, c'est le nouveau [80].

C'est assez pour se garder absolument de répéter, après Trevor-Roper (teinté de marxisme), que l'humanisme est toujours porteur de changement et d'innovation... Il peut justement se révéler inhibiteur, conservateur, entiché de l'antique, au point de redouter par-dessus tout la « nouvelleté ». Montaigne ne renouvelle guère qu'une chose : le préjugé hostile au changement, selon la tradition aristotélicienne qui nous fait remonter aux racines de la *néophobie.*

Examinant la question de la mise en commun des femmes et des enfants, Aristote l'estime avantageuse si on l'applique aux paysans – application, avant la lettre, du principe « *divide ut imperes* » : « Quand femmes et enfants leur seront communs, il y aura moins d'amitié entre eux, et il faut qu'il en soit ainsi chez des gens qui sont gouvernés, pour qu'ils restent soumis au pouvoir et ne cherchent pas à innover [81]. »

L'innovation du gouverné est intrinsèquement perverse : qu'il reste en tutelle, c'est le vœu du philosophe révéré par toute la chrétienté occidentale. Ce préjugé contre la nouveauté règne sans partage, ou presque. Un patrimoine familial vient-il à s'amenuiser du fait d'une descendance prolifique ? « Il est mauvais, concède Aristote, que beaucoup de gens deviennent pauvres de riches qu'ils étaient, et ce sera toute une affaire *d'empêcher de telles gens de vouloir introduire du nouveau* [82]. » Cette dernière éventualité préoccupe plus Aristote que le sort des héritiers.

Il s'interroge : « Il pourrait sembler meilleur d'opter pour le changement. Dans les autres sciences, celui-ci a été avantageux : la médecine, par exemple, a modifié ses préceptes ancestraux, de même que la gymnastique et... les arts [83]. » Mais Aristote a tôt fait de tempérer ce préjugé favorable à la nouveauté : « En politique, il faut faire preuve d'une grande circonspection. [...] Il est mauvais de s'habituer à changer les lois. La loi n'a pas d'autre force que l'usage, lequel n'advient pas sans le temps. Passer facilement à des lois nouvelles, c'est rendre infirme la force de la loi [84]. »

La *néophobie* n'est pas née de la dernière pluie. Elle accompagne les hommes sur leur route, freinant à chaque tentative de modernisation. Ce comportement, la Contre-Réforme le revendique : *paléopistie* – confiance dans l'ancien. Le fin mot de la divergence.

Chapitre 9

Migrations et développement

À plusieurs reprises, sur le chemin du développement, nous avons rencontré des immigrants, c'est-à-dire des personnes déplacées, obligées de puiser en elles-mêmes la force qu'elles ne peuvent plus trouver dans les repères disparus.

Dès avant la Révocation de l'Édit de Nantes (1685), l'effet économique des migrations n'avait pas échappé aux observateurs. En 1658, Huet, auteur de *Mémoires sur le commerce des Hollandais dans tous les états et empires du monde* [1], notait : « Les persécutions faites pour la religion, en Allemagne sous le règne de Charles V, en France sous Henri II et en Angleterre sous la reine Marie, obligèrent un très grand nombre de personnes, et particulièrement des négociants et des artisans, à se réfugier dans les Pays-Bas, où les libertés de ces provinces et les privilèges dont leurs villes jouissaient encore leur faisaient espérer d'y pouvoir vivre en repos ; cela y attira beaucoup de peuple et quantité de trafic [2]. »

De même, à la suite de la guerre d'indépendance de la Hollande tandis que l'Inquisition sévissait dans les Pays-Bas espagnols : « Le tiers des ouvriers et des marchands qui fabriquaient ou commerçaient en étoffes de soie, ou de damas, alla s'établir en Angleterre, parce que personne n'y travaillait encore en ces sortes de marchandises et manufactures. Une très grande partie des mêmes ouvriers et marchands se retirèrent aussi à Leyde, et la plus considérable partie des marchands de toiles allèrent s'établir à Harlem, sans compter tous ceux qui passèrent aussi à Amsterdam [3]. »

C'est un lieu commun de notre histoire : en révoquant l'Édit de Nantes, en forçant les calvinistes * de son royaume à choisir entre

---

* Les protestants d'Alsace, qui sont des luthériens (ou plutôt des bucériens), ne sont pas concernés par la Révocation – puisque l'Édit de Nantes ne les avait pas touchés : l'Alsace n'était pas encore française. L'organisation et la vie religieuses de l'Alsace restèrent donc inchangées.

la conversion et l'exil *, Louis XIV aurait privé notre économie de ses meilleurs éléments et en aurait fait cadeau à l'Europe. Faut-il nuancer cette idée reçue ?

Persécution et manque à gagner

Warren C. Scoville [4], le premier, s'est inscrit en faux contre la thèse, fort répandue, selon laquelle la fuite des huguenots a porté un coup fatal au développement économique français. D'autres études ont suivi son travail pionnier, sur ce que leurs auteurs estiment n'être finalement qu'un mythe, aussi persistant qu'ancien [5].

Il est certain que la France a été affectée d'une longue stagnation économique à partir de 1683 : la question est de savoir si la Révocation en fut la cause, en provoquant un exode massif de protestants.

La réponse est difficile pour une première raison : la Révocation n'est pas un point de départ net. L'an 1685 n'est pas une ligne de partage des eaux historiques. Il a été précédé d'une bonne cinquantaine d'années de brimades. Même sans persécution déclarée, la jalousie sociale et la malveillance économique ne s'en sont pas moins exprimées contre les protestants tout au long du XVIIᵉ siècle.

Quelques exemples, parmi bien d'autres. Les habitants de Saint-Quentin se plaignent au contrôleur général de la prospérité de la colonie huguenote : celle-ci est accusée d'avoir ruiné l'industrie textile « catholique », en pratiquant des prix trop bas. Ils oublient de compléter : pour une meilleure qualité.

Le monde « des métiers et artisans » doit être expurgé de la calamité réformée. À Poitiers, « les maîtres des métiers jurés doivent être catholiques, sans que ceux de la Religion Prétendue Réformée (RPR) y puissent être reçus [6] ». Ce genre d'exclusion n'est pas localisé. Un arrêt du Conseil d'État ordonnera en 1664 que « toutes les lettres de maîtrise où la clause de la Religion catholique, apostolique et romaine n'aura point été mise, demeurent nulles [7] ».

Avant d'être officielle, la persécution est diffuse, latente. Cette pression continue avait déjà provoqué de nombreuses « sorties du royaume ».

---

* La Révocation, en tant que telle, se contente d'interdire le culte de la Religion Prétendue Réformée (RPR), sans attenter à la « liberté de conscience ». Mais les textes et les pratiques qui ont précédé et suivi la Révocation proprement dite font en sorte que le Réformé doit en effet se convertir pour retrouver une vie sociale et familiale normale. Il lui est d'autre part interdit de quitter le royaume : l'« exil » est donc un acte volontaire de rebellion.

189

Édits, déclarations, arrêts et règlements

Les contemporains ont été sensibles à cette montée en puissance de la législation anti-protestante. Joseph Saugrain en fit un recueil en 1714. Il suffit de le feuilleter. Il récapitule la quinzaine d'années qui ont précédé la Révocation. Mais il aurait pu remonter jusqu'en 1626, date où la persécution des protestants avait repris avec Richelieu, dont le ministériat commence en 1624.

Un édit du mois d'août 1669 porte défense de « se retirer du royaume », pour aller s'établir « sans la permission du roi dans les pays étrangers. À peine de confiscation de corps et de biens et d'être censés et réputés étrangers, sans qu'ils puissent être ci-après rétablis, ni réhabilités, ni leurs enfants naturalisés ». Les protestants ne sont pas nommés, mais on sait qu'ils sont les premiers visés, car ils sont les plus nombreux parmi ces sujets qui « ont passé dans les pays étrangers, y travaillent à tous les exercices dont ils sont capables, même à la construction des vaisseaux, s'engagent dans les équipages maritimes, s'y habituent sans dessein de retour, et y prennent leur établissement par mariage, et par acquisition de biens de toute nature. »

La *déclaration du roi du 13 mars 1679 portant peine d'amende honorable et de confiscation des biens contre les Relaps* ordonne que seront bannis du royaume les protestants qui, ayant abjuré la RPR, y « retomberaient ».

L'*arrêt du Conseil du 6 novembre 1679 portant défense à tous seigneurs hauts justiciers d'établir dans leurs terres des officiers autres que catholiques* contredit expressément l'article XXVIII de l'Édit de Nantes, lequel « déclare bien précisément lesdits de la RPR capables de tenir et exercer tous états, dignités, offices et charges publiques, royales et seigneuriales [8] ». Six ans avant 1685, la Révocation de l'Édit de Nantes était donc bien acquise.

Le *règlement des fermes, du 11 juin 1680, signé Colbert*, stipule que « seuls les catholiques seront admis dans les fermes du Roi, soit comme adjudicataires, soit comme personnel » (article 3) [9].

La *déclaration du roi du 18 mai 1682, portant défense aux gens de mer et de métier de la RPR* d'aller s'établir dans les pays étrangers, s'en prend aux obstinés qui « par un esprit de cabale... inspirent... aux autres plus dociles qu'eux... de se retirer avec leurs familles de notre royaume [10] ». Les peines prévues ne sont pas légères : « galères à perpétuité contre les chefs des dites familles » et « amende arbitraire, qui ne pourra toutefois être moindre de trois mille livres, contre ceux qui seront convaincus d'avoir contribué à leur sortie [11] ».

Dispositions confirmées et étendues par la *déclaration du roi du 14 juillet 1682,* « par laquelle Sa Majesté défend à ses sujets de sortir de son royaume sans sa permission, pour aller s'établir dans les pays étrangers ; et qui déclare nuls les contrats de vente et autres dispositions des biens de ceux de la RPR un an avant leur retraite » [12].

L'édit d'août 1669 est donc confirmé dans sa vraie portée et « ceux de la RPR » sont expressément désignés. Le dispositif est aussi plus efficace que celui de 1669. À la veille de partir sans esprit de retour, les protestants réalisaient leurs biens et l'on ne pouvait donc les confisquer. L'annulation des ventes a pu être plus dissuasive.

Deux mois avant l'Édit du 18 octobre 1685, portant Révocation de l'Édit de Nantes, est publiée la *Déclaration du roi du 20 août 1685 portant que la moitié des biens de ceux de la RPR qui sortiront du royaume, sera donnée au dénonciateur* [13]. Le délateur commence sa carrière dans la France de Louis XIV – qui devient de plus en plus le contraire d'une société de confiance.

C'est donc une communauté calviniste déjà numériquement affaiblie et socialement marginalisée qui est frappée en 1685. Il n'est donc pas étonnant que le dommage économique causé par la Révocation proprement dite en soit diminué. Mais le dommage causé par la longue persécution, plus insidieuse, qui précède l'Édit de Révocation, a été réel – même s'il échappe jusqu'à nouvel ordre à toute évaluation précise.

D'autres données ont concouru à en diminuer l'impact.

L'application de l'Édit de Révocation fut plus clémente quand il s'agit des élites économiques. Louvois écrivait à l'intendant Marillac, le 21 octobre 1685 : « Sa Majesté aurait pour agréable que l'on ménage, le plus que faire se pourra... ceux des manufactures dont le travail est utile à la province. » De même à l'intendant des frontières de Champagne, concernant les manufacturiers protestants de Sedan : « ménager les chefs des manufactures le plus possible, sans néanmoins expliquer que vous en avez reçu l'ordre ». Ces boucs émissaires de la RPR sont encombrants, mais tellement utiles [14]...

L'émigration ne concerne qu'une petite partie de la communauté. Le chemin de l'exil ne semble avoir été pris que par 12 % des protestants français *, c'est-à-dire moins d'un pour cent de la population [15]. De nombreux artisans reflueront vers les campagnes, embrassant les métiers libres. Massivement, les paysans protestants sont restés accrochés à leur terre – sûrs d'y trouver, comme Antée, la force de survivre ; l'événement a justifié leur calcul.

Irremplaçables ?

L'effet de ce départ sur l'économie du royaume est donc inégal. Les manufactures de chapeaux déclinent ; mais nullement les

---

* 100 000 sur 850 000.

raffineries de sucre [16]. La décadence de La Rochelle va de soi. Mais à Bordeaux, les mouvements du port n'accusent pas de défaillance notable. Les exportations se portent bien. En revanche, la papeterie est en perdition, au point qu'on voit Louis XIV dépêcher des agents vers les relais d'émigration pour convaincre les exilés de revenir [17].

Consultant le rôle général des bâtiments de commerce français établi en 1686 à la demande de Seignelay, Morineau constate que la brusque désertion des ports, hommes et bâtiments, est pure invention. L'effondrement de la soie lyonnaise – dix-huit mille métiers en 1685, six mille en 1698 – est un accident ; la guerre de la Ligue d'Augsburg et la famine de 1693 suffisent à l'expliquer. Le textile rouennais se maintient, et par exemple, la manufacture de drap d'Elbeuf continue son essor, malgré le départ en masse des drapiers protestants [18]. Ainsi doit-on atténuer la légende noire de l'année tragique.

De ces faits irréfutables, faut-il conclure, avec Scoville, que « la Révocation a beaucoup moins endommagé l'économie française, sur le court et le long terme, que ne l'ont cru jusqu'ici maints historiens du XIXᵉ et du XXᵉ siècle [19] » ? Certes, les disettes de 1692-1694 et le terrible hiver de 1709 ne sont pas imputables aux huguenots... Et l'année 1685 ne fut ni un commencement absolu, ni une fin [20]. Les élites économiques protestantes n'étaient pas toutes, ni partout, irremplaçables.

Reste la crise des années 1680-1690. Qui peut affirmer que le maintien de l'Édit de Nantes l'eût empêchée, et eût garanti la prospérité au commerce et aux manufactures de France ?

Sans doute faut-il prendre le problème autrement. Les historiens n'ont pas les moyens d'établir ou de refuser une corrélation mécanique entre la Révocation et un certain déclin économique de la France. En revanche, il est légitime de voir dans la Révocation l'indice d'un état d'esprit. Un pays où la révocation d'un édit de tolérance est possible – non seulement acceptée, mais demandée par la population – est un pays qui se ferme à l'innovation, à la compétition, et cherche à tout prix les boucs émissaires dont la persécution apparaît comme un défoulement, après les frustrations imposées par l'absolutisme louisquatorzien.

Il n'y aurait pas, entre la Révocation et le déclin économique et social, une relation immédiate de cause à effet, mais une relation différée, de crise durable à symptôme soudain.

L'apport des huguenots

Si l'émigration forcée des huguenots n'a pas desservi la France autant qu'on a pu le dire, elle a dopé d'autres économies. Il est plus facile de chiffrer un apport effectif, qu'un manque à gagner...

fictif. Bien sûr, l'orfèvrerie, l'industrie de la soie existaient en Angleterre, en Suisse, au Brandebourg avant 1685. Justement, ce sont elles qui ont attiré le plus l'immigration huguenote.

Voyons par exemple l'Angleterre. Plus de 50 000 huguenots (français et wallons) ont passé la Manche, c'est-à-dire 1 % de la population britannique [21]. Ils grossissent le nombre des dissidents *(dissenters),* dont on a vu l'esprit d'entreprise.

Plus que l'importance démographique, c'est l'intérêt technologique de cette immigration qui doit être marqué : les compétences huguenotes en matière textile sont mises à profit. L'industrie anglaise de la soie aurait-elle connu, sans cet apport, l'essor qui allait être le sien ?

Une illustration frappante du comportement économique de ces émigrés est fournie par le pasteur calviniste Jacques Fontaine. Il a fait le récit de sa vie, publié en français à Dublin en 1722, sous un titre évocateur : *Mémoires d'une famille huguenote victime de la Révocation de l'Édit de Nantes* [22].

Au moment de la Révocation, il s'embarque clandestinement, à l'île d'Oléron, à bord d'un navire anglais. Arrivé en Angleterre, il crée aussitôt une compagnie commerciale pour exporter du blé vers la France. Six semaines seulement après, la première cargaison était écoulée et il avait doublé sa mise. Par la suite, Fontaine ajoute à son commerce une entreprise de tissage. Il invente un nouveau procédé et emploie douze tisserands. Puis, on le retrouve en Irlande, pasteur à Cork, où il fonde, entre deux prêches, une autre manufacture de textile. Diversification insuffisante à son gré, puisque six ans plus tard, en 1700, il arme des bateaux de pêche au hareng en mer du Nord, avant de se lancer dans le commerce du tabac avec la Virginie, et de gagner l'Amérique.

Tous les huguenots n'ont certes pas la vitalité entreprenante d'un Jacques Fontaine. Force est cependant de noter qu'ils vont devenir l'emblème d'une mobilisation contre l'absolutisme de Louis XIV, mais aussi contre le centralisme monarchique de Jacques II, soupçonné de vouloir ramener l'Angleterre au giron de l'Église catholique. Notons la coïncidence troublante, avec l'arrivée des huguenots, de cette période d'essor international de l'Angleterre.

Sans doute convient-il de rester prudent. On doit écouter l'avertissement de Rémy Scheurer [23] sur le rapport entre le décollage économique anglais et l'installation des réfugiés : « Il n'est pas question de nier l'apport économique considérable dû, dès le début du XVIIIe siècle, à des réfugiés et à leurs descendants. Mais l'origine de l'expansion n'est pas liée au Refuge. D'ailleurs, au regard des brillantes réussites industrielles, marchandes et bancaires, il conviendrait d'aligner aussi la longue série des échecs jusqu'à présent ignorés ou passés sous silence. » Mais si *les origines* de l'expansion ne sont pas liées au Refuge – nous l'avons vue se préparer de longue date dans toutes les fibres de l'économie anglaise – *l'accélération* de l'expansion ne lui est pas étrangère. L'intensification des échanges internationaux, facilitée par les contacts maintenus avec des partenaires économiques du pays d'origine, la pratique de la mobilité géographique et professionnelle, n'ont pas peu contribué à cette accélération.

En outre, le fonctionnement démocratique des communautés huguenotes en Angleterre – il s'agissait pour ainsi dire de minorités auto-gérées [24] – n'est pas entravé par les pouvoirs publics. L'Église huguenote approvisionne ainsi l'Angleterre et l'Europe en intellectuels lassés d'autoritarisme, de religion d'État, de clivages religieux : leur scepticisme même est stimulant, alors que tant de dogmes, y compris du côté calviniste, se sont révélés inhibiteurs.

Retrempé dans l'émigration, le calvinisme n'est plus une société close. Par gré ou par force, il devient individualiste, plus porteur encore d'innovation, d'adaptation, d'effort, que le protestantisme dont il est issu.

Les huguenots et la Banque d'Angleterre

Outre leur contribution à la création et au développement de la soierie, des toiles de lin, de la tapisserie, du papier, de l'horlogerie en Angleterre et en Irlande, les réfugiés huguenots venus de France ont joué un rôle décisif dans la « révolution financière » anglaise. François Crouzet a réuni les éléments quantitatifs et qualitatifs qui permettent de formuler un tel constat [25].

Ils sont étroitement associés à la naissance de la Banque d'Angleterre. Son premier conseil d'administration, élu en 1694, compte 7 huguenots sur ses 26 membres. Sur les 147 administrateurs élus de 1694 à 1763, 24 huguenots. Parmi eux, il est vrai, des immigrants wallons. Et pour cause : les Pays-Bas espagnols n'ont rien à envier, loin de là, en fait de persécution religieuse, au royaume de France.

Le succès rencontré par ces immigrants témoigne en faveur de la mobilité qui caractérise la société anglaise du XVIIᵉ siècle. L'ascenseur social fonctionne. Des réfugiés, arrivés avec les épaves de biens rapidement vendus, peuvent voir leurs petits-fils au sommet de la bourgeoisie londonienne [26].

Il y a place pour une explication en termes de motivation humaine. Si la greffe huguenote a pris sur le tissu économique et social anglais, ce n'est pas pour la seule raison d'un transfert de capital ou de travail.

Du refuge à l'essor

La plupart des huguenots ne sont pas allés en Angleterre. Bon nombre se sont réfugiés en Hollande et y ont facilement trouvé place : les Provinces-Unies étaient une société ouverte. Mieux : elles s'étaient en quelque sorte créées par et pour l'immigration calviniste et avaient pris leur essor économique grâce à elle [27].

Intéressons-nous donc plutôt à l'émigration huguenote vers la Suisse ou l'Allemagne, des sociétés qui n'étaient nullement, alors, sur le chemin de la « divergence » – et qui ne l'ont pas parcouru avant le XIXe siècle.

Michelle Magdelaine [28] constate que, parmi les huguenots passés par Francfort entre le printemps 1686 et l'automne 1687, les artisans sont les plus nombreux, et parmi eux, ceux qui travaillent le textile [29]. Si l'on se rappelle l'importance majeure de l'industrie textile en Europe, on constate que ce secteur particulièrement dynamique se trouve sur-représenté dans l'émigration huguenote.

D'autre part, un sur dix-huit de ces réfugiés exerce une profession médicale. Beaucoup plus que la proportion normale ; même si trois quarts d'entre eux ne sont que des « chirurgiens », qui n'ont pu aller dans une université – elles sont toutes catholiques.

Ces indications se trouvent confirmées par Rémy Scheurer [30]. Les artisans huguenots arrivant en Suisse viennent d'un pays riche, où les industries du luxe prospèrent. Leur savoir-faire est précieux. Il leur est facile de s'établir. La France « catholique » ne retient pas ses artisans qualifiés : elle les pousse à l'émigration. La Suisse « calviniste » leur fait bon accueil. Elle en tirera largement profit : « Il y a pour le moins coïncidence entre le Refuge et les premiers développements importants de l'horlogerie [31]. »

Le coup d'accélérateur huguenot

Ce n'est pas à dire que tout émigrant huguenot ait été un innovateur. En outre, les entreprises novatrices n'ont pas toutes été couronnées de succès. Témoin l'échec de la culture du mûrier : l'élevage du ver à soie n'a pas pris sur les rives du Léman et du lac de Neuchâtel [32].

Mais même dans les activités traditionnelles, les huguenots se font une place, pourvu que l'activité ne soit pas déjà saturée. Là où leur compétence est plus neuve, ils ont toute liberté d'agir. Ils reçoivent des appuis privés, voire publics [33]. Dans l'ensemble, la situation d'émigrant huguenot avait ceci de particulier qu'elle portait intrinsèquement à la sur-représentation d'activités nouvelles, c'est-à-dire de forces d'innovation.

Les pays d'accueil favorisent le développement manufacturier. Ainsi, les chartes promulguées – pour certaines, antérieurement à la Révocation de l'Édit de Nantes – par le landgrave de Hesse-Cassel Charles Ier (1677-1730) s'adressent « aux manufacturiers étrangers [34] ». On leur accorde des privilèges fiscaux et douaniers ; on soustrait les « artisans et maîtres d'œuvre français aux contraintes corporatives [35] », pourtant déjà moins contraignantes qu'en France. Ces mesures, certes, ont été inspirées par l'intérêt autant que par la solidarité religieuse. Mais c'est précisément ce mélange de motivations qui caractérise la santé propre aux milieux protestants.

Une telle politique d'immigration qualifiée – comparable à celle que le Canada pratique avec vigilance de nos jours – se révéla payante. C'est elle qui permit aux Allemagnes de reconstruire une économie ruinée par la guerre de Trente Ans. Rudolf von Thadden cite ce plaidoyer prussien en faveur des huguenots : « Sans doute, sous de sages gouvernements, tout aurait repris à la longue une nouvelle vie, mais il est bien décidé que les Réfugiés hâtèrent les progrès au moins d'un demi-siècle [36]. » On ne saurait mieux définir le *coup d'accélérateur* huguenot.

Le centenaire du Refuge, en 1785, fut l'occasion d'un précieux témoignage, sous la forme d'un *Mémoire historique sur la fondation des colonies françaises dans les États du Roi* (de Prusse). On y lit : « L'industrie, l'activité, une sage économie... étaient le caractère principal de tous les ordres de Réfugiés et ce sont ces qualités si essentielles au bon citoyen qui furent comme les fondements des maisons opulentes ou aisées que l'on vit insensiblement se former dans les colonies et qui... ont été si utiles à la patrie par la vie qu'elles ont aidé à donner au commerce et aux manufactures [37]. » Où l'on voit que l'essor économique va de pair avec l'intégration politique. Les États d'accueil offrent plus qu'un « refuge » : une patrie.

En somme, le huguenot français est un agent économique qui vaut plus en exil qu'en France. C'est ce qui fausse le calcul : la France n'a pas perdu autant que ses voisins ont gagné. Il n'est pas contradictoire d'avancer que, vu de France, le dommage de la Révocation n'est pas énorme, mais que, vu de l'étranger, l'apport du Refuge est immense.

Il n'y a pas de cynisme à dire que l'exil révèle la capacité personnelle de l'exilé. Valoriser le dynamisme huguenot n'était certes pas dans les intentions de Louis XIV. Mais c'est le résultat qu'il a atteint, en mettant ce dynamisme au service de l'étranger.

Des avocats du rappel

Les faits d'émigration liés à la Réforme, ainsi qu'aux persécutions économiques, politiques et sociales – censures, confiscations, excommunications – de la Contre-Réforme, ont laissé des traces dans les mentalités. Ils n'ont pas seulement causé du tort aux intéressés, mais des regrets aux protagonistes : témoin le cardinal Spinola.

Le 19 mai 1679, le cardinal Spinola, évêque de Lucques, écrit une lettre « *aux originaires lucquois qui demeurent à Genève* » où il déplore l'émigration du siècle passé. « Nous fûmes bien fort touchés, et avec grande douleur de notre âme, quand nous apprîmes en détail quels et en quel nombre étaient les membres de ce très digne corps, tous remarquables et pour la noblesse de leur extraction, et pour la singularité de leurs talents, qui s'en étaient séparés lorsqu'ils se retirèrent à Genève, quittant la ville de Lucques [38]... » Un siècle après l'exode, la tête de Lucques s'aperçoit que le corps a été vidé de son sang. Quelques-unes des grandes familles genevoises – par exemple les Turretini – étaient effectivement issues de réfugiés protestants, venus de Lucques au XVI siècle, apportant l'art de la soie. Cet amer constat est bourrelé de remords. Mais le remords n'est pas le remède.

Évoquons un remords français – un peu tardif. En 1764, Turmeau de la Morandière publie à Paris ses *Principes politiques sur le rappel des protestants en France*. Il souhaite que les protestants calvinistes et luthériens aient la faculté de revenir en France. Pour peu qu'on les traite avec douceur, ces « brebis errantes, moyennant la grâce divine, rentreront avec le temps, dans le sein de l'Église [39] ». Un demi-siècle après la mort de Louis XIV, Turmeau de la Morandière multiplie encore les précautions : il place sa proposition de rappel sous le signe du bénéfice spirituel. De pluralisme, en effet, il n'est pas question : « Ce serait pécher contre la religion catholique et contre la politique, parce qu'il ne faut qu'une seule religion dominante et un seul culte public dans un pays bien policé [40]... »

Arrière-pensée, prudence ? Quel est le vrai motif du rappel des protestants ? « Le rappel des protestants que je propose fera rentrer dans le Royaume des hommes, des talents et des espèces numéraires qui en sont sortis, il multipliera le nombre des sujets du Roi, comme celui des cultivateurs, des artistes, des fabricants, des banquiers et des négociants : avec ces secours, il procurera à l'État une augmentation de bestiaux, de richesses territoriales et de commerce au dedans et au dehors : les importations diminueront, les exportations de denrées brutes et ouvrées augmenteront à l'infini, et la masse de l'argent grossira et circulera [41]. » Le plaidoyer est sans détour. Les remords économiques de Turmeau ne sont pas des remords de conscience. Il insiste sur le fait que la Révocation de l'Édit de Nantes a peuplé et enrichi l'Allemagne, les Provinces-Unies et la Grande-Bretagne [42]. L'idée du rappel s'enracine dans la crainte de voir la divergence se creuser entre nations catholiques et nations tolérantes.

Une mentalité migratoire

La religion est très souvent la cause de l'immigration. Mais pas toujours. La migration des élites est une donnée de base, encore mal connue et très difficilement saisissable.

On peut s'en faire une idée à travers le cas de la ville de Nördlingen (Souabe) au XVIIᵉ siècle [43] : autre indice de la vitalité économique des immigrants.

Une partie de cette immigration est, certes, locale. La ville tire ses forces des campagnes environnantes ; ce n'est que la marche classique de l'urbanisation. Mais la plupart des migrants viennent de plus loin. Ces immigrants sont des hommes. Ils ne viennent pas à Nördlingen avec femme et enfants. Leur but est de travailler et, si possible, d'y prendre femme et racine.

Réussir leur est une nécessité. Pour devenir citoyen de Nördlingen, il ne suffit pas d'y établir sa résidence : il faut acheter son « droit de bourgeoisie ». Cette condition pécuniaire est une garantie contre l'immigration des pauvres. Les candidats doivent même recevoir l'agrément des autorités de la commune [44].

Immigration-sélection, pourrait-on dire. Qu'ils soient apothicaires, marchands, brasseurs, les immigrants peuvent être décrits comme économiquement prometteurs [45]. Un bon nombre tiendront toutes leurs promesses et compteront parmi les plus riches citoyens de Nördlingen.

Si les critères d'admission à la citoyenneté furent révisés à la baisse à la suite des ravages démographiques causés par la peste de 1634 [46], les patriciens n'ont jamais renoncé à voir les immigrants jouer un rôle économique moteur. De ce fait, leur richesse moyenne reste toujours supérieure à celle des citoyens d'origine [47].

Cette immigration s'inscrit en Allemagne dans une pratique ancienne : les « années de voyage » *(Wanderjahre)* ou les « années d'apprentissage » *(Lehrjahre)*. Ce système fait penser au nôtre, nos « tours de France des compagnons » ; mais à la différence du nôtre, il a favorisé des migrations non corporatistes, accoutumant les communautés à une mobilité non seulement géographique, mais sociale [48].

Ce phénomène paraît présenter une affinité avec l'organisation des sociétés protestantes ; on ne le voit pas se produire avec un égal succès économique dans des sociétés dominées par la Contre-Réforme [49].

Il faut retenir ce trait, bien qu'il ne soit pas possible, dans l'état actuel des recherches, de le généraliser : un comportement migratoire se manifeste en société protestante, associé à une réussite économique et culturelle.

Migration et innovation

L'émigration n'est pas un fait démographique à une seule dimension. Elle entraîne, certes, un transfert important de population. Mais l'essentiel est sa composante qualitative. L'émigrant qualifié est un vecteur de développement technique, et même plus dynamique que le transfert technologique dont il est porteur : son rayonnement s'augmente de l'effort d'adaptation qu'il doit fournir. Il se met dans l'obligation d'inventer pour son propre compte une voie d'intégration.

Warren C. Scoville a conduit une réflexion féconde sur les rapports entre *Migrations des minorités et diffusion de la technologie* [50]. Elle porte surtout sur les origines du développement industriel, mais on peut en prolonger la réflexion sur d'autres périodes et d'autres lieux.

L'invention technique n'est rien sans la diffusion. Celle-ci peut se produire par rayonnement et imitation, ou encore grâce à des moyens efficaces de communication des connaissances. C'est de plus en plus le cas : les innovations s'appuient sur un corpus scientifique et technologique publié, transférable, reproductible.

En revanche, lorsque le savoir-faire est irréductible à ce type de transmission, seule peut lui servir de vecteur l'émigration d'artisans, d'entrepreneurs qualifiés, de techniciens. Ce fut le cas au moment où s'est constituée la culture industrielle. Encore aujourd'hui, on peut dire que c'est toujours le cas, quand la diffusion repose sur des modes d'organisation sociale ou industrielle, sur un savoir-être autant que sur un savoir-faire — bref, sur le facteur humain.

Par elle-même, la situation du migrant le contraint à déployer son pouvoir d'adaptation, à valoriser ses talents, ses ressources mentales, son courage. Le migrant est un entreprenant-né, un entreprenant obligé, un innovateur qui doit justifier sa nouvelle place au soleil.

L'immigrant a des comportements économiques variés : depuis l'intégration pure et simple à la structure économique et sociale d'accueil, jusqu'à la création, quasi *ex nihilo*, d'une structure économique et sociale originale. De ce dernier type, les anabaptistes et mennonites étudiés par Jean Seguy constituent un exemple remarquable : condamnés à vivre à l'écart, ils formeront, aux XVIIᵉ et XVIIIᵉ siècles, des communautés agricoles autarciques en pays de Montbéliard, avant d'émigrer à nouveau au XIXᵉ, cette fois vers les États-Unis, pour y reconstituer la même société rurale, aux performances « physiocratiques » élevées [51], mais sans capacité de diffusion.

Du point de vue de la diffusion de l'innovation, l'apport des immigrés est le plus fécond, quand ils recherchent et se voient offrir une relative intégration.

Au total, les migrations qui, à partir des guerres de religion, ont parcouru l'Europe du XVIᵉ au XVIIIᵉ siècle ont fourni un appoint décisif au renouvellement des pays d'accueil. Parce que l'émigration est une innovation géographique ; et que l'innovation est une émigration mentale.

QUATRIÈME PARTIE

REGARDS CONTEMPORAINS SUR LA DIVERGENCE

Chapitre 1

Regards sur les pays du Nord

À mesure que la chrétienté se disloque pour se recomposer en nations, il devient plus aisé de formuler des comparaisons. Encore faut-il en accepter les leçons. Jusque dans la manière de se comparer les unes aux autres, les nations latines et les nations de l'Europe septentrionale s'opposent.

Prenons garde de verser dans une interprétation déterministe et réductrice de ces regards croisés sur l'Europe. Et d'abord, mettons-nous à l'école des Temple, Davenant, Petty, Patin, Marshall, tous ces observateurs contemporains qui ont résolument adopté une vue comparatiste. Tandis que certains regards s'exercent à la comparaison, d'autres se complaisent dans la contemplation d'une image immobile, et ne viennent que tard à cet échange de vues si propice au développement. Vérité d'il y a trois siècles, vérité d'aujourd'hui.

William Petty a comparé la France aux Provinces-Unies. Avec une population 13 fois plus nombreuse (et une surface agricole utile 81 fois supérieure), la France n'est que trois fois plus riche que la République des Provinces-Unies [1]. C'est dire qu'en moyenne, la richesse de chaque Hollandais est plus de quatre fois supérieure à celle de chaque Français. Petty souligne l'incroyable divergence de développement entre France et Provinces-Unies.

« Il faut dire que, chez ces gens-là »

La Hollande est en effet un bon terrain pour éprouver la qualité du regard des contemporains. Ils sont nombreux à aller l'admirer. Ils y viennent aussi avec leurs préjugés.

Prenons le témoignage de quelques Français : Patin, célèbre médecin du Paris de Louis XIV ; Diderot ; Voltaire. Tous sont frappés par ce qu'ils constatent : la liberté, la tolérance, la prospérité générale, la vitalité du commerce. Mais quand on a perçu ces évidences, et on les perçoit par différence avec ce qui se passe chez soi, il reste à tenter de comprendre.

Pour Charles Patin, la liberté est comme inscrite dans les gènes des Hollandais : « À propos de cette liberté, c'est un bien que ces peuples se sont toujours conservé tout entier [2]. » On n'a, surenchérit Patin, jamais pu les « contraindre à recevoir les moindres conditions qui fussent un peu contraires à ce droit qui leur est naturel [3] ». Un droit qui leur est naturel : le jeu de mots est conscient. C'est une façon de dire que le « droit naturel » est plus naturel aux Hollandais qu'à tout autre peuple, et s'étend au-delà des libertés individuelles classiques, jusqu'à la liberté collective. Mais c'est une façon aussi d'en faire une curiosité ethnologique : la liberté est la grande affaire des « naturels » de ce pays-là... Voilà des gens à part.

Comme le rapportait déjà à Mazarin, en 1648, son ambassadeur en Hollande, le comte de Courson : « Le gain est la seule boussole qui conduit ces gens-ci [4]. » Pour un peu, on croirait entendre Jacques Brel : « Il faut dire que, chez ces gens-là... » Le ton du rapport est celui d'une aristocratique condescendance.

Un observateur léger : Diderot

Quant à Diderot, son *Voyage en Hollande* (publié longtemps après sa mort) relève plutôt du récit de mœurs que de l'enquête systématique. Il est surtout frappé par le fait que le bien-être et le confort s'étendent à l'ensemble de la population. « Bien qu'économe, le Hollandais ne se refuse point aux plaisirs de la vie [5]. » Et pour cause. Son rapport aux biens matériels n'est ni inhibé, ni irresponsable. C'est un rapport de responsabilité comptable : « Depuis le plus simple artisan jusqu'au plus riche négociant, *chacun compte avec soi-même* et sait ce qu'il peut sacrifier aux dépenses accidentelles du courant de l'année [6]. »

Diderot insiste sur la préoccupation utilitaire : « Dès le commencement, le génie s'est tourné vers le commerce, et l'on s'est plus occupé à amasser l'argent qu'à utiliser les lettres [7]. » Dans sa bouche, ce n'est pas forcément un compliment. Cette orientation du génie national vers le commerce façonne le pays entier : « L'ambition de la République est de s'enrichir et non de s'agrandir. Le Hollandais ne veut être que commerçant, et n'avoir de troupes que ce qu'il lui en faut pour garder sa frontière, et de marine qu'autant que le soutien et l'accroissement de son négoce en exigent [8]. » Le soutien et l'accroissement du commerce sont ainsi l'aune à laquelle les efforts politiques et militaires sont mesurés ; et non l'inverse, comme en France.

Un despote éclairé : l'intérêt

Derrière chaque notation, on sent la critique implicite du système français. Voilà une nation prospère et forte, et pourtant indifférente à l'élévation par les alliances et à l'illustration aristocratique : « C'est par le commerce que les grandes fortunes se font, rarement par des mariages. Ces fortunes durent plus qu'ailleurs, dans un pays où la noblesse et les dignités sont comptées pour rien, et où le négociant qui reçoit de sa famille cent mille florins s'occupe, non à s'élever ou s'illustrer, mais à doubler son capital par de l'industrie ou de l'économie [9]. »

Diderot retombe sur ce qui, en France, commence à faire figure d'idée reçue – l'anti-colbertisme : « Protégez l'industrie, mais gardez-vous de lui commander. Les règlements, les inspections, les prohibitions, les défenses, les ordonnances ne sont jamais sans inconvénients, lorsqu'il s'agit d'un objet aussi variable que le commerce. Il ne faut point de législation, là où la nature a constitué un despote attentif, juste, ferme, éclairé, qui récompense et qui punit toujours avec poids et mesure : l'intérêt [10]. » Une leçon majeure est bien comprise, mais la transposition à la France reste très... française. On avait trop réglementé. Il faut donc déréglementer. C'est encore une réponse de juriste.

Voltaire ou l'explication ethnique

Pour bien voir la Hollande, Voltaire est moins armé encore que Diderot. Quelles que soient les vertus qu'il reconnaît au commerce, il n'a pas rompu avec l'idéologie de Montaigne – qu'il admirait tant –, selon lequel « le profit de l'un est dommage de l'autre [11] ». Il écrira en effet, au mot *patrie*, dans le *Dictionnaire philosophique* : « Être bon patriote, c'est souhaiter que sa ville s'enrichisse par le commerce et soit puissante par les armes. Il est clair qu'un pays ne peut gagner sans qu'un autre perde, et qu'il ne peut vaincre sans faire des malheureux. Telle est la condition humaine, que souhaiter la grandeur de son pays, c'est souhaiter du mal à ses voisins [12]. » Toujours le fantasme du jeu à somme nulle.

Il semble que Voltaire a, sur ce point, manqué à son anglomanie coutumière. Il n'a pas entendu cette leçon de David Hume, qu'il a pourtant lu de près : « Comme sujet anglais, je fais des vœux pour voir fleurir le commerce de l'Allemagne, de l'Espagne, de l'Italie et de la France elle-même [13]. » Passer d'une vision antagonistique du commerce à la vision d'une coopération internationale dont chaque nation tirerait avantage, ce serait une véritable révolution mentale. Voltaire ne l'a pas faite.

Il n'en professe pas moins une admiration envers les nations qui excellent dans le commerce. D'un premier voyage à La Haye, il tire des impressions où l'éloge inconditionnel est étayé par quelques observations économiques ou politiques : « On ne voit ici que des prairies, des canaux et des arbres verts ; c'est un paradis terrestre depuis La Haye jusqu'à Amsterdam ; j'ai vu avec respect cette ville qui est le magasin de l'univers. Il y avait plus de mille vaisseaux dans le port. De cinq cent mille hommes qui habitent Amsterdam, il n'y en a pas un d'oisif, pas un pauvre, pas un petit-maître, pas un homme insolent. »

À vrai dire, ce n'est pas la pertinence de ces observations qui frappe le plus : c'est que tout soit rapporté à « l'esprit de la nation ». L'explication de la réussite est dans le mental.

Il en ira de même quand, voyageant en Angleterre, il écrit son admiration à ses correspondants. Bien avant les *Lettres anglaises*, Voltaire s'extasiait sur « l'esprit vigoureux de cette inexplicable nation [14] » ; ou plutôt, car l'anglomanie est si forte qu'il écrit en anglais à son correspondant français : « *the strong spirit of this unaccountable nation* [15] ». C'est bien en termes d' « esprit », de « pensées », de « caractère », que Voltaire raisonne sur la supériorité anglaise : « Vous verrez une nation fière de sa liberté, instruite, spirituelle, méprisant la vie et la mort, une nation de philosophes. La sagesse anglaise, l'honnêteté anglaise sont au-delà des vôtres [16]. »

L'inconvénient est naturellement de verser dans la tautologie, dans la causalité circulaire. L'explication par le mental risque d'aboutir à une sorte de déterminisme fataliste. Voltaire, comme Diderot, s'en est le plus souvent tenu là. La nation anglaise serait sage, libre, instruite, développée... de naissance. Il y a des ethnies comme ça.

Temple : premier théoricien de la divergence

Comme, entre la France et la Hollande, les différences sont majeures, les vues de Patin, de Diderot ou de Voltaire sur les Provinces-Unies se réduisent à une observation implicite par les contrastes, qui reste superficielle. Plus proches des Néerlandais dans leurs principes et leur pratique, les Anglais savent mieux regarder.

Parmi tant d'observateurs, voici l'un des plus lucides et des plus réfléchis, sir William Temple, ambassadeur de la Couronne britannique à La Haye. Ses *Remarques sur l'état des Provinces-Unies des Pays Bas, faites en l'an 1672* [17], présentent le tableau de leur éclatante prospérité. Sir William se pose, lui, la question de l'origine. Comment expliquer la performance hollandaise ? « Si nous disons que c'est l'*industrie* *, nous serons encore en peine de chercher la cause qui fait le peuple industrieux dans un pays, fainéant dans un autre. » D'emblée, Temple voit la divergence et récuse l'explication par le « génie spécifique ».

Il avance aussitôt une première hypothèse explicative : « La véritable origine et le fondement du commerce se trouvent en la quantité de peuple, serrée dans une petite étendue de pays, où

---

* Au sens, alors général, d'activité ingénieuse, celle qui fait un peuple *industrieux*, avant d'être *industriel*.

toutes les choses de la vie sont chères, et où toutes les personnes qui y ont des terres sont obligées de ménager, et ceux qui n'en ont point sont réduits au travail ou à l'*industrie*, à moins de manquer de tout. Ceux qui ont de la vigueur s'appliquent au travail, et ceux qui n'en ont point, en ayant recours aux inventions et à l'adresse [...] réparent ce défaut par l'*industrie*, jusqu'à ce qu'elle [...] devienne comme naturelle au pays [18]. »

C'est, fort bien dite, l'explication par ce que nous appelons le « désavantage initial ». Temple ajoute une dimension historique. À l'origine, il y a le défi. Mais une fois qu'on l'a relevé, une fois que l'« industrie » a gagné, qu'est-ce qui fait subsister l'esprit d'activité ? Suffit-il de parler de « seconde nature » ?

Non. Temple a compris que le développement n'est ni fatal, ni mécanique, ni irréversible. Il voudrait expliquer non seulement l'émergence, mais aussi « la décadence ou la dissipation du commerce à Tyr, à Carthage, Athènes, Syracuse, Rhodes, Venise [19]... » Ces peuples aussi avaient relevé un défi, créé leur propre fortune – et ils ont connu la décadence. Le développement n'est pas devenu chez eux une seconde nature. Pourquoi ? William Temple donne une interprétation institutionnelle : « Conquises ou assujetties à une souveraineté absolue [20] », ces villes ont vu péricliter leur commerce, et tourner leur esprit d'entreprise en résignation passive et routinière.

Inversement, Temple découvre « ce qui a planté et cultivé l'industrie parmi eux » : la *confiance* publique et particulière, dans la Constitution, les ordres établis dans l'État, etc. La banque, les taux d'intérêts bas, la garantie contre les délits commerciaux : tout cela découle de la confiance.

Temple insiste sur le goût du profit : l'appétit de posséder, auquel se joint, par un paradoxe fécond, une grande frugalité. Il démontre que la grandeur des Provinces-Unies procède de leur commerce, et celui-ci « de leur religion, leur manière de vivre et leur humeur, la situation de leur pays et la forme de leur gouvernement [21] ».

Il n'y a pas *une* cause, mais *un ensemble cohérent de comportements individuels et collectifs*. Il n'y a pas une « nature » hollandaise, mais il y a un modèle complexe, où tous les éléments se répondent pour entretenir le dynamisme de cette société. Il est frappant de voir cette réflexion, que nous pouvons bien dire « éthologique », éclairer si vivement la réalité hollandaise.

Le pragmatisme moral des Allemands

Suivons en Allemagne, en 1669, l'excellent docteur Patin [22]. Dans « les Allemagnes » plutôt, depuis toujours politiquement diverses et désormais partagées entre États catholiques et luthériens. Une génération après la guerre de Trente Ans, la première impression qui frappe Patin, paradoxalement, est celle d'une certaine homogénéité : « Dans ce que j'ai observé de la *morale des Allemands*, je les estime autant religieux qu'aucun autre peuple ; et quoique la religion y soit divisée, le dessein de bien faire et l'espérance de la vie éternelle y sont égaux dans chaque partie [23]... »

Selon Patin, la division confessionnelle ne semble pas altérer le fondement moral des Allemands. Mieux même : « Au reste, la distinction des religions n'embarrasse point le commerce : elle ne produit point d'altération parmi le peuple, qui ne mêle rien de ce différend dans les autres affaires [24]. » Il laisse entendre qu'un certain relativisme religieux, par épuisement après tant de luttes, crée autour de l'activité commerciale un espace d'autonomie.

Le commerce ne souffre pas de la « distinction des religions ». Au reste, les Allemands partagent la même morale : elle aussi semble avoir gagné en autonomie, du fait de la « distinction » religieuse. Écoutons le portrait moral qu'ébauche Patin des Allemands : « Ils ont plus d'esprit que d'imagination, plus de jugement que de délicatesse. Leur solidité, quoiqu'un peu terrestre, est d'un usage merveilleux [25]. »

Même pragmatisme et même proximité dans les domaines politique et juridique : les finesses sont abandonnées à la Cour de France, au profit de la *solidité*. « Leur politique n'est pas la plus fine, elle ne va pas à faire des héros et des conquérants, mais elle est solide et constante. Les juges y sont des hommes et non pas des demi-dieux comme chez nous [26]. » Voilà opposées la « solidité » terrestre et la divinisation du pouvoir sous le Roi-Soleil.

Toutefois, à l'intérieur de cette « solide richesse » allemande, Patin signale des différences. Elles concernent moins la richesse elle-même que sa distribution. Dans la catholique Bavière, « les richesses ne sont pas partagées, on ne les trouve qu'à la Cour et dans le clergé ; tout ce qui est au-dessous n'y a point de part [27] ». « Les gentilshommes, les prêtres et les moines y sont opulents, et les paysans y languissent [28]. » Patin esquisse, en bon courtisan, un nouveau parallèle à l'avantage du duc de Wurtemberg : « Il n'en est pas de même chez Vous, Monseigneur. Les paysans de Wurtemberg n'ont pas seulement le nécessaire, mais le commode, jusqu'aux douceurs de la vie [29]. »

Les observations de Charles Patin suggèrent :

1. Que la diversité des religions est bénéfique à l'ensemble de l'Allemagne, malgré le péril politique et social qu'elle lui a fait naguère courir. La vanité de la compétition religieuse l'a ramenée à une sagesse plus *solide*. La vie économique a conquis son autonomie par rapport à la religion.

2. À l'intérieur de ce bénéfice global, apparaissent des divergences qui recoupent la divergence catholiques/Réformés – c'est

le cas de la riche mais trop inégale Bavière et du Wurtemberg luthérien, plus également prospère.

Une affaire de longue haleine

Franchissons la Baltique – et un siècle. Joseph Marshall, voyageur anglais, fait du peuple suédois, au volume III de ses *Voyages*, un tableau avantageux. « Ils sont très patients, capables, lorsque le gouvernement les encourage convenablement, de grands progrès dans les arts [30], les sciences, les manufactures et le commerce. »

À quoi Joseph Marshall ajoute : « Dans le respect de la religion, ils sont guidés par le bon sens ; ils ne sont pas empestés de sectes malveillantes, pas plus qu'ils ne sont violents dans la pratique de la foi établie [31]. » On comprend que Descartes – apôtre du bon sens, à sa façon – ait fini, après avoir séjourné et publié en Hollande, par élire comme domicile la Suède, cédant aux instances de la très éclairée reine Christine. Sans doute, un siècle et demi après Descartes, « une grande partie du royaume est-elle encore plongée dans l'ignorance ». Cependant, nous confie Marshall, « j'y ai observé moins de signes de superstition que dans aucun pays où j'aie été, la Hollande et l'Angleterre seules exceptées [32] ».

Aussi bien, cette ignorance est une terre vierge où l'on peut semer, à l'instar de Charles de Linné, le bon grain du progrès. Rencontrant le célèbre naturaliste, Joseph Marshall apprend de lui comment la situation de dépendance céréalière de la Suède vis-à-vis de ses voisins a pu être progressivement réduite, voire inversée [33].

Il s'instruit auprès du baron Mistler des progrès de l'autonomie manufacturière de la Suède. Le but étant, selon les propres paroles de son informateur, « de permettre aux gens de produire pour eux-mêmes [34] ». Toutefois, ce volontarisme manufacturier laisse Marshall sceptique : « C'est une affaire de plus longue haleine, de transformer un peuple en une nation manufacturière [35]. »

Une « nation manufacturière » – c'est la première fois que nous rencontrons l'expression ; nous sommes aux deux tiers du XVIIIe siècle, lequel s'achèvera sans qu'elle soit devenue très courante. Même en Angleterre, le négoce cache l'industrie. Mais déjà, Marshall l'a bien compris : ce n'est pas par volontarisme étatique qu'on devient une « nation manufacturière » – c'est une « affaire de longue haleine » ; car, justement, il ne s'agit pas de créer des manufactures, mais de « transformer un peuple ».

Ce trait de lucidité touche la cible au centre. Chacun à sa façon, tous nos témoins voient juste. Ce ne sont pas des philosophes systématiques ; et nous ne prétendons pas à mettre un ordre artificiel dans leurs observations sur le vif. Mais il semble bien s'en dégager quelque chose de commun.

Tous identifient clairement le facteur humain. Ils en dissertent avec plus ou moins de finesse et de pertinence – mais ils parlent tous en humanistes de ce que nous appelons « développement ». L'auteur de ces réussites, c'est l'homme – l'homme politique, religieux, moral, mais l'homme enfin.

Chapitre 2

Regards sur l'Espagne

La comparaison entre les nations européennes fait apparaître l'importance du système de valeurs qui les inspire. Elle révèle une distorsion, qui nous permet d'opposer la *société de confiance,* où sont exaltées, dans le respect de l'individu, l'initiative privée, la libre entreprise et la compétition novatrice, à la *société de défiance,* è où elles sont étouffées.

Le conseil de défiance

Défiance. Le terme est-il trop fort, ou mal choisi ? On le trouve néanmoins en bonne place dans l'*Idée d'un prince chrétien*, de 1640, par Saavedra Fajardo [1]. Une suite de tableaux allégoriques déclinent cette « idée » : chacun a sa légende. Relevons celle-ci : « Rien de meilleur ni de plus utile aux mortels, qu'une prudente défiance. Elle est gardienne de la vie et des biens de fortune *. »

Le conseil n'est pas nouveau. On le trouve dans les instructions de Charles Quint au futur Philippe II. Mettant son fils en garde contre « les factions et les rivalités qui opposent les hommes à [son] service », l'empereur lâche : « Ne donnez votre confiance à personne. » L'exception à moitié faite pour le cardinal de Tolède confirme la règle : « Il agira avec humilité et sainteté ; respectez-le ; faites-lui confiance sur les questions de vertu ; il sera de bon conseil. Mais, pour le reste, ne vous en remettez jamais à lui seul, pas plus qu'à personne d'autre » (Palamos, 6 mai 1543). Au lieu d'être guidé par la confiance, le royaume d'Espagne sera téléguidé par la défiance.

La défiance érigée en maxime de gouvernement : voilà qui vaut aussi pour la France. Cela n'échappera pas à Fénelon. « Ceux qui vous ont élevé, écrivait-il à Louis XIV en 1659, ne vous ont donné

---

* *Nihil melius utiliusque mortalibus prudens diffidentia. Vitae fortunarumque custodia est.*

pour science de gouverner que la *défiance*. » Résultat : « Vous avez tout entre vos mains, et personne ne peut plus vivre que de vos dons [2]. » Corollaire : les intendants du royaume, qui ne relèvent que du roi, imposent des contraintes intolérables. « Il n'y a plus ni *confiance*, ni crainte de l'autorité : chacun ne cherche qu'à éluder les règles [3]. »

Évoquons quelques témoins de ce royaume de la défiance qu'est l'Espagne.

L'épouse parfaite

Nous avons décrit le déclin ibérique et ses facteurs d'inhibition économique : répression religieuse, inquisition, mépris du travail, fermeture et intolérance sociale, politique guerrière. Nous évoquions en passant l'œuvre du frère Luis de Leon, ainsi que le récit de voyage de Barthélemy Joly. Il faut examiner de plus près ces témoignages.

Le premier nous renseigne sur l'idéal d'économie domestique prôné par un religieux. Cet idéal atteste un repli spectaculaire par rapport à l'avancée du Siècle d'or espagnol, et propose une hiérarchie des valeurs inhibitrice.

En publiant en 1600 *La Perfecta casada – L'Épouse parfaite –*, frère Luis de Leon rend au terme d'*économie* son sens premier de gestion des biens domestiques *. Il proclame que « le premier devoir d'une bonne épouse est de faire naître une grande *confiance* dans le cœur de son mari [4] ». Pierre dans le jardin de notre thèse ? L'Espagne aurait-elle eu ses prédicateurs de la confiance ? Regardons-y de plus près, avec notre auteur : « Qu'est-ce donc que cette *confiance* dont parle l'Esprit Saint ? »

Car c'est dans une exégèse du livre des *Proverbes* que frère Luis de Leon cherche les lois de l'économie. Il y trouve une clarification des revenus selon leur origine, qui en établit la hiérarchie morale : « Les hommes tirent leurs revenus et leur subsistance soit de la culture de la terre, soit du trafic ou du commerce avec les autres hommes. Le laboureur obtient de son travail un revenu bien et purement acquis, car il lui vient de la nature ; ses propres mains le nourrissent, sans qu'il lui soit besoin de faire tort ni de porter préjudice à personne, sans qu'il lui faille faire violence ou dommage à qui que ce soit [5]. »

Ce qui, à l'inverse, on s'en doute, est le cas du « commerce avec les autres hommes » : « L'autre moyen de revenus consiste à s'enrichir des richesses des autres, soit en les obtenant de la libre volonté de ceux qui les possèdent, comme font les marchands, soit

---

* *Oïkos* en grec, comme *domus* en latin, c'est le foyer, la maison ; cf. *L'Économique* de Xénophon.

en les arrachant par force et sans que les possesseurs y consentent, à la guerre, par exemple [6]. »

La guerre est le nerf du commerce

L'amalgame entre le commerce et la guerre est assez frappant : « La plupart du temps, l'injustice et la force y interviennent de quelque côté, et d'ordinaire, les personnes sur lesquelles on a fait quelque gain cèdent avec peine et douleur ce qu'on a obtenu d'elles [7]. » L'échange est par nature inégal, injuste et douloureux. « On peut donc avec raison appeler dépouilles les richesses que l'on gagne de cette dernière façon : puisque souvent, tandis qu'un marchand agrandit sa fortune, celui avec lequel il traite voit diminuer la sienne et s'en trouve *dépouillé*, aussi tristement que si la guerre avait ravagé son héritage [8]. » La guerre est le nerf du commerce.

Nous voilà de nouveau en présence de ce trait tenace de la mentalité anti-économique : l'économie serait un *jeu à somme nulle*, où, comme dit Montaigne, « le profit de l'un est dommage de l'autre [9] ». Certes, on ne peut nier les escroqueries commerciales, l'extorsion violente que provoquent les monopoles. C'est ce dont Luis de Leon s'autorise pour condamner en bloc l'activité marchande.

« Dépouilles » : le mot n'est pas utilisé au hasard. Car Luis de Leon a dans l'esprit le verset des *Proverbes* : « *L'époux de la femme forte ne manquera pas de dépouilles* [10] » ; c'est-à-dire, n'aura pas à se mettre en peine d'acquérir des richesses par le commerce ou le travail manufacturier.

« L'Esprit Saint dit que la femme mariée doit d'abord inspirer la sécurité au cœur de son mari, afin que, ayant mis en elle sa *confiance*, il n'ait pas besoin, pour voir l'abondance régner en sa maison, de traverser les mers, de chercher la fortune dans les combats, de prêter son argent à usure, et de se mêler de trafics injustes et honteux ; mais qu'*il lui suffise*, pour vivre dans une aisance modeste, *de faire valoir l'héritage de ses pères, d'en recueillir les revenus* [11]... »

Voilà une « *confiance* » bien différente de celle que nous avons relevée dans les sociétés ouvertes à l'économie moderne. Elle ne s'appuie que sur la recherche d'une frileuse sécurité. Tout se passe comme si l'on voulait exorciser tout esprit de découverte ou d'aventure ; avant même d'être parti, il faudrait s'en retourner « vivre entre ses parents le reste de son âge ».

Mieux vaut rentier que marchand

Il s'agit bien de choisir entre des « manières de vivre » : « Il y a en ce monde trois manières de vivre : les uns labourent la terre ;

d'autres font le commerce ou exercent quelque métier ; d'autres enfin afferment leurs propriétés, et vivent dans le repos du produit de leurs biens [12]. » Entre les deux premières, le choix est déjà fait. Reste la troisième, celle des rentiers du sol : « Quant à ceux qui vivent de leur revenu, lorsque ces revenus sont assurés et proviennent de biens légitimement possédés, on peut dire, à ce point de vue, que leur manière de vivre est bonne [13]. »

L'oisiveté n'est pas, en elle-même, un mal. Mais elle est aussi la mère des vices. C'est à ce titre extrinsèque que frère Luis, tout bien pesé, place la vie de rentier à un moindre niveau que la vie de laboureur. C'est la considération du salut, et non les conséquences économiques de l'immobilisation du capital foncier, qui sert de critère.

Aussi peut-on s'étonner de voir Luis de Leon entonner quelques pages plus loin le panégyrique de l'abondance marchande : « La femme forte est semblable à un navire de commerce où règne la richesse. Le marchand sillonne les mers en tous sens, aborde en maint pays, il recueille les produits les plus précieux de chaque contrée, puis il les rapporte dans sa patrie, où leur valeur se double et se triple [14]. » Luis de Leon admire la profusion des « soieries, pierres précieuses, raretés de tout genre [15] ».

Alors, le marchand serait-il réhabilité ? Qu'on se détrompe. L'évocation ne valait que pour la métaphore : « Ainsi, poursuit Luis de Leon, la bonne ménagère visite toutes les parties de sa maison, elle ne laisse rien perdre, et sait tirer de tout utilité et profit [16]. » Ses voyages se bornent là. Caravelles, épices et brocarts ne doivent pas être cherchés dans le commerce, mais dans l'économie domestique. Frère Luis voit grand – mais dans les petites choses.

Les étonnements de l'aumônier d'Henri IV

En 1603, trois ans après *La Perfecta Casada*, Barthélemy Joly, conseiller et aumônier d'Henri IV, fait un voyage en Espagne. Le récit qu'il en donne constitue un témoignage précieux – qui permet d'équilibrer l'impression un peu irréelle des pieuses injonctions de Luis de Leon [17]. Ce n'est pas une réflexion en forme ; plutôt, une série de choses vues.

Voici le peuple d'Alcanes, « assemblé par les rues, comme si le roi y eût dû passer, nous suivant et demeurant devant notre logis jusqu'à la nuit ; partout ils en font de même, *vivant en loisir et fainéantise*, ne s'adonnant à *aucune œuvre manuelle, ni à aucune science*, si ce n'est de vieilles histoires de leurs romans * ». Peuple spectateur, qui « s'entretient de nouvelles ou de badineries [18] ».

Il s'étonne que les nobles soient plus protégés encore qu'en

---

* Observation remarquable, si l'on songe que *Don Quichotte* ne sera publié qu'en 1605.

France, particulièrement contre le désordre de leurs affaires et l'irresponsabilité de leur conduite : « Tous également ont ce privilège de ne pouvoir être mis en prison pour dettes [19]. »

Il croise l'Inquisition, soulignant à plusieurs reprises son rôle social et économique. Il montre les inquisiteurs, « fort redoutés et honorés d'un chacun et du roi même [20] ». Il dresse la liste des crimes qu'ils pourchassent et critique cet amalgame [21], où l'engagement dans les obligations marchandes ou financières est réprimé, au même titre que la sorcellerie ou la sodomie.

Il évoque aussi la condition servile des Mores : « Tenus comme serfs par les seigneurs auxquels ils sont serviables cruellement, doivent le travail de leur journée, la poule, l'œuf et autres vivres pour le quart du prix ordinaire, payant des terres que l'on leur loue quasi tout le revenu. » Il dénonce la complicité de l'Inquisition : « Les seigneurs les supportent pour le grand profit qu'ils en retirent, et l'Inquisition dissimule et relâche de son ordinaire rigueur [22]. »

Sous le velours, provision de poux

Alors que les récits de voyages et les témoignages sur la Hollande se plaisent à souligner la modestie du train de vie de ses habitants, l'impression de Barthélemy Joly en Espagne est opposée. Il souligne l'affectation, la vanité, le goût immodéré de l'apparat : « Ils affectent tant la parure d'habillement, qu'il n'y a homme de métier qui ne porte le velours aux fêtes [23]. » Et Joly de se moquer des Espagnols, rutilants au dehors et pouilleux au dedans : « Il n'y a personne mal vêtu et qui ne soit accommodé de collets bien tirés à roues et à grandes fraises, dont ils ont non seulement plus que de chemises, n'en ayant bien souvent sous leur velours quand la leur est à la lessive, de sorte qu'ils ont bonne provision de poux [24]. »

Résultat : « le peu d'industrie que le peuple démontre en tous les arts mécaniques qu'il exerce » – « indice de peu d'esprit », ajoute-t-il [25]. Défaut d'industrie, défaut d'invention : « Bref, en toutes sortes de sciences, inventions, et en la pratique de tous arts et œuvres manuelles, nos ouvriers passent de bien loin les leurs, n'y ayant aucune machine ou œuvre en Espagne qui soit de leur invention et qui ne soit de la nôtre [26]. »

Le témoignage de Joly est amplement corroboré, quelque soixante ans plus tard, par l'anonyme [27] *Voyage d'Espagne, curieux, historique et politique, fait en l'année 1665* : « Il faut que je remarque que cette stérilité et cette disette dont on accuse l'Espagne ne viennent pas tant de sa faute que de celle de ses habitants. S'ils avaient un peu plus d'industrie *, et si au lieu de se nourrir de fumée auprès de leurs misérables foyers, ils cultivaient un peu

---

* D'invention, de débrouillardise.

mieux la terre, *et ne méprisaient pas* de s'adonner aux *arts mécaniques*, elle leur serait une libérale mère [28]. » Autrement dit, la prospérité, le développement, sont affaire de *culture*.

Le repli ibérique des XVIe-XVIIe siècles – qui devait se prolonger jusqu'à nos jours – se fait dans l'honneur ; mais dans un honneur stérile. C'est un repli avant tout mental : et c'est bien ainsi qu'il est compris par les contemporains. Il est intéressant que des Français aient *vu* ces traits : ils les percevaient comme des différences.

L'Anglais Davenant, *a fortiori*, les voyait du même œil. Méditant sur l'exemple espagnol, il s'interroge dans les *Discours sur les revenus publics et sur le commerce anglais* (1698), sur le véritable « capital » : il est humain, et non métallique. « Le travail et la capacité à accroître les avantages du sol et de la situation sont pour un peuple de plus authentiques richesses que la possession de mines d'or et d'argent ; dont l'Espagne est un exemple assez convaincant : ses sujets sont pauvres, son gouvernement impuissant, malgré toute la richesse des Indes occidentales [29]. » *La richesse ne découle pas des ressources, mais de l'habileté à les exploiter.*

Le déclin espagnol s'explique par une inclination à la nonchalance, qui inhiba tout réinvestissement des rentrées d'or sous Philippe II : « Le tempérament paresseux (qui est devenu une nature invétérée chez les Espagnols) s'empara d'eux sans aucun doute avec l'afflux d'argent apporté dans leur pays sous le règne de Philippe II ; faisant fond sur lui, ils négligèrent les techniques, le travail, les manufactures [30]. » Plus loin, Davenant citera encore la vertu d'*énergie* ou de *courage,* sans laquelle « aucun avantage naturel ne saurait profiter ».

Le point de vue d'un Juif portugais

Anglais, Davenant a beau jeu d'analyser le déclin ibérique. Mais n'y a-t-il eu personne dans la péninsule pour le voir et en chercher les causes ? Si, bien sûr ; mais toujours d'une façon réductrice. Amzalak [31] a étudié la pensée économique portugaise ; ses conclusions valent pour l'Espagne. L'explication monétariste détient le quasi-monopole de l'interprétation de cette décadence par ses contemporains. Plutôt que de *pensée* économique, on est fondé à parler d'une *doctrine* économique ; elle est figée et n'émane pas des praticiens.

L'exception qui confirme la règle est Duarte Gomez Solis (1580-1640). Il est vrai qu'il est juif et homme d'affaires ; il prêche la tolérance ; il appartient à un autre univers éthologique. Il est informé aussi, voyageant entre Lisbonne et le Brésil. Importateur de cannelle, armateur, financier (il prête aux gouverneurs de Goa), Duarte Gomez Solis se fixe vers 1600 à Madrid. Il y écrit un mémoire sur *Les causes et les remèdes de la décadence de l'Es-*

pagne et du Portugal [32] (les deux royaumes sont alors confondus), et l'adresse au duc de Lerma, favori du roi.

Il dénonce le « mépris des activités productives [33] », qui explique l'infériorité commerciale et industrielle de la péninsule ibérique. Plutôt que d'importer des produits, demande-t-il, faisons venir les hommes qui sauront les produire sur place. Priorité à la formation pratique : « Que les universités donnent plus d'importance aux arts pratiques, au commerce et à la médecine [34]. »

Cette réforme de la formation intellectuelle irait de pair, selon lui, avec un progrès de la tolérance et un recul du parasitisme social : « Que disparaisse complètement la ségrégation entre vieux chrétiens et nouveaux chrétiens ; et que l'on réduise le nombre des bureaucrates, des clercs et des courtisans [35]. »

Nul n'est prophète en son pays. Pour un Duarte Gomez Solis, combien d'autres [36] se contenteront de fustiger les sorties d'or ou les dépenses somptuaires, sans interroger les mobiles de la démobilisation industrielle, les motifs de la démotivation commerciale ?

Forbonnais nous en a déjà livré quelques-uns *. Regardons-le démonter le mécanisme fiscal de la défiance, habilement dissimulée sous les traits de l'égalité : « Dans le vœu général pour l'établissement d'un impôt unique, on a cru remédier à tous les inconvénients en se proposant une taxe tarifée et proportionnelle à la fois. C'est, sous un autre nom, ramener l'imposition arbitraire, d'autant plus dure qu'elle sera revêtue d'une forme plus équitable en apparence, et qu'il n'y aura point de recours contre elle. Les intendants ne pourront statuer que sur les rapports faits aux juges des divers districts, et ces rapports seront faits par des habitants chargés de la collecte de leur paroisse. Les haines, ainsi que les amitiés, enfin toutes les passions joueront régulièrement leur rôle. On supposera un commerce à tel qui n'en a point fait, un gain à celui qui a perdu. Les sollicitations ne perdront rien de leur vieille influence, et *la défiance continuelle dans laquelle vivront les sujets, prescrivant les bornes étroites à leur consommation, la masse du travail diminuera, une partie du peuple perdra conséquemment les moyens de s'occuper comme auparavant, et l'État ses ressources.* » Admirable tableau des effets pervers d'une société de défiance, dont la fiscalité, « sous prétexte de perfectionner la proportion des répartitions, dégénère en inquisition ». Forbonnais ne l'entend pas de cette oreille : « *Le grand mobile d'un État doit être la confiance,* et jamais la circulation des monnaies n'est aussi abondante que lorsque nulle espèce d'intérêt ne porte les hommes à cacher leurs prospérités ou leur industrie [37]. »

Leçon pour tous les temps.

---

* Cf. supra p. 145.

Chapitre 3

L'exaltation du marchand

À défaut d'indicateurs précis et de données homogènes concernant le développement des échanges, on dispose, pour l'Europe classique, d'un baromètre de la mentalité économique : c'est la *réputation* du marchand. Là où la divergence est positive, nous voyons d'emblée s'exprimer une exaltation du marchand. Mun, Witt, Montesquieu, Gournay, Turgot illustrent l'importance reconnue à un « esprit du commerce ».

« *Tu seras marchand, mon fils !* »

Thomas Mun, dans *England's treasure by foreign trade* [1] (1664), met au jour un lien étroit entre mentalités et vie économique. Il adresse ses maximes à son fils – pour lequel il n'a pas de plus haute ambition que de le voir devenir marchand. Il ne s'agit pas d'une « connaissance des devoirs qui doivent être accomplis pour les autres », mais bien de « la pratique qualifiée de ce qui est fait par nous-mêmes » : *Do it by yourself.* « Être marchands, c'est notre affaire, c'est notre vocation. »

L'humaniste pratique, l'encyclopédiste avant la lettre, c'est, au XVIIᵉ siècle, le marchand. Pourtant, Mun laisse percer quelque amertume. Il déplore, avec une injustice pour son pays qui ne traduit que son exigence, « que beaucoup de marchands, en Angleterre, se sentant moins estimés que ce que requiert leur noble vocation, ne travaillent pas à en atteindre l'excellence... ». Mun corrige ainsi l'image d'Épinal d'une *Noblesse commerçante*, galvaudée par Daniel Defoe, Voltaire, ou l'abbé Coyer, qui en fait le titre d'un ouvrage paru à Londres en 1756 [2].

Les délices de Capoue guettent le marchand. La tentation de Venise, en quelque sorte : échanger l'air du grand large pour la splendeur stagnante du Lido. À l'inverse, le commerce hollandais représente pour Mun le modèle indépassable de la mentalité industrieuse.

Comment, dépourvue de tout, la Hollande est-elle devenue le

« magasin de l'univers » ? Parce que « la véritable valeur du commerce extérieur », c'est d'être « l'honneur du royaume, la noble profession du marchand, l'école de nos métiers, la satisfaction de nos besoins, l'emploi de nos pauvres [3] ».

Le développement économique, avant d'être un taux de croissance, est un choix de valeurs. Loi d'hier, règle de toujours.

Laffemas ou la louange ambiguë

Contrastons cette vision anglaise avec une vue française, d'un bon demi-siècle antérieure certes, mais c'est moins la différence des temps que l'éloignement des mentalités qui commande ici. D'autant que notre témoin se pose en expert et ami du commerce : il s'agit de Barthélemy de Laffemas [4].

Il est bien difficile de définir l'attitude préconisée par celui qui fut le contrôleur général du commerce d'Henri IV après avoir été son tailleur – et qui était devenu tailleur parce qu'il n'avait pas les moyens financiers de soutenir son état de noble. Irrité du mépris dans lequel est tenu le commerce, Laffemas se fait le champion de « l'établissement du commerce » (nous dirions : sa *dignité*), cause pour laquelle il se dit prêt à renoncer à « son état de contrôleur ». Mais, pour une offre « libérale », combien de déclarations où le souci de bien faire dégénère en souci de tout faire ?

L'intention de Laffemas est excellente. Qu'on en juge par le titre d'un autre texte de lui : *Les discours d'une liberté générale, et vie heureuse pour le bien du peuple*, dont le propos est de « chasser la fainéantise, employer et faire vivre les pauvres, ramener les trésors dissipés à faute de police aux Français [5] ».

Rétablir le commerce, c'est pour Laffemas instaurer un contrôle et une « police » (disons : une *politique*, un mode de gestion), par lesquels il prétend unifier et alléger la fiscalité des marchands [6].

Dans le mercantilisme de Laffemas, la jalousie commerciale n'entre-t-elle pas pour une trop large part ? Cette jalousie est-elle émulation féconde, ou repli frileux sur une fiscalité forte et un centralisme peu propice aux échanges ? C'est ainsi que Laffemas agrémente ses discours de quatrains :

> *Peuples, il faut surtout reconnaître son prince*
> *Et lui payer beaux droits, pour le rendre plus fort :*
> *C'est le moyen français du roi d'avoir support*
> *Contre les étrangers qui gâtent la province [7].*

Nous sommes loin de l'exaltation du marchand. Cette maxime d'économie politique est-elle propre à promouvoir la « liberté générale », la « vie heureuse pour le bien du peuple » ? Sa spécificité française devait trouver en Colbert le plus fervent écho...

République et commerce selon Jean de Witt

Il faut franchir une frontière à nouveau, passer en Hollande, pour rencontrer une réflexion dépourvue d'ambiguïté sur la dignité du commerce – et qui rompe le lien classique entre le politique et l'économique. Elle est le fait de Jean de Witt [8].

Nous avons relevé plus haut son fervent républicanisme. Si la forme du gouvernement lui importe tant, n'y a-t-il pas paradoxe à voir en lui un tenant de l'autonomie de l'économique par rapport au politique ? Et pourtant...

Notre auteur n'en reste pas à l'approche par trop idéologique qui lui fait croire à une harmonie préétablie entre république et commerce. Il se fait sociologue, en effet. Il observe, d'un regard très concret, la séparation du pouvoir politique et du pouvoir commercial – lors même que ces pouvoirs sont exercés par les mêmes personnes. « Il faut donc remarquer que les régents et les magistrats des Républiques ont très peu d'appointements de leurs emplois, et sont ordinairement partagés * d'un médiocre bien, ne pouvant s'enrichir avec le bien public ; ce qui les *contraint* de chercher d'autres voies, par le commerce ou autres moyens, pour faire subsister leurs familles, comme dans les républiques de Venise, Gênes, Raguse, Lucques et autres [9]. »

Point de parasitisme, donc point de clientélisme, comme dans la France de l'Ancien Régime ou dans les pays du Sud de l'Europe. En revanche, l'activité économique n'est nullement interdite aux détenteurs du pouvoir, bien au contraire : « Il est certain que beaucoup de régents de la Hollande se soutiennent par le commerce, les manufactures, la pêche et la navigation. »

C'est toute une organisation sociale qui est ici en jeu. Elle est résolument étrangère d'esprit à la monarchie française, obsédée par la dérogeance commerciale, financière ou industrielle. En effet, « quand même ils [les régents] auraient assez de bien pour pouvoir subsister de leurs rentes, comme il n'y a point de couvents parmi nous, ni de bénéfices d'Église, les appointements des ministres ** étant si petits, que les gens chargés de famille ne trouvent aucun soulagement par là, tellement que les descendants de ces riches familles se voient toujours obligés d'avoir recours au commerce. »

La République hollandaise met ses responsables *dans l'obligation* d'une activité économique, sans que puisse s'ensuivre un mélange des attributions ni des ressources. Pouvoirs séparés, mais circulation des hommes : il y a convergence, sans confusion ni concussion. La séparation du pouvoir économique et du pouvoir politique produit,

---

* Ont en partage, sont détenteurs.
** Les ministres du culte calviniste, les pasteurs.

et c'est le paradoxe, un puissant et vital *intérêt,* l'on pourrait presque dire un intéressement, du pouvoir politique à l'efficacité du pouvoir économique.

À ce système, Jean de Witt oppose l'écrasement fiscal * des régimes monarchiques, nécessité par « l'entretien d'une Cour », la méfiance du pouvoir envers les « grosses villes », le poids moral et financier de la surveillance militaire, les vicissitudes et velléités d'un gouvernement « abandonné aux favoris et aux courtisans ».

Jean de Witt poursuit alors son raisonnement : « Les souverains qui régneraient en Hollande ne seraient point intéressés dans la pêche, le commerce, les manufactures et la navigation [10]. » Quant aux « favoris de la Cour », ils ne manqueraient pas de préférer « les grands et honorables emplois » dont le prince dispose, « au gain incertain du commerce et de la navigation [11] ». Il oppose ainsi deux mentalités – celle de la sécurité courtisane et bureaucratique, à celle du profit et du risque personnel.

Il surenchérit : « Quand même les favoris de la Cour seraient intéressés dans le commerce et la navigation, il est certain qu'ils feraient des règlements conformes à leur propre intérêt [12]. » L'intérêt dans le commerce et la navigation n'est donc un facteur de développement et de modernité, que pour autant qu'il est partagé entre des partenaires concurrentiels ; alors que s'il est confisqué par la puissance publique, il est soustrait par le monopole aux bénéfices de la concurrence.

Les tensions et révolutions politiques de la Hollande ont poussé Jean de Witt à radicaliser sa réflexion. Il a fini par poser la question la plus difficile et la plus pertinente : comment faire en sorte que l'État s'intéresse à l'économie, non pour se la soumettre, mais pour se mettre à la disposition d'elle ? Pour la servir, et non l'asservir en se servant ? Au lieu de marchés publics qui gangrènent le développement commercial, un esprit public qui place l'intérêt marchand au premier rang... Question, aujourd'hui encore, brûlante d'actualité.

De L'Esprit des lois *à l'esprit du commerce*

Montesquieu est le premier analyste des sociétés à les envisager aussi sous l'angle du commerce : il consacre deux parties entières [13] de son ouvrage aux « lois dans le rapport qu'elles ont avec le commerce » et s'interroge sur « l'esprit du commerce ».

L'interrogation découvre des correspondances plus que des déterminismes, des affinités plus que des causalités. Dans le commerce, Montesquieu décèle l'indice et le garant des « mœurs douces », de

---

* Cet « écrasement » doit être relativisé : on estime à 6 % du PNB la pression fiscale en France sous le règne de Louis XVI. À comparer à nos 45 %...

la paix. « C'est une règle presque générale, que partout où il y a des mœurs douces, il y a du commerce ; et que partout où il y a du commerce, il y a des mœurs douces [14]. »

Connaissance, comparaison, grands biens, tels sont les trois produits du commerce selon Montesquieu. « Le commerce a fait que la connaissance des mœurs de toutes les nations a pénétré partout : on les a comparées entre elles, et il en est résulté de grands biens. » Cette comparaison des mœurs des nations est bénéfique : elle se matérialise dans l'échange, que Montesquieu conçoit comme le résultat d'une négociation entre « deux nations [qui] se rendent réciproquement dépendantes : si l'une a intérêt d'acheter, l'autre a intérêt de vendre ; et toutes les unions sont fondées sur des besoins mutuels [15] ». C'est ainsi que « l'esprit du commerce unit les nations » ; ou encore : « l'effet naturel du commerce est de porter à la paix [16] ».

Telle est bien la double caractéristique du commerce : l'inter-dépendance des nations entre elles ; la dépendance réciproque, à l'intérieur d'une nation, des « mœurs douces » et du commerce.

Toutefois, cette idée de « commerce entre les nations » est assez étrange. C'est une vue de statisticien, ou de diplomate. Dans la réalité, ce sont normalement des particuliers, ou des sociétés, qui entretiennent des relations de commerce. Montesquieu semble se réfugier dans cette vision collective, qui lui permet d'invoquer l'utilité générale. Le commerce entre les particuliers ne lui paraît pas aussi honorable : il trouble les valeurs sur lesquelles doit se fonder une société. Dans « les pays où l'on n'est affecté que de l'esprit de commerce », comme la Hollande, « on trafique de toutes les actions humaines et de toutes les vertus morales : les plus petites choses, celles que l'humanité demande, s'y font ou s'y donnent pour de l'argent [17] ».

Derrière l'analyste admiratif des nations commerçantes, reparaît le grand robin français. C'est lui qui fait reproche à cet esprit de commerce de s'opposer « à ces vertus morales qui font qu'on ne discute pas toujours ses intérêts avec rigidité et qu'on peut les négliger pour ceux des autres [18] ». Mais Montesquieu ne serait pas Montesquieu s'il n'oscillait pas sans cesse d'un pôle à l'autre de la réflexion : « L'esprit de commerce produit, dans les hommes, un certain sentiment de justice exacte [19] » et s'oppose par là au brigandage. « La privation totale du commerce produit le brigan-dage [20]. » Commerce n'est pas forcément synonyme d'injustice. C'est une concession...

Commerce de luxe et commerce d'économie

Après avoir considéré le commerce « dans sa nature », Montes-quieu va le considérer « dans ses distinctions » : il met les différentes espèces de commerce en rapport avec les différentes constitutions. C'est l'objet du chapitre IV : *Du commerce dans les divers gouvernements.*

D'emblée, Montesquieu y énonce sa thèse : « Le commerce a du rapport avec la constitution. » Cela nous rappelle Jean de Witt ; de fait, la distinction va suivre le même clivage. Il oppose « le gouvernement d'un seul » au « gouvernement de plusieurs », la monarchie à la république. Aux deux types généraux de constitution, correspondent « ordinairement », « le plus souvent », par leur « nature », deux genres de commerce.

Car pour lui, à la différence de Jean de Witt, les sociétés monarchiques peuvent connaître le commerce, mais à leur façon : « Dans le gouvernement d'un seul, le commerce est ordinairement *fondé sur le luxe* ; et, quoiqu'il le soit aussi sur les besoins réels, son objet principal est de procurer à la nation tout ce qui peut servir à son orgueil et à ses fantaisies. Dans le gouvernement de plusieurs, il est plus souvent *fondé sur l'économie.* Les négociants, ayant l'œil sur toutes les nations de la terre, portent à l'une ce qu'ils tirent à l'autre. C'est ainsi que les républiques de Tyr, de Carthage, d'Athènes, de Marseille, de Florence, de Venise et de Hollande ont fait le commerce. »

Un commerce mène à l'autre

Les vertus commerciales de concurrence, de persévérance, de modicité du train de vie s'opposent donc aux pratiques « monarchiques » : monopole, vie dispendieuse, « la tête pleine de grands projets ». Montesquieu ne nie pas que le « commerce de luxe » puisse être florissant dans les États « monarchiques », mais il est clair que pour lui, c'est le « commerce d'économie », celui qui naît dans les sociétés essentiellement marchandes, qui est le vrai commerce : et nous dirions, nous, que de son seul « commerce d'économie », pouvait naître l'« économie de commerce » – l'économie de marché.

Du reste, même la grandeur n'est pas interdite à ce commerce d'économie, et les républiques ne sont pas condamnées à être des repaires de gagne-petit, alors que les monarchies seraient des réservoirs de hautes entreprises : « Ce n'est pas, écrit Montesquieu, que dans ces États qui subsistent par le commerce d'économie, on ne fasse aussi les plus grandes entreprises, et que l'on n'y ait une hardiesse qui ne se trouve pas dans les monarchies. » Il perçoit, trente ans avant Adam Smith, le caractère cumulatif du capital commercial : « Un commerce mène à l'autre, le petit au médiocre, le médiocre au grand... »

Il perçoit aussi la faiblesse des entreprises liées à l'État : « Dans les monarchies, les affaires publiques sont, la plupart du temps, aussi *suspectes aux marchands* qu'elles leur paraissent sûres dans les États républicains. Les grandes entreprises de commerce ne sont donc pas pour les monarchies, mais pour le gouvernement de plusieurs. »

On ne saurait plus clairement lier une divergence commerciale à une différence dans l'esprit public, une différence qui tient au climat de confiance : « En un mot, une plus grande certitude de sa prospérité, que l'on croit avoir dans ces États, fait tout entreprendre ; et, parce qu'on croit être sûr de ce que l'on a acquis, on ose l'exposer pour acquérir davantage. » Loin d'être inhibitrice de l'entreprise commerciale, la sûreté – c'est-à-dire la sécurité, dont jouissent les États républicains, à l'abri de l'arbitraire d'un pouvoir autoritaire – provoque l'audace, le risque, l'espoir de bénéfice.

L'enfant du défi

À la suite de sa proposition générale traitant du « *commerce dans les divers gouvernements* », Montesquieu se propose d'illustrer brièvement l'esprit « *des peuples qui ont fait le commerce d'économie* [21] ». En esquissant l'épopée commerciale de Marseille, il introduit à une sorte de déterminisme : « La stérilité de son territoire *détermina* ses citoyens au commerce d'économie. Il *a fallu* qu'ils fussent laborieux, pour suppléer à la nature qui se refusait [22]. »

En fait, la nécessité est intérieure. Le labeur, les mœurs frugales sont moins *déterminés*, que *requis* par le désavantage initial des circonstances, cette « nature qui se refuse ».

Ses autres exemples vont dans le même sens : l'« esprit » du commerce est né dans la réponse à un défi de la nature, auquel peut s'ajouter la violence des hommes : « Lorsque les hommes sont contraints de se réfugier dans les marais, dans les îles, les bas-fonds de la mer et ses écueils même. C'est ainsi que Tyr, Venise et les villes de Hollande furent fondées ; les fugitifs y trouvèrent leur sûreté. Il fallut subsister ; ils tirèrent leur subsistance de tout l'univers. » Le « commerce d'économie » est enfant du besoin.

« N'exclure aucune nation de son commerce »

Montesquieu nous donne un exemple pour lui plus contemporain dans le brévissime chapitre (douze lignes) consacré à l'*Esprit de l'Angleterre sur le commerce*.

C'est d'abord le « *splendide isolement* » qui est considéré : « L'Angleterre n'a guère de tarif réglé avec les autres nations [...]. Elle a voulu encore conserver sur cela son indépendance. Souverainement jalouse du commerce qu'on fait chez elle, elle se lie peu par des traités, et ne dépend que de ses lois. »

Puis vient l'énoncé du rapport entre intérêts du commerce et intérêts politiques : « D'autres nations ont fait céder des intérêts du commerce à des intérêts politiques ; celle-ci a toujours fait céder ses intérêts politiques aux intérêts de son commerce. » William Pitt ne s'exprimera pas autrement.

Montesquieu, tout anglomane qu'il est, ne commente pas cette prééminence du commerce sur la politique. Il se contente d'une conclusion elliptique : « C'est le peuple du monde qui a le mieux su se prévaloir à la fois de ces trois grandes choses, la religion, le commerce et la liberté. »

On souhaiterait cependant que sur ces « trois grandes choses », Montesquieu éclairât notre lanterne. Il préfère conclure le livre XX en condamnant « *l'exclusion en fait de commerce* [23] » : « La vraie maxime, écrit-il, est de n'exclure aucune nation de son commerce, sans de grandes raisons. » Par l'exemple japonais, il stigmatise les marchés désavantageux : « Les Japonais ne commercent qu'avec deux nations, la chinoise et la hollandaise. Les Chinois gagnent mille pour cent pour le sucre, et quelquefois autant sur les retours. Les Hollandais font des profits à peu près pareils. » De nos jours, il est devenu presque cocasse de lire la leçon qu'en tire Montesquieu : « Toute nation qui se conduira sur les maximes japonaises sera nécessairement trompée. » Mais il est vrai que les Japonais, au XIXᵉ siècle, changèrent absolument de maximes. Ils virent les méfaits de l'« exclusion en fait de commerce » et qu'il y avait contradiction entre les bienfaits de l'échange et sa limitation.

En véritable libéral, Montesquieu peut ici proclamer : « C'est le commerce qui met un prix juste aux marchandises, et qui établit les vrais rapports entre elles. » Le livre XX se clôt comme il a commencé, sur cette idée que le commerce est « connaissance des mœurs de toutes les nations [24] » et « comparaison » de ces mœurs, d'où résultent « de grands biens [25] ».

Comparaison, c'est-à-dire mesure, échange, pesée, concurrence – et non confusion. Le compliment n'est pas mince, venant d'un écrivain dont l'objet est précisément de comparer les sociétés entre elles. Comme si le commerce de tous pouvait avantageusement relayer et suppléer la réflexion d'un solitaire. Mais cela n'est pas suggéré. Est-ce même bien conscient ?

L'éloge d'un marchand français

Après ces finesses et ces prudences, comme Turgot paraît simple et hardi ! Le seul Français qui aille au bout d'une réflexion sur le commerce, et, c'est révélateur, à partir d'une réflexion sur un homme qui a été un marchand.

Près de vingt ans avant de tout jouer – et de tout perdre – sur son édit de 1776, Turgot avait résumé, dans un texte très bref, son idée de la liberté nécessaire en économie et de la *confiance que l'on devait faire à ses acteurs*. L'occasion en avait été l'éloge de celui qui avait été à la fois son « patron » et son modèle, Jacques Vincent de Gournay, intendant du Commerce [26]. Il l'avait accompagné pendant ses longues tournées en province, où ce libéral découvrait la réalité française et constatait combien elle bridait l'activité. Les idées de Turgot, ainsi portées et défendues par un homme qui vient de mourir, prennent une intensité dramatique qui fait la beauté de cet « éloge » – un texte fondateur, bien que méconnu, du libéralisme français, et sur lequel nous aurons d'autres occasions de revenir.

Ce qui nous intéresse pour le moment, c'est la façon dont Turgot s'attache à enraciner le message de Gournay dans son expérience de marchand. Avant d'exposer les idées, Turgot fait revivre l'homme. Une formation originale : le père, négociant de Saint-Malo, l'envoie à Cadix apprendre le commerce sur le tas, à peine âgé de dix-sept ans. Tout le commerce d'Europe et d'Amérique est à portée de celui qui veut apprendre la complexité et la vitalité de l'univers des échanges : « Embrasser dans toute son étendue et suivre dans ses révolutions continuelles l'état des productions naturelles, de l'industrie, de la population, des richesses, des finances, des besoins et des caprices mêmes de la mode chez toutes les nations que le commerce réunit, pour appuyer sur l'étude approfondie de tous ces détails des spéculations lucratives, c'est étudier le commerce en négociant. »

Dis-moi qui tu fréquentes

Vite, le jeune Jacques de Gournay devient plus qu'un praticien averti de tout. Il analyse. Il cherche à « remonter aux ressorts simples dont l'action, toujours combinée et quelquefois déguisée par les circonstances locales, dirige toutes les opérations du commerce ». Il sait aussi voir que le commerce – qui met en relation les hommes, les intérêts, les biens, les continents – vit lui-même en interdépendance avec d'autres forces, d'autres « branches de l'économie politique » : « les lois, les mœurs, les opérations du gouvernement », « la dispensation des finances », « la marine militaire ». Enfin, il perçoit « dans les hasards des événements et dans les principes d'administration adoptés par les différentes nations de l'Europe, les véritables causes de leurs progrès ou de leur décadence dans le commerce ».

Turgot insiste fort justement sur le fait que Gournay n'a pas formé ses idées dans les livres, mais dans l'action et dans la fréquentation des praticiens. Après l'Espagne, il avait voyagé en Hollande et en Angleterre – pour ses affaires mais aussi pour mieux comprendre : « M. de Gournay, dans une pratique de vingt ans du commerce le plus étendu et le plus varié, dans la fréquentation des plus habiles négociants de Hollande et d'Angleterre, dans la lecture des auteurs les plus estimés de ces deux nations, dans l'observation attentive des causes de leur étonnante prospérité, s'était fait des principes qui parurent nouveaux à quelques-uns des magistrats qui composaient le bureau du commerce [27]. »

C'est ainsi que le simple négociant se prépare à devenir un « homme d'État ».

Le traité exhumé de Gournay

Car le commerce est *une affaire d'État – sans être l'affaire de l'État*. La politique n'est pas une fin en soi : c'est un instrument de prospérité, qui gagne à se mettre à l'écoute de l'expérience commerciale.

En passant, Turgot signale que Gournay « traduisit, en 1752, les traités sur le commerce et sur l'intérêt de l'argent, de Josias Child et de Thomas Culpeper. Il joignit au texte une grande quantité de remarques intéressantes, dans lesquelles il approfondit et discuta des principes du texte, et les éclaircit par des applications aux questions les plus importantes du commerce [28] ».

Gournay avait en effet publié sa traduction, mais il fut dissuadé d'imprimer ses propres « remarques », trop révolutionnaires pour être admises de son vivant : Turgot affirme que, les années ayant passé, nulle raison ne devrait plus s'opposer à leur impression. Il faut croire que si ! *Il n'aura pas fallu moins de deux cent vingt-cinq ans pour qu'elles soient exhumées. Encore le devons-nous à un chercheur japonais* *.

Or Gournay, dans ces *Remarques,* insiste sur la place toute particulière que le commerce, le marchand, tient, en Angleterre ou en Hollande, jusque que dans le centre de l'État. Ce n'est pas seulement l'intérêt du commerce, c'est l'intérêt de l'État, y compris dans ses négociations avec les autres puissances. « Ils ont, dans leurs conseils d'État et de guerre, d'habiles négociants, qui ont habité différents pays, et qui ont non seulement la théorie, mais la science pratique et l'expérience du commerce [30]. » L'expérience de la négociation y supplante les mérites de la théorie. C'est ainsi que Gournay explique, après Davenant et Child, la supériorité anglo-hollandaise par rapport à la France.

L'application des hommes d'État et d'habiles négociants au commerce comme à une affaire d'État, dans « un conseil où toutes les parties du commerce auront un point de réunion [31] », voilà le remède préconisé par Gournay. Et surtout, une réhabilitation du

---

* Takumi Tsuda, qui, sur les indications des descendants de Gournay, les a redécouvertes à la bibliothèque municipale de Saint-Brieuc [29]...

commerce : « Un pareil conseil mettrait le commerce en honneur » à la fois par l'émulation, et par le prestige qu'exercerait le service, enfin compris, de l'État.

Turgot entend laver son maître de tout soupçon d'esprit de système, en le justifiant (bien à tort, dirions-nous aujourd'hui) de l'accusation d'être un « *novateur* » [32] – ce qui est alors en France presque un crime. « Ces principes, qu'on qualifiait de système nouveau, ne lui paraissaient que les maximes du plus simple bon sens. Tout ce prétendu système était appuyé sur cette maxime : *un homme connaît mieux son intérêt qu'un autre homme à qui cet intérêt est entièrement indifférent.* De là, M. de Gournay concluait que là où l'intérêt des particuliers est précisément le même que l'intérêt général, ce qu'on peut faire de mieux est de laisser chaque homme libre de faire ce qu'il veut. Or, il est impossible que, dans le commerce abandonné à lui-même, l'intérêt particulier ne concoure pas à l'intérêt général [33]. »

C'est une convergence d'intérêts naturels qui doit sous-tendre les principes de la science et de l'administration commerciales ; et non une doctrine autoritaire, ignorante des « principes que l'expérience lui avait enseignés, et qu'il voyait universellement reconnus par les négociants les plus éclairés avec lesquels il vivait [34] ».

Gournay, et Turgot son élève, forment l'exception qui confirme la règle française...

Les vrais oracles du commerce

Déjà, dans ses *Mémoires sur le commerce des Hollandais* (1658) [35], P.D. Huet dressait le constat de la divergence : « On n'a qu'à voir la différence entre les États qui font du commerce, et ceux qui n'en font point. » « L'Angleterre et la Hollande règlent leurs principaux intérêts par rapport à leur grand commerce [36]. » « Bacon n'a pas fait difficulté de dire que le commerce était dans un État ce que le sang est dans le corps humain [37]. »

Contre-exemple, l'Espagne : « Cette monarchie n'est tombée que pour avoir négligé le commerce [38]. » Conclusion : « Les marchands français, pour bien réussir, n'ont besoin que d'un chef expérimenté [39]. » Telle est la leçon que Huet tire de sa fréquentation « des plus habiles négociants de Hollande, les vrais oracles du commerce [40] ».

Un siècle après Huet, à la même époque que Turgot, en 1770, un Anglais resté anonyme se livrait, dans un *Essai sur le commerce des Indes orientales (Essay on the East India trade)* [41], à une passionnante analyse comparative des « succès constants » des Hollandais et des Britanniques, et des « échecs répétés » des Français.

Les questions soulevées dans cet essai sont d'ordre historique et pratique. Qu'est-ce qui a poussé les marchands à former des compagnies coloniales ? Quelle a été la part des garanties et des servitudes, le rôle de l'État et de l'initiative privée, l'autonomie de gestion, l'utilisation des revenus ?

L'auteur fait gloire à la reine Élisabeth Ire de sa politique d'« encouragement », d'« assistance » et d'« extension du commerce jusqu'aux régions les plus reculées du globe [42] ». Assistant à l'appareillage d'une caravelle marchande, Sa Gracieuse Majesté n'avait-elle pas proclamé sa foi : « Salut aux chercheurs d'aventures ! » La reine salue ces hommes d'entreprise, mais elle ne prétend rien leur dicter : « L'entreprise commerciale ne fleurit jamais sous la direction ou les interdictions ministérielles [43]. » L'État garantit le commerce, il ne le gère ni ne le gêne. Le commerce est l'affaire des commerçants.

Se pose la question des chartes et monopoles accordés par les États aux compagnies des Indes orientales. L'auteur affirme la nécessité d'un privilège exclusif, mais signale aussitôt qu'il ne suffit pas à garantir la réussite : « Les compagnies hollandaises et anglaises ont connu beaucoup de succès avec cette méthode, quoique les Français aient éprouvé des échecs répétés en suivant la même [44]. » Méthode analogue, résultats opposés. Pourquoi ? « La cause apparaîtra avec évidence après une vue d'ensemble de l'attitude des différents États envers leurs compagnies respectives [45]. »

Si Henri IV fut en 1604 l'instigateur de la Compagnie française des Indes orientales, cela prouve l'incapacité des marchands français à monter eux-mêmes le financement d'une telle entreprise [46]. Les marchands hollandais, eux, s'étaient associés et avaient fait voile de leur propre chef dès 1594, sept ans avant l'intervention des États-Généraux [47].

Que devient le revenu, substantiel, de la Compagnie hollandaise, la VOC ? Il n'est pas accaparé par l'État, comme c'est le cas en France [48]. Il revient aux souscripteurs * [49].

Quant à l'intéressement des officiers et employés de la compagnie française à la bonne marche du commerce, il est *nul*. La fonctionnarisation – sans prime – est totale : « Les dividendes agréés sur le capital étaient payés sur le revenu royal, sans tenir compte du profit ou des pertes du commerce [50]. »

Autre point notable de distorsion, les garanties de durée des Compagnies. Les marchands s'assurent de la durée, faute de laquelle il n'y a ni *confiance,* ni *crédit*. En France, elle est à la discrétion des politiques. La logique du favoritisme et de la prébende est aux antipodes de celle du commerce [51]. Dans la Compagnie hollandaise, « l'État n'interférait jamais, la gestion des affaires était laissée à ceux qui étaient nommés par eux-mêmes pour y

---

* Les profits résultant de leur commerce, ou leurs revenus en Inde, furent répartis loyalement entre les propriétaires, même lorsqu'ils se montaient à 75 %.

pourvoir [52] ». Voilà le *self-government*, la diffusion des responsabilités mis à l'honneur [53].

Le respect des boutiques

Tout revient, finalement, à la différence des deux nations quant au respect dû au commerce, donc au marchand. Chez les Hollandais, le politique est subordonné à l'économique : « L'existence de cet État dépend de son commerce. » Les acteurs économiques et politiques ont une compétence, en matière de commerce, supérieure à celle des autres nations [54].

Notre auteur stigmatise le mépris du marchand : « C'est une erreur souvent commise par les hommes d'un grand savoir dans notre royaume, qu'ils considèrent les matières relatives au commerce comme indignes de leur attention [55]. » Il ne rougirait nullement que l'Angleterre fût effectivement cette « nation de boutiquiers » que Napoléon méprisera, après qu'Adam Smith l'aura ainsi qualifiée avec une tendre ironie : « Aller fonder un vaste empire dans la vue seulement de créer un peuple d'acheteurs et de chalands semble, au premier coup d'œil, un projet qui ne pourrait convenir qu'à une nation de boutiquiers [56]. »

Et voici le portrait de l'honnête homme anglais, imitateur de la performance hollandaise : une culture classique, politique et commerciale : « Le savoir de l'érudit, l'habileté politique de l'homme d'État ne sont pas incompatibles avec la compétence du marchand [57]. » Le marchand prend rang en tête de l'*establishment* intellectuel et moral de la nation. Mieux, il ne constitue pas, comme en France, une classe à part. Tout Anglais – du moins dans l'esprit de notre auteur – est, a été, ou devra être, marchand.

Tous ces témoins nous livrent, chacun à leur manière, une même leçon : dans les pays qui bougent, qui prospèrent, qui *se développent* d'une façon inconnue jusque-là, le commerce n'est pas, comme partout ailleurs, un secteur d'activité parmi d'autres. *Il est au centre du système*. Il s'impose jusque dans le champ des valeurs sociales, dans le cœur du système politique. Mais il conserve sa nature propre, qui est de fonder sa vitalité sur le libre intérêt de chacun.

Chapitre 4

L'obsession de la dérogeance

L'exaltation du marchand ne va pas de soi. Les comportements que nous venons de découvrir rencontrent des résistances. En cherchant bien, on peut même en rencontrer dans les sociétés hollandaise et anglaise. Au contraire, elles dominent de si haut la société espagnole que nous les avons frôlées à chaque pas *. Examinons comment, en France, le préjugé persiste dans le milieu qui donne le ton.

Guère de tabou qui ait été plus malfaisant que l'obsession de la dérogeance. Elle écartait l'élite sociale des activités de la production et de l'échange, à l'exception de la verrerie, de l'exploitation des mines, de la médecine. À partir de 1629, le trafic maritime n'est plus dérogeant. Il faut attendre 1701 et 1706 pour que le commerce en gros ne déroge plus. Juridiquement au moins. Car dans les esprits, la dérogeance demeure jusqu'à la Révolution. Elle n'épargnait pas même les bourgeois, financiers, négociants, soucieux de faire oublier leur passé trop *utile*, rêvant d'entrer dans l'univers de l'inutile, seul *honorable*.

On pourrait alléguer que ce tabou invétéré aurait toujours sévi dans la vieille Europe romaine. Il n'en est rien. L'évêque Otto von Freising (1115-1158), historien et familier des empereurs, atteste « que dans les communes italiennes, on ne dédaignait pas d'accorder l'épée de chevalier ou quelque position honorable à des fabricants en arts mécaniques vils, que d'autres peuples écartaient comme des pestiférés [1] ».

Il ne s'agit pas seulement d'une situation de fait, ou de sentiments vécus qui ne se seraient pas exprimés. Bien au contraire, ils s'exprimaient largement. Ils étaient si vifs, si ancrés, si résistants qu'en 1918 encore, La Bigne de Villeneuve publiera un *Essai sur la théorie de la dérogeance de la noblesse* – dérogeance en laquelle il refuse de voir « l'institution baroque et de pure vanité que se figurent nombre d'esprits [2] ».

---

* Voir chapitre 2, « Regards sur l'Espagne ».

231

L'abject métier de serrurier

Ce propos apparaissait déjà comme d'un original. Mais deux siècles et demi plus tôt, voici un ouvrage qui touchait un vaste public et en exprimait les valeurs : le *Traité de la noblesse* (1678), par le chevalier de La Roque, seigneur de la Lontière. Dans son chapitre « De la dérogeance en général et des peines prescrites par les ordonnances contre ceux qui dérogent », il énumère avec complaisance les édits qui, périodiquement, complètent les interdits, aggravent les peines.

La privation de noblesse ne suffit pas à La Roque. Son commentaire y ajoute les sanctions morales et mentales. Les actes prohibés ne font pas seulement « déroger » : ils « rendent méprisable ». À la sanction légale et fiscale, s'ajoutent le *mépris*, l'infamie « d'être déclaré roturier », et la notion d'une « tache » impossible à effacer.

Jetant un regard par-dessus les frontières du royaume, il n'a pas de mal à trouver que d'autres États protègent de la même façon l'homme de la noblesse : c'est le cas, notoirement, en Espagne ; c'est le cas aussi dans les Pays-Bas autrichiens – la future Belgique.

Mais notre auteur doit convenir que la règle a ses exceptions. Avec une stupeur scandalisée, il reconnaît qu'« en Hollande, la dérogeance ne préjudicie point[3] ». Ou encore, que « dans les cantons de Suisse, la dérogeance ne fait point de tort[4] ». Enfin, en Grande-Bretagne, « les gentilshommes trafiquent sans déroger et sans que, pour se rétablir dans leurs droits, ils aient besoin de lettres du prince ; car il suffit qu'ils aillent à la Bourse faire leur déclaration qu'ils ne prétendent plus continuer le trafic de marchandise, sans que ce qu'ils en ont fait leur imprime aucune flétrissure[5] ».

La religion du pays considéré ne fait d'ailleurs rien à l'affaire, puisque La Roque découvre d'autres tolérances dans les grandes républiques marchandes d'Italie. À Venise, à Gênes, à Raguse, « l'on écrit sur un livre les naissances de tous les nobles, ce qui fait connaître la naissance des familles, *encore qu'elles trafiquent* ». À Gênes, certains arts mécaniques sont même autorisés aux nobles par un édit de 1576. Mais tous ces exemples ne lui paraissent qu'illustrer davantage la supériorité française...

Notre chevalier se pose une grave question : « si le crime de fausse monnaie efface la noblesse ». Sa réponse est positive. Mais ce n'est pas parce qu'il s'agit d'un crime, punissable de mort. Car le noble, voleur ou même homicide, reste un noble. Seulement, le noble faux monnayeur a dû *manier des outils* : son crime est « abominable dans ses effets ». Et surtout, il est « infâme dans l'action, étant indigne d'un gentilhomme qui devient ainsi artisan et qui exerce le métier de serrurier et des personnes les plus abjectes ». Perversité de la dérogeance.

On comprend pourquoi Louis XVI choqua plus qu'il n'amusa, en maniant les *outils* du serrurier, bien qu'il ne l'eût pas fait pour en tirer un profit. Les auteurs de libelles connaissaient bien leur public, en désignant ce passe-temps du roi, plutôt que la chasse, qui lui en consommait bien davantage. La chasse est loisir de roi. La serrurerie est un « art mécanique ». Le roi chasseur est roi. Le roi serrurier n'est plus roi.

Un effet de contamination

On pourrait avancer que cette question de la dérogeance est, en somme, l'affaire de la noblesse, et d'elle seule. Elle se punit elle-même, en se tenant à l'écart d'activités où elle aurait pu trouver renouvellement et richesses. Cela n'empêche pas la bourgeoisie marchande de faire ses affaires – et, du même coup, l'affaire du développement. Cet *apartheid* culturel n'aurait dû nuire qu'à la noblesse, sans porter préjudice à l'économie : c'est à peu près la thèse officielle de l'historiographie française. Cette thèse se voudrait consolante.

Elle nous paraît fausse. La culture ne connaît pas d'*apartheid*. Les valeurs se diffusent ; elles forment le lien social. Et il est inévitable que les valeurs de la classe dominante contaminent celles de toute la société. Les petits jugent leur propre taille avec les yeux des grands. Les bourgeois aussi ont méprisé Louis XVI de travailler à son établi.

Ce phénomène n'a pas échappé aux observateurs de l'Ancien Régime. Innombrables sont les témoignages. Déjà sous Henri IV, Barthélemy de Laffemas note que le mépris du marchand affiché par les nobles aboutit aussi à empêcher le développement harmonieux du commerce : « Plusieurs tiennent en mépris l'entrepreneur du commerce, lequel sera empêché par gens de qualité, qui y sont interdits [6]. » Comment, sans y toucher, les nobles ont-ils pu entraver la marche du commerce, des entreprises, des techniques ? Par la *« force du mépris »*.

La vilenie des « arts mécaniques »

La condamnation sans appel de l'exercice des arts mécaniques par un noble se passe de commentaires. Pour le chevalier de La Roque, « ce serait une chose ridicule de soutenir que cette profession des arts mécaniques et la noblesse peuvent subsister ensemble ; ce serait dire que la lumière et les ténèbres, la vertu et le vice et tous les contraires du monde peuvent compatir ensemble, car la noblesse étant un ornement de la vertu et de l'honneur, quelle correspondance pourrait-elle avoir avec des métiers où il ne se reconnaît rien que de vil et d'abject [7] ? »

Ce n'est pas tout d'être noble de naissance ; il faut encore « vivre noblement »... Le passé doit se soutenir dans le présent. Beaumarchais eut bien tort de railler ceux qui ne s'étaient « donné que la peine de naître ». Il y a quelque peine à soutenir son rang, et nombreux ont payé cette peine de leur fortune.

Charles Loyseau, robin plein de bon sens et de curiosité, en son *Droit des ordres* [8], donne une justification curieuse du lien entre le privilège fiscal et sa suppression par la « dérogeance ». Il ne serait pas juste que les nobles gagnent sur les deux tableaux, qu'ils ne paient pas la taille et qu'ils puissent faire fortune dans le commerce : le peuple, « surchargé à cause de l'exemption des gentilshommes, en est récompensé en ce qu'ils ne participent point aux gains de la marchandise et des métiers ».

Comment mieux illustrer la mentalité anti-commerciale et anti-manufacturière ? Énumérant les « exercices dérogeant à la noblesse [9] », Loyseau précise : « C'est proprement le gain vil et sordide qui déroge à la noblesse [10]. » « Ne point vendre sa peine et son labeur [11] », c'est obligation d'honneur. Loyseau fait une exception pour « les juges, avocats, médecins et professeurs des sciences libérales [12] », car leur gain « procède du travail de l'esprit, et non de l'ouvrage de ses mains [13] » ; et « est plutôt honoraire que mercenaire [14] ».

« Honoraires » – encore aujourd'hui, le mot indique que le salaire de l'avocat ou du médecin nous paraît plus honorablement gagné que celui de l'ouvrier ou de l'employé. « Gain », « salaire » : « est-ce le mot, ma fille, ou la chose qui vous fait peur ? »

Réhabiliter le « fait des monnaies »

Il y a continuité mentale entre l'incompatibilité de la vie noble avec les affaires, et le mépris général dans lequel est tenu tout ce qui touche à l'argent. Nous avons déjà traité plus haut du prêt d'argent. Ce tabou s'étend à la réflexion même sur la gestion financière.

Ainsi, sous Louis XIII, Henry Poullain, conseiller en la Cour des Monnaies, osait à peine proposer une défense et illustration des techniques monétaires : « Je commence par une maxime bien hardie, Monsieur, d'oser mettre en comparaison le fait des monnaies, aujourd'hui tant rabaissé, contre un fait d'État qui ne regarde que ce qui est haut, grand et relevé [15]. » Pourtant, plaide Poullain, si le « fait d'État » – disons, la politique – vise, pour l'autorité souveraine, à garantir la « conservation de tous les habitants d'un pays », le « fait des monnaies » doit en faire partie : car « le fait et la connaissance des monnaies n'est autre chose qu'une science pour conserver et rendre aux mêmes habitants ce qui leur appartient. Le fait des monnaies, en un État, est la viande qui le nourrit, le nerf qui le fait mouvoir, le sang qui lui donne la vie en tous ses membres, par le moyen du prix, cours et exposition des espèces [16] ».

On trouva l'ouvrage de Poullain plein d'esprit, mais on n'en pensa pas moins.

Il avait fallu, avant Poullain, la hardiesse de Bacon pour admirer, même en Angleterre, et l'air de rien, un pays sans noblesse, autant dire sans honneur ; et pour indiquer, en passant, que l'*utilité* peut être le plus fort des liens sociaux. Il jetait ce pavé dans son *essai* sur « la noblesse » : « Elle est inutile aux démocraties ; et elles sont d'ordinaire plus paisibles et moins sujettes aux séditions que les États où il y a des souches de noblesse ; car on y a les yeux fixés sur les affaires et non sur les personnes ; ou, dans ce dernier cas, c'est en raison des affaires, pour lesquelles on recherche le plus digne, et non en raison des bannières et des généalogies [17]. » Dans la sphère de l'utilité et des affaires, la dignité est fixée par la compétence. Et Bacon de souligner l'exemple suisse : « On voit les Suisses prospérer, malgré la diversité des religions et des cantons : c'est qu'ils ont pour lien l'utilité et non les honneurs [18]. »

Sir Francis Bacon était chancelier d'Angleterre. Imagine-t-on un chancelier de France écrire cela ? Il faut se tourner vers de quasi-inconnus, des marginaux, pour trouver chez nous de semblables accents.

Le commerce honorable

En voici un, qui pense juste, argumente bien, parle haut : bel et bon « prophète en son pays », dont il ne sera pas écouté : c'est J. Éon qui, en 1646, entreprend « de guérir une personne qui s'estime saine alors qu'elle est bien malade ». Renonçant à l'approbation des critiques qui, « par leur audace et caprice, mettront la dent sur tout », Éon prétend « ouvrir premièrement les yeux à nos Français, et leur faire connaître l'excès et le danger du mal où ils étaient par la ruine de leur commerce [19] ». Le « mauvais traitement du négoce », voilà la cause de tous nos maux. L'ordonnance qui prescrit le remède, ce sera le *Commerce honorable*, que son auteur destine – comme pour excuser les défauts de l'ouvrage – aux « personnes sans études comme marchands, négociants et autres semblables gens ». L'auteur « ne se pique point de dire choses nouvelles, mais de relever les sentiments sur les désordres de notre commerce ». Ce qu'il vise surtout, c'est le commerce extérieur.

« Le petit nombre des vaisseaux de mer », comparé à ceux des pays voisins, a pour conséquence « la perte du trafic des marchandises étrangères, principalement des Indes orientales et occidentales et des terres septentrionales [20] ». Éon déplore la décadence relative de Marseille, pionnier du trafic avec l'Orient, à présent déclassé par les Anglais et Hollandais : « nos disciples sont devenus nos maîtres [21] ». De même, les marchands malouins et dieppois se sont vu ôter le trafic de la rivière du Sénégal et de toute la côte de Guinée [22]. Quant à la Nouvelle-France, elle est cernée par la puissance des commerces anglais et hollandais.

« Le commerce que fait la France dans les voyages d'aventure et de long cours » se réduit à la pêche des morues et harengs, ce qui, conclut ironiquement Éon, « doit nous faire passer plutôt pour pauvres pêcheurs, que non pas pour de bons marchands [23] ».

À cette carence, quelles causes réelles ?

« Les Français ont de longtemps formé une très mauvaise idée du commerce, qu'ils considéraient comme le partage des âmes basses, et l'objet de l'avarice plutôt que de la générosité des hommes. Chacun, aspirant au repos et à l'honneur, s'éloigne tant qu'il peut du commerce, où il ne croit trouver ni l'un, ni l'autre [24]. »

« L'esprit des Français est plus dans leur tête que dans leurs mains »

Loin d'accuser la conjoncture, la malveillance des voisins [25] ou quelque fatalité, Éon insiste sur les causes du mal : « La première et principale cause de la ruine de notre commerce est à rechercher dans les humeurs et dans les inclinations que les Français ont contraires à cet exercice [26]. »

L'explication par l'homme n'est pas ici un mythe spiritualiste, c'est un constat. Pourtant, les Français ont l'esprit vif, le courage grand, et « l'industrie merveilleuse pour toutes sortes d'arts », et peuvent par conséquent exercer aussi bien le commerce que les autres. Mais, quel que soit leur génie, le défaut est dans l'application : « le mal est que, comme dit le proverbe, l'esprit des Français est plus dans leur tête que dans leurs mains ; ils se contentent souvent de la théorie, et viennent rarement à la pratique [27] ». Jusque dans son explication par les mentalités, Éon récuse toute idée de fatalité. Les Français ne sont pas moins *capables* ; simplement, ils s'interdisent d'exploiter leurs capacités.

Il va donc s'employer à les convaincre, mais sans les provoquer, ni les prendre à rebrousse-poil, en leur expliquant que leurs propres valeurs devraient les conduire à pratiquer et honorer le commerce.

C'est ainsi qu'il appelle la religion au secours du commerce colonial. Mais il ne le fait pas platement, en cherchant à glisser le marchand derrière le missionnaire, ou réciproquement. Entre la propagation de la foi et le commerce au loin, il voit une affinité plus profonde : le carrefour central de l'échange, de la circulation, de la conversion. « Car comme le commerce spirituel et le temporel ont beaucoup de rapport en leurs pratiques, elle [la divine Providence] a voulu joindre les industries [entreprises] de l'un et de l'autre, faisant que les navigations et les courses que les marchands font en divers pays pour y porter et en rapporter les richesses, sont les moyens dont les personnes religieuses et apostoliques se servent pour acquérir des âmes à Dieu [28]. »

« Rien de vil et de bas »

De même, l'argument de l'*utilité publique* peut se retourner en faveur du commerce. Certes, celui-ci est motivé par la « convoitise du bien [29] », par l'intérêt particulier, mais sa fin principale est l'intérêt général. En outre, sa pratique demande des vertus sociales : « la probité, la prudence et *loyauté* [30] » (« *la fortune d'un marchand dépend de la fidélité de l'autre* [31] »). « La hardiesse, la force et générosité qu'il faut apporter à son exécution [32] » rendent le commerce « digne d'une très grande estime et recommandation [33] ». Aussi, « rien de vil et de bas dans l'exercice du commerce de mer, qui doive priver celui qui le traite dignement de l'honneur et de l'estime des hommes ». Tout au contraire : « Il a le vrai caractère de la vertu et de la noblesse [34]. »

Enfin Éon, pour écarter l'accusation infamante d'« innovation », invoque des autorités à son secours. Il s'abrite derrière le projet de politique commerciale, renfermé dans l'ordonnance de 1629, dans laquelle Richelieu avait mis en forme les avis des États Généraux de 1614. Il s'agit de « *jouer à bille égale* avec nos voisins [35] [protestants] ».

Un obstacle mental demeure : « l'opposition qu'on a toujours en France cru être entre les qualités des nobles et des marchands [36] ». Mais tout noble qui se respecte doit respecter le roi. Or, Louis XIII, par l'ordonnance de 1629, à l'article 452, a prescrit, pour convier ses sujets à s'adonner au commerce de mer, que « tous gentils-hommes, qui entreront en part et société dans les vaisseaux, denrées et marchandises d'iceux, ne dérogeront point à noblesse [37] ». Mieux encore : « Ceux qui ne seront nobles, après avoir entretenu cinq ans un vaisseau de deux à trois cents tonneaux, jouiront des privilèges de noblesse, tant et si longuement qu'ils continueront l'entretien dudit vaisseau dans le commerce, pourvu qu'ils l'aient fait bâtir dans notre royaume. »

Mais on ne change pas une société par décret. Éon réclame l'application d'un texte que le parlement de Paris a mis à mal et réussi à faire tomber en désuétude *. Sur cette question de l'in-

---

* Les 571 articles de l'ordonnance de 1629, dite aussi code Michau, portaient sur des matières très diverses. Les péripéties de son enregistrement par le parlement de Paris

compatibilité entre noblesse et commerce, seule subsistera la tolérance à l'égard du « commerce de mer », confirmée en 1669 par Louis XIV, et qu'il étendra même en 1701 au commerce de gros. Mais, alors qu'un noble peut labourer sa terre ou soigner les malades sans déroger, le commerce de détail lui restera interdit.

La « Noblesse commerçante »
contre les « restes de l'esprit gothique »

Il faudra donc que sous Louis XV, dans sa *Noblesse commerçante* (1756), l'abbé Coyer revienne à la charge. Il se donne courage en croyant deviner une « révolution naissante [38] » : « Qu'on ne dise plus que nous n'aimons que l'agréable et le frivole ; le sérieux et le solide commencent à prendre sur nous. Le commerce, depuis quelques temps, occupe de bonnes plumes et quantité de lecteurs. Sans nos disputes de religion, il deviendrait presque la conversation à la mode. » Il pousse si loin l'optimisme qu'on a peine à le croire : « J'ai entendu des courtisans même en vanter les avantages [39]. » Comme si la mode changeait de camp.

Il moque « les restes de l'esprit gothique » qui retiennent encore les nobles allemands et polonais. Et d'invoquer l'étymologie : négoce vient du latin *neg-otium* – la non-oisiveté. Oui, l'oisiveté est un crime d'état [40] ; la noblesse doit être occupée.

L'euphorie de l'abbé est telle qu'il associe l'état de commerce avec l'état conjugal : « Le commerce a des rapports avec le mariage que les autres états n'ont pas [41]. » Contrairement aux militaires ou aux juristes, affligés d'épouses ruineuses et indolentes, le commerçant « trouve dans sa femme un associé à ses travaux [42] ». Dès lors, « que de rejetons d'une noblesse commerçante [43] » ! Notre abbé populationniste veut élever par le commerce la population française à 36 millions de sujets, car « les fonds des hommes sont les terres, mais les vrais fonds des rois sont les hommes [44] ».

Le commerce, soit. Mais lequel ?

« Joindre la France à l'univers »

« Ce n'est pas le commerce intérieur qui enrichit un État, il établit seulement une circulation de richesses, sans en augmenter la masse ; c'est au commerce extérieur qu'est réservé le grand œuvre. L'Europe nous ouvre ses ports, l'Afrique nous appelle, l'Asie nous attend, l'Amérique nous sollicite... Il est temps de

---

braquèrent cette cour contre lui. Richelieu préféra biaiser et en reprit beaucoup d'éléments dans d'autres édits particuliers, précisés ensuite par les édits d'août 1669 et décembre 1701 et l'arrêt du 27 avril 1727.

joindre la France à l'Univers par une navigation supérieure à toute autre [45]. » Le « grand œuvre » : il s'agit bien d'une alchimie, à laquelle les Français sont aussi rebelles qu'inhabiles. Ils ne veulent pas apprendre.

Il déplore la dépendance logistique à l'égard de la Hollande : « Les Hollandais emploient une grande quantité de vaisseaux pour nous apporter d'un port à l'autre nos propres denrées, nos richesses nationales [46]. » Il s'étonne de l'aveuglement d'un Montesquieu ou d'un Vauban, refusant « qu'il y ait des lois qui engageassent la noblesse à faire le commerce ». Préjugé nobiliaire infondé, rétorque Coyer : « Le commerce ne présente rien de servile, il ne dépend que de l'État et de lui-même. »

L'ouvrage de Coyer est un livre d'humeur, une tirade rhétorique. L'abbé attaque avec brio : « La noblesse est faite pour la gloire. C'est une leçon qu'on lui donne au berceau. Le préjugé se tient à ce point de vue, et il demande avec dédain s'il y a de la gloire dans le commerce. » Cherche-t-il à convaincre ? Il n'a point de mal à trouver des exemples en Angleterre : Gresham, Spencer et Craven ont leur statue dans la Bourse de Londres ; le fils de Josiah Child est devenu comte. Il se flatte d'avoir répliqué au défunt marquis de Lassay, qui s'inquiétait qu'on pût permettre le commerce à la noblesse, qu'on ne faisait pas tant d'embarras à Londres. Les frères cadets de lord Oxford et lord Townshend ne devinrent-ils pas, l'un « facteur » à Alep, l'autre marchand dans la Cité ? Ils en tirèrent les plus grands avantages et « n'en sont devenus que plus propres aux grandes places ».

Mais comme le factum de Coyer est loin d'atteindre la densité des ouvrages de Mun, de Witt, de Davenant ou de Child ! C'est l'œuvre d'un polémiste français.

D'Holbach et le colbertisme moral

En se bornant à vanter les mérites du commerce de mer, Éon et Coyer se donnaient partie facile. Ils avançaient sous la protection de quelques édits royaux.

Bientôt, un autre héraut des Lumières, d'Holbach, poussera la polémique plus avant. Il jugera que, faute de pouvoir convaincre la noblesse de se rendre utile, il n'y a plus qu'à convaincre la société que la noblesse est superflue. Comme le sont du reste les moines – de plus en plus attaqués comme parasites sociaux. Pour lui, l'oisiveté est une tare, dont les nations protestantes sont exemptes. Il convient de s'en guérir.

L'année de la Déclaration d'indépendance des États-Unis est aussi celle où Adam Smith publie *La Richesse des nations*. Ces deux textes capitaux ont fait pâlir la gloire de l'ouvrage du baron d'Holbach, paru en 1776 aussi, et que son titre d'ailleurs desservait plutôt : *Éthocratie* ou *Le gouvernement fondé sur la morale* [47].

Malgré l'altitude des ambitions annoncées, son ouvrage est essentiellement une polémique sociale, une diatribe contre l'oisiveté de l'aristocratie et du clergé. Il se donne pour un médecin du *mal français*, tel que l'avait défini La Fontaine – l'infatuation improductive de l'homme de cour :

> *Se croire un personnage est fort commun en France*
> *On y fait l'homme d'importance*
> *C'est proprement le mal français...*

Le remède préconisé, c'est l'*éthocratie* : « La réunion si désirable de la politique et de la morale peut seule opérer la réforme des mœurs, qu'une philosophie dénuée de pouvoir tenterait vainement [48]. » Cette réunion, d'Holbach l'envisage du point de vue du législateur et du souverain, plutôt que des citoyens. Il réécrit en quelque sorte *Le Prince* ; mais, entre temps, Louis XVI a remplacé Laurent le Magnifique. « Ce sont les lois qui décident des mœurs [49] », annonce-t-il dès le premier chapitre. Plus loin : « C'est le gouvernement qui façonne ou modifie les peuples [50]. »

Il n'est rien que le souverain ne puisse faire pour le bien de son peuple [51]. Voilà le colbertisme transposé dans l'ordre des mœurs.

Du moins, cet apôtre de la laïcité veut-il séparer les pouvoirs temporel et spirituel : « Les lois fondamentales ne doivent jamais s'immiscer dans les dogmes, ni prétendre fonder les opinions des citoyens paisibles ; elles proscriront à jamais l'intolérance, les disputes, les harangues du fanatisme, et surtout les fureurs de la persécution [52]. »

Voltaire, du moins, voulait que ses domestiques crussent en Dieu, pour qu'ils ne le laissassent pas mort après l'avoir détroussé. D'Holbach est plus radical. Il révoque en doute la contribution du dogme religieux à la paix sociale. Le scepticisme est la religion la plus sociable : le « dévot fanatique, intolérant, inhumain, fait plus de mal à ses semblables par ses actions, que l'incrédule le plus décidé [53] »...

Cette critique religieuse s'alimente de griefs plus économiques : moines improductifs et parasites ; climat général d'oisiveté, que les catholiques ont fait perdurer, alors qu'il a disparu chez les protestants – « les nations protestantes travaillent un mois de plus par an que les catholiques romains ».

Par certains aspects, d'Holbach paraît proche d'un de Witt – ainsi, quand il prône la tolérance. Mais sa motivation est plus celle d'un adversaire de toute religion, que d'un promoteur de la société civile.

« Ne rien savoir faire, et ne rien faire »

Sa critique négative est vigoureuse et efficace. Son autre cible préférée est la noblesse foncière, gavée de terres qu'elle ne sait pas faire valoir : « Vous les voyez occupés à réunir des domaines, à faire des acquisitions continuelles ; ils voudraient changer leurs terres en des provinces, alors que bientôt, par dégoût, par négligence, par avarice, par impéritie, ils laissent tout tomber en friches, sans profit ni pour eux-mêmes, ni pour l'État [54]. »

Plus généralement, d'Holbach brosse le portrait d'une aristocratie imbue de ses privilèges, facteur d'immobilisme social. Qu'on juge « si la noblesse transmise par la naissance n'est pas faite pour inspirer une sotte vanité à ceux qui en jouissent, et pour décourager la foule des citoyens qui s'en trouve privée [55] ».

Le réquisitoire est féroce : « Une administration plus juste pour la nation, et moins partiale pour les nobles, ferait sentir à ceux-ci l'iniquité des exemptions qui les dispensent des impôts dont le pauvre est accablé ! De pareils privilèges, des immunités si révoltantes, ne devraient-ils pas faire rougir des êtres en qui le préjugé n'aurait pas éteint tout sentiment d'équité, de raison, d'humanité ? »

Au gouvernement de réveiller ces sentiments, et d'y étouffer chez les nobles jusqu'aux germes de « cet orgueil héréditaire, qui leur fait croire que la naissance leur donne une supériorité essentielle et réelle sur leurs concitoyens. Désabusés pour lors de leurs vains préjugés, ils chercheraient à valoir quelque chose et à se distinguer par eux-mêmes : ils n'auraient plus pour les talents et la science ce mépris profond qu'on leur voit montrer trop fréquemment. Ils ne se glorifieraient plus d'une ignorance gothique et barbare, qui les fait languir dans l'oisiveté, source de tant de vices ». Tant il est vrai que, « selon les idées communes de tant de nobles vulgaires, vivre noblement c'est ne rien savoir faire, et ne rien faire [56] ».

La Révolution n'est plus éloignée. Elle tranchera le nœud gordien. Convaincue d'inutilité, réprouvée pour ses privilèges, la noblesse sera supprimée. Mais à sa place, verra-t-on paraître le marchand ?

Depuis lors, le tabou n'a-t-il pas connu une résurgence ? Jusqu'à une date toute récente, l'entreprise publique était noble, l'entreprise privée suspecte. Les anciens préjugés n'étaient pas morts. Ils restent encore tenaces.

Chapitre 5

La question religieuse

La question religieuse est sans cesse présente à l'esprit d'une Europe qui vient de traverser les traumatismes de la Réforme et de la Contre-Réforme. Assez vite, les politiques, sinon les religieux, l'évoquent moins en termes de vérité, que de tolérance. Cette façon de poser la question et d'y répondre est, on le devine, en relation étroite avec la notion de liberté – politique, et même économique. Certains contemporains de la divergence l'ont bien vu. Intéressons-nous à eux.

Milton et la liberté de dire

Avant de devenir une doctrine philosophique et économique, le libéralisme est une attitude vécue. Plus ou en tout cas mieux que le marxisme, il peut revendiquer le statut de « *praxis* ». C'est seulement au contact des résistances rencontrées dans le cours des XVIe, XVIIe et XVIIIe siècles qu'il s'érige en doctrine. Peu à peu, et comme en tâtonnant.

Tant qu'il ne rencontre pas la contrainte – sous forme de censure, d'hostilité du prince, de pression ecclésiastique – l'humanisme prospère dans une insouciance optimiste. Lorsque les premiers heurts se produisent autour de la Réforme, l'humanisme, principalement religieux, entre dans la phase polémique – visionnaire, revendicatrice, militante et même violente – avec les écrits de Luther, Melanchthon, Calvin.

Un des premiers écrivains « libéraux », John Milton (1608-1674), ne sera pas exempt de ces caractères. Non moins théoricien que poète, spectateur engagé autant que solitaire inspiré, il justifiera dans ses écrits l'exécution de Charles Ier, accusé de complaisance envers les catholiques ; ou du moins, le droit d'un peuple à juger son roi.

Mais dans ses années de combat politique, voici que les circonstances poussent le futur auteur du *Paradis perdu* à une réflexion sur *la liberté de dire* – et c'est la première réflexion cohérente sur le sujet. Elle n'est pas d'un rebelle, mais d'un conquérant de l'autonomie intellectuelle. Car si le paradis est perdu, il reste à l'homme à reconquérir par le travail une existence digne, laborieuse mais harmonieuse, sanctionnée par un progrès individuel et un épanouissement social.

Réflexion violente aussi. Car l'*Areopagitica*, ou *Discours pour la liberté d'imprimer sans autorisation ni censure* (1644) [1], est une réponse à ses propres amis politiques – un cri de colère, pour les mettre en garde. Les puritains viennent de renverser le pouvoir anglican. Mais déjà, ils veulent substituer leur ordre à celui des évêques et du roi ; une vérité, la leur, à une autre. Or, Milton lui-même en a fait les frais. Il avait publié une réflexion assez libre sur le divorce, qui avait déclenché l'ire des nouveaux bien-pensants. Du coup, le Parlement, sous la pression des presbytériens, avait adopté, en juin 1643, une ordonnance établissant la censure préventive, le dépôt des livres, le contrôle de leur importation [2]. La composante presbytérienne de la Réforme n'est pas forcément libérale. Le libéralisme politique et économique n'a nullement jailli de la Réforme, qu'elle soit luthérienne, calviniste ou anglicane.

En revanche, l'oppression de la censure est d'invention récente. « Vous n'avez pu trouver, lance John Milton, l'origine de cette oppression, ni dans aucun décret ancien de l'État ou de l'Église, ni dans aucun statut de nos vieux ou modernes ancêtres, ni dans les coutumes d'aucune cité ou Église réformée, mais dans le concile le plus anti-chrétien et la plus tyrannique inquisition qui aient jamais existé [3]. » L'argument est habile : ce que pratiquent Rome et le Concile de Trente ne peut être ni approuvé, ni à plus forte raison imité. Milton ne trouve pas de mots assez durs pour condamner cet « orgueil dictatorial ». Il prend soin d'appuyer, sur les exemples de l'Église primitive, sa censure... de la censure.

Milton se réclame, entre autres, de Denys d'Alexandrie, auquel on avait fait un cas de conscience de se risquer dans la connaissance approfondie des ouvrages des hérétiques. « Une vision venue de Dieu le tranquillisa en ces mots : " Lis tous les livres qui te tomberont sous la main : car tu es en état de discerner le bien et le mal et d'examiner convenablement chaque chose " [4]. »

Confiance dans le libre examen

Sous réserve d'une certaine tempérance, *l'esprit de libre examen*, la *confiance en l'aptitude de l'homme à juger par lui-même*, sont les piliers de la liberté d'expression. Ils sont le propre d'un âge adulte, discipliné, responsable : « La gestion d'une si grande responsabilité, écrit Milton, est entièrement *confiée* par Dieu, sans loi ou directive circonstanciées, à la discipline de tout être adulte [5]. »

Loin de constituer une source d'inhibition culturelle, la foi en Dieu est une relation de *confiance* : confiance que Dieu fait à l'homme, contrepartie de la confiance que l'homme fait à Dieu.

Fort de cette « responsabilité confiée par Dieu », Milton avance une justification théologique du pluralisme, faute duquel aucun choix humain ne sera vraiment responsable et libre. Sans *liberté de choix*, l'homme « n'eût plus été qu'un Adam artificiel, tel qu'on le montre dans les pantomimes [6] ». Or, la libre circulation des livres offre « des épreuves à la vertu, et des instruments pour la recherche de la vérité [7] ». L'exhortation à la tolérance – même si elle ne s'étend pas au « papisme », ni aux « superstitions déclarées » – n'est pas une doctrine opportuniste. Elle lui permet d'ébaucher une anthropologie fondée sur la *confiance faite à la personne humaine*, sur l'esprit d'examen, le pluralisme et le goût de la confrontation avec la nouveauté : « Et si ces hommes qui apparaissent les meneurs de schismes sont dans l'erreur, qu'est-ce qui nous retient, sinon notre paresse, notre obstination et notre peu de *confiance en la juste cause*, de leur accorder colloques et rejets courtois, de discuter et d'examiner à fond la question, puis d'exposer au monde de nouvelles thèses [8] ? » On le voit, cette « confiance en la juste cause » ne repose pas sur le sentiment d'un monopole de la vérité, mais sur une concurrence – un concours de l'Autre, une contribution de l'innovation à la manifestation de la vérité.

Le volontarisme de Milton reste fort éloigné d'un quelconque jacobinisme anticlérical : « Ce n'est pas de défroquer les prêtres, de démitrer les prélats et de les pousser dehors par des mains presbytériennes, qui peut faire de nous une nation heureuse. Portons nos réformes sur les grands intérêts tant de l'Église que de l'économie et de la politique [9]. » Le seul ennemi contre lequel s'acharne Milton, c'est l'immobilisme intellectuel – auquel il oppose le courageux « *E pur si muove* » de Galilée face à l'Inquisition [10].

Locke : l'Église comme société volontaire

Si Milton a, parmi les tout premiers, énoncé les principes d'un libéralisme culturel, il appartenait à Locke, deux générations et une révolution plus tard, d'en formuler les conditions politiques. L'argument principal de sa *Lettre sur la tolérance* [11] est l'antinomie entre le caractère purement intérieur de l'assentiment religieux et la contrainte extérieure dont dispose le magistrat civil : « Mais comme la religion vraie et salutaire consiste dans la persuasion intérieure de l'esprit, sans laquelle rien ne vaut devant Dieu, telle est la nature de l'entendement qu'il ne peut être contraint à rien croire par une force extérieure [12]. »

Parallèlement, Locke conçoit toute Église comme une société libre et volontaire [13]. Par conséquent, « aucune Église n'est tenue, au nom de la tolérance, de garder dans son sein celui qui, en dépit des avertissements, s'obstine à pécher contre les lois de cette société [14] ». L'excommunication se justifie donc, mais ne doit pas être une condamnation : elle ne fait qu'entériner la dénonciation unilatérale, par l'un des membres de la communauté, d'un pacte communautaire. Impossible de proclamer mieux le caractère individuel du lien avec une société religieuse.

On peut s'étonner de voir Locke trébucher à propos de la tolérance envers les athées. « Ceux qui nient l'existence d'un Dieu ne doivent être tolérés en aucune façon. La parole donnée, les contrats, le serment qui forment le lien de la société humaine ne peuvent avoir de solidité chez un athée [15]. » « Celui qui sape toute religion ne peut revendiquer le privilège de tolérance [16]. »

La religion minimale ainsi requise s'apparente-t-elle au garde-fou social prôné par Voltaire ? Ou à la sainteté du contrat social, dont les sceptiques sont, selon Rousseau, passibles de mort [17] ?

Le « christianisme raisonnable » de Locke constitue tout de même une approche moins cynique que celle de Voltaire et elle réconcilie mieux que celle de Rousseau l'enseignement chrétien et la Raison. Son individualisme (« le soin du salut de chacun n'appartient qu'à lui seul [18] ») demeure une assurance contre toute violence intellectuelle.

Jean de Witt : affinités politico-religieuses

Nous avons déjà croisé la réflexion de Jean de Witt, Grand Pensionnaire de Hollande, sur les fondements institutionnels de la République des Provinces-Unies. Énumérant les principaux moyens favorables au développement « prospère et harmonieux », il place, avant même les libertés juridiques (franchise de droit de bourgeoisie, franchise de monopole, retranchement des corporations), « la liberté de religion [19] ».

Cette affirmation détonne, dans une Europe soumise au principe « *cujus regio, ejus religio* ». Elle choque, dans une Hollande naguère persécutée par l'Inquisition espagnole, et qui pleure encore ses soldats piétinés par la cavalerie du duc d'Albe. Mais Jean de Witt ne veut pas que la Hollande devienne une autre Espagne où la Réforme tiendrait lieu de religion d'État. C'est pourquoi il entame une lutte contre la maison d'Orange, qui mobilise contre la bourgeoisie éclairée d'Amsterdam la masse calviniste fanatisée.

Le calvinisme doit avoir le triomphe modeste — et ne pas remplacer un monopole spirituel par un autre. Jean de Witt médite les précédents d'une utilisation politique de la confession religieuse. Henri IV, Cromwell, Guillaume Iᵉʳ d'Orange : otage d'une faction religieuse, l'État succombe toujours aux convulsions des fanatismes exacerbés.

Dans ces menées politico-religieuses, il diagnostique un attentat à la souveraineté de l'État. Le remède à ces tentatives de monopole religieux, ou de mainmise d'une Église sur l'État, est « la liberté de religion, nécessaire pour les tenir en bride [20] ». Il parie sur la compétition spirituelle. Il revient aux Régents d'attirer par tous les moyens possibles des peuples *de toute sorte de religion,* « sans consentir jamais à aucun pouvoir épiscopal [21] ».

Point donc d'identification théocratique entre la religion réformée et la République des Provinces-Unies. Ce sont les intérêts du développement économique, de l'harmonie sociale et de la paix qui rendent nécessaire le pluralisme religieux. Le monopole clérical représente une menace analogue à celle d'une mainmise de la Maison d'Orange sur les Provinces-Unies.

Ni Stathouder, ni religion d'État : cela ferait fuir les marchands dans les autres pays libres [22].

Tolérance religieuse et République, République et commerce : double collusion d'intérêts.

Commerce et tolérance

Nous avons déjà rencontré sir William Temple, ambassadeur de Sa Gracieuse Majesté à La Haye, sur les causes de la prospérité hollandaise. Il s'est aussi intéressé aux rapports entre cette performance commerciale et industrielle, et une certaine façon de vivre la religion.

Il observe que la persécution anti-calviniste menée par les Espagnols a, contre toute attente, renforcé le libéralisme hollandais en matière religieuse : « Cet État a toujours eu, tant devant que depuis cet établissement [du protestantisme], un soin très particulier de ne pas permettre que l'on fît une inquisition de la religion des particuliers. »

Le commerce entre aussi pour quelque chose dans cette culture de la tolérance. Il est école d'émulation, de comparaison et, pour employer un terme moderne, de communication : « La considération du commerce, les alliances et la connaissance qui se communiquent presque partout dans une si petite étendue de pays, contribuent beaucoup à faciliter la vie commune parmi des opinions si différentes [23]. »

L'observation est profonde. Il y aurait réciprocité d'action entre la mentalité commerciale et le climat politique et religieux. *L'activité commerciale prédispose excellemment à la communication démocratique, à la concurrence des idées, à la compétition pour les charges électives, à la tolérance.* L'esprit de négoce, c'est l'esprit de négociation, donc de compromis, d'échange pacifique de paroles, de vues et de biens.

La liberté de commerce et la liberté de religion

Presque dans le même temps, un autre Anglais, Roger Coke, affirme que « la liberté de commerce et la liberté de religion » ne font qu'un, puisque « sans celle-ci, le commerce ne pourra jamais connaître d'accroissement [24] ». Il va même jusqu'à assimiler la pratique des monopoles à l'intolérance [25]. Le monopole inhibe l'« industrie » [l'esprit d'entreprise], de même que l'intolérance inhibe l'esprit de foi.

Le jugement est sommaire et sans appel. Dans le contexte polémique, c'est de bonne guerre. Mais derrière l'humeur corrosive, la profession de foi pluraliste met en cause la pratique monopolistique, facteur de régression et non de progrès.

C'est dans le même sens que Montesquieu dirige sa réflexion. Dès les *Lettres persanes*, il avait évoqué la Révocation de l'Édit de Nantes sous l'habit oriental : « Quelques ministres de Chah Soliman avaient formé le dessein d'obliger tous les Arméniens de Perse de quitter le royaume ou de se faire mahométans. [...] En proscrivant les Arméniens, on pensa [faillit] détruire en un seul jour tous les négociants et presque tous les artisans du royaume [...] Il ne restait à la dévotion qu'un second coup à faire ; c'était de ruiner l'industrie. »

Le bon Usbek se prenait à penser qu'il y avait du bon dans la pluralité des religions à l'intérieur d'un même État : « On remarque que ceux qui vivent dans des religions tolérées se rendent ordinairement plus utiles à leur patrie que ceux qui vivent dans la religion dominante ; parce que, éloignés des honneurs, ne pouvant se distinguer que par leur opulence et leurs richesses, ils sont portés à acquérir par leur travail [26]. »

Pourtant, Joseph de Maistre ne craindra pas d'affirmer, dans ses *Réflexions sur le protestantisme* de 1798 : « L'humanité en corps a droit de reprocher la Saint-Barthélemy au protestantisme, car pour l'éviter, il n'y avait qu'à ne pas se révolter [27]. » Après un siècle de « Lumières », l'intolérance n'a pas baissé la garde.

L'Esprit des lois va jusqu'à relativiser l'idée d'une vérité religieuse, en la reliant au régime politique. « La religion catholique convient mieux à une monarchie, et la protestante s'accommode mieux d'une république [28]. »

Lors du « malheureux partage » de la religion chrétienne, « les peuples du Nord embrassèrent la protestante, et ceux du Midi gardèrent la catholique [29] ». Or, « les peuples du Nord ont et auront toujours un esprit d'indépendance et de liberté que n'ont pas les peuples du Midi. Une religion qui n'a point de chef visible convient mieux à *l'indépendance du climat* que celle qui en a un [30] ».

Il y a là une sorte de déterminisme ethnique et météorologique qui entrave la réflexion. Quelle différence ethnique ou météorologique peut-on trouver entre les Flamands du Sud et du Nord, qui puisse expliquer la stagnation des uns et l'essor fulgurant des autres ? À moins que ce déterminisme ne soit une précaution, pour vanter sans grand risque « l'esprit de liberté ». L'idée même de « climat » devient fort ambiguë. Ce n'est pas un facteur géophysique contraignant, comme il l'est par exemple chez Jean-Jacques Rousseau dans le *Discours sur l'origine des langues*. C'est une atmosphère spirituelle : « indépendance du climat », climat d'indépendance – c'est finalement l'indépendance qui compte.

De la tolérance au refuge

Ce climat, on vient de loin pour en jouir. La Hollande est un *refuge* de tolérance spirituelle et d'épanouissement de l'activité. Certains auteurs soulignent combien ce processus d'attraction était naturel : « La Hollande a été le siège de manufactures, dit un voyageur anglais, sans qu'elle ait rien fait activement pour les attirer. Des ouvriers de tous pays, molestés dans leur personne, leur état, leur religion ont trouvé ici refuge, avec leur savoir-faire et leur esprit industrieux [31]. »

Serait-ce là le secret qui permet à la Hollande de soutenir la concurrence de Gênes, de Venise, de la France et de l'Angleterre ? « Une tolérance générale, une sorte d'asile ont enrichi la Hollande de l'esprit industrieux des autres nations, et particulièrement de celle des Français [32]. »

Tolérance, accueil, échange, émulation. Dans le domaine religieux et dans le domaine économique, les valeurs, les pratiques sont analogues et, agissant les unes sur les autres, se confortent mutuellement.

Chapitre 6

Devant le « mal français »

Dans la problématique du développement, le cas français intrigue. L'historien de l'économie voit la France écartelée entre son dynamisme et ses paralysies. Beaucoup de contemporains ont senti cette situation ambiguë. La plupart ont fait tourner leur réflexion autour du colbertisme – sur le thème : comment s'en débarrasser ? Car il y a, au XVIIIᵉ siècle, un libéralisme français – anglomane et néerlandomane. Il faut lui rendre hommage, mais aussi conter ses déboires.

Un Français médecin

L'un des ouvrages les plus vigoureux de ce courant de pensée s'intitule *Considérations sur le commerce et en particulier sur les compagnies, sociétés et maîtrises* (1758). Il est anonyme, et l'anonymat n'a pas été percé. Il a trouvé éditeur à l'étranger, en Hollande naturellement ; mais nul doute qu'il a été lu à Paris et à Versailles, où il ne pouvait en trouver. Il paraît en 1758, l'année même où Gournay abandonne sa charge ; et l'on serait tenté, tant c'est son style et sa pensée, d'y voir le testament politique du maître de Turgot ; mais rien ne le prouve à ce jour.

Ce réquisitoire français contre la politique économique de la France émane d'un physiocrate : « Le premier homme de l'État », c'est le « cultivateur » : « La classe des colons est la roue motrice qui doit faire mouvoir toute la machine du commerce [1]. » Mais une fois l'agriculture rituellement saluée, l'intérêt se porte vers le commerce et l'industrie.

Or, sur ce point, constat de départ, en forme de comparaison : « La France, rivale de l'Angleterre, n'a pu encore, malgré la fertilité de ses terres, le nombre et la sûreté de ses ports, l'industrie et l'activité de ses habitants, soutenir avec avantage la concurrence, et mettre de son côté la balance du commerce [2]. » [...] « Il faut donc que, soit dans l'administration, soit dans la législation, il y ait un vice caché, *un mal intérieur* qui en arrête les progrès [3] » — un mal français, un mal de l'État français.

La comparaison s'approfondit, pour mieux cerner le mal. Les Français les plus « habiles » sont nombreux à s'installer à l'étranger, et ce ne sont pas seulement les « funestes suites » de la Révocation de l'Édit de Nantes. À l'inverse, les étrangers « habiles » ont beaucoup de mal à venir travailler en France. « Un Français qui aura appris son métier en un an ou deux, et qui ne peut l'exercer en France en son nom, sans se soumettre encore à sept ou huit ans d'apprentissage dont il n'a plus que faire, passera dans le pays étranger où il est maître d'abord. Si, au contraire, un étranger, attiré par la douceur du climat, veut venir s'établir en France, nous le rebutons par la durée interminable de l'apprentissage et par le prix énorme des lettres de maîtrise : double abus dans notre législation, qui tend d'un côté à dépeupler l'État, et nous prive de l'autre des moyens de réparer nos pertes [4]. »

Bilan, dans notre jargon moderne : le solde migratoire en main-d'œuvre qualifiée est déficitaire pour la France, du fait d'une législation malthusienne du travail.

Cette comparaison-diagnostic oscille entre les explications précises, quasi techniques, et les explications globales, qui invoquent vaguement l'« esprit » des nations, le facteur mental. Cette oscillation n'est pourtant pas le signe d'un flou dans la pensée : le mental s'exprime par des gestes que l'on peut décrire objectivement ; il se traduit en comportements précis. Ainsi, l'auteur oppose à la France « les nations où ce ne sont pas les inspecteurs qui font les règlements », mais « les fabricants habiles, les négociants consommés [5] ». Il oppose aussi la France, où un « esprit de la nation » est porté aujourd'hui « plus que jamais au luxe et à la dépense », où les « mariages sont moins nombreux et moins féconds [6] », à « une nation économe où l'on compte plus de pères de famille [7] ».

Le crime d'oser penser

Finalement, la réflexion se centre sur son véritable sujet : le vice caché, le mal intérieur à l'administration et à la législation économiques, ce sont les monopoles – qu'ils soient détenus par les compagnies, les maîtrises ou les jurandes.

Le mal n'est pas inconnu à l'Angleterre. Mais il y est localisé : l'auteur évoque les privilèges des corporations de Londres et autres vieilles cités d'Angleterre. « Quelles ont été les suites de cette politique [8] ? » « Les arts *, enfants de la liberté, ont quitté les cités où ils étaient captifs et contraints, pour se retirer dans les villes où on les a affranchis de toute servitude [9]. » Et de préciser en note : « Man-

---

* Au sens de « arts et métiers » : les techniques.

chester, Leeds, Halifax, Birmingham, etc. » – toutes ces villes que nous associons encore aujourd'hui à l'expansion industrielle anglaise.

L'auteur tire la leçon de cette expérience : « Tel sera toujours l'effet des gênes dans lesquelles les corporations enchaînent l'industrie * ; ennemie de la contrainte, elle se réfugiera nécessairement dans les lieux où elle sera plus libre [10] ». Suit le panégyrique des « succès les plus brillants » de l'Angleterre et de la Hollande, où « on a *osé penser* qu'il fallait plus d'exécution que de règlements, plus de récompenses que de lois, plus de liberté que de contrainte [11] ».

Oser penser : la distorsion est bien une distorsion mentale, dont les institutions, la législation et l'administration ne sont que l'expression.

Placée sous l'invocation de Jean de Witt [12], la proclamation libérale éclate alors à toutes les pages : « Enfin, *l'intérêt et la concurrence, les deux agents les plus puissants* du commerce, sont plus efficaces que l'inspection et les règlements. » Pourquoi Colbert s'est-il mêlé de légiférer « sur la perfection, la forme et la qualité, le prix, la couleur, le dessin »,... quand « ce sont des objets que la vente seule doit diriger » ? Le fabricant sera toujours « plus éclairé par son intérêt que par la loi [13] ».

Les talents enchaînés

Qui plus est, les règlements sont fixistes. Ils ne sont pas faits pour prendre en compte ce qui n'existe pas encore. Ils sont funestes aux activités industrielles, puisqu'ils entravent l'innovation comme l'importation techniques : « Supposons qu'un ouvrier français imite ou invente une fabrique inconnue ; nos règlements, qui n'ont statué que sur ce qui existait alors, ne l'ont ni prévu ni pu prévoir. Cet ouvrier doit s'attendre à l'opposition de ses concurrents jaloux. Ils prendront le règlement pour prétexte, *et le peindront comme un novateur, comme un homme hors la loi*, laquelle interdit ce qu'elle n'ordonne pas [14]. »

Le règlement colbertiste met l'innovation, donc le développement, hors la loi. À quoi notre auteur oppose le commerce des Suisses : « Depuis longtemps, ils s'occupent à nous imiter. À peine avons-nous inventé, qu'ils exécutent ce que nous faisons, en moindre qualité il est vrai, mais à plus bas prix ; [...] ils trouvent par là le moyen de nous inonder de leurs ouvrages, qui nous tentent par la modicité du prix. » Aucun doute : les Suisses sont, à l'époque, les Taïwanais de l'Europe. Et de pleurer sur le mal français : « Combien d'industrie ** étouffée ! Combien d'imitations retardées ! *Combien*

---

* L'innovation, l'esprit industrieux.
** Là encore, l'esprit industrieux, l'esprit d'entreprise.

d'inventions perdues par les entraves dans lesquelles nous avons enchaîné les talents ! »

Les remèdes se déduisent du diagnostic : ils consisteraient à faire place nette de cette réglementation – tant sur les produits, que sur les conditions de travail et le droit au travail.

Enfin, une recommandation fiscale pour encourager l'investissement : « Les lois ne sauraient trop féconder l'industrie », augmenter « le nombre des hommes industrieux [15] », diminuer celui des « citoyens oisifs [16] » en décourageant la rente – « produit de l'indolence [17] ».

Les petits pas, plutôt que les grands coups

Ce sera très précisément le programme de Turgot, comme c'était, depuis quelques années, le programme de Gournay. Dès la mort de celui-ci, en 1759, Turgot l'avait résumé dans son *Éloge*.

Résumé, ou amplifié et exalté ? Car, pour bien évaluer l'apport de Gournay, sans doute ne faut-il pas se reposer entièrement sur ce qu'en dit son disciple et thuriféraire. Homme d'État, il a laissé des traces, qu'un économiste japonais, nous l'avons vu, s'est ingénié à déchiffrer. Il a fallu, en effet, qu'un chercheur vînt de Tokyo pour exploiter les archives de la famille Gournay et de la Bibliothèque municipale de Saint-Brieuc, et y découvrît ce qui n'avait retenu l'attention d'aucun Français depuis deux siècles. Nouvel exemple de divergence culturelle : entre l'indifférence des compatriotes à l'égard de leurs difficultés essentielles, et l'acharnement d'un chercheur venu des antipodes [18].

Le véritable Gournay reste, à bien des égards, protectionniste. Intendant du commerce (avril 1751-mai 1758), il soutient une politique du « laisser-faire, laisser-passer », mais songe aux intérêts de la France, dans un contexte international qui est justement celui du protectionnisme. La France ne peut lever seule ses barrières, si les autres les gardent bien hautes. À l'extérieur, surveillance et représailles sont encore de mise.

C'est davantage à l'intérieur que Gournay est radicalement libéral : monopoles, privilèges et réglementations sont pour lui les principales entraves à la prospérité. Ils induisent aussi une lourdeur dangereuse, pour peu qu'on souhaite exporter, ou surmonter l'attrait qu'exercent les produits étrangers.

Dans une lettre adressée à Trudaine, Gournay écrit : « J'ai l'honneur de vous envoyer ci-joint le huitième chapitre de M. Child, sur la laine et les manufactures de laine ; ce sujet m'a donné occasion de traiter avec assez d'étendue la question de savoir si nos inspecteurs et nos règlements portant amendes sont utiles ou non aux manufactures. Outre l'exemple des nations les plus commerçantes dont je me suis appuyé, j'ai tâché de faire voir que le *préjugé* où nous sommes *nous éloigne* du véritable esprit du commerce et est aussi nuisible au *progrès de l'industrie* qu'à l'augmentation des sujets du roi et de ses revenus [19]... » Mais Gournay reconnaît le caractère invétéré d'une « opinion reçue et consacrée depuis plus de quatre-vingts ans [20] ».

Il sait à quoi il s'attaque. Aussi essaie-t-il de convaincre par des faits, des exemples. Ainsi, « la consommation des velours d'Utrecht, des ratines et des autres marchandises d'Hollande, n'a assurément pas diminué en France depuis que les dirigeants de ce pays [la France] ont stipulé cet article *. Ils ont su par là procurer, à leurs fabriques et à leurs sujets, toute la liberté nécessaire pour que leur industrie ne fût point bridée. Les gênes, les caprices des inspecteurs, les visites continuelles, les règlements de deux cents articles dont chacun porte une amende sont restés à la charge de nos fabricants seuls ».

Ainsi, un traité international soumet les fabricants français à la concurrence. Les lois et les habitudes prises les empêchent d'y bien répondre : contradiction toute pratique, que l'habitude du pragmatisme aurait bientôt levée, mais que le dogmatisme entretient. S'il faut céder dans les traités, on est maître chez soi, et on le prouve, à ses propres dépens...

Gournay connaît son monde. Réaliste toujours, il préconise de n'apporter des changements que progressifs. La « réduction d'intérêt sagement amenée [21] », première mesure proposée par Gournay dans sa *Conclusion des Remarques sur l'ouvrage du Chevalier Child*, vise à « nous tirer de la dépendance des étrangers ; mais pour que cette réduction soit utile et durable, *il ne faut pas qu'elle soit forcée* ». Les petits pas, plutôt que les grands coups. Recommandation qui pourrait utilement éclairer à la fois ceux qui, aujourd'hui, ne se soucient guère de l'abaissement des taux d'intérêt, et ceux qui le voudraient brutal pour qu'il soit plus sensible.

Le régime corporatif : voilà l'ennemi

Peut-être parce qu'il a constaté le médiocre résultat de la méthode des petits pas, Turgot affectionnera les grands coups. Le premier sera justement l'*Éloge* de Gournay, véritable manifeste libéral ; le second sera l'édit de 1776.

L'*Éloge* peut se résumer d'une phrase : le régime corporatif, voilà l'ennemi. En France, toute la réglementation étatiste de l'économie procède d'un « esprit de monopole », appelé encore « esprit monopoleur », dont tout l'objet est de décourager les activités innovatrices et particulièrement l'industrie, en multi-

---

* Dans le traité de commerce de 1713 entre la France et la Hollande.

pliant formalités et frais, en assujettissant, en excluant, en interdisant, en divisant l'intérêt général par des rivalités provinciales.

Au cœur de l'État, il voit le colbertisme en action. Il le côtoie et il va le combattre. Turgot peint la surprise indignée qu'il prête à Gournay. Éloquente sévérité de l'ironie : « Il fut étonné de voir qu'un citoyen ne pouvait rien fabriquer ni rien vendre, sans en avoir acheté le droit en se faisant recevoir à grands frais dans une communauté [corporation], et qu'après l'avoir acheté, il fallait encore quelquefois soutenir un procès pour savoir si, en entrant dans telle ou telle communauté, on avait acquis le droit de vendre ou de faire précisément telle ou telle chose. Il pensait qu'un ouvrier qui avait fabriqué une pièce d'étoffe avait ajouté à la masse des richesses de l'État une richesse réelle ; que si cette étoffe était inférieure à d'autres, il se trouverait parmi la multitude des consommateurs quelqu'un à qui cette infériorité même conviendrait mieux qu'une perfection plus coûteuse. Il était bien loin d'imaginer que cette pièce d'étoffe, faute d'être conforme à certains règlements, dût être coupée de trois aunes en trois aunes, et le malheureux qui l'avait faite condamné à une amende capable de réduire toute une famille à la mendicité. Etc.

« M. de Gournay n'avait pas imaginé non plus que, dans un royaume où l'ordre des successions n'a été établi que par la coutume, et où l'application de la peine de mort à plusieurs crimes est encore abandonnée à la jurisprudence, le gouvernement eût daigné régler par des lois expresses la longueur et la largeur de chaque pièce d'étoffe, le nombre des fils dont elle doit être composée, et consacrer par le sceau de la puissance législative quatre volumes in-quarto remplis de ces détails importants et des statuts sans nombre dictés par l'esprit de monopole, dont tout l'objet est de décourager l'industrie. Etc.

« Il n'avait pas imaginé que, dans un royaume soumis au même prince, chaque province, chaque ville, se regarderaient mutuellement comme ennemies, s'arrogeraient le droit d'interdire le travail dans leur enceinte à des Français désignés sous le nom d'étrangers, de s'opposer à la vente et au passage libre des denrées d'une province voisine, de combattre ainsi, pour un intérêt léger, l'intérêt local de l'État. Etc. »

Le trop grand désir de bien faire

Il y aurait un gros livre, dans ces *et cetera* dont Turgot ponctue ses fins de paragraphes. Mais il veut faire court. Il lui faut montrer que le pire n'est pas inévitable. Il cherche à attiser le désir de réforme par l'exemple de l'Angleterre et de la Hollande. « Depuis un siècle, toutes les personnes éclairées, soit en Hollande, soit en Angleterre, regardent ces abus comme des restes de la barbarie gothique et de la faiblesse de tous les gouvernements, qui n'ont ni connu l'importance du commerce, ni su défendre la liberté publique des *invasions de l'esprit monopoleur*[22]... »

Il se hâte de remonter à l'origine du mal : le trop grand désir de bien faire. L'État veut garantir le bien. Il sait qu'on le tient pour responsable ultime de toute injustice et de tout malheur. Il est tenté de devancer la critique en entravant l'action. Vouloir intervenir en tout, « c'est oublier que ces règlements, ces inspecteurs, ces bureaux de marque et de visite entraînent toujours des frais ; que ces frais sont toujours prélevés sur la marchandise et, par conséquent, surchargent le consommateur national, éloignent le consommateur étranger ; que c'est, en supposant tous les consommateurs dupes et tous les marchands et fabricants fripons, les autoriser à l'être, et avilir toutes les parties laborieuses de la nation[23] ».

Non que le libéralisme de Turgot soit « sauvage » : le laisser-faire n'est pas la loi de la jungle ; la liberté économique doit être garantie par l'administration publique.

État modeste, État irremplaçable. On peut voir qu'il n'est pas inconsistant : « M. de Gournay en concluait que le seul but que dût se proposer l'administration était : 1° de rendre à toutes les branches du commerce cette liberté précieuse que les préjugés des siècles d'ignorance, la facilité du gouvernement à se prêter à des intérêts particuliers, le désir d'une perfection mal entendue, leur ont fait perdre ; 2° de faciliter le travail à tous les membres de l'État, afin d'exciter la plus grande concurrence dans la vente, d'où résulteront nécessairement la plus grande perfection dans la fabrication, et le prix le plus avantageux à l'acheteur ; 3° de donner en même temps à celui-ci le plus grand nombre de concurrents possible, en ouvrant au vendeur tous les débouchés de sa denrée, seul moyen d'assurer au travail sa récompense, et de perpétuer la production, qui n'a d'autre objet que cette récompense[24]. »

L'édit de 1776, ou le passage à l'acte

L'édit de Turgot de 1776 constitue l'un des passages à l'acte les plus fracassants de l'histoire des mentalités économiques. Il s'ouvre sur un constat sévère : « Dans presque toutes les villes de notre royaume, l'exercice des différents arts et métiers est concentré dans les mains d'un petit nombre de maîtres réunis en communauté, qui peuvent seuls, à l'exclusion de tous les autres citoyens, fabriquer ou vendre les objets du commerce particulier dont ils ont le privilège exclusif[25]. »

Concentration, exclusion, privilège : en quoi ces caractéristiques du régime corporatif nuisent-elles à la prospérité ? Turgot les compare à celles d'un monopole commercial : « Ainsi, les effets de ces établissements sont, à l'égard de l'État, une diminution inappréciable du commerce et des travaux industriels ; à l'égard d'une nombreuse partie de nos sujets, une perte de salaires et de moyens de subsistance ; à l'égard des habitants des villes en général, l'asservissement à des privilèges exclusifs dont l'effet est absolument analogue à celui d'un monopole effectif, monopole dont ceux qui l'exercent contre le public, sont eux-mêmes les victimes dans tous les moments où ils ont à leur tour besoin des marchandises ou du travail d'une autre communauté [corporation] [26] ».

Outre « le préjudice immense que l'existence des communautés cause à l'industrie », elle induit un climat de rivalité improductive, de spoliation réciproque et, dirions-nous, de *racket* industriel, salarial et commercial. Elle supprime « les avantages que [...] donnerait la concurrence pour le bas prix et la perfection du travail ».

Tels sont donc les « caprices du régime arbitraire et intéressé [27] » des corporations, que Turgot se propose d'abroger. Mais les formidables résistances qu'il rencontrera, et finalement son échec, montreront bien qu'« on ne change pas une société par décret ».

Le mal français dans le miroir anglais

Entre le long feu de l'édit de 1776 et le coup de tonnerre de la Révolution, un tout jeune aristocrate français, François-Alexandre, futur duc de La Rochefoucauld-Liancourt (1765-1848), visite l'Angleterre. Il a pour compagnon éclairé son maître et ami Arthur Young *. L'œil du jeune disciple ne s'arrête pas seulement aux performances manufacturières. Il s'attache également à la diffusion large d'un mieux-être ; à l'agriculture, secteur de l'économie dont la France est particulièrement fière (« labourage et pâturage... »), et où l'on pourrait croire qu'elle a l'avantage sur l'Angleterre. Or, sur chaque point, la divergence franco-anglaise lui apparaît dans toute sa force.

Les explications qu'il avance sont essentiellement de caractère moral, ou plutôt éthologique. Tout tourne autour de facteurs comme la réputation, l'estime ou le mépris à l'égard de ceux qui se vouent aux tâches productives. Ainsi, les regards portés par les élites françaises sur leur paysannat dévalorisent celui-ci à ses propres yeux. La considération mutuelle dans laquelle se trouvent les acteurs de la vie économique les porte à concourir ou à collaborer à la prospérité, quand le dénigrement, le mépris, la méfiance constituent une entrave.

---

* Nous avons fait une analyse critique des *Mélanges sur l'Angleterre* de François de La Rochefoucauld-Liancourt dans *Du « miracle » en économie, Leçons au Collège de France*, p. 184-190.

La Rochefoucault-Liancourt sait identifier des formes de communication sociale qui favorisent le mouvement : ainsi, les clubs.

Il sait aussi analyser, dans la politique religieuse, des différences qui tournent à l'avantage des Anglais : point de pape, point de latin, point de confession ; l'accent mis sur la confirmation de l'adolescent, plus que sur le baptême du bébé. Entre l'inspiration du culte et celle de la société, La Rochefoucauld-Liancourt a saisi la corrélation. Une responsabilité personnelle est conférée à chacun par l'organisation de la société, au lieu de la soumission à une autorité hiérarchique – religieuse, politique, civile ou économique.

Mais devant l'ampleur et la profondeur de la divergence, quand chaque réussite anglaise ne fait que révéler davantage le *mal français*, que faire ? Se décourager n'est pas dans le caractère d'un La Rochefoucauld. Il ouvre en 1788 à Liancourt une ferme-école et la première « école de métiers », approuvée par Louis XVI. Une goutte d'eau dans la mer.

La tunique de Nessus

Confiance, crédit : dans très peu d'années, c'est le crédit défaillant, par méfiance de l'État envers les citoyens et des citoyens envers l'État, qui va précipiter à bas l'Ancien Régime. La France, première puissance de l'Europe, au potentiel immense, va imploser – et reculer durablement sous l'effet de cette implosion. Ni les plaidoyers de l'abbé Coyer, ni les réformes à petits pas préconisées par Gournay, ni les réformes radicales de Turgot, ni l'exemple intelligemment pris en Angleterre par La Rochefoucauld-Liancourt ne la sauveront. La tunique de Nessus consume le pays : celle de la défiance ; celle des mentalités anti-économiques qui imprègnent les élites aristocratiques, intellectuelles et même bourgeoises ; celle du bon vouloir colbertiste, à effet pervers. L'Ancien Régime sent, il sait, que cette tunique doit être arrachée. Il ne l'arrachera qu'en se consumant avec elle.

Le cercle vicieux dans lequel le mépris public enferme en France la « classe » des commerçants pourrait se résumer dans une remarque du général marquis de Bouillé. Émigré à Londres après l'échec, à Varennes, de la fuite du Roi qu'il avait organisée avec Louis XVI, il écrit dans un mémoire (inédit) : « M. d'Estaing [l'amiral] avait gâté le commerce par toutes les complaisances souvent déplacées qu'il avait eues pour les commerçants, et qu'il avait poussées jusqu'à la bassesse et à la flatterie. Cette espèce de gens en France est très exigeante et très vaine, et peu soumise à l'autorité ; je ne parle pas des vues de cette classe d'hommes qui, très estimable chez les nations commerçantes, est très méprisable en France par les défauts de notre constitution, qui fait qu'il n'y a dans le commerce que des espèces d'aventuriers d'affaires, qui ont leur fortune à faire, et qui le quittent quand ils l'ont faite, *le préjugé national engageant à prendre un autre état. Aussi n'ai-je vu parmi ces gens-là que fraude, mauvaise foi et friponnerie* [28]. » Bouillé, qui connaissait très bien l'Angleterre, était à même de faire cette terrible comparaison.

Le marchand n'est pas le même partout – pas plus que l'industriel. Les Français qui réfléchissaient sur les exemples hollandais ou anglais pouvaient croire qu'il suffisait de soulever le couvercle étatique ou aristocratique : mais qu'y avait-il dans la marmite ?

Chanter la divergence, à défaut de l'effacer (1825)

Il ne reste plus qu'à s'enfermer dans un fatalisme ethnique. La Révolution elle-même l'aura conforté. Les peuples sont ce qu'ils sont ; on n'y peut rien changer. De cette affirmation, devenue si courante en France après Waterloo qu'elle prend figure d'affligeante tautologie, feuilletons maintenant une manifestation pittoresque.

Le 19 juin 1825, à l'occasion des fêtes du couronnement de Charles X, est représenté au Théâtre-Italien de Paris *Le voyage à Reims (Il viaggio a Reims)*, opéra-comique en un acte de Rossini, sur un livret de Luigi Balocchi [29].

L'opéra met en scène une dizaine de personnages de nationalités différentes, invités aux fêtes du sacre. Retenue à l'auberge du « Lys d'or », la joyeuse compagnie doit se consoler de ne pouvoir, faute de chevaux, se rendre au sacre.

C'est l'occasion de croquer le portrait des nations de l'Europe, à travers les penchants de leurs représentants. L'Italien Don Profondo, « homme de lettres [...] membre de diverses académies, collectionneur, fou d'antiquités », fait la liste des effets emportés par les voyageurs.

Pour l'Espagnol, c'est la nostalgie du Siècle d'or :

> *De grands arbres généalogiques*
> *Des aïeux et des bisaïeux,*
> *Avec les notices historiques*
> *De leur origine et de leurs exploits.*
> *Des parchemins, des croix, des décorations,*
> *Des rubans, des colliers, des ordres,*
> *Et six perles du Pérou,*
> *Grosses comme des noix.*

La dame polonaise chante la passion éthérée :

> *Les ouvrages les plus exquis*
> *Des auteurs romantiques [...]*
> *Le beau profil d'Harold [...]* [30]

La Française, quant à elle, vit dans un monde de frivolités, de mode, d'éparpillement :

> *Des grandes et des petites boîtes*
> *Avec des cartons et des écrins*
> *Qui renferment des trésors*
> *Consacrés à la déesse de la beauté* [...]
> *Le joli chapeau à la mode*
> *Avec des rubans, des dentelles et des fleurs* [31].

L'Allemand, féru de musique, y met du sérieux, de la méthode. Il a dans ses bagages :

> *Des traités classiques*
> *Sur les nouveaux effets harmoniques*
> *Par lesquels on sera tout étonné*
> *De revoir les miracles d'Amphion ;*
> *Les Orphées teutoniques*
> *Avec des modèles inconnus*
> *Pour de nouvelles formes*
> *De cors et de trombones* [32].

Pour l'Anglais, un mot ne suffit pas à définir sa diversité : la curiosité géographique, la compétence en technique maritime, le commerce des produits lointains, la finance, l'argent, sans oublier le modèle parlementaire, sont tous relevés comme essentiels. Le contraste avec le Français, tout occupé de « charmantes lithographies, portraits, billets doux, avec les précieux souvenirs de ses exploits amoureux [33] », n'en est que plus frappant.

> *Plusieurs voyages autour du globe ;*
> *Des traités de marine ;*
> *Du très petit thé perlé*
> *Natif de la Chine ;*
> *De l'opium, des pistolets à vents,*
> *Des lettres de change, avec beaucoup d'or,*
> *Et les* bills *dont le Parlement*
> *A fait à trois fois la lecture* [34].

Le contraste n'est pas moindre avec le Russe, dont les effets ne ressemblent qu'en apparence à ceux de l'Anglais :

> *Une notice topographique*
> *De toute la Sibérie*
> *Avec une carte géographique*
> *De l'Empire ottoman ;*
> *Une collection précieuse*

Des plus riches fourrures,
Avec de belles plumes de coq
Pour les casques et les chapeaux [35].

Prime à l'Allemand et surtout à l'Anglais : le premier pour son goût de la nouveauté en musique, le second pour sa modernité conquérante et efficace.

Au finale, quand chacun porte un toast à Charles X, l'Anglais est le seul à évoquer le peuple, quand ses compagnons ne chantent que fracas des guerres, intrépides victoires. Il est d'ailleurs vite interrompu : « Basta ! Basta ! » Ses accents démocratiques ne siéent pas à une telle circonstance.

Sous la caricature, le librettiste du *Voyage à Reims* souligne la distorsion entre, d'un côté, un pays européen tourné vers le progrès technique, la recherche, l'innovation, la démocratie ; de l'autre, une Europe adonnée aux colifichets, aux estampes, à la frivolité, au décorum, à la pompe, au passé.

Prenons ces notations *cum grano salis*. Le librettiste italien — assez malin pour ne pas mettre en scène sa nation, sinon à travers son « antiquaire » à l'œil observateur — sait parfaitement que le trait de mœurs le plus profond des Français, c'est encore le plaisir de l'auto-critique : le Français est un coq qui ne s'aime pas. Plus il se déchire sur scène, plus le public de Paris applaudira...

Chapitre 7

Penser la liberté :
Spinoza, Locke

Chez les théoriciens-praticiens de la société de développement, nous avons rencontré la liberté à tous les coins de page publiée ou manuscrite. Et cette liberté n'a guère besoin de définition. Elle suppose seulement que l'on fait *confiance à l'entreprenant pour qu'il entreprenne* au mieux des intérêts de son entreprise, donc de la société. Que l'on fait *confiance* au commerçant pour qu'il vende ses produits avec le meilleur rapport qualité-prix. Que l'on fait *confiance* au consommateur pour qu'il achète en choisissant le produit qui répond le mieux à ses besoins et à ses moyens.

Cette liberté tombe sous le sens. Elle fait appel à votre expérience. Elle est la liberté d'agir, de disposer de son bien, de produire à sa guise, de vendre à son prix, d'acheter à qui l'on veut. Elle se définit surtout par opposition : aux pouvoirs collectifs, au prince, à l'Église, à la corporation, à l'édit.

Mais cette réflexion reste bornée par son empirisme même. Elle s'inscrit dans les circonstances d'une organisation politique et sociale donnée. Il est temps de s'intéresser à des penseurs de la liberté qui ont voulu aller au fond des choses. Nous en retiendrons trois : Spinoza qui veut bâtir sans elle, Locke qui en fait l'alpha de son système et, un peu plus loin, Marx qui en fait l'oméga.

Rousseau n'allait-il pas un peu vite en besogne, lorsqu'il déclarait au début du *Contrat social* : « Le sens philosophique du mot *liberté* n'est pas ici de mon sujet » ? On ne saurait proposer une réflexion sur les fondements éthologiques de la modernité et du développement, sans approfondir cette notion galvaudée de liberté, un de ces mots détestables qui, selon Paul Valéry, chantent plus qu'ils ne parlent.

I. SPINOZA *ou le système de la nécessité*

Spinoza est en lui-même un paradoxe. Il crée un système philosophique absolument original, affranchi de toute la tradition religieuse judéo-chrétienne, comme de toute la tradition philosophique gréco-romaine : en quoi, il exerce avec une superbe audace sa liberté de penser et de dire. Mais toute sa doctrine semble justement écarter l'idée de la liberté et présenter un poème de la nécessité. Raison de plus pour l'interroger : comment, au XVIIᵉ siècle, la liberté obtient-elle sa place, même dans une pensée toute tendue vers la déduction d'une théologie, d'une cosmologie et d'une anthropologie fondées sur l'idée de *nécessité* ?

Le caractère systématique de la doctrine de Spinoza – exposée à la manière d'une démonstration géométrique dans l'*Éthique* – exclut déjà toute idée de la liberté. Le « nécessitarisme » de Spinoza est une invite, pour le sage, à vivre « sous la conduite de la Raison », c'est-à-dire à faire de nécessité vertu. La liberté n'est jamais, selon les termes de sa *Lettre à Schuller*, que « la nécessité comprise ».

Ainsi disparaît la vaste dramaturgie judéo-chrétienne, où l'homme, campé devant un Dieu personnel, affronte, dès le jardin d'Éden, sa liberté. Elle est remplacée par une pensée de l'Unique et du Tout, envoûtante – tonique même, pour qui a intériorisé le système.

Le système de Spinoza se présente comme un *nécessitarisme moniste* : une seule substance, appelée indifféremment Dieu ou la Nature *(Deus sive Natura)*, est déclarée « cause immanente » de toute chose [1]. Quant à l'action humaine, elle est justiciable du plus strict déterminisme – en dépit de l'ignorance où nous sommes des causes qui la déterminent.

Fondement théorique de la liberté

Toutefois, aussi rigide que soit le système spinoziste, il semble traversé, à lire le *Traité théologico-politique* (1670), par l'inquiétude de la liberté, et d'une liberté spécifiquement humaine. Chaque homme se voit ainsi reconnaître « un droit naturel ou une faculté de raisonner librement et de juger de toutes choses [2] ». En effet, tout homme jouit d'une pleine indépendance en matière de pensée et de croyance ; jamais, fût-ce de son gré, il ne saurait aliéner ce droit individuel. En dépit de son « nécessitarisme », Spinoza laisse donc sa place au concept d'une « *indépendance intérieure* ».

De cette indépendance intérieure, déduit-on la liberté d'expression des jugements et des sentiments individuels ? Non sans une réserve : « Nous devons rechercher présentement jusqu'où l'on peut et doit accorder à chacun cette liberté, sans nuire ni à la paix de l'État, ni au droit des Souverains Pouvoirs [3]. »

Plus précisément, la liberté est le but final de l'instauration d'un régime politique. « La fin du gouvernement, c'est donc, en réalité, la liberté [4]. » Le but, non le moyen, ni le principe, ni l'assise. La sécurité vient avant : elle seule permet à l'homme de jouir de sa liberté. Les pouvoirs publics doivent la garantir.

La « décision active » appartient à la seule autorité politique. Le citoyen est tenu de se plier aux obligations que lui impose la vie en société. « Les hommes ne pourraient vivre en paix si chacun ne se dessaisissait du droit d'*agir* par sa seule volonté [5]. »

De son droit d'agir, non de son droit de penser. La pensée est le domaine réservé de l'*individu* et de la *liberté*, indissolublement associés : « Le droit des Souverains Pouvoirs ne se rapporte qu'aux *actes*. Qu'on laisse donc à chacun le droit de penser ce qu'il veut et de dire ce qu'il pense [6]. »

Encore ce droit de raisonner et de s'exprimer est-il assorti d'une réserve qui n'est pas mince : « pourvu toutefois qu'il ne le soutienne pas avec l'intention d'introduire quelque *nouveauté* dans l'État, de sa propre autorité ». Toujours la hantise de l'innovation.

On reste perplexe devant un « libéralisme » qui intègre l'action individuelle dans un système d'autorité politique strictement déterminé, fondé sur la seule tradition, et rétif à toute innovation.

Comment a-t-on pu prétendre que Spinoza était le promoteur d'institutions libérales ? De surcroît, il n'a formulé aucune doctrine d'une activité économique qui soit émancipée de l'autorité politique.

La liberté pratique
une exclusivité du philosophe

Seule l'activité spéculative de l'esprit mérite cette émancipation. Le philosophe, le savant, l'artiste ont droit à l'autonomie [7].

Dans ce domaine des « recherches désintéressées », l'autorité politique se voit même refuser toute faculté d'intervention [8]. Spinoza définit donc un *devoir de non-ingérence de toute autorité sociale dans la vie intellectuelle*. Conscient de l'énormité de cette exception, il s'emploie à convaincre les pouvoirs qu'elle ne comporte guère de dangers. L'État n'a rien à redouter de cette liberté si désarmée, si circonscrite, si timide.

Un exemple ? Spinoza l'a sous la main. « Prenons celui de la ville d'Amsterdam, qui, *bien que bénéficiant de cette liberté*, connaît un accroissement de sa prospérité, à l'admiration de toutes les nations [9]. » Comme il cantonne la liberté ! Pour Spinoza, ce n'est pas *à cause de* cette liberté mais *malgré* elle, que la prospérité d'Amsterdam s'accroît.

Spinoza est préoccupé par l'idée de « concorde ». Elle réside, selon lui, dans la neutralisation des divergences d'opinions sous l'effet du « prestige efficace de la Souveraine Puissance ». « Les hommes, bien qu'ayant ouvertement des opinions contraires, sont aisément retenus de se nuire les uns aux autres [10]. »

263

Voilà qui ressemble plus à une aseptisation de la vie politique, qu'à la recherche d'un accord par des initiatives concurrentes. Il est vrai que Spinoza garde à l'esprit les controverses locales entre Remontrants et Contre-Remontrants [11], qui ont dû lui paraître inutilement sanglantes, et fort éloignées des disciplines austères de sa recherche de la vérité.

Fort méprisant à l'égard de ces querelles, il ne voit pas le lien qu'elles ont avec la dynamique de la liberté. Tout au contraire, il voit l'activité économique se développer *au-delà* de la liberté religieuse, dans un neutralisme confessionnel qui laisse apparaître une société laïque. « Dans cette florissante république, tous les habitants, quelle que soit leur secte, vivent dans la plus grande concorde. Pour prêter leur argent à quelqu'un, ils ne s'informent que d'une chose. Est-il riche ou pauvre ? A-t-il coutume d'agir de bonne foi ou avec déloyauté ? La religion ou la secte ne les touche en rien. Et il n'y a pas de secte, si odieuse soit-elle, dont les sectaires – pourvu qu'ils rendent à chacun ce qui lui est dû – ne soient protégés par l'autorité publique [12]. »

Spinoza sépare totalement l'activité économique de la culture. Fait des affaires qui veut, avec qui il veut. Cela n'a rien à voir avec les convictions.

« On peut bien trafiquer avec les cannibales, cela ne veut pas dire qu'on approuve le cannibalisme ! » déclarera plus cyniquement, mais dans la même ligne, Lloyd George lors de l'établissement des relations commerciales avec l'Union Soviétique, en 1922.

Évacuer le facteur religieux comme le fait Spinoza, c'est peut-être oublier bien vite que ce pragmatisme marchand, précisément, est caractéristique de l'esprit réformé.

II. LOCKE, *la tolérance et la confiance*

L'auteur de l'*Essai sur la tolérance* (1666) puis des trois *Lettres sur la tolérance* * (1692) semble avoir placé son œuvre sous l'égide d'une prudente distinction entre pouvoir civil et pouvoir ecclésiastique. En renvoyant dos à dos religion et politique, Locke leur dénie toute prétention à l'absolutisme, prétention que leur réunion favorise, tant sous la forme de la hiérocratie (romaine) que celle du « césaro-papisme » de l'Angleterre anglicane, de l'Autriche joséphiste ou de la France gallicane, en attendant la Constitution civile du clergé.

Rien de plus étranger, donc, à l'esprit de Locke que le projet d'une *Politique tirée de l'Écriture Sainte*, ou son équivalent anglais, la *Patriarchia* de sir Robert Filmer. Celle-ci s'est attirée de sa part une réfutation en règle, le *Traité sur le gouvernement civil* [13],

---

* Nous avons évoqué plus haut (IVᵉ partie, chapitre 5) cet aspect de sa réflexion.

où il a mis tout son génie spéculatif. Il en est résulté une œuvre en apparence intemporelle, qui a éclairé les étapes de la pensée politique, de la Révolution américaine à Marx.

L'origine du pouvoir

Locke pose des principes généraux. Lui-même n'a nullement cherché, au moment d'écrire (vers 1682-1683, avant la Révolution de 1689), à montrer quelles applications ses principes devaient avoir dans la situation politique contemporaine.

Ainsi, il ne met nullement en cause la légitimité d'un pouvoir législatif (qui est pour lui le pouvoir suprême) exercé par un seul individu – le monarque héréditaire. Ce qui compte avant tout pour lui, c'est d'établir que la société politique dans son ensemble est la seule source de ce choix, et donc qu'elle peut en changer. Monarchie héréditaire ou élective, absolue ou mixte, oligarchie ou démocratie ? Peu importe, pourvu que gouvernants et gouvernés aient présent à l'esprit que tout pouvoir politique procède de la communauté au service de laquelle il s'exerce. Le consentement passif de celle-ci lui suffit. Corollairement, la révolution lui paraît justifiable, si la communauté n'a pas d'autre moyen de faire entendre son dissentiment *.

Le dépôt et la confiance

Ce qui scelle le passage de l'état de nature à la société civile, Locke l'appelle « trust ». Ce terme juridique correspond à une *responsabilité confiée en dépôt*. Rois, ministres, assemblées même ne sont que des *dépositaires de la confiance*.

Il semble bien que si Locke a privilégié ce mot, qui lui appartient dans son acception politique, c'est pour éviter celui de *contrat*, qu'utilisera Rousseau, et qui ferait penser que le prince et le peuple, l'État et les citoyens, sont des contractants à égalité.

Trust : hors de la sphère stricte du droit, ce mot a le sens le plus large de *confiance*. C'est bien sur un rapport de confiance mutuelle entre le peuple et l'autorité politique à qui il confère la puissance législative, que repose, selon Locke, la société civile.

---

* Il faudra attendre un siècle (1783) pour que le texte du *Second traité du gouvernement civil*, bien qu'il ait été traduit et publié en français dès 1691, à Amsterdam, soit partiellement édité en France, et 1790 pour qu'il le soit intégralement, par Condorcet. Un tel retard éditorial mérite d'être versé au dossier des distorsions qui affligent la France par rapport à l'Angleterre.

La propriété comme fondement

Le pivot entre l'état de nature et l'état politique est la notion de *propriété*. Locke lui donne une importance centrale ; ce qui n'a pas peu contribué à faire de lui le fondateur du libéralisme capitaliste.

À vrai dire, il semble que Locke ait voulu éviter le piège de Hobbes. Celui-ci reconnaît bien à l'homme, dans l'état de nature, un droit naturel et inaliénable : la *sûreté*. Mais pour la garantie collective, à l'évidence nécessaire, de cette sûreté individuelle, il fallait construire un État, et cette construction logique aboutissait à un État absolu. Locke a vu dans la *propriété* un droit propre à protéger l'individu contre les abus de cette construction collective. C'est ainsi que, pour Locke, le pouvoir législatif, par ailleurs totalement libre et souverain, ne peut ni retirer une propriété à une personne sans son consentement, ni voter l'impôt (qui est une atteinte à la propriété) sans le consentement exprès du peuple contribuable.

Ainsi, ce n'est pas l'exercice « absolu » du pouvoir de *faire la loi* qui caractérise la monarchie absolue (c'est-à-dire la destruction du « gouvernement civil ») ; c'est le fait d'*établir seul l'impôt*.

À l'inverse, rien, dans la réflexion de Locke, ne paraît interdire l'institution de propriétés collectives, de monopoles, comme on disait alors, ou d'entreprises nationalisées, comme on dit aujourd'hui. La place centrale de la propriété privée n'est nullement pour Locke l'occasion de bâtir un modèle économique. Elle sert surtout à asseoir sur des fondations individuelles l'édifice de l'État.

La confiance et le consentement de la majorité [14], l'autorité partagée, et qui s'oblige à éduquer à l'autonomie ceux sur qui elle s'exerce, telles sont les bases que Locke propose pour le gouvernement civil. C'est à l'homme seul qu'échoit la responsabilité de constituer ce gouvernement. Les autorités politiques (législatives, judiciaires, exécutives) sont des autorités de recours et de secours [15]. « Chaque homme peut juger *par soi-même* [16]. » L'autonomie intellectuelle de l'homme est posée comme la pierre d'angle de tout système libéral authentique.

La réflexion va faillir

Nous voici arrivés au terme de cette enquête auprès de ceux qui ont sans doute le plus réfléchi au phénomène de la révolution économique, entre les années 1530 et les années 1780 : deux siècles et demi où l'Occident est un chantier de novations – la déchirure de la chrétienté, l'imprimerie, la multiplication des découvertes géographiques et scientifiques, des inventions techniques et des échanges, les colonisations transcontinentales, la bureaucratie, la sécularisation, la manufacture. Nous les voyons assez nombreux à être assez lucides sur le fait que ces bouleversements procèdent de l'homme, et qu'une prospérité matérielle et une activité humaine jusqu'alors inconnues sont liées à certaines valeurs et certains comportements.

Or, au moment même où le développement s'affirme et s'accélère, la réflexion va faillir. L'ampleur prise par le phénomène industriel va susciter des explications dogmatiques et des systèmes, et nous allons y perdre le sens du « jaillissement inépuisable de la liberté ».

CINQUIÈME PARTIE

IMPASSES DES THÉORIES DU DÉVELOPPEMENT

Chapitre 1

Adam Smith :
une théorie non libérale
de la liberté économique

L'économie libérale a un père putatif : Adam Smith. L'enfant paraît en 1776, sous la forme d'un livre intitulé *Recherche sur la nature et les causes de la richesse des nations (Inquiry into the nature and causes of the wealth of nations).* 1776 : l'année de la naissance des États-Unis d'Amérique.

Turgot avait lavé Gournay du soupçon d'avoir fomenté un « système ». Adam Smith, au contraire, revendique l'ambition d'exposer le « système de la liberté naturelle ». L'entreprise est délibérément scientifique. De même que Newton conclut son édifice des *Principes mathématiques de la philosophie naturelle* par un livre III intitulé « Le Système du monde », Adam Smith établit les principes, énumère les causes, expose l'ordre « naturel » qui donne lieu à la formation et à l'accroissement des richesses des nations. Le système du monde des richesses est-il doté de « ses propres lois, que l'on peut formuler comme le physicien formule celles de la nature physique [1] » ? La réponse d'Adam Smith est positive – et c'est peut-être pour cela qu'elle n'est pas tout à fait satisfaisante.

Adam Smith est donc réputé avoir engendré le concept de *libéralisme économique.* Entendons par là qu'il a émancipé la théorie économique de sa subordination à la réflexion politique. Dans le sillage de la *Politique* d'Aristote, pour qui « il est clair que l'homme est par nature un *animal politique* [2] », toute la tradition affirmait le primat de l'organisation politique sur l'activité économique. Au contraire, pour Adam Smith, l'homme est par nature un *animal économique.*

En émancipant l'économique du joug politique, Smith, en fait, échange un joug contre un autre. La vie économique, comme avant lui la vie politique, est elle-même prisonnière de sa « nature ». L'homme est *déterminé à produire et à échanger.* La société sera commerciale, ou elle sera contre nature. La politique n'a pas à régler le cours de la vie économique. À l'opposé, l'auto-régulation de la vie économique doit s'étendre à la vie politique. En ce sens,

271

la doctrine d'Adam Smith prolonge et amplifie le bref chapitre, mais plein d'élogieux sous-entendus, que Montesquieu consacrait à l'*esprit de l'Angleterre sur le commerce* [3].

La division du travail

Adam Smith entame son enquête par une analyse de la nature et des causes d'un fait, la *division du travail*, qu'il n'est pas le premier à avoir nommé et analysé – mais il est bien le premier à lui avoir assigné une importance majeure. On devrait à ce fait « les plus grandes améliorations dans la puissance productive du travail, et la plus grande partie de l'habileté, de l'adresse, de l'intelligence avec laquelle il est dirigé ou appliqué [4] ». C'est par une description concrète de ces avantages que commence la *Richesse des nations*.

Les « nations » peuvent connaître « cette opulence générale qui se répand jusque dans les dernières classes du peuple [5] », grâce aux progrès [6] entraînés par la division du travail : 1. « l'accroissement de l'habileté individuelle [7] » ; 2. « l'économie du temps qui se perd ordinairement quand on passe d'une espèce d'ouvrage à une autre [8] » ; 3. « l'invention d'un grand nombre de machines qui facilitent et abrègent le travail [9] ».

Saluons l'originalité radicale de cette réflexion. C'est la première fois que la *machine* apparaît dans une analyse de fond de l'économie – et l'on ne peut s'étonner que ce soit chez un Anglais. Assurément, la mécanisation, dont il avait sous les yeux le spectacle naissant, l'a mis sur cette idée, radicalement nouvelle aussi, du rôle central de la division du travail.

Cette cause a-t-elle elle-même une cause ? L'enquête remonte la chaîne – et Adam Smith débouche sur un « *principe* » qui donne lieu à la division du travail [10]. Elle « est la conséquence nécessaire, quoique lente et graduelle, d'une certaine propension de la nature humaine à trafiquer, à faire des trocs et des échanges d'une chose pour une autre [11] ». Ainsi, après avoir posé des faits qui auraient pu l'enfermer, l'entraîner dans la technique, il débouche sur l'anthropologie. Et il gomme le caractère de nouveauté de la mécanisation, en la reliant à un phénomène humain permanent, qui est la propension au commerce.

Histoire ou nature ?

Ici, cependant, Adam Smith semble forcer son analyse causale : il fait de la division du travail une conséquence « *nécessaire* ». Du même coup, ce penchant n'est plus une faculté, que l'homme serait libre de mettre ou non en œuvre, mais une pente si naturelle qu'elle est pour ainsi dire fatale.

Il est vrai qu'Adam Smith assortit d'une concession la nécessité de ce processus : cette conséquence est « lente et graduelle ». La distorsion entre l'opulence des sociétés à forte division du travail et l'indigence de celles où cette division est faible ne serait qu'une question de temps. Ainsi, le « roi d'Afrique » possédera à terme le « mobilier d'un prince d'Europe [12] ».

À l'évidence, Adam Smith occulte la diversité des états de « richesses » entre les diverses sociétés. Il n'affronte nullement le problème d'une distorsion, pourtant déjà bien visible à son époque. Son approche n'est pas historique. Il ne s'intéresse même pas à préciser les « degrés » du passage, pourtant supposé graduel, du troc à la division du travail.

Il affine d'ailleurs aussitôt son approche en introduisant une autre donnée : « la diversité des talents ».

Une société de l'échange nécessaire

La comparaison avec l'animal aide à comprendre. L'animal n'est social qu'à l'intérieur de groupes au sein desquels règne l'homogénéité. Tandis que l'homme est social à travers sa diversité et à cause d'elle : « Chaque animal est toujours obligé de s'entretenir et de se défendre lui-même, à part et indépendamment des autres [13]. » L'homme, en revanche, « dans une société civilisée, *a besoin à tout moment du concours et de l'assistance d'une multitude d'hommes [14]* ». « L'homme a presque continuellement besoin du secours de ses semblables [15]. » La sociabilité humaine est inséparable de l'échange entre des complémentarités.

Le principe qui donne lieu à la division du travail ne serait donc pas tant « la disposition générale à troquer et à commercer [16] », que le besoin de secours mutuel et d'assistance réciproque. Poussés par la précarité des conditions naturelles, peu aptes à assumer individuellement leur autonomie de subsistance et leur capacité de défense, les hommes sont contraints de réussir en divisant leurs tâches et en diversifiant leurs talents.

Le besoin du concours de ses semblables serait donc, en définitive, le moteur de la *Richesse des nations*. Le penchant à échanger ne serait plus alors que le moyen d'harmoniser ces secours mutuels. « Parmi les hommes [au contraire des animaux], les dispositions naturelles les plus disparates sont utiles les unes aux autres ; les différents produits de leurs talents respectifs se trouvent unis en une masse commune, où chaque homme peut aller acheter une portion quelconque du produit de l'industrie des autres [17]. » Besoin ou penchant, c'est toujours une *« conséquence nécessaire »* de la

273

constitution de l'homme qui est retenue comme cause de la *Richesse des nations.*

À ce besoin, répond, dans le mécanisme du marché, l'intérêt – qui remplace la bienveillance ou le pacte « d'amitié » des rapports féodaux. Ici, l'histoire s'introduit sans crier gare : « L'homme, poursuit Adam Smith, a presque continuellement besoin du secours de ses semblables, et c'est en vain qu'il l'attendrait de leur seule bienveillance. Il sera bien plus sûr de réussir, s'il peut intéresser en sa faveur leur égoïsme *(self love)*... » La recherche de cette certitude de *réussir* à travers les égoïsmes, c'est l'originalité (que Smith ne souligne pas) de la société de développement.

On peut critiquer la tonalité *nécessitariste* de la doctrine d'Adam Smith. Mais son mérite reste grand, d'avoir souligné le caractère essentiel de l'échange : penchant naturel de l'homme, et marque essentielle des nations en quête de « richesses ».

La « société marchande » : machinerie ou machination ?

Adam Smith peste volontiers contre « la politique interventionniste de l'Europe, qui nulle part ne laisse les choses en pleine liberté [18] ».

Il reproche à la politique : 1°) de restreindre « la concurrence dans certains emplois, à un nombre inférieur à celui des individus qui, sans cela, seraient disposés à y entrer » ; 2°) d'augmenter « dans d'autres cas le nombre des concurrents au-delà de ce qu'il serait naturellement » ; 3°) de gêner « la libre circulation du travail et des capitaux tant d'un emploi à un autre, que d'un lieu à un autre ».

Mais qu'est-ce que cette « pleine liberté » qu'il revendique pour l'activité économique ? Nombre d'expressions ou d'analyses donnent le sentiment qu'il s'intéresse moins à cette liberté même, qu'à la machine que le jeu des libertés fait fonctionner.

N'a-t-il pas comparé « la société humaine » à « une grande machine dont les mouvements réguliers et harmonieux produisent une infinité d'effets agréables [19] » ? Dans sa théorie de l'échange, l'utilisation de métaphores empruntées aux sciences physiques est significative. L'échange fonctionne comme un pendule allant de l'un à l'autre avec une parfaite régularité.

Certes, il ne manque pas de rappeler que le ressort essentiel de cette machinerie est le libre choix des rouages : « L'homme de système imagine que l'on peut placer les membres d'une grande société comme le joueur place ses pièces sur l'échiquier. Il oublie que, sur le grand échiquier social, chaque pièce a une volonté indépendante, profondément différente de ce qu'une législation quelconque pourrait chercher à imposer [20]. »

Mais le but est toujours de faire ressortir que le *résultat* est aussi parfait, plus parfait même, que celui d'une machinerie dont tous les rouages seraient commandés à distance. « Une direction artificielle ne serait pas plus avantageuse à la société que celle que l'ingéniosité individuelle suit de son plein gré [21]. »

Adam Smith veut montrer qu'un intérêt *général* procède du libre jeu des intérêts *particuliers* : « Les intérêts privés et les passions des individus les portent naturellement à diriger leurs capitaux vers les emplois qui sont les plus avantageux à la société [22]. »

L'homme ne choisit pas son intérêt ; c'est son intérêt qui le dirige. L'homme, laissé libre, va *forcément* faire le bon choix : « Chaque individu met sans cesse tous ses efforts à chercher, pour tout le capital dont il peut disposer, l'emploi le plus avantageux. Il est bien vrai que c'est son bénéfice qu'il a en vue, et non celui de la société. Mais la recherche de son propre avantage le conduit naturellement, ou plutôt nécessairement, à préférer précisément l'emploi le plus avantageux à la société [23]. » *Naturally, or rather necessarily* : on ne saurait mieux dire.

Où la main invisible apparaît

En récusant comme artificielle toute intervention politique dans l'activité économique, tout en admettant la *nécessité* du bien commun, Adam Smith est contraint à une sorte de *nécessitarisme de la liberté*. Mais comment expliquer que l'intérêt privé, par définition individuel et égoïste, coïncide avec l'intérêt de la société tout entière ? Il y faut l'intervention de quelque pouvoir supérieur : « Ne pensant qu'à son propre gain, il est conduit par une main invisible à remplir une fin qui n'entre nullement dans ses intentions [24]. »

Les anti-libéraux se sont beaucoup moqués de cette *main invisible*. On doit bien reconnaître qu'elle ne convainc guère. Il faut un optimisme à toute épreuve pour souscrire aux conséquences qu'il en tire : « Une main invisible les force à faire, des choses nécessaires à la vie, à peu près la même distribution que si la terre eût été divisée par égales parts entre tous ceux qui l'habitent ; et c'est ainsi que, sans en avoir l'intention, et même à leur insu, [les riches] contribuent au bien-être de la société, et fournissent la subsistance à plusieurs milliers d'hommes [25]. »

Avec la « main invisible », Adam Smith quitte le mécanisme pour le providentialisme, la machine pour le *deus ex machina*. S'interrogeant sur la prospérité des nations et ses conditions politiques, il écrit : « Heureusement que, dans le corps politique, la sagesse de la nature a fait ample provision de remèdes à la plupart des mauvais effets de la folie et de l'injustice humaines, tout comme elle l'a fait dans le corps physique pour remédier à ceux de l'intempérance et de l'oisiveté [26]. »

Si Adam Smith a dû recourir à un pareil fidéisme libéral, c'est peut-être qu'il n'a pas poussé assez loin sa réflexion sur la liberté. Il a bien vu où étaient les ressorts. A-t-il saisi comment ils fonctionnaient ?

La liberté en système

La liberté se définit moins chez lui par un pouvoir positif, ou l'exercice conscient d'une faculté volontaire, que par l'absence d'interventions arbitraires. C'est un « laisser-faire *la nature* », plutôt qu'un laisser-faire tout court : « C'est ainsi que tout système qui cherche, par des encouragements extraordinaires, à attirer vers une espèce particulière d'industrie une plus forte portion du capital de la société que celle qui s'y porterait naturellement, ou, par des entraves extraordinaires, à détourner de force une partie de ce capital, est en réalité subversif. Ainsi, en écartant tous ces systèmes de préférences ou d'entraves, le système simple et facile de la liberté naturelle vient se présenter de lui-même. »

« *System of natural liberty* » : voilà la liberté étouffée sous le système, la volonté sous la nature. Délibérément paradoxale, l'expression souligne une difficulté.

De ces textes célèbres, le lecteur retire une impression mitigée. Le primat de l'économique sur le politique substitue un mécanisme inflexible à l'arbitraire du pouvoir. Le sceptre d'or du Prince est troqué contre la loi d'airain du marché.

Quelle place Adam Smith laisse-t-il à la liberté ? Le caractère « spontané » de l'échange et du commerce n'élimine-t-il pas l'acte volontaire ? Le caractère « systématique » de l'organisation économique ne réduit-il pas la part de l'initiative individuelle ? Le Newton de la sphère économique peut-il reconnaître quelque autonomie aux atomes qui la composent ?

Il n'est pas certain qu'Adam Smith ait forgé une doctrine *libérale* du libéralisme.

Chapitre 2

Marx : penser l'échange
ou refuser de le penser

Il va de soi que l'échange est la relation fondamentale dans une économie de marché. Penser l'échange est donc indispensable à qui veut la comprendre – *a fortiori* la « théoriser ». Tel avait été le propos d'Adam Smith. À l'inverse, c'est à l'échange que Marx s'attaque, dès les premiers chapitres du *Capital*. Il s'en prend à ceux qui s'en sont faits, selon lui, les chantres plus que les penseurs : ainsi, Destutt de Tracy, pour qui « l'échange est une transaction admirable dans laquelle les deux contractants gagnent toujours [1] ».

De la richesse à la marchandise

La richesse des sociétés dans lesquelles règne le mode de production capitaliste s'annonce comme une « immense accumulation de marchandises » : telle est la première phrase du *Capital* [2].

Marx examine donc avant tout la marchandise. Pour analyser sa « valeur », il se fonde sur une distinction : toute marchandise a une « valeur d'usage » et une « valeur d'échange ». « L'utilité d'une chose fait sa valeur d'usage. » Elle est, écrit Marx, « déterminée par les propriétés du corps de la marchandise [3] ».

La valeur d'échange, en revanche, est un « rapport quantitatif, proportion dans laquelle des valeurs d'usage d'espèces différentes s'échangent l'une contre l'autre [4] ». Et de conclure : « la valeur d'échange semble donc quelque chose d'arbitraire et de purement relatif [5] ».

En quelques phrases, tout est dit. L'échange est récusé. Parce qu'une « valeur d'échange intrinsèque, immanente à la marchandise... est une *contradictio in objecto* [6] », Marx prétend que l'échange des marchandises est le comble de l'abstraction : « Il est évident que l'on fait abstraction de la valeur d'usage des marchandises quand on les échange et que tout rapport d'échange est même caractérisé par cette abstraction [7]. » À l'inverse, la valeur d'usage

277

lui paraît trop concrète. Elle dépend trop de la subjectivité de chaque utilisateur réel ou potentiel.

Comment ne pas voir là un véritable coup de force rhétorique, lourd de conséquences ? Toute la théorie marxiste de la valeur est désormais scandée par l'opposition usage/échange, confondue à dessein avec l'opposition concret/abstrait, le premier terme de l'opposition étant systématiquement valorisé comme plus naturel, plus matériel, etc.

L'invention de la valeur-travail

À la recherche d'un étalon de la valeur qui ne soit ni la « subjectivité » de l'usage, ni l'« abstraction » de l'échange, Marx va trouver le travail : « La valeur d'usage des marchandises une fois mise de côté, il ne leur reste plus qu'une qualité, celle d'être des produits du travail [8]. » Le travail est une donnée concrète. De plus, il permet une mesure.

Pour Marx, « un article quelconque n'a une valeur qu'autant que du travail humain est matérialisé en lui [9] ».

Ne faudrait-il pas dire plutôt qu'un article quelconque n'a de valeur qu'autant qu'il est l'objet d'une demande, et que le travail humain, éventuellement dépensé pour le produire, est seulement l'une des bases de son estimation en termes d'échange ? Marx ne voit pas l'importance décisive du facteur « besoin », ou « demande », dans l'évaluation des marchandises. Seule compte à ses yeux la considération suivante : « toutes les marchandises ne sont que du travail cristallisé [10] ». Pour lui, « la substance de la valeur, c'est le travail [11] ».

Il est tout à son affaire, qui est de dénoncer « le caractère fétiche de la marchandise », ou encore son « caractère mystique ». La forme sociale de l'échange usurpe un rapport matériel, dont elle ne serait, selon lui, qu'une « imposture postiche ».

La demande, grande absente

Que l'échange puisse constituer en lui-même un travail, que l'activité commerciale soit aussi « concrète » et aussi utile que le travail de production, cette idée toute simple ne semble pas effleurer l'esprit de Marx : tant il est occupé à jeter le discrédit sur ce processus d'« abstraction », de « fantasmagorie », de « mystification ».

Certes, il veut bien concéder, sur le mode plaisant, que les marchandises ne peuvent point « aller elles-mêmes au marché ni s'échanger elles-mêmes entre elles [12] ». Certes encore, Marx est bien conscient que « le travail humain dépensé dans la production des marchandises ne compte qu'autant qu'il est dépensé sous une forme utile à d'autres. Or, leur échange seul peut démontrer si ce travail est utile à d'autres, c'est-à-dire si son produit peut satisfaire des besoins étrangers [13] ».

Mais il ne semble pas voir que le « besoin étranger » n'est pas seulement la pierre de touche de l'échange : il en est aussi *la condition*.

De même, il nie que la formation d'une plus-value soit imputable à cette circulation même. « La circulation ou *l'échange* des marchandises *ne crée aucune valeur* [14]. »

Marx n'a pas tort de dire que « ce n'est pas la monnaie qui rend les marchandises commensurables : au contraire [15] ». Mais rien ne l'autorise à privilégier, dans la détermination de la valeur, le *travail* sur le *besoin*. Le travail est, selon Marx, toujours producteur de valeur. Toute peine mérite salaire, et il n'y a pas de peine perdue. Or, rien n'est plus faux : on peut bien travailler à la production d'une marchandise dont personne ne voudra. Elle n'aura nulle existence sur le marché, elle n'aura aucun prix.

Pourquoi la notion d'*échange* souffre-t-elle chez lui d'un tel discrédit ? « Dès le moment qu'un objet utile dépasse par son abondance les besoins de son producteur, il cesse d'être valeur d'usage pour lui et sera utilisé comme valeur d'échange [16]. » Pourquoi ne pas reconnaître que la valeur d'usage d'une marchandise, pour celui qui la produit, peut précisément être le fait qu'elle a une *valeur d'échange* ?

Marx craint-il de donner son agrément à la pratique commerciale ? Ce semble, et pour cause : cette pratique implique « la reconnaissance réciproque [des possesseurs de marchandises] comme propriétaires privés [17] ». Or, la propriété privée est pour Marx l'objet d'une *défiance* qui confine à la phobie, voire à la xénophobie : « L'échange des marchandises commence là où les communautés finissent, à leur point de contact avec des communautés étrangères [18]... »

Et si, au contraire, le commerce était un échange libre, engageant la responsabilité des partenaires, supposant la confiance, suscitant des hommes de contact ? S'il était l'âme, le ferment, le moteur des communautés humaines ? L'absence de commerce n'est-elle pas, inversement, le critère d'une « société froide » – comme une sorte d'endogamie ?

Le péché d'abstraction

Après avoir ainsi disséqué la « marchandise » pendant cinquante pages, Marx annonce tout à coup : « Après ces remarques préliminaires, transportons-nous maintenant sur le théâtre de l'action – le marché [19]. »

On est tenté de s'exclamer : enfin ! Mais il faut vite déchanter. On n'y retrouve pas la vie concrète. L'ambivalence de la marchandise (objet utile, objet de transaction) est dogmatiquement décrite comme *contradiction*. La vente et l'achat, corrélats inséparables, sont appelés thèse et antithèse.

Qui se rend ici coupable d'abstraction ? « Il est vrai, concède Marx, que l'achat est le complément obligé de la vente, mais il n'en est pas moins vrai que leur unité est l'unité de contraires [20]. »

Étrange jonglerie conceptuelle, fascinante poésie énigmatique. L'abstraction y culmine. La réalité économique s'y évapore, cette réalité dans laquelle il n'y a pas de valeur sans prix, pas de travail sans besoin, pas de production sans commerce − ce qui n'exclut pas l'injustice et l'exploitation, mais ceci est une autre histoire.

Condillac, ou l'échange au centre

Polémiste redoutable, Marx a besoin d'un faire-valoir. Il le trouve en Condillac, auquel il fait le reproche majeur d'avoir confondu ce qu'il fallait distinguer : « Non seulement Condillac confond valeur d'usage et valeur d'échange, mais encore il suppose, avec une simplicité enfantine, que, dans une société fondée sur la production marchande, la production doit produire ses propres moyens de subsistance, et ne jeter dans la circulation que ce qui dépasse ses besoins personnels, le superflu [21]. »

Il est intéressant d'y aller voir [22] : bien que Condillac ne soit pas considéré comme un philosophe majeur de l'économie politique, le peu qu'il en dit sonne plus juste, plus humain que Marx.

Condillac prend soin de préciser qu'il raisonne sur les premiers échanges (« le premier battement de l'échange », dirait Smith), en imaginant la première sédentarisation de tribus nomades. Les « hordes errantes » vivent des fruits que la terre produit naturellement ; elles chassent, elles épuisent les ressources du lieu avant de passer ailleurs. Elles ne connaissent que la consommation immédiate, qui contraint à d'incessants déplacements. Avec la culture et le travail, le consommateur diffère la consommation ; il produit et conserve. Il peut alors rester sur place et, plutôt que de changer de lieu, échanger ses produits. L'échange suppose une sédentarisation, et avec elle une division du travail, ainsi qu'une communication. C'est cette analyse que Marx essaie de ridiculiser.

Et de fait, Condillac a développé une théorie de la valeur qui, fondée sur une anthropologie de l'échange, refuse la distinction entre valeur d'usage et valeur d'échange. « La valeur des choses est fondée sur leur utilité, ou, ce qui revient au même, sur le besoin que nous en avons, ou, ce qui revient encore au même, sur l'usage que nous en pouvons faire [23]. » Mais sa théorie est tout sauf simplette, et ce serait bien à lui, depuis la tombe, de taxer par avance Marx de simplisme. La valeur d'usage ne saurait en effet, dit-il, avoir de définition purement matérielle et absolue [24]. En réalité, la valeur n'est ni confinée à l'usage immédiat – d'ailleurs relatif à la diversité des usagers – ni laissée à l'arbitraire. Elle est un arbitrage circonstancié qui porte sur l'utilité : « La valeur est principalement dans le jugement que nous portons de l'utilité [des marchandises] [25]. »

L'établissement d'un prix suppose la comparaison de deux estimations de la valeur des choses échangées. Si j'échange un setier de blé contre un tonneau de vin, « j'estime que mon blé vaut pour vous tout ce que votre vin vaut pour moi. Vous estimez que votre vin vaut pour moi ce que mon blé vaut pour vous ». Comment s'assurer de leur équivalence ? Condillac ne prétend pas répondre. Il n'a pas de réponse *a priori*. Il est ici moins abstrait que Marx : « Le besoin nous fera une nécessité de conclure. » C'est dans l'échange réel que l'on apprend à comparer.

L'échange seul révèle la valeur. « Le prix, poursuit Condillac, n'est donc que la valeur estimée d'une chose par rapport à la valeur estimée d'une autre, au moment que nous concluons le marché. »

Comparaison vivante de deux estimations concrètes. Dans l'échange, ce sont bien les besoins qui sont comparés, et non une abstraction sociale. L'échange permet de mettre en communication le besoin avec un autre besoin, et de les satisfaire tous deux. Il n'est pas abstraction du besoin, mais tractation de besoins qui se rencontrent.

On ose à peine comparer Condillac et Marx – mais puisque en somme celui-ci appelle la comparaison, il faut bien reconnaître que la réflexion de celui-là sur l'échange, quoique beaucoup moins développée, se tient plus près de l'objet : l'échange est affaire d'hommes. Et c'est bien cette perspicacité qui lui a valu les foudres de la dialectique marxienne, pour laquelle tout marché est un marché de dupes.

Marx contre l'invention industrielle

Prenons un autre vecteur du développement : le comportement d'innovation. Nous avons vu plusieurs de nos témoins en dire l'importance. Ce thème n'intéresse nullement Marx [26]. Pourtant, plus encore que des hommes qui vivaient au XVIIᵉ ou au XVIIIᵉ siècle, il a été le spectateur des progrès techniques de son temps. Il n'a pas été sensible à cette aventure humaine. Il n'a pas su non plus la penser. Cette histoire était-elle trop continue et trop cumulative pour entrer dans sa vision dialectique ?

Pour lui, la recherche et l'innovation industrielle ne sont, dans le processus d'accumulation du capital, que des façons d'*exploiter* le travail humain à meilleur compte. Le progrès industriel accroît la productivité du travail, « principal moyen de réduire le temps de production ». Il s'ensuit une élévation du taux de profit – signe, à ses yeux, d'une surexploitation du travail par le capital.

Curieusement, l'innovateur, selon Marx, court à l'échec. Il doit investir, acquérir des « machines coûteuses [27] », supporter « les frais bien plus élevés qu'entraîne tout établissement fondé sur de nouvelles inventions [28] ». Il est « presque fatalement condamné à la faillite ». Il est l'initiateur d'une élévation du taux de profit ; mais il n'en profitera même pas. On en profitera après lui, grâce à sa faillite même. Voilà le processus dialectique ! Ses successeurs, « à qui échoient à bon compte bâtiments, machines, etc., font fortune [29] » sur la ruine de l'innovateur.

Ainsi, pour Marx, l'innovation et le progrès industriels sont deux fois maudits : par leur fonction de surexploitation, par leur destin de faillite. « Ce sont la plupart du temps – conclut-il – les capitalistes financiers les plus nuls et les plus minables qui tirent le plus grand profit de tous les nouveaux développements de l'esprit humain [30]. »

Et voilà comment, sous l'effet (entre autres) de l'inventivité technique, le capitalisme *devait inéluctablement* mourir...

Monopole du cœur ?

« Le moulin à vent vous donnera la société avec le suzerain ; le moulin à vapeur, la société avec le capitaliste industriel [31]. » Ces déductions célèbres laissent en plan une question : qui nous donne le moulin à vent, qui le moulin à vapeur ? Fussent-ils nés du cerveau de l'inventeur, ces objets techniques ne recréent pas de toutes pièces les sociétés où ils existent. Ils y apparaissent par un processus qui n'a jamais été simple. Leur introduction ne va pas de soi.

Marx lui-même le savait bien. À d'autres moments de son analyse, on le sent hypersensible aux cas de résistance à l'innovation technique. Ainsi de la *Bandmühle*, machine à tisser rubans et galons : son inventeur devait périr aussitôt « étouffé ou noyé » (1529), avec la bénédiction du magistrat de la ville de Dantzig, « craignant que cette invention ne convertît nombre d'ouvriers en mendiants ». Un siècle plus tard, la même machine essuiera le même rejet ; devant les émeutes des passementiers, « elle fut brûlée publiquement à Hambourg par ordre du magistrat [32] ». À lire ces lignes du *Capital,* on croirait presque entendre la voix de Marx se joindre à celle des briseurs de machines. Ce n'est pas par hasard. De même que sa théorie de l'échange nous renvoie à la recherche impossible du « juste prix » cher à Thomas d'Aquin, sa défiance envers l'innovation exprime comme une nostalgie de l'âge féodal.

« Dans les annales de l'histoire réelle, écrit Marx, c'est la conquête, l'asservissement, la rapine à main armée, le règne de la force brutale, qui l'a toujours emporté. Dans les manuels béats de l'économie politique, c'est l'idylle, au contraire, qui a de tout temps régné [33]. »

On connaît le scénario marxiste de l'Histoire : les paysans indépendants, dépouillés de leurs moyens de production, expropriés du lopin où ils entretenaient leurs moyens de vivre, sont condamnés à vendre leur force de travail, comme salariés, au capitaliste. « L'histoire de leur expropriation, ajoute Marx, n'est pas matière à conjecture : elle est écrite dans les annales de l'humanité en lettres indélébiles de sang et de feu. »

La « genèse du salarié et celle du capitaliste » sont donc entachées, selon Marx, féru de métaphores théologiques [34], d'un péché économique originel.

Suffit-il de dénoncer ce péché, pour détenir *ipso facto* le monopole de son rachat ? Rien n'est moins sûr. D'ailleurs, Marx n'est pas le premier à avoir découvert les racines du mal. Bien avant lui, le cri d'alarme était jeté sur la situation du monde industriel naissant.

Il n'est pas indifférent de chercher d'où venait le premier cri. Le 24 mai 1823, dans un article qu'il donne au *Drapeau blanc*, quotidien ultra-royaliste, Lamennais s'indignait de « la politique moderne [qui] ne voit dans le pauvre qu'une machine à travail, dont il faut tirer le plus grand parti possible dans un temps donné... Vous verrez bientôt jusqu'à quels excès peut porter le mépris de l'homme [35] ». Il redoute que ce mépris dissolve le lien social, et l'un de ses amis, Charles de Coux, rédacteur à *L'Avenir*, écrira en 1830 : « Le pauvre a perdu la foi dans le riche [36]. »

Ozanam, disciple de Charles de Coux, professant un cours de droit commercial en 1839 à Lyon, déclare en écho que « l'ouvrier-machine n'est plus qu'une partie du capital ». L'homme traité en objet, en instrument, en moyen et non plus comme fin : voilà l'intolérable.

En 1841, l'évêque de Montpellier, Mgr Thibault, fustige la déshumanisation du travail : « Ces infortunés, que les besoins de la concurrence condamnent à un travail dont la continuité les brise, ne trouvent jamais le temps de se replier au fond de leurs âmes, pour se souvenir qu'ils sont hommes et faits à l'image de Dieu. Fonctionnant entre mille rouages muets, comme un autre rouage moins dispendieux à entretenir, plus facile à remplacer, on dirait qu'ils sont descendus à l'état de machine [37]. »

C'est l'année de la loi de 1841 sur le travail des femmes et des enfants dans les manufactures. On peut y voir le résultat de trois influences : « Celle de la philanthropie, avec le Dr Villermé, celle de Montalembert, porte-parole des catholiques, celle de la Société industrielle de Mulhouse, qui provoque une réflexion et des réalisations pratiques en milieu luthérien [38]. » Et c'est l'honneur de l'Église catholique d'avoir, en 1845 – trois ans avant la publication du *Manifeste communiste* – par la bouche de Mgr Giraud, archevêque de Cambrai, dénoncé « cette *exploitation de l'homme par l'homme* qui spécule sur son semblable comme sur un vil bétail [39] ».

On pourrait multiplier les citations. Elles prouvent que non seulement Marx n'a pas eu le monopole du cœur, face aux conditions désastreuses des premières décennies de l'industrialisation, mais qu'il n'a même pas eu la priorité de l'indignation.

Après l'indignation, il y aura l'action réparatrice, et il y aura les théorisations de l'indignation.

Du côté de l'action efficace, on trouvera des innovateurs sociaux (ceux qui mettent en place des systèmes d'assurances, de mutualisations, de coopératives) : des législateurs réformistes ; des abbés de patronage ; des syndicalistes de terrain ; des patrons à la recherche d'une entreprise « plus humaine ». Tous, dans leur diversité, participeront, en même temps qu'au progrès social, au développement économique – souvent, sans le chercher.

Du côté de la théorisation, le refus peut conduire tout aussi logiquement à la restauration ou à la révolution. La restauration est nostalgie – des corporations, par exemple. Mais la révolution aussi se nourrit de nostalgie. Marx le montre à chaque pas : pour faire détester le présent, les rêves d'avenir sont de moins efficaces ressorts de l'imagination, que les rêveries d'un passé idéalisé. Ainsi, qu'il théorise son refus de l'échange, de l'innovation, ou même des souffrances du travail à l'usine, Marx se détourne des ressorts du développement. Il saute à pieds joints par-dessus le réel.

Chapitre 3

Marx : l'édifice de la défiance

À maintes reprises depuis le XVIᵉ siècle, la question religieuse est intervenue dans notre description et nos tentatives d'explication de la distorsion économique en Europe occidentale : Réforme et Contre-Réforme, émancipation ou inhibition spirituelle et intellectuelle, systèmes de valeurs plus ou moins favorables à une sécularisation, et donc une rationalisation, de l'économie. Mais n'est-il pas remarquable qu'un matérialiste athée comme Marx ait accordé une grande importance à cette distorsion confessionnelle, expression selon lui d'une distorsion économique ? Toutefois, il l'a fait rarement ; et peut-être est-ce pour cette raison qu'on n'a pas accordé à ces références toute l'attention qu'elles méritent.

Retenons deux de ces analyses.

Le moine vénitien et le révérend anglais

Dans *Le Capital* [1], Marx s'amuse à opposer un moine vénitien à un révérend anglais, dans leur réaction à ce qu'il nomme « le caractère antagoniste de la production capitaliste », le fait qu'elle combine l'accumulation du capital et l'extension du paupérisme. À leur façon, le catholique et l'anglican avaient saisi cette contradiction : « Si Ortes, moine vénitien, était profondément attristé de la fatalité économique de la misère, dix ans après lui, un ministre anglican, le révérend J. Townsend, vint, le cœur léger et même joyeux, la glorifier comme la condition nécessaire de la richesse. Si le moine vénitien trouvait, dans la fatalité économique de la misère, la raison d'être de la charité chrétienne, du célibat, des monastères, couvents, etc., le révérend prébendé y trouve au contraire un prétexte pour condamner les *poor laws,* les lois anglaises qui donnent aux pauvres le droit aux secours de la paroisse [2]. »

Là où le moine vénitien subit une fatalité économique et la gère tant bien que mal par la charité, le ministre anglican prône

285

l'exploitation d'une situation naturelle ; il s'appuie sur la faim, et sur « une pression paisible, silencieuse et incessante, comme le mobile le plus naturel du travail et de l'industrie, qui provoque aussi les efforts les plus puissants ».

Faut-il s'étonner que Marx se sente plus proche du fatalisme du moine catholique ? Il est lui-même fataliste ; il ne s'en tire que par ce qu'il appelle un retournement dialectique – et qui nous apparaît à nous comme une fuite dans la prophétie.

En revanche, la recherche d'une dynamique du travail et de l'industrie lui est complètement étrangère. Qu'il aille en rechercher l'expression la plus cynique et même la plus indécente est de bonne guerre. Elle lui offre un succès facile.

Dans cette opposition entre deux théories, le fait que l'une vienne d'un catholique, et l'autre d'un protestant, n'est pas exploité par Marx. Mais ce n'est pas par hasard qu'il a mentionné leur religion. Quelques pages plus loin, il corrobore avec force l'idée d'une correspondance entre l'histoire religieuse et l'histoire économique. Il affirme que l'expropriation du travailleur par le capital est un phénomène lié « par l'esprit » à la Réforme [3].

Tout commence sous le règne du roi d'Angleterre d'Henri VIII. Marx interprète le processus d'expropriation du travailleur agricole comme un phénomène lié à la Réforme [4]. Elle a mis fin à l'ordre féodal ancien, garanti par l'Église catholique : « La Réforme et la spoliation des biens d'Église, qui en fut la suite, vinrent donner une nouvelle et terrible impulsion à l'expropriation violente du peuple au XVIᵉ siècle. La suppression des couvents, etc., en jeta les habitants dans le prolétariat [...] Le droit de propriété des pauvres gens sur une partie des dîmes ecclésiastiques fut tacitement confisqué [5]. »

L'ordre ecclésiastique antérieur à la Réforme anglicane est ainsi présenté comme un collectivisme caritatif, garant d'un ordre économique immobile et résigné à la misère. À cet ordre, et bien avant Max Weber, Marx oppose l'avènement du protestantisme comme promotion d'un « esprit bourgeois » : « Le protestantisme est essentiellement une religion bourgeoise. »

De l'analogie religieuse...

Cette ligne de réflexion va être suivie. Dans un chapitre consacré à l'étude des *Métaux précieux et cours du change*, Marx oppose le système monétaire métallique au système de la monnaie fiduciaire et du crédit, comme le catholicisme au protestantisme [6]. C'est à la fois une analogie, et une corrélation.

L'analogie tient au fait que l'économie capitaliste, comme la religion, est pour lui une abstraction. Il prend le ton de la parodie : « Accumulez ! accumulez ! c'est la loi et les prophètes [7]. »

Mais l'abstraction, comme le vice, connaît des degrés. C'est vrai de l'économie capitaliste. Le travail humain, concret, sensible, producteur de valeurs d'usage, peut subir une première « dématérialisation » par l'échange et par son étalon, la monnaie métallique. Une seconde étape sera franchie avec la « démétallisation » : le crédit.

De même, il y a, du catholicisme au protestantisme, progrès dans l'abstraction – aggravation, plutôt, selon Marx. Pour les catholiques, le salut est acquis par « les œuvres ». Pour Luther et Calvin, il n'y a que la foi qui sauve, « la seule foi ». L'analogie s'impose à Marx : la monnaie, l'or, les espèces sonnantes et trébuchantes, cela a encore un lien (ténu) avec le concret, tout comme les œuvres de charité avec le verdict du jugement dernier. Mais le crédit, c'est la fiction à l'état pur, cela ne tient que par la foi – ou, du moins, la confiance. Cette confiance dont Marx se défie tant.

Il n'ignore pas que Luther a condamné l'usure ; il cite même plusieurs fois cette condamnation en note [8]. Mais il maintient son analogie. Et avec vigueur : « Le système monétaire est essentiellement catholique, le système de crédit essentiellement protestant [9]. » « Essentiellement » : dans cet adverbe répété, on sent poindre quelque chose de l'« idéal-type » de Weber. Peu importent les doctrines des théologiens. Peu importent les exceptions – car bien des protestants ont condamné l'usure, et bien des catholiques l'ont admise. Il reste que, pour Marx, le trait essentiel des mentalités catholique et protestante réside dans l'attachement à l'or ou à l'argent pour les uns, au crédit pour les autres.

...à la corrélation mentale

On a dépassé ici les analogies : Marx établit une corrélation réelle.

Tandis que l'ordre catholique maintenait les anciens rapports de production, limitant le salariat par les systèmes féodal et corporatif, le système protestant va asseoir le crédit sur un fondement idéologique plus élevé : « *la foi* dans le mode de production et son ordre, tenu pour prédestiné [10] ». Ce second degré dans la foi lui paraît fondé sur un jeu de miroirs. C'est « la foi dans les agents industriels de la production, en tant que simples personnifications du capital qui se met lui-même en valeur [11] ».

Ce que cette ironie permet de démolir vigoureusement, c'est quelque chose qu'il dit *abstrait,* mais qui est simplement moral, vécu, humain – la *confiance*. À un détour de l'argumentation, le mot apparaît : « C'est la *confiance* dans le caractère social de la production qui fait apparaître la forme argent des produits comme quelque chose de simplement évanescent et idéal [12]. »

Expression de cette confiance, le crédit « évince l'argent et usurpe sa place ». Mais l'argent se venge. Il demeure la référence. Le crédit se « bute la tête contre ce mur » – le fameux *mur d'argent*. « Le système de crédit ne s'est pas plus émancipé de la base du système monétaire, que le protestantisme des fondements du catholicisme [13] », bien que l'argent lui-même soit une fantasmagorie. « Grotesque contradiction », conclut-il, évoquant les « paniques », les crises qui précipiteront la fin.

On ne saurait nier que l'économie de marché ait connu ses fièvres d'abstraction spéculative : mais alors, précisément, la confiance perdait son objet. Et l'Histoire n'a-t-elle pas jugé ? Quelle commune mesure y a-t-il entre les crises épisodiques des années qui ont suivi 1929 ou 1973 dans le monde capitaliste, et la crise continue de 1917 à 1991 dans le monde communiste ?

Et si ce coût social du capitalisme, que Marx déplore pathétiquement dans *Le Capital*, était justement le fait de la défiance, d'une insuffisante libération de l'homme économique ? Le remède « socialiste » serait alors... le mal lui-même.

« L'homme aux écus »

Marx a également mis le doigt, avant Weber, sur un thème qui aura beaucoup de succès : le capitalisme est associé au protestantisme, et particulièrement au puritanisme, parce qu'il suppose que le « riche » ne consomme pas sa richesse. Épargne, investissement : il y a une « ascèse » du capitalisme et elle a un lien évident avec le discours puritain. « Comme le thésauriseur est énergique au travail autant qu'*ascète, sa religion est avant tout le protestantisme et, mieux encore, le puritanisme [14].* »

Ce que Weber décrira en termes positifs, Marx y voit une collusion fatale, et comique aussi. Il ridiculise les notions d'abstinence, d'ascétisme, comme autant de prétextes formulés par le capital pour l'exploitation du travail. Dans un texte aussi célèbre que cocasse [15], il met en scène un capitaliste, « l'homme aux écus ». Le capital avancé par l'homme aux écus ne peut fructifier que si une différence existe entre « *la valeur que la force de travail possède et la valeur qu'elle peut créer [16]* ».

Cette différence, profitable pour l'homme aux écus, vient rétribuer son ascèse. Parce qu'« il ne peut manger son argent, il se met donc à nous catéchiser. On devrait prendre en considération son abstinence ! Il pouvait faire ripaille avec ses 15 shillings (son capital) ; au lieu de cela, il les a consommés productivement et en a fait des filés. [...] Qu'il prenne garde de partager le sort du thésauriseur, qui nous a montré où conduit l'ascétisme [17] ! »

Quant aux « litanies » [18] de l'homme aux écus, elles cachent « l'intention de faire de l'argent sans produire [19] ». Mais « le chemin de l'enfer est pavé de bonnes intentions [20] ». Tel est bien, du reste, le fond de son éreintement de l'abstinence à laquelle se contraint le capitaliste : elle ne produit rien, elle est totalement stérile [21].

L'économie capitaliste, parodie religieuse

On peut être frappé de l'omniprésence de la référence religieuse chez Marx. L'économie capitaliste, semble-t-il dire, est une parodie de l'économie chrétienne du salut : « La richesse bourgeoise trouve son expression la plus dynamique dans la valeur d'échange, posée comme médiateur. Celle-ci unit les contraires et semble être une puissance supérieure face aux extrêmes qu'elle contient. [...] Ainsi, dans la sphère religieuse, le Christ, médiateur entre Dieu et l'homme, devient leur unité, homme-Dieu, et comme tel il prend plus d'importance que Dieu ; les saints prennent plus d'importance que le Christ ; les prêtres sont plus importants que les saints [22]. »

Le capital, et avec lui l'économie de la société bourgeoise, aurait ceci de commun avec la religion, qu'ils constituent une abstraction, une fantasmagorie.

Telle est la vision la plus constante de Marx. L'histoire s'est chargée de révéler qu'elle était erronée. Il avait pourtant posé le principe qu'une théorie qui était démentie par les faits était fausse, et que seule était juste une théorie confirmée par les faits.

Néanmoins, il a eu le mérite de pressentir, sur un mode certes destructeur, mais non sans clairvoyance, la composante mentale des rouages de l'économie. Polémique ou parodique, la description de la société bourgeoise en termes de médiation, ou de circulation trinitaire, place la psychologie de l'échange à la base du processus d'accumulation du capital. Croyant lui porter un coup fatal, elle en révèle peut-être le fondement.

Les bureaucrates sont les jésuites de l'État

On est tout étonné de voir Marx se gausser de l'organisation bureaucratique de la société, dans une page heureusement tirée de l'oubli par l'édition de ses œuvres dans la Pléiade : « L'esprit bureaucratique est un esprit foncièrement jésuitique, théologique. Les bureaucrates sont les jésuites et les théologiens de l'État. La bureaucratie est la *république prêtre*. [...] Les fins de l'État se changent en fins des bureaux, les fins des bureaux en fins de l'État. La bureaucratie est un cercle d'où personne ne peut s'échapper. Sa hiérarchie est une hiérarchie du savoir. [...] La bureaucratie tient en sa possession l'État : il est sa propriété privée. L'esprit général de la bureaucratie est le mystère : au-dedans, c'est la hiérarchie qui préserve ce secret et, au-dehors, c'est sa nature de corporation fermée. [...] Quant au bureaucrate, il fait du but de l'État son but privé : c'est la curée des postes supérieurs, le carriérisme. L'existence de l'État se confond avec celle des esprits immuables des divers bureaux, liés entre eux par la subordination et l'obéissance passive [23]. »

Loin d'être une dépersonnalisation et un désenchantement de la vie sociale et politique (comme le dira plus tard Max Weber), la bureaucratie est le théâtre même, et exclusif, de la société. Elle l'absorbe en elle-même. En remplaçant, grâce à la Révolution d'Octobre, la bureaucratie de l'administration par celle du Parti, le système communiste et le carriérisme nomenclaturiste ont donné raison à cette superbe analyse de Marx. Car Marx est loin de s'être trompé sur toute la ligne ; il a su être un prophète... de malheurs, surtout les malheurs de ses héritiers.

La question qu'il faut se poser à propos de cette page, ce n'est pas : « pourquoi Marx l'a-t-il écrite » ? La dénonciation de la bureaucratie était déjà un lieu commun de son temps et l'on voit bien comment elle pouvait facilement s'inscrire dans son propre système. Mais bien plutôt : « pourquoi les édifices politiques et économiques qu'il a inspirés ont-ils fait tant de place à la bureaucratie – à une bureaucratie transformée en *parti-prêtre* ? » Ce qui n'a jamais été en Occident qu'une métaphore est devenu réalité dans le communisme marxiste...

La litanie de la défiance

Quel est le bilan de cette relecture de Marx ?

Son explication du « développement de la production capitaliste [24] » repose en grande partie, avons-nous dit, sur sa théorie de la marchandise, qui ouvre la réflexion du *Capital*, et la referme. Il est vrai que Marx, dans son analyse de la valeur-travail, pouvait se prévaloir de l'autorité de Ricardo. C'est certainement la raison pour laquelle cette analyse a fait l'objet de beaucoup moins de critiques que les conséquences qu'il en a tirées : baisse tendancielle du taux de profit, condamnation du système capitaliste à la surproduction, crise des débouchés, lutte des classes, etc.

Pourtant, tout est dans le commencement. Si Marx a choisi ce commencement-là, c'est parce qu'il y a trouvé, ou qu'il y a mis, la justification théorique de sa *défiance* à l'égard de tout ce qui faisait la réalité de l'économie qu'il voyait grandir sous ses yeux. Cette défiance, nous l'avons vue à l'œuvre dans ce principe initial de sa théorie, mais aussi dans bien d'autres aspects :

– défiance envers l'échange, le commerce ;

– défiance envers l'individu, l'initiative individuelle, l'esprit d'entreprise ;

– défiance envers l'émulation et la concurrence ;

– défiance envers le crédit, les institutions monétaires et financières ;

– défiance envers toute mutation des rapports de production ;

– défiance envers le progrès scientifique et technique.

Toutes ces défiances manifestent une défiance plus grave, plus malfaisante, plus lourde de conséquences pratiques aussi – une défiance envers l'homme, dans sa liberté et dans sa relation sociale.

Marx, défenseur de la personne, de l'individu libre, du travailleur indépendant ? On le croirait, quand il déplore « l'anéantissement de la propriété privée, *fondée* sur le travail personnel [25] » – ce *fondement naturel* que Locke avait le premier identifié, et sur lequel il faisait reposer tout l'édifice social et politique. On le croirait encore, quand il s'écrie : « Ainsi donc, ce qui gît au fond de l'accumulation primitive du capital, au fond de sa genèse historique, c'est l'expropriation du producteur immédiat [26]. » Mais de cette nostalgie, il ne va pas tirer de conséquences pratiques. Il s'enferme dans la nostalgie, car l'expropriation du travailleur indépendant lui apparaît comme un processus naturel – violent, mais inévitable et irrévocable. Ainsi, la mutation des rapports de production est pour Marx une malédiction ; mais il la transforme en bénédiction : il en fait le moteur du matérialisme historique, sous sa forme dialectique.

Le fatalisme du Manifeste du parti communiste

Ouvrons le *Manifeste du parti communiste*, texte fondateur (écrit avec Engels en 1847 et publié l'année suivante). Du « système communiste », il ne semble plus rester aujourd'hui grand-chose. Mais le *Manifeste* conserve une étonnante fraîcheur, tant nous y trouvons d'idées que nous avons côtoyées, subies, partagées ou combattues.

« L'histoire de toute société jusqu'à nos jours est l'histoire des luttes de classes. » Cette généralisation hardie offre à Marx et à Engels un fil directeur à travers la confusion de l'histoire ; les couples maudits défilent : maître/esclave ; seigneur/serf ; maître de jurande/apprenti. Puis vient la bourgeoisie triomphante, balayant ce qui subsistait des antagonismes anciens, et se retrouvant face au prolétariat. Ce pourrait n'être qu'une vision dramatique de l'histoire ; mais tout à coup, cela devient une vision morale. Les antagonistes ne sont pas renvoyés dos à dos. La bourgeoisie, c'est le mal.

En quoi ? « Elle a supprimé la dignité de l'individu, devenu simple valeur d'échange ; aux innombrables libertés dûment garanties et si chèrement conquises, elle a substitué l'unique et impitoyable liberté du commerce. » Elle a tout ramené à des rapports d'argent, non seulement les objets, mais encore leurs producteurs :

l'ouvrier est exposé, comme une marchandise, « à toutes les vicissitudes de la concurrence, à toutes les fluctuations du marché ».

Voilà la bourgeoisie coupable d'avoir appauvri la liberté – de lui avoir enlevé sa richesse humaine. Elle a fait de même avec la propriété : « On nous a reproché, à nous autres communistes, de vouloir abolir la propriété personnellement acquise, fruit du travail de l'individu, propriété que l'on dit être la base de toute liberté, de toute activité, de toute indépendance personnelles. Mais elle a déjà été abolie par le progrès de l'industrie ! »

Marx et Engels ne contestent pas [27] le rôle premier du travail personnel, indépendant et individuel. Mais pour eux, son abolition est irréversible. La réflexion prend ici la figure d'un fatalisme révolutionnaire.

La propriété privée est condamnée sans retour, car elle est le siège d'une dialectique révolutionnaire. « La propriété, dans sa forme présente, se meut entre ces deux termes antinomiques : capital et travail. » « Dans la société bourgeoise, le capital est indépendant et personnel, tandis que l'individu qui travaille n'a ni indépendance ni personnalité. *Il s'agit donc d'abolir la personnalité, l'indépendance, la liberté bourgeoises* », dont les figures sont « *la liberté de commerce, liberté d'acheter et de vendre* [28] ».

Mais pour établir quoi ? La force destructrice de Marx et d'Engels a été telle, qu'ils se trouvent empêchés de penser en termes positifs la liberté et la propriété de l'homme, fût-il libéré de la bourgeoisie. Le marxisme n'est jamais parvenu à dépasser sa critique de la liberté bourgeoise. L'ironie de Marx a laissé derrière elle des traces corrosives.

La notion même de liberté revêt à ses yeux un caractère « idéologique ». Concept entaché d'idéologie bourgeoise, la liberté n'exprimerait que l'intérêt qu'y trouve le capital : « La sphère de la circulation des marchandises, où s'accomplissent la vente et l'achat de la force de travail, est un véritable Éden des droits naturels de l'homme et du citoyen [29]. »

Du fait même de la séparation radicale du producteur (le salarié) et des moyens de production (propriété du capitaliste), la liberté du travailleur ne serait qu'une fiction. Apparemment libéré du système féodal, détaché de la glèbe, affranchi du servage, délivré du régime des corporations, le producteur devient « vendeur de travail » : « Ces affranchis ne deviennent vendeurs d'eux-mêmes qu'après avoir été dépouillés de tous leurs moyens de production et de toutes les garanties d'existence offertes par l'ancien ordre des choses [30]. »

Dès lors, il ne pourra plus être question de *liberté*, mais seulement de *libération* du prolétariat. *Il faut que le prolétariat conquière les moyens de production,* puisque là gît la différence. L'émancipation s'exprime en termes de pouvoir, et s'obtiendra par l'exercice d'une force collective.

Il est remarquable que ce qu'il y a là d'analyse historique et de prophétie historique se fonde sur une philosophie qui récuse absolument la liberté comme donnée immédiate de la conscience. La conscience elle-même est récusée : « Ce n'est pas la conscience des hommes qui détermine leur existence sociale, mais inversement leur existence sociale qui détermine leur conscience [31]. »

La conscience de liberté, par exemple, ne sera jamais que le produit du « développement déterminé des forces productives ». La définition que donne Engels de la liberté est tout aussi réductrice : « Souveraineté *(Herrschaft)* sur nous-mêmes et sur le monde extérieur, fondée sur la connaissance des lois nécessaires de la nature ; elle est ainsi nécessairement un produit de l'évolution historique [32]. » La liberté est donc l'aboutissement ultime d'un processus nécessaire ; elle n'est nullement à l'origine ; elle n'est pas créatrice.

La liberté par le plus grand détour

Dénonçant dans *L'Idéologie allemande* la domination du monde entier par la loi de l'offre et de la demande, Marx et Engels décrivent « les individus de plus en plus asservis à une puissance... qui se révèle en dernière instance être le marché mondial [33] ».

Or – dialectique oblige – cet asservissement, négation de l'individu par les rapports de production mondiaux, devra être nié à son tour. Mais cette négation – dialectique oblige encore – s'inscrira dans la logique même de son propre développement. Elle ne provoquera pas une restauration de l'individu. Ce qui a été aboli par le capitalisme demeurera aboli : « La libération de chaque individu en particulier se réalisera exactement dans la mesure où l'histoire se transformera complètement en histoire mondiale [34]. » Marx et Engels vont jusqu'à conférer au communisme et au prolétariat « une existence historique universelle des individus ». N'est-ce pas là le comble de l'abstraction [35] – cette *abstraction* si souvent pourchassée par eux dans la société d'échange ? Le travailleur ne peut recouvrer dialectiquement l'appropriation personnelle du travail qu'au sein de la communauté : « C'est seulement dans la communauté, écrivent-ils, que la liberté personnelle est possible [36]. »

Il n'y a pas là une banale affirmation que l'homme est social. Il y a le concept d'une fusion abstraite des deux faces de l'humanité – personne et communauté –, réconciliation par laquelle serait parfaite la liberté personnelle, dans une communauté parfaite.

Jamais on n'évoque la possibilité d'une compétition fructueuse, d'une saine émulation, où s'accomplirait la liberté individuelle, sans qu'elle soit soumise au processus dialectique de résolution universelle des contradictions individuelles. Jamais on ne ressent

293

la fécondité de la tension entre l'individuel et le social, chacun s'appuyant sur l'autre et chacun irréductible à l'autre.

Dès lors, pour Marx, la relation personnelle entre le travailleur et le produit de son travail ne peut se recouvrer que par le plus grand détour qui puisse être : le collectivisme, la « possession commune de tous les moyens de production ». Toutes les aberrations totalitaires sont validées d'avance par cette philosophie paradoxale de la liberté. Sans doute est-ce simplement parce que Marx n'a jamais eu le *sentiment* de la liberté. On serait mieux disposé à goûter ce paradoxe, s'il n'avait pas tant coûté aux hommes.

Un socialisme non social

À l'inverse, Marx ne pense jamais la relation sociale en termes positifs. Il ne prône le « communisme », ni parce qu'il aimerait la vie communautaire, ni parce que la sociabilité lui paraîtrait la valeur suprême. Sa pensée n'est pas l'apologie de la vie sociale contre l'individualisme possessif. Il n'y a rien de chaleureux dans son « socialisme ».

La communauté humaine et les rapports sociaux sont d'abord pour lui la source de l'aliénation du travail personnel, l'expropriation du travailleur indépendant. La négation de cette négation prétendra, avec la collectivisation des moyens de production et d'échange ainsi que de la propriété foncière, donner toute sa place à l'individu. Mais quel individu ? Qu'en restera-t-il ?

Marx affirme que l'individu se retrouvera pleinement lui-même à travers une socialisation absolue, qui aura passé sur le ventre de toutes les libertés « fétichistes ». La société n'existera que pour n'être pas sociale. Dans cette bouillie dialectique, l'individu n'est plus une personne réelle, ni la société une collectivité vécue. Chacun des deux termes a tué l'humanité de l'autre.

Chapitre 4

L'approche par Max Weber de la divergence occidentale

Si Marx a tort, Max Weber a-t-il raison ? Longtemps, la seule alternative à la sociologie marxiste de l'économie a paru être celle de Weber. Au moins pour ceux qui avaient pu le lire. Car son célèbre ouvrage, *L'Éthique protestante et l'esprit du capitalisme,* a connu un destin étrange. Alors que, dès sa parution en 1904, il alimentait dans les pays protestants une vive querelle historiographique – la plus vaste sans doute qui se soit jamais produite en sciences humaines –, il devra attendre soixante ans pour être traduit en France, et pour y susciter d'ailleurs fort peu d'études, soit favorables, soit hostiles, comme si son apport était négligeable [1].

Tout se passe comme si l'*Index librorum prohibitorum* s'était incorporé à notre mentalité universitaire. Le retard économique des pays latins par rapport aux pays protestants demeurerait-il pour nous un sujet tabou ? La divergence culturelle, économique et mentale de l'Occident aurait engendré un curieux effet de récurrence : rendre aveugles les Latins à cette divergence même, pour leur permettre de ne pas voir ce qui les dérange.

Le capitalisme, organisation rationnelle de l'entreprise

Max Weber n'a pas prétendu découvrir que les sociétés protestantes étaient plus douées pour le progrès économique que les catholiques : la chose était constatée depuis trois siècles. Pour lui, il s'agit là de « faits indiscutables ». Son originalité fut d'essayer de montrer comment la morale protestante favorisait l'esprit du capitalisme.

Dans l'*Avant-propos* qu'il rédige aux *Études de sociologie de la religion (Aufsätze zur Religionssoziologie),* dont *L'Éthique protestante et l'esprit du capitalisme* constitue la première partie, Max Weber expose un projet extrêmement mesuré, si on le compare à la caricature de spiritualisme historique qu'on en a faite. Son objectif est très général ; il consiste à élucider le pourquoi et le comment de ce qui constitue « la puissance la plus décisive de notre vie moderne : le *capitalisme* [2] ».

Cette « puissance » est forcément différente de l'éternelle soif du lucre, de l'antique *auri sacra fames* – instinct vieux comme les hommes, et qui ne saurait suffire à expliquer un phénomène si récent. Ce qui distingue l'action économique capitaliste, c'est qu'elle est pénétrée de *rationalité*.

Le capitalisme est une « organisation rationnelle de l'entreprise, liée aux prévisions d'un marché régulier, et non aux occasions irrationnelles ou politiques de spéculer [3] ». C'est l'origine et le secret de cette rationalité – le mot revient sans cesse – qu'il convient de rechercher. Dès lors, il s'agit d'exorciser tout spectre d'irrationalité économique, juridique et sociale dans l'histoire du capitalisme. D'emblée, nous sommes loin, *a priori*, de la religion...

Ainsi, l'étude comparative des sociologies religieuses ne sera qu'une méthode particulière pour écrire « une histoire universelle de la civilisation [4] ».

Toute notre civilisation moderne est justement marquée par le progrès de la rationalité ; et il serait intéressant d'approfondir les corrélations entre la rationalité qui prévaut dans le capitalisme, et celle qui a déterminé le développement des sciences et techniques, ou celle qui concerne « la structure rationnelle du droit et de l'administration ».

Ces deux perspectives, que Weber laissera en friche, permettent en tout cas de comprendre que, sous le titre *L'Éthique protestante et l'esprit du capitalisme*, Max Weber se fixe un objectif limité. Ce n'est « qu'un aspect de l'enchaînement causal [5] », qui se joue sur un théâtre plus vaste : la corrélation entre rationalité occidentale et conditions économiques [6].

De la complexité des causes à l'hypothèse génétique

Max Weber s'intéresse donc au facteur mental. Mais il n'en fait qu'une composante, et tout à fait secondaire, de l'économie. Il semble bien poser en principe que l'économie capitaliste est d'abord sortie des « conditions économiques » – par un processus historique, propre à l'ordre de l'économie. La détermination, par « certaines croyances religieuses [7] », d'une mentalité économique, qu'on voit soudain apparaître, est certes un « aspect important ». Mais Weber *est loin de lui accorder une importance aussi fondamentale que le facteur constitué par les conditions économiques.* Il multiplie d'ailleurs les précautions oratoires sur le caractère incomplet, non spécialisé, et même « très provisoire » [8] de ses essais.

Il n'en est que plus étonnant de le voir conclure l'*Avant-Propos* des *Essais de sociologie religieuse* par une « confession » qui nous mène sur de tout autres voies.

Cette confession « personnelle et subjective [9] » prétend faire un sort « au côté anthropologique du problème [10] » – lequel n'est pour lui qu'un simple côté du problème (et non sa base, comme on l'a cru). Ce côté, il nourrit l'espoir de le réduire à un *biologisme de l'hérédité* : « Rencontrant sans cesse en Occident, et là seulement, certains types bien déterminés de rationalisation – jusque dans des domaines de comportement qui (apparemment) se sont développés indépendamment les uns des autres – on est naturellement conduit à y voir le résultat décisif de qualités héréditaires [11]. » C'est seulement le faible état d'avancement des « connaissances en bio-génétique », appliquées à la « neurologie » et à la « psychologie des races », qui retient Max Weber de présenter cette conviction sous forme de doctrine.

D'autres s'en chargeront après lui, sans les mêmes prudences. Il est frappant de voir Weber imaginer qu'on pourra un jour évaluer dans quelle mesure, et surtout sous quelle forme, l'hérédité intervient dans le développement de ce processus de rationalisation. En attendant, conclut-il à regret, il faudra bien se contenter des sous-facteurs culturel et religieux (du facteur essentiel, le facteur Capital), « connaissances qui sont dès maintenant à notre portée [12] ».

On ne peut, certes, affirmer que cette prétendue « genèse biologique » du facteur mental enlèverait à celui-ci son importance. Mais elle enlèverait beaucoup à la valeur universelle de la mentalité économique. Kurt Samuelson n'avait peut-être pas tort de voir en Max Weber un émule de Gobineau...

Une sociologie darwinienne

Une autre surprise attend le lecteur de Weber. C'est la distinction rigoureuse, pour ne pas dire l'opposition, qu'il établit entre le « capitalisme moderne » et le capitalisme des origines. Ce n'est que pour expliquer le capitalisme originel que l'approche par la socio-logie religieuse démontre sa pertinence. Pour le capitalisme moderne, une sociologie darwinienne peut suffire.

L'éthos du capitalisme moderne ne serait qu'un mécanisme d'élimination concurrentielle, dont le moteur est l'instinct de survie de l'entrepreneur, dans des conditions économiques données, celles du « *struggle for life* » : « marche ou crève ! »

Mieux encore, si la *rationalité* est bien toujours la marque du capitalisme en tant que *processus* opératoire, il n'est pas nécessaire que les hommes qui mettent en œuvre ce processus soient eux-mêmes profondément marqués par une éthique de la rationalité. On peut même aller jusqu'à dire qu'il y a de l'irrationalité chez l'homme qui « existe en fonction de son entreprise et non l'inverse [13] ».

Du point de vue de l'économie, le comportement du capitaliste n'est que le résultat d'*une adaptation*. « Ce sont les intérêts commerciaux, sociaux et politiques qui tendent à déterminer opinions et comportements [14]. » Il n'est que de survivre économiquement : le capitaliste moderne est déterminé par un système qui lui préexiste ; il obéit à la sélection naturelle ; il ne détermine rien par lui-même. Il ne se choisit pas : il subit des conditions, réagit à un milieu, sert des intérêts. « Chacun trouve aujourd'hui en naissant l'économie capitaliste établie comme un immense cosmos, un habitacle dans lequel il doit vivre et auquel il ne peut rien changer – du moins en tant qu'individu. Dans la mesure où l'individu est impliqué dans les rapports de l'économie de marché, il est contraint de se conformer aux règles d'action capitalistes. »

La question de l'esprit du capitalisme ne se poserait donc pas dans les mêmes termes *à la naissance* du premier capitalisme et à l'époque du capitalisme moderne : « Il n'est pas question de soutenir qu'il est actuellement nécessaire à la perpétuation du capitalisme moderne que chacun, patron ou ouvrier, fasse siennes les maximes éthiques » qui ont constitué le premier capitalisme [15]. *A fortiori*, la question du référent religieux, aujourd'hui, n'est plus d'actualité [16].

Le libéralisme économique ne serait pas ou plus le lieu d'une liberté agissante, d'un choix responsable, d'une confiance dans l'entreprise ou dans l'entreprenant. Il résulterait, selon un processus déterministe, d'un mécanisme de sélection, qui valoriserait les attitudes adaptées à la survie dans la lutte économique pour l'existence [17] ». « Épargner ou périr » : l'« éthique du protestantisme » aboutirait, trois siècles après Calvin, à un système où il convient de faire de nécessité vertu, pour sauver, de pair, la bourse *et* la vie.

Il est frappant de voir celui qui a la réputation d'être le grand théoricien de l'explication religieuse dénier à celle-ci, dès ses premières pages, toute valeur comme modèle explicatif *pour aujourd'hui* : il pose là, sans s'y étendre, un problème majeur, sur lequel nous reviendrons.

En tout cas, ces réflexions laissent subsister entier le problème de l'apparition de l'esprit capitaliste.

Ni sélection darwinienne, ni matérialisme historique

Il faut donc en venir à la question de l'origine. Weber élimine d'abord des types d'explication qui ne peuvent que déboucher sur des contradictions.

Le premier est la sélection darwinienne, justement : « Pour que ce mode de vie, cette façon d'envisager sa besogne, si bien adaptés aux particularités du capitalisme, puissent être " sélectionnés ", puissent dominer les autres, il leur faut évidemment tout d'abord prendre naissance. Mais ce ne sera pas chez des individus isolés : ils devront exprimer une conception commune à des groupes humains dans leur totalité. C'est cette origine qu'il est nécessaire d'expliquer [18]. » Tant que le capitalisme bourgeois n'est pas constitué en système, l'explication de l'esprit du capitalisme « par un processus de sélection économique [19] » n'est pas recevable.

Max Weber fait également justice de « la doctrine simpliste du matérialisme historique [20] ». Il constate l'*antériorité d'un esprit capitaliste par rapport à l'infrastructure de l'ordre capitaliste*. Il montre que, dans le cas de la Nouvelle-Angleterre, « la relation causale est l'inverse de celle que proposerait le matérialisme historique [21] ». Ainsi, « au milieu des forêts de Pennsylvanie, où les affaires menaçaient de dégénérer en troc par simple manque d'argent, où l'on trouvait à peine trace de grandes entreprises industrielles, où les banques n'en étaient qu'à leurs tout premiers pas, parler de " reflet " des conditions " matérielles " sur la " superstructure idéelle " serait pur non-sens [22] ». C'est la « superstructure » qui peu à peu a rassemblé les « conditions ».

Pour rendre raison de la naissance du comportement capitaliste, Max Weber s'interroge donc sur l'existence de « l'arrière-plan d'idées qui a conduit à considérer ce type d'activité, dirigé en apparence vers le seul profit, comme une vocation envers laquelle l'individu se sent une obligation morale [23] ».

Au commencement était la confiance

Weber n'a pas manqué de définir le comportement « novateur », inhérent à l'esprit du capitalisme. Mais il a beau décrire « l'entrée en scène [24] » de *l'esprit du capitalisme*, il n'en explique pas l'origine. Une indication, fugitive mais précieuse, mérite toutefois d'être relevée.

Le ressort de cette entrée en scène est la vertu de *confiance* : « Le premier novateur s'est très régulièrement heurté à la méfiance, parfois à la haine, surtout à l'indignation morale – j'en connais des cas précis. Une véritable légende s'est formée sur sa vie passée, que recouvraient des ombres mystérieuses. Comment ne pas reconnaître que, seul, un caractère d'une force peu commune peut garantir son sang-froid à un entrepreneur de ce " style nouveau " et le mettre à l'abri du naufrage moral et économique ? De plus, indépendamment de la sûreté du coup d'œil et de l'activité réalisatrice, ce n'est qu'en vertu de qualités éthiques bien déterminées et fortement développées qu'il s'est trouvé à même d'inspirer à ses clients et à ses ouvriers une *confiance* absolue en ses innovations.

Rien d'autre ne lui eût donné la force de surmonter des obstacles sans nombre et, par-dessus tout, d'assumer le travail infiniment plus intense qui est exigé de l'entrepreneur moderne. »

Cette notion de *confiance* n'est évoquée par Max Weber qu'en passant. Et comme on l'a vu, il souligne la précarité du souffle novateur, vite supplanté par une mécanique de l'adaptation.

Il en revient donc à la rationalité. La naissance et la croissance du capitalisme ne sont pas un phénomène spécifique. Elles ne sont qu'un point d'application de « la vie et de la pensée rationnelles » : « l'essor de l'esprit du capitalisme serait plus facilement compris si on le considérait en tant que partie du progrès de la rationalité dans son ensemble [25] ».

L'esprit du capitalisme n'est pas le moteur, mais un des mouvements produits par un phénomène culturel qui le dépasse. Or, dans ce phénomène culturel englobant, Weber rencontre le protestantisme. Celui-ci lui apparaît aussi comme une manifestation de rationalité supérieure, bousculant les formes « traditionnelles » de la religion.

Dès lors, le problème du lien entre le développement de la rationalité dans le domaine économique et un semblable développement dans le domaine religieux s'impose à l'analyse : « Sans conteste, l'émancipation à l'égard du traditionalisme économique apparaît comme l'un des facteurs qui devaient fortifier la tendance à douter aussi de la tradition religieuse et à se soulever contre les autorités traditionnelles [26]. » *Il suffit que la Réforme procède d'une émancipation à l'égard du traditionalisme, pour qu'elle offre à l'esprit du capitalisme une idéologie d'élection.*

Weber n'a pas voulu, ou pas pu, explorer cette corrélation — dont nous avons tenté d'explorer toutes les richesses. Il a préféré dériver vers une psychosociologie économique et religieuse, au demeurant mécaniste.

Un paradoxe mal exploité

Tel qu'il est posé au début de *L'Éthique protestante*, le problème peut apparaître limité à l'excès, superficiel, et d'ailleurs usé jusqu'à la corde. Il s'agit d'expliquer « la participation relativement plus forte des protestants à la possession du capital, à la direction et aux emplois supérieurs dans les grandes entreprises industrielles et commerciales modernes [27] ».

La relation statistique étant établie, pour le pays de Bade, par son disciple Martin Offenbacher, quelle est la relation chronologique, ou logique, entre « l'appartenance confessionnelle [28] » et les « conditions économiques [29] » ? Causalité, ou conséquence ? Avec force précautions, Max Weber opte pour la seconde réponse : « L'appartenance confessionnelle, non comme la cause première

des conditions économiques, mais plutôt, comme leur conséquence. » La question rebondit alors : « Pourquoi les régions économiquement avancées se montraient-elles en même temps particulièrement favorables à une révolution dans l'Église [30] ? »

Nous avons montré, dans notre Ire partie, que tel n'était pas
nécessairement le cas. L'Italie, en tête du peloton économique vers
1500, n'a pas adopté la Réforme. En réalité, Weber se place à la
fin du XVIe siècle plutôt qu'à la fin du XVe. Non sans prudence, il
développe un paradoxe historique. Il soutient que le cléricalisme,
l'interventionnisme, le « contrôle ecclésiastique sur l'individu »
étaient bien plus relâchés dans l'Église catholique que dans la
Réforme calvinienne, implacable et violente. Ce serait donc *contre*
ce que nous pourrions appeler l'intégrisme calviniste que la mentalité capitaliste se serait affirmée. Aucune affinité immédiate,
aucune corrélation directe ne se laisse ici pressentir − bien au
contraire. D'où la perplexité de Max Weber.

Mais alors, « comment se fait-il que les pays à l'économie la
plus développée et, dans ces pays, les classes moyennes en plein
essor, aient non seulement supporté avec patience la tyrannie,
jusque-là inconnue, du puritanisme, mais l'aient même défendue
avec héroïsme [31] ? »

La réponse est dans la question. Ces classes moyennes ont
supporté la « tyrannie » calvinienne avec patience ; elles y ont
trouvé leur intérêt ; elles l'ont défendue et propagée avec ferveur.
Mais ce n'était peut-être pas pour les raisons qu'a imaginées Weber.

À ce point, Weber semble se départir de sa prudence ordinaire.
Il reprend la question à partir d'une observation contemporaine.
Évoquant la sous-représentation − à son époque − des catholiques
du pays de Bade dans les professions industrielles et commerciales
et la sur-représentation des protestants [32], il formule le diagnostic
suivant : « Indubitablement, le choix des occupations et, par là
même, la carrière professionnelle, ont été déterminés par des
particularités mentales que conditionne le milieu, c'est-à-dire ici,
par le type d'éducation qu'aura inculqué l'atmosphère religieuse
de la communauté ou du milieu familial [33]. » Or, le *milieu protestant* ne donne pas les mêmes résultats, dans un même pays, au
même niveau social, à la même époque, que le *milieu catholique.*

Il y a bel et bien une distorsion entre les attitudes protestante
et catholique face à l'activité économique. « Le principe de ces
attitudes différentes ne doit pas être recherché uniquement dans
des circonstances extérieures temporaires, historico-politiques, mais
dans le caractère intrinsèque et permanent des croyances religieuses [34]. »

Il faudra alors se demander « quels sont, ou quels ont été, les
éléments particuliers de ces religions qui ont agi et agissent encore
en partie [35] ». Bref, de quelle nature est « la disposition toute
spéciale pour le rationalisme économique [36] » dont les protestants

ont fait montre en toutes circonstances, qu'ils fussent majoritaires ou minoritaires, dominants ou dominés ?

Le savetier catholique et le financier protestant

Il ne suffit pas, sans doute, d'opposer caricaturalement le savetier catholique au financier protestant. « Ces idées vagues – prétendu détachement du monde du catholicisme, prétendue joie de vivre matérialiste du protestantisme – ne mènent nulle part [37]. »

Le comportement économique protestant doit être décrit dans la forme d'un idéal-type, qui synthétise, « en un tout conceptuel, un complexe de relations présentes dans la réalité historique [38] ». C'est à quoi Weber s'essaie alors ; il présente l'esprit du capitalisme « surgissant drapé dans une éthique [39] ».

Cette éthique est celle du travail. Du travail en tant que tel, du travail en soi, préalable à toute utilisation rationnelle du capital et à toute organisation rationnelle du travail dans une entreprise capitaliste. Ce travail-là n'est pas le triste moyen – « à la sueur de ton front » – pour « gagner son pain ou son or ». « Non seulement un sens élevé des responsabilités y est indispensable ; mais, de plus, il y faut un état d'esprit qui soit libéré, au moins pendant les heures de travail, de la sempiternelle question : comment gagner un salaire donné avec le maximum de facilité et le minimum d'efforts ? *Le travail, au contraire, doit s'accomplir comme s'il était un but en soi – une vocation.* Or, un tel état d'esprit n'est pas un produit de la nature ; c'est le résultat d'un long, d'un persévérant processus d'éducation [40]. »

Pour se faire mieux comprendre, Max Weber recourt à des exemples modernes. Car, s'il n'est pas nécessaire que tous les capitalistes d'aujourd'hui soient animés par l'éthique du capitalisme, ceux qui la portent en eux font les capitalistes les plus conformes au « type ». « Un jeune homme d'une famille d'entrepreneurs, s'étant rendu à la campagne, y sélectionne avec soin les tisserands qu'il veut employer ; il augmente la rigueur du contrôle de leurs produits, les transformant ainsi de paysans en ouvriers. D'autre part, il change les méthodes de vente en entrant le plus possible en contact direct avec les consommateurs. Il prend entièrement en main le commerce de détail et sollicite lui-même les clients ; il adapte les produits aux goûts et aux besoins de la clientèle. Il cherche à réduire les prix, à augmenter le chiffre d'affaires.

« Ceux qui n'emboîtent pas le pas sont éliminés sous les premiers coups de la concurrence. Des fortunes considérables s'édifient, qui sont réinvesties dans l'entreprise. Les tenants de l'ancien mode de vie, confortable et sans façons, lâchent pied devant la dure sobriété de quelques-uns. Ceux-ci s'élèvent aux premières places, parce qu'*ils ne veulent pas consommer, mais gagner*. Cette révolution ne dépend pas d'un afflux d'argent frais, mais d'un esprit nouveau : l'" esprit du capitalisme " est entré en action [41]. »

La fonction novatrice de cet « esprit » n'a pas échappé à Max Weber. On ne peut identifier plus clairement le facteur mental. Regrettons seulement qu'il lui réserve une place trop modeste et de surcroît précaire.

La notion de Beruf *chez Luther*

Bien qu'il ait annoncé une démarche de sociologue des *pratiques* religieuses, Max Weber s'intéresse à une notion doctrinale qui, dans les écrits de Luther, paraît directement liée à la question posée : la notion de *Beruf* [42].

La notion de *Beruf* – dont la complexité ne permet pas de lui trouver un équivalent exact en français : profession, besogne, activité, vocation, avec la connotation missionnaire d'appel *(Ruf)* – est largement attestée dans l'œuvre de Luther. Mais, comme le montre Weber, elle ne va pas forcément dans le sens d'une exhortation à l'activité économique, suspecte de rappeler le *salut par les œuvres* [43], alors qu'il a choisi le salut par « la seule foi ».

Weber note que la notion de *Beruf* est absente « chez les peuples où prédomine le catholicisme ; il en va de même pour ceux de l'Antiquité classique [44] » à l'exception de l'hébreu [45].

Cette notion restera totalement étrangère aux premières analyses spécifiques du libéralisme, notamment celle d'Adam Smith. Conscient de la difficulté, Weber n'en tient pas moins pour « absolument hors de doute » que « la justification morale de l'activité temporelle a été un des résultats les plus importants de la Réforme, de l'action de Luther en particulier [46] ». Il faut saluer son opiniâtreté et toute notre enquête n'a fait que confirmer son idée. Toutefois, dans la pensée de Luther, l'idée de *Beruf* « favorisait dans l'ensemble une interprétation traditionaliste [47] » – de plus en plus à mesure que sa pensée se précisait. Weber impute ainsi à Luther les contradictions entre vie spirituelle réformée et activité économique moderne. La logique doctrinale aurait dû conduire Luther à exiger, par réaction contre ce qu'était devenue de son temps la vie de l'Église catholique, une ascèse séculière anti-économique. Il n'est pas allé au bout de son idée, laissant une ouverture par laquelle l'éthique capitaliste a passé.

La principale difficulté contre laquelle Max Weber ne cesse de batailler commence à apparaître. Toute finalité ou initiative économique est bannie de la Réforme en tant que doctrine religieuse. La corrélation est accidentelle, qui relie des « motifs purement religieux » à des « conséquences imprévues, non voulues, de l'œuvre des réformateurs, conséquences souvent fort éloignées de tout ce qu'ils s'étaient proposé d'atteindre, parfois même en contradiction avec cette fin [48] ».

La recherche des signes de la grâce

Cette difficulté, Max Weber la retrouve avec Calvin. « La supériorité indubitable du calvinisme en matière d'organisation sociale [49] » semble consister en ce qu'il fait de l'ici-bas la fin en soi de l'activité humaine. Et pourtant, le dogme calviniste détourne l'homme des œuvres des créatures, au profit de la seule gloire de Dieu.

Persuadé de la pertinence d'une corrélation systématique, quoique partielle seulement, entre protestantisme et capitalisme, Weber joue ici d'un paradoxe : « L'amour du prochain – au service exclusif de la gloire de Dieu, non à celui de la créature – s'exprime en premier lieu dans l'accomplissement des tâches professionnelles données par la loi naturelle [50]. » On n'est pas loin des remarques de Karl Marx sur le degré supérieur d'« abstraction » du protestantisme. Abstraction, la charité qui pense moins aux autres qu'à Dieu ; abstraction encore, la justification du chrétien par son activité professionnelle.

Ce qui manque à cette explication, c'est une certaine simplicité. *Peut-on imaginer l'entreprenant calviniste comme un désespéré, qui quête dans son entreprise un signe d'élection, à laquelle il est prédestiné ou refusé, sans qu'il y puisse rien ?* Comment croire qu'un fatalisme de la grâce accordée ou refusée puisse présider à l'invention de la société libérale ? D'autant que Calvin « rejette l'hypothèse que l'on puisse reconnaître à son comportement si autrui est élu ou s'il est réprouvé, car ce serait être assez téméraire pour prétendre pénétrer les secrets de Dieu [51] ».

Ce paradoxe, Max Weber l'affronte clairement [52] : « C'est évidemment le fatalisme qui devrait être la conséquence logique de la prédestination. Pourtant, le résultat psychologique fut exactement inverse, du fait de l'introduction de l'idée d'" épreuve " *(Bewährung).* Les *élus* sont par nature réfractaires au fatalisme ; c'est précisément par leur refus de celui-ci qu'ils se prouvent à eux-mêmes leur élection, qui les rend attentifs et diligents dans leurs tâches. »

Max Weber peut, il est vrai, se prévaloir de textes de Baxter, le puritain anglais, dont le *Christian directory* recommande le travail sans relâche dans un métier, afin d'arriver à la confiance en soi, récompense psychologique de l'élu [53].

À quoi l'on objectera que le travail sans relâche suppose cette même *confiance* qu'il est censé établir. Si la confiance en soi est l'*effet* de la grâce, ne devrait-elle pas être aussi et surtout *cause* de l'entreprise économique ? Or, la grâce n'a pas pour finalité la prospérité terrestre – encore moins chez Calvin que chez Luther.

Le lien établi par Weber entre attitude religieuse et motivation économique est donc extrêmement lâche. Ce qui, dans l'éthique calviniste, n'est jamais un moyen de salut, mais tout au plus un signe, devient, dans l'esprit du capitalisme, une fin en soi. *La simple recherche de signes de la grâce divine pouvait-elle réellement constituer l'esprit capitaliste ?* Passe encore, s'il ne s'agissait que d'expliquer les bonnes œuvres, la philanthropie, la charité. Mais il s'agit de rendre compte de tout autre chose : l'activité du capitaliste bourgeois.

Un montage hérétique

L'investigation d'Annette Disselkamp, dans *L'Éthique puritaine entre la prédestination et les œuvres* [54], a rappelé que, pour les calvinistes, nous sommes sauvés de notre misère sans aucun mérite de notre part – et devons néanmoins accomplir de bonnes œuvres *en témoignage de gratitude et de louange* [55]. Une autre raison est évoquée, comme en passant : « s'assurer par nous-mêmes de notre foi, reconnue à ses fruits [56] ». Enfin, l'exemple d'une conduite pieuse peut gagner nos prochains au Christ.

On ne peut donc affirmer tout de go « que l'éthique puritaine découle du désir des croyants d'acquérir la certitude du salut [57] ». Le scrupule religieux, l'interrogation inquiète sur soi-même ne sont pas les meilleures incitations à s'adonner au travail. D'ailleurs, les puritains eux-mêmes cherchent les signes de l'élection dans une expérience subjective de la foi, *non dans les œuvres, et encore moins dans leur succès.* Le montage wébérien est donc suspect d'hérésie. C'est une hypothèse *ad hoc*, qui a pu être satisfaite dans certains cas – mais qui ne répond pas aux exigences d'une explication sociologique globale.

L'esprit du capitalisme s'épanouit dans une éthique de la confiance en soi, dans un goût du risque et de l'entreprise – « aide-toi, le ciel t'aidera » –, dans une morale de l'effort responsable : quelle parenté profonde peuvent avoir ces dispositions d'esprit avec la quête du signe d'élection, dans le contexte menaçant de la prédestination ?

Nous avons vu * que *c'est plutôt du côté d'une affinité culturelle qu'il aurait fallu chercher à rapprocher protestantisme et capitalisme.* Il faudrait parler d'un « calvinisme sociologique », désignant, plutôt que l'adhésion à la foi calviniste, un type d'attitude religieuse pratique, dont les caractères sont : *liberté, responsabilité, confiance.* L'abandon de l'individu à ses propres ressources, son apprentissage de l'autonomie intellectuelle, doivent être, en ce sens,

---

* IIe partie, chapitre 4.

moins des *effets* de la Réforme calviniste, que des *traits communs* à l'éthique protestante et à l'esprit du capitalisme.

Max Weber s'approche davantage d'une pareille analyse quand il évoque le fait que l'activité économique des calvinistes pourrait être liée à la désaffection de la vie sacramentelle. Elle participe du désenchantement du monde, de sa laïcisation, de sa rationalisation. Privé de la magie sacramentelle, récusant toute prétention de communiquer rituellement avec l'au-delà, l'homme calviniste ne peut compter que sur lui-même.

On touche là un fait anthropologique majeur. Ainsi, ce serait « l'abandon de l'individu à ses propres ressources » qui constituerait le caractère fondamental de la corrélation Réforme/capitalisme. Mais Weber ne mentionne ce fait qu'incidemment et comme à contrecœur : « *bien qu'*en matière religieuse, le calvinisme abandonne l'individu à ses propres ressources [58] ». Inversement, pourrait-on dire – mais Weber ne le dit pas –, le catholicisme a continué d'enchaîner la question du salut et de l'activité terrestre à un réseau de hiérarchies, de contraintes, d'interventions inhibitrices.

Paradoxes des sectes

En examinant sectes et sociétés protestantes, dont les sectateurs ont souvent été des acteurs du développement capitaliste, Max Weber va rencontrer de nouvelles difficultés.

Ainsi, la religiosité « hystérique » d'un piétiste allemand, son souci du seul au-delà, « pouvaient conduire à la paralysie de l'énergie dans la vie professionnelle [59] ». Au lieu de cela, « l'effet pratique des principes piétistes se limita à un contrôle ascétique plus strict de la morale professionnelle [60] ».

Voici encore le méthodisme anglais. Il est caractérisé par une « religiosité émotionnelle » qui l'apparente au piétisme. L'hypothèse d'une corrélation est mise ici à rude épreuve : comment combler le fossé entre la rationalité capitaliste et ce recours à l'émotion ? Weber reconnaît que, pour lui, « l'éthique du méthodisme semble reposer sur une base aussi incertaine que celle du piétisme [61] ».

Il en va de même des sectes baptistes. Le « rejet sincère du monde et de ses intérêts », la « soumission inconditionnelle à l'autorité de Dieu parlant à la conscience [62] », peuvent-ils sérieusement animer l'activité économique ? « La conduite tranquille, modérée, éminemment scrupuleuse » que le baptisme recommande est-elle propice au développement économique, à l'esprit d'innovation, à l'éthique des pionniers ?

Quant à un puritain pur, comme Baxter, choisi comme témoin pour attester l'éthique du « travail sans relâche dans un métier [63] », il fulmine, tel un Bourdaloue, contre la richesse [64]. Et Weber de reconnaître que « des écrits puritains, on peut tirer d'innombrables exemples de la malédiction qui pèse sur la recherche de l'argent et des biens matériels, exemples qu'on opposera à la littérature éthique de la fin du Moyen Âge, beaucoup plus accommodante [65] ».

Il ne suffit pas de faire valoir ces objections pour en être délivré. Aux contradicteurs qui lui opposent ces positions si peu « capitalistes », Weber répond que, néanmoins, « l'esprit de religiosité ascétique a donné naissance au rationalisme économique, parce qu'il réservait ses récompenses à ce qui, pour lui, était déterminant : les motifs rationnels conditionnés par l'ascétisme [66] ».

« Rationalité et rationnement »

L'ascétisme, condition de la rationalité économique : la formule est séduisante. Mais ne confond-elle pas rationalité avec rationnement ? L'explication de Max Weber, tour de force dialectique, semble porter psychologiquement à faux.

Une gestion correcte du temps de l'activité humaine est certes caractéristique de l'esprit du capitalisme. D'autre part, le gaspillage du temps est sévèrement condamné par d'innombrables prédicateurs protestants : Baxter, Sanford, Barclay [67]. Mais *les motifs de leur condamnation sont indifférents, voire hostiles aux intérêts du capitalisme* [68]. Il ne peut y avoir, au mieux, que coïncidence entre ces deux condamnations du gaspillage de temps : nulle convergence.

L'ascèse puritaine se déroule dans le temps, mais en vue de l'éternité. Le rationalisme économique borne ses vues au temps de l'ici-bas. En outre, la condamnation puritaine est négative : « Chaque heure perdue est soustraite au travail qui concourt à la gloire divine [69]. » Le travail qui remplit ce temps n'est pas, ou n'est que rarement, estimé pour lui-même. Il n'est pas accomplissement d'un esprit de capitalisme, mais remplissage d'un temps qui serait, sinon, la proie de la tentation : « Le travail est le remède spécifique à employer à titre préventif contre toutes les tentations que le puritanisme a réunies sous le terme d'*unclean life* [70]. » On croit lire Voltaire : « Le travail éloigne de nous l'ennui, le vice et le besoin. »

Ces attitudes paraissent finalement fort éloignées des motivations essentielles de l'entreprenant capitaliste. Du reste, si, comme le pense Max Weber, « la continence du puritain ne diffère que dans son degré de la chasteté monastique [71] », pourquoi saint Bruno ou saint Benoît n'ont-ils pas inventé la société industrielle de marché ? La distorsion mentale qui a suscité le capitalisme *ici et non ailleurs* n'aurait-elle été qu'une différence de degré ?

Au-delà des diverses contorsions de l'analyse, il y a, dans toute la démarche de Max Weber, quelque chose de troublant. Il nous dit ne s'intéresser à la dogmatique du puritanisme que pour découvrir « les motivations *(Antriebe)* psychologiques qui avaient leur source dans les croyances et les pratiques religieuses [72] ». Or, on ne peut s'empêcher de trouver à ces motivations un caractère de passivité. Le libre arbitre humain y semble trop rarement mis en jeu.

Avec beaucoup de prudence, Weber se défend d'établir une causalité unilatérale entre éthique religieuse et activité économique. Il rappelle la « complexité innombrable des facteurs [73] ». Il invoque « l'énorme enchevêtrement d'influences réciproques entre bases matérielles, formes d'organisation sociales et politiques, teneur spirituelle, aux époques de la Réforme [74] ». Il fait éclater le monolithe de l'explication marxiste des superstructures idéologiques par les rapports de production.

Mais, dans la « complexité innombrable » ou « l'énorme enchevêtrement d'influences réciproques », y a-t-il place pour la liberté humaine, la liberté de choisir ? Il ne suffit pas de relativiser ou de multiplier les influences pour les laver du soupçon de mécanisme.

Sans doute, pour faire contrepoids au matérialisme historique, Max Weber reprend-il à son compte la notion goethéenne d'affinité élective *(Wahlverwandtschaften)*, elle-même empruntée à l'alchimie médiévale et à la chimie du XVIIIe siècle : « Rechercher si certaines affinités électives sont perceptibles entre les formes de la croyance religieuse et l'éthique professionnelle [75]. » Mais il escamote vite cette notion en faisant disparaître le caractère électif de l'affinité. Le choix, le propos délibéré, sont étrangement absents de son argumentation ; l'affinité est réduite à une causalité, complexe mais déterministe.

Pour psychologique, voire spirituel, que soit ce mécanisme complexe, il reste un mécanisme. Là réside la déception qu'on ressent en entrant dans les explications de Weber. On est étonné de le voir raffiner sur tant de points de comparaisons entre luthériens et calvinistes, entre calvinistes et les diverses sectes de la famille protestante – et *oublier complètement d'approfondir la comparaison majeure : entre le protestantisme dans son ensemble et le catholicisme de la Contre-Réforme.*

C'est ainsi qu'il se contente de renvoyer à une note en bas de page une observation qui aurait pu être féconde, sur le sacrement de confession, dont le maintien (il aurait pu dire : l'amplification sous l'effet du Concile de Trente) a « eu pour effet *psychologique* de décharger l'individu de la responsabilité de sa conduite ».

Il est passé à côté d'une réalité historique fondamentale : le capitalisme, qui avait fait dans l'Europe méridionale, à la fin du Moyen Âge, les progrès les plus rapides, y a été bridé après la Contre-Réforme ; l'avance qu'avaient prise les populations, non seulement n'a pas été maintenue relativement aux pays protestants, mais, en valeur absolue, s'est transformée en un retard croissant.

L'individu capable de conduire sa vie

Dans son maître-ouvrage, postérieur, *Économie et société* [76], Max Weber réfléchit au statut des comportements humains – l'*éthos* – et paraît y faire une place plus grande à la liberté. Reste que, pour lui, l'action échappe le plus souvent à l'acteur. Statistiquement, c'est le déterminisme qui l'emporte.

Cela ne l'empêche pas de proposer une typologie qui semble laisser une ouverture à la liberté. Trois « orientations » existent pour l'action : usage, coutume, intérêt personnel. L'*usage* la coule dans le moule de ce qui se fait à côté. La *coutume* la coule dans le moule de ce qui a été fait auparavant. Mais *l'intérêt personnel*, que Max Weber réserve « par-dessus tout à l'action économique [77] », oriente celle-ci vers une adaptation consciente et efficace à l'intérêt de l'acteur.

Ce type d'orientation de l'activité économique n'est-il pas, justement, celui de l'entreprenant ? Celui d'un acteur dans le plein sens du terme, choisissant son rôle – mieux, inventant et le rôle et la pièce ? C'est l'acteur de l'*Aufklärung* libérale, du *self-government*, qui se reconnaît, le cas échéant, dans la forte émancipation que la Réforme protestante propose, en reconnaissant l'individu capable de conduire sa vie : « Toute activité économique, en économie de marché, est *entreprise*, dira encore Weber dans une formule remarquable, et menée à son terme par des individus agissant pour satisfaire leurs propres intérêts, matériels ou idéaux. »

Le Max Weber d'*Économie et société* aurait-il recouvré des convictions libérales ? Ce n'est pas si certain.

Les cloîtres du Moyen Âge

L'autre exemple de son analyse des relations entre pouvoirs séculier et ecclésiastique va montrer une ambivalence persistante, sur un point central de l'histoire du développement.

L'ascétisme, ou le système monastique, peuvent être, dit-il, « anti-économiques » ; mais également, en dépassant le stade « charismatique », ils peuvent se montrer favorables à un rationalisme économique [78].

La « hiérocratie » peut donc soit stimuler, soit compromettre le développement économique. Toutefois, le conservatisme économique (agraire notamment) de la hiérocratie est le trait dominant. D'où le diagnostic prudent : « La hiérocratie recommande les institutions-providence, qui restreignent la liberté ou la mobilisation des travailleurs contre l'autorité [79]. » On pourrait en déduire que la Contre-Réforme catholique est économiquement inhibitrice, dans la mesure où elle entraîne un renforcement des structures hiérocratiques. Weber, apparemment, n'y pense pas.

Quant à la Réforme (aux Réformes, devrait-on dire), elle a introduit, selon Max Weber, « de grands changements dans les positions théocratiques ». Elle fut certainement, ajoute-t-il, « co-déterminée par des facteurs économiques [80] ».

Dans l'immédiat, elle propose une diminution des contraintes hiérocratiques (les dîmes, par exemple) et favorise la tendance à l'émancipation économique et sociale. Mais, à l'inverse, « les Réformateurs croyaient que la pénétration de la vie terrestre par la hiérocratie n'allait pas assez loin [81] ». Les conceptions luthériennes de l'activité économique sont moins modernes, par exemple, que celles des théoriciens florentins [82]. L'émancipation séculière n'appartient, ni de loin ni de près, aux intentions des Réformateurs : elle est cependant associée à leur œuvre.

En définitive, « une conviction anti-capitaliste est le bien commun de toutes les religions du Salut [83] ». Weber serait au rouet, s'il ne s'empressait d'indiquer deux exceptions : le puritanisme et le judaïsme. L'un et l'autre reposent sur des postulats religieux favorables à un style de vie bourgeois, alors même qu'ils valorisent l'élection et le salut supra-terrestre bien plus que ne le fait le catholicisme. Dans ces deux cas, écrit Weber, « *la conviction économique est co-déterminée par des facteurs religieux [84]* » – *qui lui sont opposés*. Elle ne se concilie avec eux qu'au prix de tours de force dialectiques que nous avons déjà évoqués en étudiant l'*Éthique protestante* : Weber les réédite dans son maître-ouvrage posthume [85].

Mais il est difficile d'accorder que le puritanisme soit une exception. Du reste, Weber sait bien que celui-ci ne valorise pas le gain, qu'au contraire « la richesse en tant que telle est par lui réputée aussi dangereuse et tentatrice que dans les autres confessions chrétiennes ». L'ascétisme puritain fait pour lui la différence. Et Weber de reprendre ici une assimilation, déjà avancée dans l'*Éthique*, avec les cloîtres du Moyen Âge. Eux aussi, « à force de travail ascétique rationnel et grâce à la direction de la vie communautaire, conjurèrent toujours pour eux-mêmes la tentation de la richesse pour sa propre jouissance ». De même, à présent, le bourgeois pieux qui vit et travaille en ascète. L'ascèse au sein du monde [86] reste pour Weber le fin mot de l'esprit du capitalisme. *Le cloître est ainsi la première entreprise économique rationnelle de l'Occident* [87].

Mais alors, encore une fois, pourquoi les fondateurs d'ordre n'ont-ils pas inventé la société industrielle de marché ? Si « la continence du puritain diffère seulement dans son degré, non dans son principe, de la chasteté monastique [88] », quelle distorsion fonder là-dessus ? S'il n'y a ni scission éthique, ni divergence mentale, comment expliquer la supériorité protestante et l'infériorité catholique en matière de performance économique ?

Nous n'irons pas jusqu'à dire, avec Schumpeter, que « l'ensemble des faits et arguments dégagés par Max Weber s'adapte parfaitement au système de Marx [89] ». Reste que Weber n'a pas osé enlever aux conditions économiques leur primat. Il s'est intéressé au fonctionnement mental, mais s'est refusé à lui accorder l'autonomie. Il a toujours cherché la place et les relations exactes des diverses pièces d'un immense meccano économique et social. Il n'y est pas parvenu. Il ne pouvait y parvenir. Comme Adam Smith, comme Marx, il a été aveuglé par son ambition causale, même si, plus qu'eux, il a été sensible au rôle des facteurs culturels et à leur lien avec une histoire.

Chapitre 5

Braudel *ou* l'histoire sans acteurs

En privilégiant l'étude des tendances de longue durée, l'*école des Annales*, entre autres apports précieux, a mis au goût du jour l'histoire des représentations culturelles et des mentalités. Georges Duby, Jean Delumeau, Jacques Le Goff et d'autres l'ont illustrée avec bonheur. Or, paradoxalement, Braudel qui, parmi eux, a consacré presque toutes ses recherches à l'étude de cette période moderne où naît et s'étend le capitalisme, en a pour ainsi dire disqualifié le facteur mental.

Nous ne nous donnerons pas le ridicule de faire la leçon à un tel maître de l'Histoire. Braudel a prodigieusement enrichi et diversifié notre connaissance des faits économiques et sociaux des siècles qui nous intéressent – ceux de la grande divergence occidentale. Il a eu aussi le talent de faire revivre ces époques. Mais on peut rester, à propos du passé qu'il ressuscite, sur un sentiment de frustration, d'autant plus vif que l'historien est grand – et il convient de s'en expliquer. Derrière son histoire, il y a sa philosophie de l'histoire. Pour le dire d'un mot, comment Braudel, le mieux armé sans doute pour affronter l'énigme du développement dans les sociétés modernes, a-t-il pu passer à côté ?

L'évacuation des acteurs

On est d'abord surpris de l'importance qu'il accorde aux mécanismes et aux structures matérielles, au détriment d'une attention aux *acteurs* du développement. Comme si ces derniers étaient dépourvus d'initiative propre.

Ce que Braudel appelle l'économie d'échange, levier du « développement capitaliste », est décrit en termes de rouages, de systèmes, de processus [1]. Les propos de Braudel à l'encontre de l'entrepreneur selon Schumpeter en disent long [2] : « Je ne crois pas que Josef Schumpeter ait raison de faire de l'entrepreneur le *deus ex machina*. Je crois obstinément que c'est le mouvement d'en-

312

semble qui est déterminant et que tout capitalisme est à la mesure, en premier lieu, des économies qui lui sont sous-jacentes. »

Ainsi, la reprise économique du second XVe siècle n'est conçue qu'en termes de prix et « le rôle moteur est celui des boutiques d'artisans ou, mieux encore, des marchés urbains [3] ». Quant à l'essor du XVIe siècle, il serait, « en dernière analyse, l'exubérance d'un dernier étage, d'une superstructure [4]... » Quant à l'expansion moderne du processus capitaliste, il faudrait l'imputer « en dernière instance à l'action particulière et comme libératoire du marché mondial [5] ».

Posons ingénument la question : *qui* est le marché mondial ? Comment agit-il ? Existe-t-il ailleurs que dans l'action particulière de l'entrepreneur, de l'armateur, du négociant, du marchand, de l'innovateur ? Comment le tout peut-il agir sur les parties avant même qu'elles n'existent ? Comment le « mouvement » d'ensemble détermine-t-il les éléments ? Dans une course cycliste, l'échappée de quelques-uns peut « emmener » le peloton – ou le clouer sur place. Vu de haut, le déplacement des coureurs semble obéir à des lois d'attraction et de répulsion, d'étirement en file ou d'engorgement. En réalité, chaque équipe, chaque coureur, a ses muscles, sa volonté, sa motivation, son avidité de gagner, sa souffrance, sa passion de dépasser les autres et de se dépasser lui-même. Chaque comportement est une composante, encore plus qu'une résultante, de l'allure d'ensemble.

Pour Braudel, un modèle géométrique semble tenir lieu de raison d'être de tant d'initiatives humaines. Quand il évoque « la partition de toute économie-monde en zones concentriques, de moins en moins favorisées à mesure que l'on s'éloigne de son pôle triomphant [6] », l'image peut bien avoir une valeur descriptive. Sa vertu explicative laisse à désirer.

Est-il correct de ne voir dans l'histoire des hommes que des cercles, des zones, des axes, des mondes, des structures, des ensembles – et beaucoup de causes matérielles dont les antécédents demeurent inconnus ? N'y a-t-il pas, dans cette histoire, trop de géographie, et trop peu d'histoire ?

À l'école de La Bruyère

Protestant contre « l'opinion si répandue de Schumpeter sur le rôle décisif de novation et d'entraînement de l'entrepreneur [7] », Braudel met en avant La Bruyère : « Il y a même des stupides et j'ose dire des imbéciles qui se placent en de beaux postes et savent mourir dans l'opulence, sans qu'on les doive soupçonner en nulle manière d'y avoir contribué de leur travail ou de la moindre industrie ; quelqu'un les a conduits à la source d'un fleuve, ou bien le hasard seul les y a fait rencontrer ; on leur a dit : " voulez-vous de l'eau ? Puisez " et ils ont puisé [8] ».

Jolie illustration, en effet. Mais voyons de plus près quelle science économique peut être glanée chez l'auteur des *Caractères*. N'est-ce pas la défiance qui préside à ses méditations dans le chapitre « Des biens de fortune » ? « Dans toutes les conditions, le pauvre est bien proche de l'homme de bien, et l'opulent n'est guère éloigné de la friponnerie. Le savoir-faire et l'habileté ne mènent pas jusques aux énormes richesses [9]. »

À l'école de La Bruyère, on n'apprend guère à croire au succès de l'initiative « entrepreneuriale ». Au moins peut-on apprendre la haine de classe et le mépris de l'argent : « Il y a des âmes sales, pétries de boue et d'ordure, éprises du gain et de l'intérêt, [...] uniquement occupées de leurs débiteurs ; toujours inquiètes sur le rabais ou sur le décri des monnaies. De telles gens ne sont ni parents, ni amis, ni citoyens, ni chrétiens, ni peut-être des hommes : ils ont de l'argent [10]. » En ce sens, Braudel n'aura pas été moins moraliste qu'historien.

Divergence ou tour de roue de la Fortune ?

Quant à la divergence entre pays de la Réforme et de la Contre-Réforme, entre Nord et Sud, Braudel règle son compte à Max Weber sans beaucoup d'égards. Il est vrai que le refus délibéré qu'oppose Weber à une explication de cette divergence par les seules conditions matérielles de l'économie ne pouvait lui permettre de trouver grâce aux yeux de Braudel.

Qu'on en juge par ces propos de *La Dynamique du capitalisme* : « Pour Max Weber, le capitalisme, au sens moderne du mot, aurait été ni plus ni moins une création du protestantisme ou, mieux, du puritanisme. Tous les historiens sont opposés à cette thèse subtile, bien qu'ils n'arrivent pas à s'en débarrasser une fois pour toutes ; elle ne cesse de resurgir devant eux. Et pourtant, elle est manifestement fausse. Les pays du Nord n'ont fait que prendre la place occupée longtemps et brillamment avant eux par les vieux centres capitalistes de la Méditerranée. Ils n'ont rien inventé, ni dans la technique, ni dans le maniement des affaires. Amsterdam copie Venise, comme Londres copiera Amsterdam, comme New York copiera Londres. Ce qui est en jeu, chaque fois, c'est le déplacement du centre de gravité de l'économie mondiale, pour des raisons économiques, et qui ne touchent pas à la nature propre ou secrète du capitalisme [11]. »

Laissons Weber de côté et sa thèse « subtile », que Braudel ne se prive pas de caricaturer grossièrement pour mieux la réfuter. Nous avons exposé plus haut toutes les réserves qu'appelait son interprétation, qui n'est pas assez mentale, justement, à nos yeux, alors qu'elle l'est trop aux yeux de Braudel.

Le texte qu'on vient de citer n'est nullement isolé. Dans toutes ses descriptions du basculement de l'Europe du Sud vers le Nord [12], Braudel s'appuie exclusivement sur l'article de Richard Tilden Rapp, à qui il laisse d'ailleurs le fardeau de la preuve. « *Vers 1600, l'Europe bascule sur elle-même, au bénéfice du Nord* [13]. » Ce qui est incontestable. Mais ce qui l'est moins, c'est d'imputer ce jeu de bascule à une bousculade violente, à une mise en coupe réglée des marchés du Sud par le Nord : « Les Hollandais, en gros, se sont logés à la place d'autrui [14]. »

La substitution des Nordiques aux Méditerranéens « provient d'un pillage » [15] et non d'une « meilleure conception des affaires [16] ». De même que le fusil a relayé l'épée et la mitrailleuse le fusil, l'évolution des techniques a renouvelé la face du capitalisme, sans en changer le processus.

Bascule, déplacement de centre de gravité [17] sur l'axe Italie-Hollande : sans doute. Mais qui déplace ou remplace qui ? Pour qu'il y ait relève, il faut l'épuisement de la garde descendante, et l'élan de la garde montante. Pourquoi cet épuisement ? Pourquoi cet élan ?

Finalement, Braudel préfère décrire, plutôt qu'expliquer ; c'est là qu'il est le meilleur. Son approche est étonnamment classique ; il pense en termes de « grandeur et décadence », sinon de « Roue de la Fortune ». Comme les États territoriaux s'étendent ou se rétrécissent « à coups d'épée », les puissances économiques s'élèvent et s'abaissent, dans une agressive concurrence sans fin.

La dégradation du mental

Ce n'est pas dans le mental, mais dans le social, que Braudel découvre les conditions du développement : « Il y a des conditions sociales à la poussée et à la réussite du capitalisme [18]. » Conditions au demeurant peu dynamiques, malgré le titre du recueil d'études *(La Dynamique du capitalisme)* : le capitalisme « exige une certaine tranquillité de l'ordre social, ainsi qu'une certaine neutralité, ou faiblesse, ou complaisance de l'État [19] ». Certes, mais sur ce rôle de l'État minimal, un de Witt, plus de trois siècles avant Braudel, nous en apprenait davantage.

Suffit-il aussi, pour suggérer une explication sommaire de la divergence économique franco-anglaise, de dire que « c'est pour des raisons largement sociales et incrustées dans son passé que la France a toujours été un pays moins favorable au capitalisme que, disons, l'Angleterre [20] » ? On comprend que Braudel n'ait pas prolongé l'analyse de cette divergence : elle aurait risqué de l'amener à faire le constat d'une différence d'état d'esprit.

Quand il invoque les « mentalités », ce n'est guère que pour souligner la résistance qu'elles opposent au changement. Toutefois, il a illustré la « loi » suivant laquelle, dans les mutations enregistrées par une société, *l'économique précède le social, qui précède à son tour le mental.*

Mais alors, comment prendre en compte la capacité novatrice, aux XVIIᵉ et XVIIIᵉ siècles dont nous avons montré les affinités électives avec la Réforme ? Comment admettrait-on que celle-ci ait favorisé la libération de l'esprit d'entreprise ? Il faudrait renverser l'ordre des facteurs, en établissant le primat du mental sur l'économique, et donc la possibilité de bouleverser l'environnement économique à partir de nouvelles attitudes mentales. Même si ce cas était une exception, ne faut-il pas reconnaître qu'elle a bouleversé des règles qui étaient valables jusque-là et partout ailleurs ? Cette exception ne serait-elle pas, justement, l'explication de la *divergence* dont la chrétienté occidentale est le théâtre ?

L'explication « mentaliste » est, pour Braudel, suspecte de verbalisme. « Si l'on veut saisir l'origine des mentalités capitalistes, il faut dépasser l'univers ensorcelé des mots [21]. » Sans doute ; et toutes les critiques visant le tautologisme de ces explications sont recevables. Mais comme il est dommage que Braudel n'ait pas appliqué son immense talent et sa science inépuisable à dépasser l'univers des tautologies matérialistes – et à fouiller l'analyse de ce qui a poussé, à certains moments, tant d'hommes nouveaux sur des routes nouvelles. À propos de Sombart et de Weber, et de leur explication de la supériorité prétendue de l'esprit occidental, Braudel est allé un jour jusqu'à écrire que cette supériorité « est aussi issue des hasards, des violences de l'histoire, d'une maldonne mondiale des cartes [22] ». « Maldonne des cartes » : l'histoire serait-elle un jeu de hasard ? Mais si l'on parle de maldonne, qui a commis l'erreur ? Une Providence à l'envers ? Étrange langage d'un historien, peut-être plus profondément déconcerté qu'il n'a voulu l'avouer.

L'innovation, l'adaptation, la modernité économique, culturelle et sociale ne ressortissent ni au hasard ni à la Providence ; elles ne sont pas plus les effets mécaniques d'un esprit que d'une matière. Ce sont des attitudes qui remontent la pente de la détermination aveugle et systématique. Il est vrai que pour Braudel – comme il l'écrit dans la conclusion de l'*Identité de la France* – les hommes font moins l'Histoire, que l'Histoire ne les fait.

Une histoire qui attend ses historiens

Une véritable histoire des mentalités, en ce qu'elle concerne l'économie, reste à écrire. On a beaucoup travaillé, dans les années récentes, sur l'histoire du corps, des sens, des passions. Mais l'histoire des représentations de la puissance, des projets de vie, des comportements économiques, reste un immense chantier.

Parmi ceux qui y travaillent, citons Pierre Thuillier et son beau livre sur les mentalités de l'aventure industrielle [23]. Mais n'est-il pas significatif qu'il ait cru devoir se justifier de l'avoir écrit : « Étant donné que le recours aux " mentalités " est souvent considéré comme une fantaisie idéaliste, c'est un véritable plaidoyer que j'ai entrepris. » Le résultat d'une telle recherche est pourtant fécond. Elle permet de retrouver les hommes, d'explorer leurs structures mentales, d'interroger leurs convictions pratiques ou leurs mythes culturels. En effet, cet ouvrage évoque avec pertinence des faits aussi importants que la nouvelle alliance de la technique et de la science, telle que la pratique en Angleterre la *Royal Society*, regroupant, dès le début du XVIIIe siècle, savants et industriels, pour mettre fin à un divorce entre académies et industries, entre sciences et arts mécaniques. Un divorce qui, dans le cas de l'utilisation de la force motrice de la vapeur d'eau, aura duré seize siècles, puisque Hiéron d'Alexandrie avait conçu l'éolipyle, véritable turbine à vapeur – mais le platonisme avait, six siècles auparavant, réduit au silence les inventeurs de machines, accusés de « corrompre la géométrie ».

Des études comme celle-ci peuvent donner l'idée que le retard industriel français sur l'Angleterre, et l'avance qu'a prise par la suite l'Allemagne sur la France, sont imputables à une divergence des mentalités, comme nous l'avons suggéré en énumérant les résistances, les retards, les occasions manquées d'un développement technique et industriel. L'outil scientifique n'était pas moins maîtrisé en France qu'outre-Manche ou qu'outre-Rhin. Mais en France, pour la plupart des esprits, la science était une fin en soi, non pas un outil. « Non, non, c'est bien plus beau lorsque c'est inutile ! » s'écrie généreusement Cyrano de Bergerac. Qu'Edmond Rostand l'ait fait revivre, lui ait prêté des mots qui nous touchent encore, révèle bien une constante historique, traduction d'une constante mentale.

Pourtant, même Pierre Thuillier ne reconnaît pas l'autonomie du facteur mental. Les mentalités sont pour lui une variable intermédiaire, elle-même conditionnée par la nature de la société [24]. Or, l'inégalité du développement de pays à pays, malgré la mondialisation de la science, ne nous paraît pas reposer, en dernière analyse, sur un type de société, mais sur les attitudes comportementales et mentales dont ce type est le produit ou le reflet. Il nous restera à établir, au contraire de Braudel, le primat du facteur mental – et particulièrement du développement scientifique, technique et économique sur les autres paramètres de l'histoire des sociétés.

Ainsi, le grand historien, comme avant lui les analystes sociaux, n'a pu découvrir, derrière la masse foisonnante des faits que suscite la stupéfiante vitalité de l'Occident, le ressort qui les a mis en branle. Derrière les vivaces forêts qu'il connaissait et aimait mieux que personne, il n'a pas su trouver l'arbre de la vie.

SIXIÈME PARTIE

ÉGLISE CATHOLIQUE
ET MODERNITÉ ÉCONOMIQUE

Chapitre 1

Rome et la liberté

Nous n'avons cessé, au long de ce parcours, de rencontrer l'Église catholique. Nous l'avons vue se crisper lors du Concile de Trente. Pour se défendre contre les assauts des Réformes luthériennes ou calvinistes, elle s'est enfermée dans la défensive, puis a lancé sa contre-offensive. Elle a légitimé ses positions dans un argumentaire ; et donc, raidi nombre de traits de son enseignement, de ses dogmes, de son organisation, de sa culture. Elle a traduit alors tout un vécu, par nature évolutif, en une doctrine, par proclamation intangible.

Or, la divergence qui saisit la chrétienté occidentale au XVIᵉ siècle produit ses effets au-delà du temps des Réformes et de la Contre-Réforme. La question se pose de savoir si le Magistère romain a maintenu le durcissement de Trente au cours des quatre siècles et demi écoulés depuis lors. Tabous du profit et de l'usure, refus de la nouveauté et de la modernité, prétention au monopole de la vérité, défiance envers la liberté individuelle : que dit l'Église entre Trente et nos jours ?

Veillons cependant à ne pas nous tromper de querelle. Il ne s'agit en aucun cas de faire grief à Rome des résistances au progrès, des retards de développement ou des convulsions économiques et sociales, qu'ont connus les nations latines : elles ne peuvent s'en prendre qu'à elles-mêmes. Au reste, la logique du Magistère, c'est l'annonce de l'Évangile. Comme le dit le récent *Catéchisme de l'Église catholique* : « L'Église porte un jugement moral, en matière économique et sociale, quand les droits fondamentaux de la personne ou le salut des âmes l'exigent. Dans l'ordre de la moralité, elle relève d'une mission distincte de celle des autorités politiques [1] ». Le développement économique ne saurait donc, dans sa perspective, être traité comme une fin en soi.

Il n'en demeure pas moins que, selon le mot prophétique de Paul VI, *« le développement est le nouveau nom de la paix »*. Mais avant d'oser cette affirmation, l'Église a dû suivre un long cheminement.

Le silence du Magistère

En apparence, la Contre-Réforme avait réussi à stabiliser la carte religieuse de l'Europe. Elle n'avait pu opérer aucune reconquête ; du moins les États qui étaient catholiques l'étaient-ils restés. Seulement, les frontières culturelles ne sont jamais étanches. Bien des idées condamnées par la Contre-Réforme avaient réussi à s'introduire dans les pays demeurés catholiques. Elles y parvinrent d'autant mieux qu'elles se sécularisaient dans ce processus de contagion.

La catholicité avait pu mobiliser toutes ses ressources, et d'abord ses ressources purement religieuses, dans son combat contre les Réformes. Mais contre l'esprit philosophique, contre les Lumières, sa lutte fut beaucoup plus difficile. Il est très remarquable que, pendant tout le cours du XVIIIᵉ siècle, l'Église en général et Rome en particulier paraissent s'absenter du débat. Les réponses sont de l'ordre de la piété ou de la répression ; mais le terrain intellectuel est pour ainsi dire abandonné à l'adversaire.

Il en résulte que toute la réflexion sur la société politique et civile se développe sans références religieuses. On ne pense pas avec l'Église, qui paraît ne plus penser. On prend l'habitude de penser sans elle, ou même contre elle ; mais la prudence invite à ne pas le crier sur les toits. Délibérément ou insidieusement, toute pensée sur la société, sur le pouvoir politique, sur l'économie, se laïcise.

Le champ de la décision politique ne cesse de s'élargir aux dépens de l'Église. Dans la seconde moitié du XVIIIᵉ siècle, le pouvoir temporel n'hésite pas à intervenir dans l'organisation ecclésiastique. La suppression des jésuites, finalement avalisée par Rome, est le témoignage le plus spectaculaire de ce triomphe de l'État sur l'Église. Mais bien d'autres faits l'illustrent. Joseph II en Autriche réorganise l'Église catholique à sa convenance. Louis XVI, bien avant 1789, regroupe les couvents, supprime des ordres religieux, sans que l'Église y trouve à redire. La Constitution civile du clergé s'inscrit non pas contre ce mouvement, mais dans son sillage.

Le syndrome de la Contre-Réforme

Cependant, le balancier est allé trop loin. La violence révolutionnaire éclate. Rome réagit et condamne. Bientôt, l'enjeu n'est plus le patrimoine foncier de l'Église ni sa liberté d'organisation, c'est la foi elle-même. Des martyrs versent leur sang, et cela n'était

322

plus arrivé depuis des siècles, sinon dans de lointaines terres de mission.

Dans cette épreuve, Rome a retrempé sa vigueur. Quand la Révolution s'épuise, l'Église catholique retrouve le sentiment d'une mission. Dans le désarroi des idées « philosophiques », une large carrière lui est alors ouverte, pour reprendre son ascendant moral et social et proposer une réconciliation du message religieux et de la société occidentale. Mais le syndrome de la Contre-Réforme se manifeste bientôt. Rome va tomber à nouveau dans tous les pièges d'une attitude trop strictement définie.

Comme la Révolution s'est faite sous le drapeau de la liberté, Rome va s'employer à lutter contre la liberté. Comme la Révolution a poussé au maximum une revendication de souveraineté pour le pouvoir politique, Rome va revendiquer le droit de l'Église à diriger spirituellement la société. Comme la Révolution, dans la première moitié du XIXᵉ siècle, tourne ses prétentions vers le simple « libéralisme » (le mot ayant alors une connotation différente), Rome sera résolument antilibérale.

Mais Rome parle. Le Pape exerce à nouveau son magistère, dans une Église qui devient de plus en plus ultramontaine, se serrant autour de son chef, tirant sa confiance de son unité d'esprit et d'action. Car le XIXᵉ siècle est pour l'Église un siècle de rudes combats, où elle comptera plus de défaites que de victoires.

Il importe donc à notre enquête de savoir comment l'Église va réagir aux conditions du monde moderne. Nous disposons pour cela du corpus des encycliques pontificales. Toutes sont de grands textes, longuement élaborés, vigoureusement argumentés ; elles délivrent aussi un message qui, pour être entendu de tous, vise à la simplicité.

Le Syllabus, ou le langage de la rupture

Commençons par un texte qui a marqué avec une vigueur inégalée l'opposition entre l'Église catholique et la modernité : c'est l'encyclique *Quanta Cura* du 8 décembre 1864, suivie du *Syllabus,* qui en est le spectaculaire condensé, sous la forme d'un catalogue de toutes les erreurs préjudiciables au monopole spirituel et au pouvoir temporel de l'Église catholique : socialisme, franc-maçonnerie, gallicanisme, etc., mais par-dessus tout, le « libéralisme moderne ».

« Là où la religion est bannie de la société civile, écrit Pie IX, la doctrine et l'autorité de la révélation divine répudiées, la vraie notion de la justice et du droit humain s'obscurcit et se perd, et la force matérielle prend la place de la justice et du droit légitime. » De même, « une société soustraite aux lois de la religion et de la vraie justice *ne peut plus se proposer d'autre but que d'amasser et d'accumuler les richesses*, ni suivre d'autres lois dans ses actes que l'indomptable désir de l'âme esclave de ses passions et de ses intérêts ». Ôtez le couvercle, et de cette nouvelle boîte de Pandore s'échappent pêle-mêle les maux les plus divers, contradictoires entre eux, mais opposés ensemble à la vérité unique : « la funeste erreur du *communisme* et du *socialisme* », le naturalisme, le panthéisme, le rationalisme, l'indifférentisme, le libéralisme.

L'habileté du *Syllabus* consiste à présenter un répertoire systématique d'erreurs dont la caricature n'est pas absente, une caricature faite pour entraîner une réaction de rejet. Citons par exemple : « Dieu et le monde sont une seule et même chose, et par conséquent aussi l'esprit et la matière, la nécessité et la liberté, le vrai et le faux, le bien et le mal, le juste et l'injuste. » Cette confusion généralisée serait assurément inacceptable ; mais est-elle la conséquence nécessaire de l'assimilation panthéiste de Dieu avec le monde ?

De même, on peut refuser, avec Pie IX, les propositions qui privent l'Église de sa propre liberté (« 28. Il est interdit aux évêques de publier les lettres apostoliques elles-mêmes sans l'autorisation du gouvernement civil ») ; ou celles qui donnent la primauté au droit de l'État sur les droits de l'Homme (« 39. L'État, étant l'origine et la source de tous les droits, jouit d'un droit sans limites ») ; ou encore, le déséquilibre entre droit et devoir dans les grandes « déclarations » (« 59. Le droit consiste dans le fait matériel, tous les devoirs de l'homme sont un vain mot ») ; ou enfin, le pur cynisme enrobé de tartufferie (« 61. Une injustice de fait qui a réussi ne cause aucun dommage à la sainteté du droit »).

L'excès, le cynisme, l'intolérance de ces propositions les rendent si évidemment condamnables, qu'on s'interroge sur l'utilité de les condamner.

« Une colossale raillerie »

À l'inverse, d'autres propositions « condamnables » et condamnées – et non des moindres – provoquent aujourd'hui l'assentiment spontané du lecteur, fût-il bon catholique. Qu'y a-t-il à redire à l'idée que « chaque homme est libre d'embrasser et de professer la religion qu'à la lumière de la raison il aura jugée vraie » (15) ? Est-ce absolument une erreur que de garantir « l'exercice public des cultes particuliers » (78 et 79) ?

Le catalogue d'« erreurs » s'achève sur ce qui nous apparaît comme une véritable provocation : « 80. Le Pontife romain veut et doit se réconcilier et transiger avec le progrès, le libéralisme et la civilisation moderne. »

À moins de confondre progrès, libéralisme et civilisation moderne dans une même infamie et de considérer que « la liberté civile de tous les cultes », la liberté de pensée et d'opinion conduisent à la « corruption plus facile des mœurs et des esprits des peuples et à l'extension de la peste de l'indifférentisme », force est de reconnaître que cette ultime proposition est plutôt engageante ; le lecteur n'est pas naturellement disposé à la voir anathématisée.

La provocation fut bien ressentie comme telle à l'époque – mais le plus douloureusement, à coup sûr, par la frange libérale de l'Église. Par Mgr Dupanloup, par exemple. L'évêque d'Orléans, soucieux de ne pas se séparer de Rome, dut déployer toute son ingéniosité rhétorique pour donner une version libérale de cette condamnation du libéralisme [2]. Il s'évertua à démontrer que l'encyclique n'avait nullement condamné « ce qu'il peut y avoir de bon dans le progrès, de vraiment utile dans la civilisation moderne, de vraiment libéral et chrétien dans le libéralisme ».

On ne s'étonnera pas que sa brochure, « effort immense et généreux de concilier les condamnations du Syllabus avec les principes libéraux des sociétés modernes », ait pu être interprétée comme « une colossale raillerie [3] ». Pie IX félicita son évêque le 5 février 1865, mais en termes très généraux et sans vraiment l'approuver. Il ne le pouvait guère. Il avait parlé un langage de rupture, parce qu'il pensait que l'Église n'avait rien à gagner à des compromis, et tout particulièrement à des compromis de langage.

1888 : Libertas praestantissimum

Un an avant le centenaire de 1789, Léon XIII corrige le tir de Pie IX. Le but de son encyclique *Libertas praestantissimum* [4] est de présenter l'Église catholique comme l'adversaire du libéralisme, mais non de la liberté, « bien excellent de la nature et apanage exclusif des êtres doués d'intelligence ou de raison [5] ».

La mission libératrice de Jésus-Christ est rappelée par Léon XIII : il en résulte que son Église est gardienne de la liberté, qu'il « est venu restaurer et accroître ». L'ambiguïté est installée dans les prémisses du raisonnement. Seule l'Église peut garantir la liberté des enfants de Dieu. De l'analyse philosophique du libre arbitre, Léon XIII conclut que, « soit dans les individus, soit dans les sociétés, et chez les supérieurs non moins que chez les subordonnés, la liberté humaine suppose la nécessité d'obéir à une règle suprême et éternelle [6] ».

La liberté des « libéraux » modernes ne suppose pas cette « nécessité-là » et Léon XIII dénonce donc « la conception libérale de la liberté ». Leur liberté, selon lui, usurpe son nom, et les « libéraux », « à l'exemple de Lucifer, de qui est ce mot criminel : " je ne servirai pas ", entendent par le nom de liberté ce qui n'est qu'une pure et absurde licence [7] ».

L'attaque porte successivement sur les divers aspects de cette perversion de la liberté : conception d'une souveraineté sans frein, autonomie de la raison en morale, esprit de laïcité.

La « liberté des cultes » (c'est l'encyclique qui met les guillemets) est récusée. L'égale dignité des cultes ne peut être posée en principe, comme le fait le libéralisme, sans récuser le droit de la vérité. En pratique, l'Église admet la tolérance des cultes dans la société civile ; elle n'admet pas qu'au nom de cette tolérance, l'État tranche son lien avec Dieu.

Il faut noter à ce propos que certaines des formulations de l'encyclique, à l'allure provocatrice pour un Français catholique d'aujourd'hui, qui a intégré la séparation de l'Église et de l'État, seraient parfaitement acceptables pour un citoyen des États-Unis, pour un Scandinave ou pour un Britannique : « L'État doit rendre un culte à Dieu. La société civile doit nécessairement reconnaître Dieu comme son principe et son auteur [8]. »

Il est étrange que le lien entre la société civile, l'État de droit et le Dieu chrétien, soit demeuré vivace et reste vécu sans difficulté dans les nations de tradition protestante, alors que la « fille aînée de l'Église » a rompu ce lien. N'est-ce pas à cause de la traduction ecclésiale, que Rome n'a cessé de donner de cette reconnaissance spirituelle ? L'interminable guerre, menée pendant tout le XIXe siècle dans les pays catholiques, entre la liberté sous tutelle d'Église et le libéralisme anticlérical, a déplacé, de l'anthropologique vers le politique, la question de la liberté.

Un point fort de l'argumentation pontificale est la critique d'un volontarisme étatique affranchi de toute règle supérieure. Faut-il rappeler qu'en France, au moment où écrit Léon XIII, aucune procédure constitutionnelle ne permet de vérifier que les lois édictées par la majorité du moment sont ou non conformes aux droits de l'homme ? Il n'est pas faux de dire que le libéralisme politique a paradoxalement abouti à attribuer « à l'État un pouvoir despotique et sans limites [9] ».

Les libertés et le progrès

L'Église était, depuis les controverses de la Réforme, très avertie du fait que, dans ce combat sur les esprits, la maîtrise des armes de la communication intellectuelle était vitale. Aussi la liberté de la parole, de la presse, de l'enseignement, de la recherche sont-elles traitées par Léon XIII comme la prétendue « liberté des cultes ».

Dépositaire exclusive de la vérité surnaturelle [10], l'Église catholique ne peut souffrir l'exercice incontrôlé de ces libertés. Pour justifier son patronage sur l'ensemble des activités sociales (presse, éducation, vie politique, morale), l'Église peut se prévaloir, selon

Léon XIII, des immenses services qu'elle a rendus « par l'admirable soin avec lequel elle a conservé les monuments de la sagesse antique, par les refuges qu'elle a, de toutes parts, ouverts aux sciences, *par les encouragements qu'elle a toujours donnés à tous les progrès,* favorisant d'une manière particulière les arts eux-mêmes qui font la gloire de la civilisation de notre époque [11] ».

Sans nier le magnifique épanouissement de tous les arts dans les sociétés catholiques, ni l'importance de l'activité scientifique dans les cours pontificales ou épiscopales, on peut émettre quelques réserves à l'occasion de cet auto-encensement progressiste de Léon XIII. Le dossier historique du mariage entre l'Église et les lettres ou les sciences est-il aussi brillant qu'il le prétend ? La liste serait longue, des obstacles dressés par l'Église sur la route du progrès scientifique, technique, économique, politique. Après les encouragements donnés à Copernic pour ses recherches qui substituaient l'hélio-centrisme au géo-centrisme, survint le traitement infligé à Giordano Bruno et à Galilée, qui avaient repris à leur compte les mêmes démonstrations : la prison pour celui-ci qui acceptait de se rétracter ; le bûcher pour celui-là, qui s'y refusait. Il est vrai qu'entre-temps, le drame de la Réforme et du schisme avait déchiré l'Église. Et Rome s'était mise à « tirer sur tout ce qui bouge ».

Léon XIII prétend aussi que : « Pour toutes les libertés civiles exemptes d'excès, l'Église eut toujours la coutume d'être une très fidèle protectrice, ce qu'attestent particulièrement les cités italiennes, qui trouvèrent sous le régime municipal la prospérité, la puissance et la gloire, alors que l'influence salutaire de l'Église, sans rencontrer aucune opposition, pénétrait toutes les parties du corps social [12]. » L'Histoire est moins simple que la leçon qu'il en tire. De plus, derrière cet engagement du côté des libertés civiles et de la prospérité collective, les principes continuent de renvoyer à une anthropologie négative – une anthropologie de la soumission et de la dépendance : « En résumé, l'homme doit nécessairement rester tout entier dans une dépendance réelle et incessante à l'égard de Dieu et, par conséquent, il est absolument impossible de comprendre la liberté de l'homme sans obéissance à Dieu et soumission à sa volonté. » Mal relayée ou mal comprise, assenée comme un diktat, cette doctrine risquait évidemment, dans le registre des actions temporelles, de paralyser l'initiative et d'enchaîner les consciences [13].

Récapitulant les principaux points de son encyclique et donnant des « directives pratiques », Léon XIII caricature le libéralisme, en refusant de reconnaître une position intermédiaire entre l'adhésion au catholicisme et l'insurrection « contre l'autorité suprême de Dieu ». Certes, la condamnation est graduée : libéralisme *intégral,* rationalisme, naturalisme, séparation de l'Église et de l'État, accommodements plus ou moins indulgents... Léon XIII va même jusqu'à dégager Rome du débat qui, depuis 1870, agite la France – pour ou contre la République.

Le « Pape du ralliement » se profile déjà ; entre une royauté anticléricale (qu'il subit en Italie) et une République conservatrice et respectueuse de l'Église (qu'il appelle déjà de ses vœux en France, à défaut d'une improbable restauration monarchique), l'Église n'a pas à hésiter. Il conclut son encyclique par une profession de neutralité à l'égard des divers régimes constitutionnels, pourvu que « leur institution ne viole le droit de personne et respecte particulièrement les droits de l'Église [14] ».

Mais on revient sans cesse au point de départ. Léon XIII monopolise et confisque la légitimité de la liberté, en la refusant aux « libéraux ». Et pourtant, quel libéral authentique (et non caricatural) ne ferait pas sienne cette définition de Léon XIII : « Une liberté ne doit être réputée légitime qu'en tant qu'elle accroît notre faculté pour le bien ; hors de là, jamais [15]. » De cette liberté qui grandit l'homme, matériellement et spirituellement, pourquoi le libéralisme serait-il exclu ?

Chapitre 2

1891 : *Rerum Novarum*

La tour Eiffel, emblème de la révolution industrielle dans tout son éclat, était érigée depuis deux ans lorsque parut l'encyclique *Rerum Novarum,* sur *la condition des ouvriers* (15 mai 1891) [1]. Elle est signée du même Pape, Léon XIII.

Trois ans après *Libertas praestantissimum*, il change complètement de sujet. Il en aborde un sur lequel Rome ne s'était encore jamais prononcée – et qui pourtant travaillait les sociétés européennes depuis plus d'une cinquantaine d'années : la question sociale. L'anthropologie de la liberté n'avait été jusque-là évoquée que sous l'aspect de la vie politique et culturelle. La voici saisie à travers la vie économique et sociale.

L'encyclique semble réconcilier l'Église et la modernité, en prenant les problèmes à bras-le-corps (droit de propriété, salaires, intervention de l'État, associations corporatives ou syndicales) et en proposant des solutions. À telle enseigne que d'aucuns s'empressent d'y voir un manifeste socialiste – en dépit des condamnations réitérées du socialisme qu'elle comporte. D'autres y voient un retour au Moyen Âge, une mainmise théocratique sur les affaires sociales, une condamnation de l'individualisme.

Pour mieux évaluer l'influence que pourrait avoir le « Pape des ouvriers » sur le cours des conceptions et des réalisations économiques et sociales, rien ne peut remplacer l'analyse du document original.

Haro sur le progrès

La réflexion s'ouvre sur un ton dramatique. La condition des ouvriers est « la conséquence funeste *d'une soif d'innovations* qui, depuis longtemps, s'est emparée des sociétés et les tient dans une agitation fiévreuse [2]... ». Le vocabulaire associe régulièrement innovation, progrès, nouveauté (« ces progrès incessants de l'industrie, ces routes nouvelles que les arts se sont ouvertes [3]... ») à ceux d'altération, de corruption, de misère, de conflit.

Nul ne songe à nier la gravité de la situation du monde ouvrier au moment de *Rerum Novarum*. Nous avons cité plus haut de fortes condamnations, dans des bouches catholiques, dès les années 1830. Imputer cette situation à la soif d'innovation, de progrès, de nouveauté, paraît, en revanche, plus discutable. Passons sur cette nouvelle manifestation de la peur de la novation, de la *néophobie* catholique. L'important est que Rome affiche son souci de remédier à « l'altération des rapports entre les ouvriers et les patrons [...] et à la corruption des mœurs [4] », de délivrer les esprits de l'« anxieuse attente » où ils sont plongés, de poser le problème social en termes de « droits et de devoirs qui doivent à la fois commander la richesse et le prolétariat, le capital et le travail ».

Travail et propriété

L'un des premiers objectifs de l'encyclique est d'asseoir solidement « la propriété privée et personnelle » en tant que « droit naturel [5] ». Cette démonstration récuse la théorie socialiste de la propriété collective. Mais, par une sorte de balancement des condamnations, Léon XIII regrette la disparition des corporations, blâme le prêt à intérêt, dénonce l'inhumanité de la concurrence. Ce sont les maux engendrés par le libéralisme – aussi nocif, donc, sur le terrain économique et social, qu'il l'est aux yeux de l'Église sur le terrain politique et culturel.

La propriété apparaît, face à l'un et l'autre périls, comme une sorte de havre – mais pour Léon XIII, il s'agit essentiellement de la propriété immobilière [6]. L'acquisition d'un fonds personnel (champ ou maison) est la motivation principale du travail. C'est la terre qui fournit le modèle de toute propriété [7]. Dans un texte où l'expression « *Rerum Novarum* » indique une soif d'agitation fiévreuse et funeste, on ne peut s'étonner de voir professer une nostalgie de l'économie rurale, du travailleur penché sur sa terre : « Ce champ remué avec art par la main du cultivateur a changé complètement de nature : il était sauvage, le voilà défriché ; d'infécond, il est devenu fertile ; *ce qui l'a rendu meilleur est inhérent au sol et se confond tellement avec lui*, qu'il serait impossible de l'en séparer [8]. » C'est presque l'image du serf attaché à la glèbe.

Certes, Léon XIII étend le caractère de droit naturel au « droit de propriété *mobilière* et immobilière [9] ». Toutefois, le seul exemple valorisant est celui de la propriété foncière agraire. Il n'y a que la terre qui ne mente pas. Le fonds, la fécondité de la nature demeurent pour l'homme les vraies promesses de subsistance et les garanties d'élévation [10]. Derrière cette vision, apparaît l'idée que l'autarcie familiale est une perspective plus recommandable que la production industrielle et les échanges.

L'Église, seule autorité compétente

Une fois dénoncé le mal libéral et écarté le remède socialiste, il reste à établir la compétence du médecin pontifical : elle est entière et exclusive, si l'on en croit Léon XIII : « C'est avec assurance que Nous abordons ce sujet, et dans toute la plénitude de notre droit ; car la question qui s'agite est d'une nature telle, qu'à moins de faire appel à la religion et à l'Église, il est impossible de lui trouver jamais une solution efficace [...]. Assurément, une cause de cette gravité demande encore d'autres agents leur part d'activité et d'efforts [...]. Mais *ce que nous affirmons sans hésitation, c'est l'inanité de leur action en dehors de celle de l'Église.* »

Une fois de plus, bien loin de promouvoir un sentiment de responsabilité individuelle ou collective, l'Église s'affirme comme la seule autorité compétente.

Cette revendication a sa logique, puisque justement la démarche catholique va commencer par refuser l'autonomie de ce qu'on pourrait appeler l'ordre de la vie matérielle, de l'économie. Le travail est d'abord ordonné à la survie [11]. Sa finalité immédiate est le bien-être. Mais sa signification ultime se trouve dans l'ordre de la spiritualité, ou de la Providence divine. Le travail est une expiation, la richesse et la pauvreté sont des épreuves.

« Le premier principe à mettre en avant, *c'est que l'homme doit prendre en patience sa condition* [12]. » Le travail est « imposé comme une expiation », même si, précision importante, c'est une expiation honorable : « Le travail du corps, loin d'être un sujet de honte, fait honneur à l'homme [13]. »

Richesse ou pauvreté : n'importe. Seul *l'usage* qui sera fait de cette richesse ou de cette pauvreté peut valoir des mérites pour l'autre vie, la seule véritable. L'état des sociétés importe moins que la situation de leurs membres au regard du salut : « Quant aux déshérités de la fortune, ajoute Léon XIII, ils apprennent de l'Église que, selon le jugement de Dieu lui-même, la pauvreté n'est pas un opprobre et qu'il ne faut pas rougir de devoir gagner son pain à la sueur de son front » – à l'exemple de Jésus lui-même [14].

Aussi profonde que soit la compassion de Léon XIII pour la détresse des ouvriers de son temps, aussi roboratif que puisse être l'enseignement traditionnel sur « l'éminente dignité des pauvres », le salut qu'il leur propose est en définitive celui de la charité selon l'apôtre Paul. Patience, renoncement, endurance : « La charité est patiente ; elle ne cherche pas son propre intérêt ; elle souffre tout, elle supporte tout [15]. »

Toutefois, Léon XIII ne s'arrête pas là – et c'est dans ce qui suit que gît la nouveauté. Il consacre la moitié de son texte [16] à évoquer le recours « aux moyens humains » et à définir le rôle de l'État, du patron, de l'ouvrier. L'encyclique va multiplier les propositions concrètes sur les institutions caritatives, les sociétés de secours mutuel, de bienfaisance et d'assistance fraternelle, les syndicats chrétiens. On peut être frappé de l'ambivalence des directives spirituelles incluses dans *Rerum Novarum* : d'un côté, programme de renoncement aux biens de ce monde ; de l'autre, catalogue d'indications bien terrestres sur l'organisation syndicale, les salaires, les garanties de la propriété privée.

Cette ambivalence se double d'une autre. Après le noir et trop juste tableau des travailleurs « livrés à la merci de maîtres inhumains et à la cupidité d'une concurrence effrénée [17] », Léon XIII, soudain optimiste, demande aux gouvernants de « faire en sorte que, de l'organisation même et du gouvernement de la société, découle spontanément et sans effort la prospérité tant publique que privée [18] ». Ce vœu de prospérité universelle contraste avec l'attitude qui glorifie la pauvreté, rattache le travail à la punition du péché originel, et, pour finir, exhorte à la patience.

Voici donc l'État invité à agir en responsable du bien commun dans la vie économique, veillant à la promouvoir sans mettre en péril le bien moral – fonction que Léon XIII résume d'une phrase : « Que l'État se fasse donc la providence des travailleurs qui appartiennent à la classe pauvre en général [19]. »

Cet *État-providence* (l'expression vient de là) devra « écarter avec sagesse les causes de nature à exciter des conflits entre ouvriers et patrons [20] ». L'État a un rôle d'arbitre et de régulateur. Il doit faire en sorte que le salaire permette à l'ouvrier, au terme d'une parcimonieuse vie de « prudentes épargnes », de « parvenir, un jour, à l'acquisition d'un modeste patrimoine [21] ».

L'Église contrebat la théorie libérale de l'extinction du pouvoir de l'État. Elle adapte aux conditions nouvelles du salariat la conception antique et thomiste du pouvoir politique responsable du bien commun : de même que le Prince de jadis devait intervenir sur le marché pour assurer l'approvisionnement vital de sa communauté, de même l'État moderne doit intervenir pour assurer le « salaire vital ».

Mais le Pape est également soucieux de ne pas trop accorder à l'État moderne, dont il sait bien que, assis sur la démocratie et non sur son origine divine et sa mission chrétienne, il peut devenir un instrument hostile à l'Église et à la religion. Aussi, sans craindre une contradiction manifeste, un autre passage de l'encyclique reprend le mot de « providence » pour en dénier la fonction à l'État : « Et qu'on n'en appelle pas à la providence de l'État, car l'État est postérieur à l'homme, et avant qu'il pût se former, l'homme déjà avait reçu de la nature le droit de vivre et de protéger son existence [22]. »

L'État chrétien peut participer à l'action de la providence ; l'État athée risque de se substituer illégitimement à la providence. La contradiction disparaît dans une logique religieuse. Mais cette logique n'est pas faite pour assurer l'autonomie du champ économique.

Société civile ou société chrétienne ?

La « doctrine sociale de l'Église », telle que Léon XIII l'a instituée, semble moins une doctrine de l'Église sur la société civile, qu'une vision catholique de la société chrétienne. Il s'agit, en définitive, de bâtir la cité de Dieu au cours d'un pèlerinage sur la terre, et non de bâtir la cité terrestre avec l'aide de Dieu.

La novation majeure de l'encyclique est de proposer des formes d'organisation sociale qui ont une valeur en elles-mêmes. Léon XIII mentionne les sociétés de secours mutuel, les patronages, mais, poursuit-il, « la première place appartient aux corporations ouvrières [23] ». Il évoque à l'appui de cette idée le rôle bénéfique qu'elles ont joué dans le passé : « Nos ancêtres éprouvèrent longtemps la bienfaisante influence des corporations ; car, tandis que les artisans y trouvaient d'inappréciables avantages, les arts, ainsi qu'une foule de monuments le proclament, y puisaient un nouveau lustre et une nouvelle vie [24]. » Cependant, le Saint-Père reconnaît que, pour qu'elles soient une source de rénovation, « il n'est point douteux qu'il ne faille adapter les corporations à la condition nouvelle [25] ».

La formidable générosité qui anime *Rerum novarum* ne contient de promesses d'avenir meilleur, qu'autant qu'elle renvoie les sociétés à un passé corporatiste et terrien. Le texte de Léon XIII conjugue ainsi les tonalités alarmiste et idyllique : un retour à la vie spirituelle des premiers chrétiens aura bientôt raison de la fièvre des « choses nouvelles ». On ne peut manquer de saluer l'audace intellectuelle du « Pape des ouvriers ». On peut observer toutefois que l'élément spirituel que mobilise l'encyclique a pour mission de transcender, plutôt que d'animer, la vie économique.

Chapitre 3

1931 : *Quadragesimo Anno*

Le quarantième anniversaire de l'encyclique *Rerum Novarum* est pour le pape Pie XI l'occasion d'un bilan de la doctrine sociale de l'Église [1].

C'est un texte à maints égards plus menaçant, plus dur. Il est vrai que la question a beaucoup évolué. En Russie, le communisme a triomphé. Aux États-Unis, la crise économique vient d'éclater. En Italie, se développe une idéologie étatique qui prétend dépasser le socialisme et le libéralisme, mais le fait dans un climat que l'Église catholique, malgré les accords du Latran, trouve malsain.

La troisième voie

Aussi la nouvelle encyclique est-elle placée, plus explicitement que *Rerum Novarum,* sous le signe de la condamnation renouvelée « *des erreurs du socialisme et des fausses théories de la liberté humaine* ». Le Pape « ne demande rien au libéralisme, rien non plus au socialisme, le premier s'étant révélé totalement impuissant à bien résoudre la question sociale, et le second proposant un remède pire que le mal, qui eût fait courir à la société humaine de plus grands dangers [2] ». L'Église propose une troisième voie.

Toutefois, les condamnations du libéralisme et du socialisme ne sont pas parfaitement symétriques. Le socialisme reste « le principal adversaire [3] », – surtout dans sa variante communiste, « intrinsèquement perverse » – « sauvage et inhumain, de nature impie et injuste [4] ». Quant au système capitaliste, il n'« est pas intrinsèquement mauvais, mais il a été vicié [5] ». Il comporte une composante nocive : l'individualisme.

L'individualisme n'est pas, aux yeux de Pie XI, un moindre « écueil » que le socialisme [6]. Ses conséquences sont funestes : « concentration du pouvoir et des ressources... fruit naturel d'une concurrence qui ne connaît pas de limites ; ceux-là seuls restent debout, qui sont les plus forts [7] »... Suivent de vigoureuses dénonciations de « l'impérialisme économique » et de « l'internationalisme ou impérialisme international de l'argent [8] ». « Ce sont là, conclut Pie XI, les dernières conséquences de l'esprit individualiste dans la vie économique. La libre concurrence s'est détruite elle-même. L'appétit de gain a fait place à une ambition effrénée de dominer. Toute la vie économique est devenue horriblement dure, implacable, cruelle [9]. »

L'état de fait décrit par Pie XI peut difficilement être contesté. Son analyse est à certains égards prophétique. Mais la pertinence de son diagnostic sur l'économie de marché n'est pas pour autant établie. Ce qui se cache sous les termes de concurrence, d'individualisme, de libéralisme est un amalgame, à la faveur duquel est prononcée une condamnation sans appel. Il aurait fallu demander si les monopoles internationaux, « la dictature économique », « l'ambition effrénée de dominer » sont les conséquences nécessaires et inéluctables de l'esprit de l'individualisme, ou n'en sont que la perversion.

Les « idoles du libéralisme [10] », Pie XI veut les renverser à la suite de Léon XIII. Il s'emploie à faire chanceler ces « faux dogmes du libéralisme qui paralysaient depuis longtemps toute intervention efficace des pouvoirs publics [11] ». Il prolonge l'enthousiasme étatique de Léon XIII ; il reprend son plaidoyer en faveur d'un État inspiré par la charité et le souci du bien commun et célèbre l'audace de son prédécesseur : « Quant au rôle des pouvoirs publics, Léon XIII franchit avec audace les barrières dans lesquelles le libéralisme avait contenu leur intervention [12]. » Il ajoute certes un bémol, une note de prudence : l'État « doit laisser aux individus et aux familles une juste liberté d'action », mais c'est « à la condition, pourtant, que le bien commun soit sauvegardé et qu'on ne fasse injure à personne [13] ».

De toute façon, la liberté d'action ne s'étend pas aux entreprises, et le principal pouvoir d'intervention demeure aux mains des pouvoirs publics.

L'histoire du développement économique n'enseigne-t-elle pas, au rebours, que la liberté d'action individuelle doit être première, et l'intervention des pouvoirs publics seconde, sinon secondaire ? L'Église catholique ne s'est pas encore dégagée du rêve d'un État paternaliste et providentiel, dont elle n'a pas encore perçu les effets et méfaits.

Le précepte du développement

Depuis *Rerum Novarum*, la prise en compte des « choses nouvelles » a cependant sensiblement progressé. La modernité commence à être acceptée. Le modèle agricole s'éloigne. L'antique précepte de charité reçoit un prolongement novateur. Au-delà de l'action caritative individuelle, purement redistributrice, on propose un emploi productif du revenu disponible : « Celui qui consacre les ressources plus larges dont il dispose *à développer une industrie, source abondante de travail rémunérateur,* pourvu toutefois que ce travail soit employé à produire des biens réellement utiles, celui-là pratique d'une manière remarquable et particulièrement appropriée aux besoins de notre temps l'exercice de la vertu de magnificence [14]. » Voilà un nouveau langage : cette légitimation de l'investissement par la charité constitue un encouragement au développement ; en somme, du vin nouveau versé dans les vieilles outres.

Ce n'est pas le seul signe de modernité qu'abrite *Quadragesimo Anno,* derrière le visage vindicatif tourné contre les « postulats du libéralisme manchestérien [15] ».

La légitimité du salariat est proclamée avec force. Le Saint-Père propose seulement d'en enrichir le contenu. Il recommande « de tempérer quelque peu, dans la mesure du possible, le contrat de travail par des éléments empruntés au contrat de société. C'est ce que l'on a déjà commencé à faire sous des formes variées, non sans profit sensible pour les travailleurs, et pour les possesseurs du capital. Ainsi, *les ouvriers et employés ont été appelés à participer à la propriété de l'entreprise, à sa gestion ou aux profits qu'elle apporte [16]* ». Les pionniers de l'intéressement et de la participation sont solennellement encouragés dans leur travail fondateur – et cet enseignement aura sa répercussion en France jusque dans les projets chers au général de Gaulle.

Autre trait de modernité : Pie XI ne pose plus le problème social, comme son prédécesseur Léon XIII, dans les seuls termes de capital et de travail – quelle que soit par ailleurs leur interdépendance [17]. Il leur adjoint un troisième terme, l'intelligence : « À moins surtout que l'intelligence, le capital et le travail ne s'unissent et ne se fondent en quelque sorte en un principe unique d'action, l'activité humaine est vouée à la stérilité [18]. » Il faut relever cette mise en évidence – déjà – d'un facteur immatériel de l'économie et de la croissance, même si Pie XI n'en tire pas toutes les conséquences.

Le refus du marché comme régulation

Toutefois, à côté de ces traits où se révèle une prise en compte des réalités modernes de l'économie, d'autres manifestent un refus d'autant plus frappant qu'il est davantage argumenté. Tel est le refus du marché comme principe d'ordre dans la vie économique : « On ne peut attendre du libre jeu de la concurrence l'avènement d'un régime économique bien ordonné. C'est en effet de cette illusion, comme d'une source contaminée, que sont sorties toutes les erreurs de la science économique individualiste [19]. » Le Pape ne s'en prend pas directement au marché – il ne verse donc pas dans l'erreur socialiste – ; mais il lui dénie toute valeur fondatrice : « Sans doute, contenue dans de justes limites, la libre concurrence est chose légitime et utile ; *jamais pourtant elle ne saurait servir de norme régulatrice à la vie économique* [20]. »

Ainsi est vigoureusement dénoncée « *cette prétendue science économique* » qui, oubliant ou ignorant « le caractère social et moral de la vie économique [21] », voit dans « la liberté du marché et de la concurrence un principe directif plus sûr que l'intervention de n'importe quelle intelligence créée [22] ». La phrase traduit, presque naïvement, la rébellion de l'intelligence rationnelle devant l'idée qu'un ordre pourrait sortir spontanément du rapprochement désordonné de demandes et d'offres. Pie XI n'est pas Hayek.

Il faut donc chercher ailleurs : « La libre concurrence, immodérée et violente par nature, a besoin, pour se rendre utile aux hommes, d'un frein énergique et d'une sage direction qu'elle ne trouve pas en elle-même [23]. » La « sage direction » ne semble pas suffisante au Saint-Père pour réguler la vie économique ; il faut encore « *un frein énergique* ».

On les trouvera dans « des principes supérieurs et plus nobles », capables « de gouverner avec une sévère intégrité les puissances économiques : ces principes sont la justice et la charité sociales [24] ».

Leur mise en œuvre suppose la « création d'*un ordre juridique et social* qui informe en quelque sorte toute la vie économique [25] ».

L'ordre corporatif et le principe de subsidiarité

Cet ordre est celui d'une hiérarchie d'agents publics de la vie économique. Au sommet, l'État, chargé de « diriger, surveiller, stimuler, contenir... ». En dessous, agissant par « délégation », des « groupements de rang inférieur », ayant « le soin des affaires de moindre importance [26] ». Il s'agit d'un « ordre hiérarchique ». Le Pape reprend à son compte l'idée du système corporatif qu'avait définie Albert de Mun.

Cette troisième voie-là, on le sait, débouchait sur une impasse. Les seuls États où la formule ait été adoptée furent des États autoritaires – l'Italie de Mussolini, le Portugal de Salazar, l'Argentine de Peron, le Chili de Pinochet. Le caractère que ces États donnèrent à l'application a fini par décourager l'Église de s'entêter dans cette idée.

Mais cette idée d'un « ordre hiérarchique » est compensée par l'affirmation du « principe de subsidiarité » : « Quoiqu'il soit juste que beaucoup de travaux, réalisés autrefois par des petits groupes, ne puissent aujourd'hui être assurés que par de grandes entités sociales, il subsiste, malgré cela, dans la philosophie sociale, ce principe essentiel, inamovible et immuable : de même qu'il est illicite d'enlever aux particuliers ce qu'ils peuvent faire de leur propre initiative et avec leurs propres moyens, pour le transférer à une communauté, de même il est injuste, en même temps que gravement préjudiciable et perturbateur de l'ordre social, de transférer à une société plus grande et supérieure ce que peuvent faire des communautés inférieures ou plus petites. Toute entité sociale doit prêter assistance aux membres du corps social, mais non les absorber ni les détruire. » *Small*, peut-on dire, *is beautiful.*

Ce principe « essentiel, inamovible et immuable », sert d'article 3 à la Constitution helvétique, qui n'a pas attendu l'avis du Magistère romain pour s'en pourvoir, comme d'un fondement de l'organisation économique et sociale : « Tout ce qui peut être accompli, de sa seule initiative et par ses propres moyens, par une collectivité de niveau inférieur, ne doit pas être évoqué au niveau supérieur, sauf pour sa conformité avec le droit [27]. »

Ne minimisons pas les tensions qui peuvent résulter de l'application de ce principe : particularismes, velléités de sécession, corporatisme. Mais l'harmonie sociale et politique ne sort pas tout achevée de la lyre d'Orphée : elle peut requérir çà et là, au fil du temps, ajustements et accords.

Chapitre 4

1961 : *Mater et Magistra*

Jean XXIII, le Pape de l'*aggiornamento*, est célèbre pour avoir amorcé la réforme intérieure de l'Église catholique – celle que le Concile de Trente n'avait pas osée. Son *aggiornamento* de la pensée économique et sociale du catholicisme n'est pas aussi connu. Mais il en est le complément organique, et c'est un fait majeur.

Les déclarations liminaires de *Mater et Magistra* tranchent en effet avec *Rerum Novarum* et *Quadragesimo Anno*. Jean XXIII y présente en effet l'Église comme « soucieuse des exigences de la vie quotidienne des hommes, en ce qui regarde leur subsistance et leurs conditions de vie, mais aussi la prospérité et la civilisation ». Le rôle de la sanctification des âmes et de la participation « au bien de l'ordre surnaturel [1] » reste premier. Mais la préoccupation économique et sociale existe enfin positivement (non plus seulement sur le mode de la déploration nostalgique) ; jusqu'à l'attribuer au Christ lui-même [2].

Continuité et rupture

Si la première partie de l'encyclique est une célébration d'anniversaire, louant la tradition inaugurée par Léon XIII, Jean XXIII isole une *seconde partie* présentée sous le titre modeste de « *précisions et développements apportés aux enseignements de* Rerum Novarum ». Or, ces précisions et développements sont en réalité un complet renouvellement de la perspective.

Jean XXIII proclame : « Qu'il soit entendu *avant toute chose que le monde économique résulte de l'initiative personnelle des particuliers*, qu'ils agissent individuellement ou associés de manières diverses à la poursuite d'intérêts communs [3]. » Il ne mentionne qu'après, comme secondaire, la présence active des pouvoirs publics.

On retrouve le même ordre d'exposition, quelques alinéas plus loin, sous forme négative : « Là où fait défaut *l'initiative personnelle des individus,* surgit la tyrannie politique, mais languissent aussi les secteurs économiques orientés surtout à produire la gamme indéfinie des biens de consommation et des services, propres à satisfaire, en plus des besoins matériels, les exigences de l'esprit : biens et services qui engagent de façon spéciale *le génie créateur des individus.* »

Certes, le propos est immédiatement suivi de sa contrepartie : « Tandis que là où vient à manquer l'action requise de l'État, apparaît un désordre inguérissable [4]. » Mais le balancement n'est pas égal : il est clair que « l'initiative personnelle des individus » est la condition de l'existence d'un développement économique, alors que l'État n'est que le garant de l'harmonie de ce développement. Le *primum movens* est bien l'individu. La conséquence, en termes de dynamique, de ce rapport de forces individu/État est clairement tirée : « La présence de l'État dans le domaine économique, si vaste et pénétrante qu'elle soit, n'a pas pour but de réduire de plus en plus la sphère de la liberté d'initiative personnelle des particuliers. Tout au contraire, elle a pour objet d'assurer à ce champ d'action la plus vaste ampleur possible [5]. »

Si elle se méfie de l'individualisme au sens étroit, la nouvelle doctrine économique de l'Église n'en place pas moins le développement individuel à la source et au débouché du monde économique. Il faut bien reconnaître la distance qui sépare ici Jean XXIII de ses prédécesseurs – au moins jusqu'à Pie XI, puisque Pie XII, battant en brèche les totalitarismes nazis, fascistes et communistes alors tout-puissants, avait déjà assigné comme tâche à l'économie le « plein développement de la vie individuelle [6] ».

La fin du monopole de l'Église

La sensibilité de Jean XXIII à la « situation nouvelle [7] » de la propriété privée, ou aux « nouveaux aspects de la question sociale [8] », confère à *Mater et Magistra* des caractères de modernité très marqués. Comme aussi la nouvelle orientation qu'il donne à l'intervention du Magistère. Il ne revendique plus, pour l'Église catholique, un *monopole de compétence* – ni sur le plan des principes économiques et sociaux, ni pour la recherche des solutions : « La vérité et l'efficacité de la doctrine sociale catholique se prouvent surtout par l'orientation sûre qu'elle offre à la solution de problèmes concrets [9]. »

L'économie et la société sont désormais sous le signe du pluralisme. Les catholiques ne peuvent plus imaginer qu'il leur soit encore possible de façonner tout seuls une réalité conforme à leurs idées. C'est une façon pratique d'admettre l'autonomie du champ économique par rapport à la religion. On ne peut y être entre soi : « Les catholiques qui s'adonnent à des activités économiques et sociales se trouvent fréquemment en rapport avec des hommes qui n'ont pas la même conception de la vie. Que, dans ces rapports, nos fils soient vigilants pour rester cohérents avec eux-mêmes, pour n'admettre aucun compromis en matière de religion et de morale ; mais qu'en même temps, ils soient animés d'esprit de compréhension, désintéressés, disposés à collaborer loyalement [10]. »

L'engagement du catholique dans le monde est souligné. Il s'agit pour lui de « donner un accent humain et chrétien à la civilisation moderne [11] ». L'activité temporelle, même dans ces conditions, n'est ni un obstacle, ni un retard imposé à l'accomplissement personnel [12]. Ainsi, la vie économique est pour ainsi dire réconciliée avec la vie spirituelle, même si, à l'évidence, elles ne se confondent pas.

L'acceptation de la modernité

La formulation véritablement novatrice du principe de subsidiarité, traditionnel dans l'Église, accentue l'autonomie de l'initiative privée : « En vertu du principe de subsidiarité, les pouvoirs publics doivent *venir en aide à cette initiative et lui confier de prendre en main le développement économique*, dès que c'est efficacement possible [13]. » Le principe a pivoté ; il ne s'agit plus de sous-traiter des affaires mineures à l'échelon subalterne, mais de laisser à l'échelon inférieur *tout* ce qu'il n'est pas *indispensable* d'évoquer au niveau supérieur.

On constate un renversement de perspective, encore, sur la connotation du mot de *modernité*. Celui-ci était jusqu'alors frappé d'une sorte du suspicion intrinsèque. Il revêt enfin une valeur positive.

Ainsi, prônant la coopération scientifique, technique et financière, le Pape de l'*aggiornamento* n'hésite pas à assigner comme *cause de l'« état permanent d'indigence, de misère ou de famine* [14] », *l'existence d'un « régime économique arriéré* [15] ». Ce n'est donc plus le « libéralisme individualiste manchestérien » qui porte le poids du péché d'égoïsme économique. C'est une « *arriération* », d'ailleurs non définie – mais cette indéfinition même souligne que, dans cet échec mystérieux, réside la distorsion entre pays avancés et pays retardataires. Cet échec n'est autre qu'un décalage de sociétés immobiles, ou insuffisamment mobiles, par rapport au monde moderne.

Du coup, l'on ne s'étonnera pas que l'un des maîtres mots de *Mater et Magistra* soit celui d'*adaptation*. « Adaptation des services essentiels », « politique économique adaptée », « adaptation structurelle de l'entreprise agricole », « souplesse pour s'orienter et s'adapter », « adaptation entre développement économique et progrès social ».

Il existe, de l'aveu même du Pape, un « *développement économique suivant les normes et les méthodes modernes* [16] ». Et c'est toujours le caractère *positif* de la modernité que Jean XXIII met en avant, quitte à l'assortir de réserves concernant les fins dernières pour la foi catholique, et leur suprématie par rapport aux moyens d'accomplissement de soi que propose l'activité économique. « Le progrès scientifique et technique, le développement économique de meilleures conditions de vie, voilà des éléments incontestablement positifs d'une civilisation [17]. »

Le chantre de l'initiative

Qui pourra jamais évaluer la force de libération mentale contenue dans ces déclarations du Magistère, délivrant le chercheur, l'entrepreneur, le négociant catholiques des inhibitions qu'ils pouvaient encore connaître, tant qu'ils étaient durement accusés par le Saint-Siège de « transiger avec le progrès » ?

Au total, Jean XXIII « *revendique l'initiative personnelle et autonome en matière économique* [18] ». Le rôle des pouvoirs publics et des organisations sociales n'est que de « reconnaître à cette initiative la libre disposition des moyens indispensables à son affirmation [19] ». Mieux encore, la sauvegarde des valeurs spirituelles semble mieux assurée par des initiatives privées que par les pouvoirs publics.

Autonomie, initiative, adaptation, participation [20] : tels sont les maîtres mots d'une encyclique qui prône en outre la « *confiance* » [21], et plus encore la « *confiance réciproque* [22] », entre partenaires économiques de secteurs différents. C'en est donc fini des doctrines envisageant l'inexorable restauration d'un ordre social ancien. L'accomplissement de la personne humaine *dès ce monde* devient, avec Jean XXIII, le combat de l'Église catholique, qui rattrape ainsi un retard de plus de quatre siècles sur l'enseignement économique et social de Calvin.

Chapitre 5

Centesimus Annus :
la levée des inhibitions pluriséculaires

L'encyclique de Jean-Paul II, parue en 1991 à l'occasion du centenaire de *Rerum Novarum,* va prolonger cette réflexion en tournant plus clairement encore le dos aux anciens errements doctrinaux. Le mouvement d'*aggiornamento,* avec ses remous, ses critiques, les réactions auxquelles il a donné lieu, apparaît aujourd'hui comme un spectaculaire effort de compréhension de la modernité et une remarquable avancée dans les données immédiates de la conscience du développement.

Les attendus d'une condamnation

Partons d'une analyse des motifs qu'invoque Jean-Paul II pour renouveler la condamnation du socialisme. Ils se fondent sur une anthropologie – le mot y est – qui n'a pas besoin de Dieu pour être formulée : « L'erreur fondamentale du " socialisme " * est de caractère anthropologique. En effet, il considère l'individu comme un simple élément, une molécule de l'organisme social, de sorte que le bien de chacun est tout entier subordonné au fonctionnement du mécanisme économique et social, tandis que, par ailleurs, il estime que ce même bien de l'individu peut être atteint hors de tout choix autonome de sa part, hors de sa seule et exclusive décision responsable devant le bien ou le mal. L'homme est ainsi réduit à un ensemble de relations sociales, et c'est alors que disparaît le concept de personne comme sujet autonome de décision morale qui construit l'ordre social par cette décision [1]. »

Non, ce ne sont pas les structures socio-économiques qui peuvent déterminer l'homme. C'est l'homme qui les met en place. Il doit par conséquent les assumer. Faute de quoi, il trahit sa vocation.

Les raisons de l'erreur socialiste peuvent être retournées en une description positive de l'homme : dignité de l'individu, autonomie

---

* Par *socialisme*, l'encyclique désigne le socialisme intégral, le socialisme marxiste.

de choix, décision responsable : une anthropologie de la liberté personnelle, dans les relations sociales, face au choix moral.

Le socialisme est condamné en outre pour un autre refus, aussi grave que celui de la liberté, celui de la propriété privée. Là non plus, *Centesimus Annus* n'innove pas, sinon dans la vigueur humaniste du raisonnement : « En effet, l'homme dépossédé de ce qu'il pourrait dire " sien " et de la possibilité de gagner sa vie par ses propres initiatives, en vient à dépendre de la machine sociale et de ceux qui la contrôlent [2]. »

La propriété privée ? Elle est bien plus qu'un droit positif, reconnu et garanti par des institutions humaines. Elle intéresse, par essence, la personne humaine. Pour cette raison, ce *droit* de propriété est assorti de *devoirs*. Leur expression menaçante, empruntée à *Rerum Novarum*, n'est peut-être pas très propice à motiver positivement l'entreprenant – ou du moins ne le serait pas, si la recherche du profit personnel constituait pour celui-ci la motivation essentielle, ce qui resterait à prouver : « Les fortunés de ce monde sont avertis qu'ils doivent trembler devant les menaces inusitées que Jésus profère contre les riches ; qu'enfin, il viendra un jour où ils devront rendre à Dieu, leur juge, un compte très rigoureux de ce qu'ils auront fait de leur fortune [3]. »

Le jeu de la liberté et de la vérité

Jean-Paul II reconnaît donc à la sphère économique une relative autonomie, fondée sur l'initiative individuelle et la propriété privée. Mais, dans l'exercice de cette initiative autonome, les hommes demeurent responsables devant Dieu. La façon dont ils créent et partagent les richesses de ce monde peut devenir source de division et tuer la dignité de la personne, lorsqu'on prétend bâtir un ordre au bénéfice exclusif de quelques-uns, par l'asservissement des autres. Ils peuvent au contraire rassembler leurs congénères dans une construction fidèle à leur vocation. Selon le mot déjà cité de Paul VI, « *le développement est alors le nouveau nom de la paix* ».

Le Pape venu de l'Est impute l'athéisme, dont est imprégné le « socialisme », à la « philosophie des Lumières, qui conçoit la réalité humaine et sociale d'une manière mécaniste [4] ». Il n'hésite pas à dénoncer la « conception de la liberté humaine qui soustrait cette philosophie à l'obéissance à la vérité, et donc aussi au devoir de respecter les droits des autres hommes [5] ». Ici se mêlent une condamnation du mécanisme, à laquelle on ne peut qu'adhérer, et une conception de la liberté, qui n'est pas sans ambiguïtés pratiques, comme « obéissance à la vérité ». On souhaiterait que cette obéissance résulte de l'expérience ou d'une recherche, et non de la réception passive d'un dogme.

Le texte de l'encyclique *Centesimus Annus* donne ainsi l'impression de condamner ce que nous nommerons, pour faire vite, la *philosophie libérale* – alors qu'en même temps, il en établit tous les fondements. Il est difficile de ne pas voir là le vestige des condamnations anciennes, que Jean-Paul II ne pourrait annuler sans irrespect pour ses prédécesseurs... Comment le Saint-Siège serait-il à l'aise en désavouant Léon XIII ou Pie XI ? La distance qu'il a prise se marque néanmoins dans l'usage des adjectifs ; ainsi condamne-t-il « l'affirmation *illimitée* de l'intérêt particulier » dans laquelle l'homme « ne se laisse arrêter par *aucune obligation de justice*[6] ». C'est une version extrême du libéralisme qui est ici rejetée par le Pape – mais avec lui, par l'immense majorité des libéraux.

Il en va de même d'autres condamnations, comme celle du travail-marchandise ou de la société de consommation. Il n'est pas besoin d'être marxiste pour vouloir, avec le Pape, « soustraire le travail à la condition de *marchandise*[7] » : car ce n'est pas mettre en cause ce qu'on appelle le « marché du travail » que de condamner la réduction à l'état de pure marchandise du travail humain. De même, la « société de consommation » est condamnée, en ce qu'elle réduirait l'homme « à la sphère économique et à la satisfaction des besoins matériels[8] (...) en refusant à la morale, au droit, à la culture et à la religion leur réalité propre et leur valeur[9] ». Ces refus une fois refusés, la consommation a droit à toute sa place dans la société moderne.

Reconnaissance du facteur mental

En faisant porter sa réflexion sur les facteurs de la richesse, Jean-Paul II va déboucher sur une conséquence essentielle. À l'origine, il y a la fécondité naturelle de la terre. Puis, le travail humain devient un « facteur toujours plus important[10] ». « Mais à notre époque, il existe une autre forme de propriété, et elle a une importance qui n'est pas inférieure à celle de la terre : c'est la propriété de la connaissance, de la technique et du savoir. La richesse des pays industrialisés se fonde bien plus sur ce type de propriété que sur celui des ressources naturelles[11]. »

Voilà reconnu le « tiers facteur immatériel », irréductiblement humain, de la richesse. Mais faut-il, comme le fait Jean-Paul II, considérer cet élément immatériel comme une totale nouveauté, un élément qui n'appartiendrait qu'au monde contemporain ? Son émergence tardive dans la conscience théologique est sans doute l'indice d'une inhibition, liée aux tabous qui ont si longtemps pesé sur l'argent et le commerce.

Non seulement le travail humain prend le pas sur le capital, mais dans ce travail, l'accent est mis sur les capacités de connaissance, d'anticipation, d'initiative et d'entreprise : « Ainsi devient toujours plus évident et déterminant le rôle de la *capacité d'initiative et d'entreprise.* »

L'analyse vise à dégager ici une leçon : « Avec la terre, la principale ressource de l'homme, c'est l'homme lui-même. C'est son intelligence qui lui fait découvrir les capacités productives de la terre et les multiples manières dont les besoins humains peuvent être satisfaits [12]. » Ce qui est dit de la terre peut l'être de tout autre élément matériel du développement.

Même la valorisation de la ressource qu'est l'homme ne se réduit pas à l'utilisation mécanique de procédés matériels, sûrs et rigides. Laissons au Pape le soin d'énumérer les ressorts mentaux de la « capacité d'initiative et d'entreprise » : « Entrent dans ce processus d'importantes *vertus,* telles que l'application, l'ardeur au travail, la prudence face aux risques raisonnables à prendre, la *confiance méritée et la fidélité* dans les rapports interpersonnels, l'énergie dans l'exécution des décisions difficiles et douloureuses, mais nécessaires pour le travail commun de l'entreprise et pour faire face aux éventuels renversements de situations [13]. »

Ne dirait-on pas le credo d'un entrepreneur calviniste, sorti tout droit de *L'Éthique protestante et l'esprit du capitalisme* ? Impossible de mieux magnifier l'énergie spirituelle de l'entrepreneur.

Après plus de sept siècles de malentendu, il est émouvant d'entendre le chef de l'Église catholique esquisser une définition de l'*éthos de confiance.* Car cette fois, la confiance n'est plus rejetée sauf à être flanquée, comme chez Thomas d'Aquin, de la soumission à Dieu. Le Pape se contente de décrire, sans la décrier, une réalité laïque – la vie d'entreprise – qui requiert des vertus dont la théologie n'a pas le monopole.

Marché, profit, entreprise

À côté de la propriété privée, sont réhabilités les rôles positifs du *marché* et du *profit. L'homo mercator* n'est plus frappé de suspicion et d'indignité.

La doctrine de l'Église reconnaît clairement la pertinence du marché, son rôle efficace de régulation de l'offre et de la demande. « Il semble que [...] le marché libre soit l'instrument le plus approprié pour répartir les ressources et répondre efficacement aux besoins. »

Sans doute Jean-Paul II prône-t-il le contrôle du marché par les forces sociales et par l'État ; mais il y a loin de ce contrôle à un socialisme ou un capitalisme d'État. C'est pourquoi il s'empresse de définir de façon positive la société à bâtir, ou à préserver, comme une « société du travail libre, de l'entreprise et de la participation [14] ».

Dans la même veine, l'Église reconnaît « le rôle pertinent du profit [15] », en tant qu'indicateur du bon fonctionnement de l'entre-prise. Toutefois, « l'idolâtrie du marché » est dénoncée, « le désir exclusif du profit [16] » fustigé. Quel sera donc le motif licite de l'initiative économique ? La réponse est claire. *C'est le développement lui-même qui est la finalité de l'entreprise* ; il répond à un légitime besoin d'accomplissement humain. « Le but de l'entreprise n'est pas uniquement la production du profit, mais l'existence même de l'entreprise comme communauté de personnes qui recherchent la satisfaction de leurs besoins fondamentaux [17]. »

La communauté entrepreneuriale est avant tout une communauté de *personnes*. Une nouvelle fois, la personne, c'est-à-dire l'individu responsable, engagé dans des liens sociaux, est la référence opératoire. Il est ainsi reconnu et établi que la confiance faite à l'individu ne le confine pas dans un individualisme étroit, mais encourage la qualité des relations interpersonnelles, clé de voûte de toute construction économique performante.

S'orienter vers l'être

En définitive, le Pape critique moins les fondements du capitalisme (propriété privée, marché, profit, liberté) que l'orientation qu'on peut donner au système : « Ce qui est mauvais, c'est le style de vie qui prétend être meilleur quand il est orienté vers l'avoir et non vers l'être [18]. »

Plus généralement, « la liberté économique n'est qu'un élément de la liberté humaine [19] ». Mais elle en est un élément *constitutif* ; cela n'avait jamais été dit aussi nettement dans la doctrine catholique. *Sans libre initiative, pas de développement économique.* Et sans développement économique, pas de liberté.

Du champ économique au champ spirituel, il y a continuité de la liberté, et la liberté économique emprunte légitimement toute la dignité et la nécessité reconnues à la liberté spirituelle. L'activité économique n'est jamais que l'épanouissement d'une exigence de liberté. La propriété, le marché, le profit, les libertés économiques – libertés de rechercher, d'exploiter les recherches, de rapprocher l'offre de la demande, d'entreprendre, d'acheter, de vendre, d'organiser, de prévoir, de s'adapter – ne sont sans doute que des instruments. Ils n'en restent pas moins les meilleurs.

Quant à l'intervention de la collectivité supérieure – l'État – elle doit se limiter à la garantie des cadres juridiques et institutionnels de la vie économique, sans jamais se substituer à l'initiative individuelle, interindividuelle ou contractuelle, qui seule donne son sens et sa valeur à l'activité humaine. Le Saint-Père remet en honneur le principe remodelé de la *subsidiarité, laquelle est un autre nom de la confiance.*

Quatre siècles après des condamnations qui atteignaient le développement au cœur en visant la liberté, l'humanisme profond de l'Église a repris le dessus. Elle replace la liberté au cœur de l'homme, face à lui-même, au prochain, à Dieu. Avant et plus que toute autre grande institution, l'Église catholique établit la primauté du facteur mental, du « tiers facteur immatériel ». Ce n'est pas le moindre paradoxe de cette longue aventure...

SEPTIÈME PARTIE

POUR UNE APPROCHE
ÉTHOLOGIQUE

Chapitre 1

Jalons pour une découverte
de la confiance

Quelle psychologie, quelle mentalité, quelle motivation fondent l'économie ? Tout ce qui précède nous permet déjà de répondre : la psychologie de la liberté, la mentalité de la confiance, la motivation de la responsabilité.

Cette réponse, il nous faut l'affiner ; nous le ferons en nous appuyant sur des penseurs qui, chacun à sa façon, ont enrichi la définition de ce que nous appelons l'*éthos de confiance*.

Commençons par de simples ébauches : premiers jalons sur la route. Nous les trouverons, non sans surprise, chez Montesquieu et chez Hegel. Nous les trouverons aussi au point d'origine de notre réflexion : le protestantisme des puritains.

Montesquieu, ou les ambiguïtés du « climat »

Le déterminisme nous est apparu au cœur de la réflexion des penseurs attitrés de la liberté économique – comme Adam Smith. Le paradoxe ne sera pas moindre, de relire un penseur du déterminisme social, Montesquieu, et de découvrir avec lui le facteur mental, véritable ressort de la liberté.

Montesquieu est le premier qui se soit placé devant la diversité des sociétés humaines pour en chercher l'explication au plus près des faits. Sa démarche nous intéresse donc. Nous nous sommes concentré sur un domaine particulier de cette diversité – la divergence du développement dans l'Occident moderne – parce que nous constatons qu'il a pris possession de toute l'histoire mondiale depuis cette époque. Trop près de l'événement peut-être, le regard de Montesquieu n'isole pas ce phénomène. Au contraire, il se disperse ; mais on pourrait dire qu'il le fait méthodiquement. La diversité des temps, des lieux, des organisations humaines le fascine.

Il entend néanmoins aller au-delà de l'anecdote, dépasser le regard de Montaigne. Il veut comprendre, et cherche un principe d'intelligibilité. Il en trouve un dans le « climat » – disons dans le

351

poids de l'environnement physique. Il en trouve un autre dans la logique interne de chaque organisation humaine. Dès lors qu'une société fonctionne selon un principe, tout s'y ordonne en conséquence : elle retient ce qui renforce ce principe, élimine ce qui lui est étranger. Derrière les « lois », l'observateur perspicace peut découvrir ce principe, qui fait leur « esprit » – différent d'un État à l'autre. Et cet esprit peut être mis en relation avec le « climat » ; cet esprit est l'expression d'un corps physique.

La démarche, ainsi résumée, est un système ; elle irait droit au déterminisme. Or il suffit de se plonger quelques heures dans l'atelier de l'*Esprit des lois,* pour voir Montesquieu nuancer sa palette, retoucher une réflexion par une observation, estomper un chapitre par l'autre. Sa pensée ne se laissera jamais enfermer dans son propre système. Il aime trop la peinture pour être jamais satisfait d'un cadre. Découvrir un enchaînement de causes et d'effets, de principes et de conséquences, plaît à son intelligence. Mais son goût de la liberté, l'expérience intime qu'il en a, l'empêche d'aller au bout du déterminisme. Des températures d'un climat au tempérament d'un peuple, la conséquence ne s'impose pas à l'évidence.

Du reste, Montesquieu évite le plus souvent le terme « *déterminer* », pourtant fréquemment attesté dans le vocabulaire scientifique de son temps. Il parle de causes qui *agissent,* ou de maximes qui *gouvernent.* L'esprit général d'une nation n'est pas déterminé de façon univoque. « Plusieurs choses gouvernent les hommes : le climat, la religion, les lois, les maximes du gouvernement, les exemples des choses passées, les mœurs, les manières, d'où il se forme un esprit général qui en résulte [1]. » La pluralité des facteurs qui « gouvernent les hommes » est donc affirmée.

« L'esprit général, commente Raymond Aron, est une résultante [2]. » « Résultante » : même ce mot est trompeur. Il appartient au vocabulaire de la mécanique. Les « composantes » déterminent la résultante : si l'on connaît les premières, on peut calculer la seconde. Montesquieu pense davantage en termes d'une dynamique qualitative, forcément imprécise. On pourrait parler de causes *dominantes.* « À mesure, écrit-il, que dans chaque nation, une des causes agit avec plus de force, les autres lui cèdent d'autant [3]. » Mais la prévalence des causes dépend de la nation à laquelle elles s'appliquent. Les mêmes causes n'ont pas toujours les mêmes effets, et une société se caractérise justement par sa façon de réagir aux causes et de les hiérarchiser.

Les degrés de l'autonomie

Montesquieu pressent que, plus une nation est développée, moins les causes physiques ont prise sur elle, plus les causes morales la gouvernent. En un sens, *le déterminisme, voire le fatalisme, est l'idéologie du non-développement.* Une doctrine de l'affranchissement des facteurs physiques par les facteurs mentaux est l'*idéologie du développement.* C'est ce que suggère Montesquieu, quand il écrit : « La nature et le climat dominent presque seuls les sauvages ; les manières gouvernent les Chinois ; les lois tyrannisent le Japon ; les mœurs donnaient autrefois le ton dans Lacédémone ; les maximes du gouvernement le donnaient dans Rome [4]. »

Le choix des verbes n'est pas indifférent : la force contraignante des causes physiques décroît à raison du développement. Le parallélisme des phrases est trompeur, puisque les causes physiques cèdent le pas aux causes morales à mesure qu'on s'élève au-dessus de l'état de nature. Il est clair, par les exemples qu'il cite, que, pour Montesquieu, le rayonnement d'une civilisation est proportionnel au rôle qu'y jouent les causes morales. Ainsi peut-on classer, à son époque, les nations en fonction du degré d'autonomie morale qu'elles ont conquis. *Se développer, c'est,* pour une nation, *s'affranchir de la dépendance à l'égard de la nature* et du climat. *Tyranniser, dominer, gouverner, donner le ton,* – degrés descendants de la détermination. *Nature et climat, lois, manières, mœurs, maximes* : degrés ascendants de l'autonomie morale. Les lois sont inférieures aux manières et aux mœurs, et celles-ci aux maximes de gouvernement, sous ce rapport de l'autonomie morale. Par là encore, Montesquieu révèle l'esprit du libéralisme. Non que les lois ne soient pas indispensables. Mais elles ne sont pas l'âme du développement.

Mieux encore, il semble indiquer que les causes morales doivent équilibrer, compenser les causes physiques. Il n'y a de déterminisme « climatologique » que pour ceux qui le veulent bien, qui ne parviennent pas à acquérir l'autonomie morale caractéristique du développement. C'est pourquoi, écrira Montesquieu, « les mauvais législateurs sont ceux qui ont favorisé les vices du climat et les bons sont ceux qui s'y sont opposés [5] ».

Ainsi, à partir de conditions naturelles et climatiques identiques, une distorsion culturelle et économique peut se créer. Elle ne peut être que d'origine morale. Le développement n'est pas un cercle vicieux, mais une spirale vertueuse, dont le générateur est une initiative de l'esprit.

L'esprit pousse à lutter contre l'état de léthargie plus ou moins imposé par les conditions naturelles. « Plus les causes physiques portent les hommes au repos, écrit Montesquieu, plus les causes morales les en doivent éloigner [6]. » « Doivent » : cela n'indique pas une probabilité, mais une exigence morale.

On sent poindre chez Montesquieu l'idée que des sociétés peuvent s'affirmer à partir d'un désavantage initial surmonté et surcompensé – comme le sera la surdité pour Beethoven, ou la défaite pour l'Allemagne et le Japon d'après 1945. La qualité de la réaction à l'hostilité d'un environnement fait le départ entre un peuple résigné et une nation entreprenante [7].

La leçon de Montesquieu mérite d'être entendue : si lourd que soit le poids des conditions naturelles, il n'a pas force de nécessité. Il laisse toute sa place au jeu de la liberté. « L'esprit des peuples », « le caractère des nations » ont la part belle dans l'explication anthropologique du développement et de la modernisation.

L'éthos de confiance *chez Hegel*

L'étonnement n'est pas moindre de lire, sous la plume d'un philosophe auquel on impute la paternité des totalitarismes de droite comme de gauche, l'éloge de la *confiance* – c'est-à-dire du risque assumé et investi par l'intelligence humaine ne comptant que sur elle-même. Hegel, le chantre de l'Esprit absolu dans l'État, rend hommage, dans ses *Leçons sur la philosophie de l'Histoire*, à l'âme courageuse réduite à elle-même.

Cette réflexion s'inscrit dans une pensée obsédée de la nécessité. Cette exception confirme que, même chez un penseur systématique, le fatalisme n'est pas fatal ; que les réflexions sur l'Histoire, décrite comme déploiement inéluctable, rencontrent à un moment ou à l'autre l'initiative humaine comme une pierre d'achoppement. L'Histoire et la Raison ne sont pas seules à avoir leurs ruses. L'homme aussi.

Opposant les Phéniciens aux Babyloniens et aux Égyptiens, Hegel écrit : « Chez les Phéniciens, nous rencontrons pour la première fois l'audace de naviguer sur mer, ainsi que l'industrie qui transforme de façons multiples, pour l'usage et l'ornement des hommes, les objets naturels [8]. »

Cette association entre l'audace et l'industrie, comme force de transformation de la nature, mérite d'être notée. Hegel se préoccupe également du principe qui préside à ces actions : « À l'audacieux courage du navigateur, on doit reconnaître le principe *que l'homme ne compte que sur lui-même, qu'il doit bâtir à partir de lui-même, que l'individu doit se faire lui-même ce qu'il doit être* [9]. »

Ce principe est l'*éthos* de l'auto-détermination et du courage, que Hegel oppose à la détermination passive par la nature toute-puissante, son sol, ses saisons, telle que la subissent Babyloniens et Égyptiens – relation fataliste de dépendance : « Les Babyloniens et les nomades dépendent du sol ferme, ainsi que du cours des saisons et du soleil, qui détermine toute la subsistance de l'homme ; il en est de même en Égypte [10]. » La passivité est ici l'obéissance à une puissance, le respect craintif, l'inhibition par rapport aux tabous.

L'antinomie est complète entre cette sécurité passive et une *confiance active*, entre le cours monotone des crues et décrues, et la course risquée sur la mer. « L'âme courageuse des marins *se confie* à la chance, au hasard ; dans ce milieu qui n'a rien de solide, ils en sont réduits à leur intelligence, à leur vigilance... C'est là un bien autre principe que de tout recevoir d'une nature bienveillante [11]. » Deux principes de développement sont ici aux prises : s'en remettre à une nature *respectée,* c'est-à-dire crainte et déifiée, ou s'en remettre à soi seul, en rompant les amarres avec la médiocrité dorée.

« Par l'industrie, poursuit Hegel, la nature cesse d'être une puissance ; on la traite explicitement comme soumise à l'industrie ; c'est l'homme qui lui donne sa forme utile en lui imprimant le sceau de son activité [12]. » Vient alors le diagnostic, favorable à une émancipation du « respect », qui n'est qu'inhibition économique : « Le respect de la nature disparaît devant la confiance spécifique de l'homme en lui-même et devant l'intelligence qui sait dominer la nature ».

Ce n'est pas le courage aveugle, inconscient, le « courage comme tel » qui promeut les prouesses de l'homme, mais une audace délibérée, libre et responsable : « le courage de l'intelligence humaine ».

Conception remarquable, qui invite à nuancer l'idée qu'on se fait souvent de la conception hégélienne de l'Histoire. Car cette opposition entre Phéniciens individualistes, navigateurs et marchands, et Égyptiens ou Assyriens contraints par leur existence sociale et liés à la terre, se rencontre à l'origine de l'Histoire. Elle permet de situer l'homme par rapport à son environnement naturel – alors qu'il est tout près de l'« état de nature ».

Divergence des Amériques

Cet observateur aigu de l'Histoire ne pouvait manquer de trouver sur son chemin la divergence entre catholiques et protestants. S'il ne l'a pas aperçue en Europe (l'objet était-il trop près de son regard ?), elle lui a paru évidente en Amérique.

Cette analyse figure dans les *Leçons sur la philosophie de l'Histoire*, où Hegel rend compte du « contraste étonnant » entre Amérique du Nord et Amérique du Sud, et le relie à la fois aux données politiques et aux données religieuses.

La *confiance,* engendrée par les orientations protestantes, est opposée au règne de la *soumission*, caractéristique d'un esprit catholique en proie de la défiance. Parallèle éblouissant qui, même s'il sacrifie aux lois de la rhétorique, révèle impitoyablement une divergence mentale décisive.

« Si nous comparons l'Amérique du Sud, où nous comprenons aussi le Mexique, avec l'Amérique du Nord, nous constaterons un étonnant contraste. Nous voyons prospérer l'Amérique du Nord, grâce au développement de l'industrie et de la population, à l'ordre dans la cité, et à une solide liberté : toute la confédération ne constitue qu'un État et possède ses centres politiques. En revanche, dans l'Amérique du Sud, les républiques ne reposent que sur la puissance militaire, toute l'histoire en est une révolution continue.

« L'Amérique du Sud, où s'établirent les Espagnols et où ils conservèrent la suprématie, est catholique ; l'Amérique du Nord est en ses traits fondamentaux protestante. Comme, en Angleterre, puritains, anglicans et catholiques se trouvaient constamment en lutte et que tantôt les uns, tantôt les autres avaient le dessus, beaucoup émigrèrent pour chercher dans une partie étrangère du monde la liberté de conscience. C'étaient des Européens industrieux, qui s'appliquaient à l'agriculture, à la culture du tabac et du coton, etc.

« Bientôt, s'établit une orientation générale vers le travail. Du fait de la religion protestante, naquit *la confiance réciproque des individus, la foi en leur caractère*, car dans l'Église protestante les œuvres religieuses sont toute l'activité de cette vie. Chez les catholiques, au contraire, *le fondement d'une telle confiance ne saurait exister*, car dans les affaires du monde, il ne règne que la force et la soumission volontaire ; les formes qu'on y appelle constitutions ne sont que moyens de fortune et ne mettent pas à *l'abri de la défiance* [13]. »

Qu'y a-t-il à ajouter à ce texte admirable, tout ordonné sur les concepts de *confiance* et de *défiance* ? Pour Hegel, les Phéniciens ont inventé un autre rapport à la nature. Beaucoup plus tard, les protestants ont inventé un autre rapport à l'homme. Au principe de ces deux « révolutions », il y a le même ressort personnel, la même attitude d'esprit : la *confiance* ; mais c'est le champ d'application qui s'étend.

Le puritanisme, agent de l'esprit libéral ?

Au terme de son enquête sur le radicalisme puritain des XVIᵉ et XVIIᵉ siècles – *La Révolution des Saints* –, Michael Walzer [14] fait une distinction que nous prenons à notre compte : « Le calvinisme n'est pas tant *la cause* de tel ou tel système économique, politique ou administratif moderne, qu'*un agent* de modernisation [15]. »

Parler de *cause*, c'est se laisser entraîner vers les impasses d'un déterminisme religieux ou social. Parler d'*agent* permet de décrire l'affinité entre le calvinisme et ce phénomène complet de civilisation qu'est la société industrielle de marché, libérale et démocratique.

Le calvinisme n'est certes pas, par lui-même, une « idéologie *libérale* » [16] ; mais il a été ressenti d'une façon telle que cette idéologie-là a pu s'y enraciner. Michael Walzer décrit minutieusement la vie des communautés [17] puritaines, dans lesquelles des générations ont fait l'apprentissage du *self-government* et de la participation démocratique. Vivre dans ces communautés, même dans celles où l'on ne désigne pas son pasteur, c'est vivre d'une vie, politique autant que sociale, fondée sur des valeurs et des comportements – sur un *éthos* – profondément différents de ceux qui prévalent à la cour du roi ou dans la mouvance de l'évêque.

La discipline puritaine, si rudes soient ses contraintes, est à l'opposé du patriarcat, du corporatisme, du clientélisme. Elle prépare l'avènement du capitalisme libéral, sans se confondre avec lui. Ce qu'elle a de rigoureux, d'austère et de collectif nous paraît sans doute fort étranger au libéralisme, individualiste et tolérant. Pourtant, elle a pu préparer l'entreprenant capitaliste, par ce qu'elle a de radicalement nouveau : « Cette discipline ne dépendra pas de l'autorité paternelle de rois et de seigneurs, ni de la soumission enfantine de sujets obéissants. Les puritains cherchent à la rendre volontaire [18]. »

De même, cette discipline produit une aptitude au travail continu, elle « forme les hommes à cette attention de tous les instants qu'exige un système économique moderne [19] ». Elle apprend la maîtrise de soi, elle fonde « des relations impersonnelles, contractuelles entre les hommes, qui permettent une coopération de type professionnel, où n'entrent aucun lien d'affection ni aucun des risques de l'intimité [20] ». Les puritains développent un lien social fondé sur le contrat librement négocié *. Le libéralisme capitaliste assumera tous ces éléments mais, note Walzer, ce qui le différencie de façon si frappante du puritanisme, c'est son « extraordinaire *confiance* » dans les potentialités de la « maîtrise de soi », dans la raison humaine, et dans la relative facilité avec laquelle on peut parvenir à l'ordre. Cette *confiance* du libéralisme supprime la nécessité de la répression [22].

Bien entendu, le puritanisme des « saints » est, numériquement, un cas limite. Mais il s'insère dans la trame générale des corrélations que nous avons relevées et y tient une place significative. À travers la révolution de 1640, il a infléchi le cours culturel de l'Angleterre.

Toutefois, le caractère marginal du puritanisme explique que les « saints » puritains ne soient pas devenus des entrepreneurs libéraux et que les entrepreneurs libéraux ne soient pas les fils spirituels des saints puritains.

Faute d'avoir vu cela, Max Weber s'est engagé dans un labyrinthe de corrélations plus paradoxales les unes que les autres. Sans doute les mutations culturelles, sociales et politiques accom-

---

* Traitant du « miracle » en économie dans nos *Leçons au Collège de France*, nous avons analysé le pacte d'association, le *covenant* ou *combine* des *Pilgrim Fathers* du *Mayflower*, comme archétype des constitutions de *self-government* et modèle de la société de confiance [21].

plies sous l'influence des puritains ont-elles contribué à faire de l'Angleterre un pays de prédilection pour l'épanouissement de la société industrielle de marché. Mais le développement de la modernité économique n'est pas rivé aux îles Britanniques. Il avait fait ses preuves avec un siècle d'avance en Hollande, sans que les puritains y fussent pour rien.

L'*éthos de confiance compétitive*, la mentalité propice à l'adaptation performante ne sont pas le fait de communautés prédestinées, dans le cadre d'une mystique ou d'une théologie. Elles sont plutôt le fruit d'une libre élection du destin personnel. Elles résultent d'une volonté de se dépasser soi-même dans une entreprise risquée mais rationnelle. Ici, la vie prend sa revanche sur le dogme.

Chapitre 2

Bastiat :
psychologie du commerce
et psychose de l'État

Le libéralisme économique du premier XIXe siècle est marqué par une figure : Frédéric Bastiat (1801-1850). Sa verve pamphlétaire lui a interdit l'entrée du Panthéon des économistes. C'est pourtant une véritable philosophie de l'économie qui naît sous sa plume. Elle est essentiellement fondée sur une psychologie ; c'est pourquoi nous nous y sentons de plain-pied. Par ses bons ou ses mauvais côtés, l'homme y est acteur.

Prenons sa réflexion sur la propriété. Mai 1848 : la date suffit à expliquer la véhémence avec laquelle il démontre que les Constituants de 1789 eurent raison d'inscrire la « propriété » au nombre des quatre « droits naturels et imprescriptibles » – avec la *liberté*, la *sûreté* et la *résistance à l'oppression*... La pertinence de sa justification tient au fait qu'il lie solidement l'observation (sur le terrain des motivations concrètes) avec l'analyse (sur le terrain du droit naturel).

Mais il ne prétend pas que l'intensité de cet attrait pour la propriété soit la même chez tous les individus et dans toutes les sociétés. La liberté n'est pas, si l'on peut dire, une obligation – comme elle semble l'être chez Adam Smith. Du coup, la société n'est pas « naturellement » libérale. Les mécanismes psychologiques peuvent pousser dans un sens ou dans l'autre. Ainsi, Bastiat montre comment une menace sur le droit de propriété entraînerait une chaîne de réactions.

« Je le demande, *que doit-il arriver ? C'est que le capital et le travail s'épouvantent, c'est qu'ils ne puissent plus compter sur l'avenir.* Le capital, sous le coup d'une telle doctrine, se cachera, désertera, s'anéantira. Et *que deviendront alors les ouvriers,* ces ouvriers pour qui vous professez une affection si vive, si sincère, mais si peu éclairée ? Seront-ils mieux nourris quand la production agricole sera arrêtée ? Seront-ils mieux vêtus quand nul n'osera fonder une fabrique ? *Seront-ils plus occupés quand les capitaux auront disparu ?* »

Au début de notre siècle, une telle prophétie pouvait encore paraître hors de propos. L'histoire récente l'a pourtant confirmée avec éclat. De l'ancienne Union soviétique, de la République toujours « populaire » de Chine, nous sont parvenus des signes sans équivoque. Le droit imprescriptible de propriété donne seul un contenu concret au mot de liberté. « La propriété, écrit encore Bastiat, le droit de jouir du fruit de son travail, le droit de travailler, de se développer, d'exercer ses facultés comme on l'entend, sans que l'État intervienne autrement que par son action protectrice, c'est la liberté. »

Propriété, liberté et Providence

Bastiat reconnaît le droit de propriété comme « un fait providentiel, antérieur à toute législation humaine, et que la législation humaine a pour but de faire respecter [...] La propriété existe avant la loi [1] ». Mais plus qu'un droit, plus qu'un autre visage de la liberté, la propriété est une motivation, un ressort essentiel pour l'activité humaine : « Il a plu à la Providence de placer dans l'individu les besoins et leurs conséquences, les facultés et leurs conséquences, créant ainsi l'*intérêt personnel*, autrement dit, l'instinct de la conservation et l'*amour du développement* comme le grand ressort de l'humanité [2]. » Aussi l'*appropriation* intéresse-t-elle Bastiat plus que la propriété, la cause que l'effet. « L'appropriation est un phénomène naturel, providentiel, essentiel à la vie, et la *propriété* n'est que l'appropriation devenue un droit par le travail [3]. »

« Providence », « providentiel » : Bastiat recourt fréquemment à cette notion peu scientifique. C'est pour lui une façon de protéger ce droit naturel. En le marquant du sceau divin, on se rattache à un ordre où la volonté humaine ne peut intervenir. Bastiat appartient à une époque qui a vu dans la Révolution, et qui voit dans les énormes progrès techniques aussi bien que dans les nouvelles cosmologies socialistes, une affirmation prométhéenne de ce que peut la volonté collective des hommes. Retrancher la liberté, la propriété, l'appropriation derrière la Providence, c'est la rendre inaccessible aux caprices de la volonté. Au demeurant, il parle en s'adressant à des croyants qui se méfient d'une « nature » souvent présentée comme étrangère à Dieu. Bastiat marie le *providentiel* et le *naturel*. Ce n'est pas très conforme à une stricte théologie de la Providence. Tout simplement, pour lui, la liberté, l'appropriation et même l'échange sont « innés » ; ils sont constitutifs de la nature humaine.

Dans un texte plus tardif, on notera une curieuse remarque. Critiquant les publicistes de l'école socialiste, Bastiat décrit ainsi leur conception de l'homme : « Ils commencent par supposer que les hommes ne portent en eux-mêmes ni un principe d'action, ni un moyen de discernement ; qu'ils sont dépourvus d'initiative ; qu'ils sont de la matière inerte, des molécules passives, des atomes sans spontanéité, tout au plus une végétation indifférente à son propre mode d'existence [4]. »

La critique est assez vive pour qu'on puisse situer le point d'où elle est lancée : initiative, spontanéité, autonomie sont bien les fondements de la vision de l'homme que se fait Bastiat. L'homme n'est pas entre les mains d'une Providence qui voudrait à sa place. Il n'est pas non plus soumis aux « mains invisibles » qui voudraient le façonner. L'acteur de la vie économique est convié à se prendre lui-même en main.

Les ressorts de l'humanité (« l'intérêt personnel » et « l'amour du développement ») sont certes *providentiels* – nous dirions plutôt *naturels*. Mais c'est bien à l'homme seul, doué d'initiative, de spontanéité, de volonté, qu'il appartient de les faire jouer. Car il peut tout aussi bien se réfugier dans l'inertie, l'indifférence, la passivité. Le socialisme l'y engage, à en croire du moins ce pamphlet de Bastiat sur *La Loi* (1850) : « Tous [les socialistes] ont vu, entre l'humanité et le législateur, les mêmes rapports qui existent entre l'argile et le potier [5]. » Les hommes sont malléables : voilà le credo des socialistes.

Mais pas d'eux seulement. Chez d'Holbach, nous avions noté une sorte de colbertisme moral, une croyance à la toute-puissance de la loi. Cette démiurgie des législateurs est bien française. Elle ressortit à un platonisme jacobin dont l'origine peut être retracée : « Il ne faut pas s'étonner que les publicistes du XIXe siècle considèrent la société comme une création artificielle sortie du génie du Législateur. Cette idée, fruit de l'éducation classique, a dominé tous les penseurs, tous les grands écrivains de notre pays [6]. » Mais il ne la retrouve pas chez les Anglais : il perçoit sur ce point une divergence idéologique – qu'il analyse en prenant violemment à partie Rousseau et Robespierre, lesquels ont prétendu créer une économie et une société artificielles, en s'attaquant précisément au principe de la propriété.

L'État, c'est la grande fiction

Sans doute parce qu'il était Français, justement, Bastiat fut le premier libéral à comprendre qu'il ne pouvait établir la liberté sans une critique radicale de l'État. Celui qu'il connaissait n'était qu'un enfant dans les langes, à côté du nôtre devenu géant. Ses critiques ont dû paraître bien sévères alors. Elles le sont moins pour nous – mais elles restent toujours aussi sacrilèges, en « pays d'État ».

La critique de Bastiat est liée à sa légitimation de la propriété : l'État est fait pour voler avec bonne conscience. On connaît sa formule : « L'État, c'est la grande fiction à travers laquelle tout le monde s'efforce de vivre aux dépens de tout le monde [7]. »

La démonstration qui soutient cette formule n'est pas moins vive : « Sous un prétexte ou sous un autre, nous nous adressons à l'État. Nous lui disons : " Je voudrais bien, pour établir l'équilibre désiré, prendre quelque peu sur le bien d'autrui. Mais c'est dangereux. Ne pourriez-vous me faciliter la chose ? Ne pourriez-vous me donner une bonne place ? Ou bien gêner l'industrie de mes concurrents ? Ou bien encore me prêter gratuitement des capitaux que vous aurez pris à leurs possesseurs ? Ou m'assurer le bien-être que j'aurai à cinquante ans ? Par ce moyen, j'arriverai à mon but en toute quiétude de conscience, car la loi elle-même aura agi pour moi, et j'aurai tous les avantages de la spoliation sans en avoir ni les risques ni l'odieux ! " Que devons-nous penser d'un peuple où l'on ne paraît pas se douter que *le pillage réciproque n'en est pas moins pillage parce qu'il est réciproque* ; qu'il n'en est pas moins criminel parce qu'il s'exécute légalement et avec ordre ; qu'il n'ajoute rien au bien-être public ; qu'il le diminue au contraire de tout ce que coûte cet intermédiaire dispendieux que nous nommons l'État [8] ? »

Pour que cette « spoliation réciproque » soit possible, il faut exalter l'État. Il faut lui donner une sorte de personnalité éminente, qui mérite tous les sacrifices et dont on puisse espérer tous les bienfaits.

L'État devient ainsi l'objet d'un culte étrange, et le mystère est entretenu par une clientèle dépendante. Cet État ressemble à ces personnages qui ont le pouvoir de donner et de prendre, de « rendre justice » et de distribuer les faveurs : « un personnage mystérieux, et assurément le plus sollicité, le plus tourmenté, le plus affairé, le plus conseillé, le plus accusé, le plus invoqué et le plus provoqué qu'il y ait au monde [9] ».

La généalogie de l'État et de la Nation

Bastiat va plus loin encore dans le sacrilège. Derrière l'État, la Nation. Pour nous autres Français, la France donne à l'État sa légitimité morale, sa stature historique, son efficacité dans l'ordre du sentiment. Bastiat prend pour cible le préambule de la Constitution de 1848 qui vient d'être votée. Cette cible concerne de près les Français d'aujourd'hui, car la Constitution de 1958 assume le préambule de celle de 1848.

Bastiat y épingle cette déclaration : « La France s'est constituée en République pour appeler tous les citoyens à un degré toujours plus élevé de moralité, de lumière et de bien-être. » Il la commente ainsi : « N'est-ce pas abonder dans le sens de cette bizarre illusion qui nous porte à tout attendre d'une autre énergie que la nôtre ? N'est-ce pas donner à entendre qu'il y a, à côté et en dehors des

Français, un être vertueux, éclairé, riche, qui peut et doit verser sur eux ses bienfaits ? N'est-ce pas supposer, et certes bien gratuitement, qu'il y a entre la France et les Français, entre la simple dénomination abrégée, abstraite, de toutes les individualités et ces individualités mêmes, des rapports de père à fils, de tuteur à pupille, de professeur à écolier ?

« Les Américains se faisaient une autre idée des relations des citoyens avec l'État, quand ils placèrent en tête de leur Constitution ces simples paroles : " Nous, le peuple des États-Unis, pour former une union plus parfaite, établir la justice, assurer la tranquillité intérieure, pourvoir à la défense commune, accroître le bien-être général et assurer les bienfaits de la liberté à nous-mêmes et à notre postérité, décrétons " », etc.

« Ici point de création chimérique, point d'abstraction à laquelle les citoyens demandent tout. *Ils n'attendent rien que d'eux-mêmes et de leur propre énergie.* Si je me suis permis de critiquer les premières paroles de notre Constitution, c'est que je prétends que cette personnification de l'État a été dans le passé et sera dans l'avenir une source féconde de calamités et de révolutions. »

Le lecteur l'aura relevé au passage : il s'est glissé une comparaison dans la critique. Les Américains ne se « constituent » pas de la même façon que les Français. Ils placent, eux, les citoyens à l'origine de la cité. La liberté est naturelle. Pas l'État. Pour « l'école anglaise et américaine », les citoyens « n'attendent rien que d'eux-mêmes et de leur énergie ».

Or, Bastiat a remarqué que *ce trait de dépendance intéressée du public envers l'État était latin – en tout cas, ni anglais, ni américain* : « Me voilà discrédité à tout jamais ; et il est maintenant reçu que je suis un homme *sans cœur et sans entrailles,* un philosophe sec, un individualiste, un bourgeois et, pour tout dire en un mot, *un économiste de l'école anglaise ou américaine* [10]. » Bastiat démasqué avec humour par lui-même.

Chercher le remède dans l'aggravation du mal

Ainsi, qu'il s'agisse de l'origine de la liberté ou de l'origine de l'État, Bastiat est le premier à insister sur une opposition, que nous dirions aujourd'hui culturelle, entre la façon de voir des Français et celle des Anglais ou des Américains. Sans doute sa conviction s'était-elle forgée antérieurement en analysant un autre sujet : celui du conflit entre le protectionnisme et le libre-échange.

Dès 1844, Bastiat s'était en effet rendu célèbre par la publication dans le *Journal des économistes* d'un article au titre évocateur : « De l'influence des tarifs français et anglais sur l'avenir des deux peuples. » Pour rendre plus convaincante sa critique du protectionnisme douanier et de l'interventionnisme en matière d'échanges internationaux, il était normal de tirer parti de la vieille rivalité franco-anglaise, mais sa démonstration ne repose pas seulement sur des arguments de circonstance. Elle le conduit à entrer dans une psychologie des peuples.

Si les Français ont été réceptifs au protectionnisme, c'est moins le fait d'une conjoncture économique, que d'une prédisposition mentale. Dans ce terme de protectionnisme, il faudrait lire l'analogue d'une phobie de l'échange. Le Français aurait une préférence instinctive pour le cocon étatique, et une répugnance non moins naturelle pour la concurrence.

Il y a compétition entre deux cultures, et il y a deux façons différentes de s'armer pour cette compétition.

La nôtre a pour but de protéger et pour effet de fragiliser. Elle crée un cercle vicieux. La protection favorise le producteur, mais non la production. En élevant les barrières douanières, on élève le prix des choses. Protégé de la concurrence étrangère, le marché intérieur devient la proie des coalitions monopolistiques de producteurs, toujours plus faciles quand on reste « entre soi ». La cherté qui s'ensuit conduit à l'escalade douanière, à la surenchère protectionniste.

La distorsion ne peut que s'accentuer : « Il est facile de voir ce qui arrivera si la France persévère dans le régime restrictif, pendant que l'Angleterre s'avance vers la liberté des échanges. Déjà, une foule de produits anglais sont à plus bas prix que les nôtres, puisque nous sommes réduits à les exclure [...] Cette distance entre les prix des produits similaires ira toujours s'agrandissant, et il viendra un moment où les droits actuels seront insuffisants pour réserver à nos producteurs le marché national. Il faudra donc les élever, c'est-à-dire *chercher le remède dans l'aggravation du mal*. Mais en admettant que la législation puisse toujours défendre notre marché, elle est impuissante sur les marchés étrangers, et nous en serons infailliblement évincés [11]. »

Le blocus continental vu de Sainte-Hélène

Le protectionnisme conduit à l'asphyxie. Il mène aussi à des conduites agressives – précisément parce que la défensive ne peut suffire. Bastiat rappelle ce moment de protectionnisme absolu que fut le blocus continental. Il invoque le jugement amer que Napoléon s'en formait sur le rocher de Sainte-Hélène. Il cite l'aveu d'échec : « On me proposa le blocus continental ; il me parut bon et je l'acceptai ; il devait ruiner le commerce anglais. *En cela*, il a mal fait son devoir, parce qu'il a produit, *comme toutes les prohibitions*, un renchérissement. » Il cite surtout l'obstination de l'Empereur dans l'erreur : « Nos ports de mer étaient ruinés par la Révolution. Il fallait *donner une autre impulsion à l'esprit de trafic*. Il n'y avait pas d'autre moyen que d'enlever aux Anglais le monopole de l'industrie manufacturière. Il fallait créer le système continental, parce qu'il fallait donner une prime énorme aux fabriques. »

« Voilà bien, commente Bastiat, le régime prohibitif. Il aspire à donner à l'*esprit de trafic* une impulsion différente de celle qu'il reçoit de son propre intérêt ; et il ne veut pas voir que la prime énorme donnée au travail privilégié se prélève, non sur l'étranger, mais sur le consommateur national [12]. »

Le premier critique de la colonisation

Le lecteur moderne sera peut-être plus étonné de trouver dans ce libéral radical, le premier critique de la colonisation – un critique férocement méthodique. En 1844, il voit Paris s'engager de plus en plus en Algérie ; autant dire dans la guerre d'Algérie, en s'enfonçant dans les terres, en conquérant les djebels et en soumettant les douars à coups de canon. Cependant, Londres se préoccupe d'ouvrir la Chine au libre-échange et met fin au régime du monopole commercial établi par l'Acte de Navigation. Sans doute Bastiat force-t-il l'opposition. L'Angleterre a encore devant elle un bon siècle de vigoureuse expansion coloniale et de rigoureuse domination impériale.

L'anticolonialisme de Bastiat est d'abord fondé sur l'intérêt bien entendu des nations tentées par l'expansion coloniale. Car ses conséquences à long terme ne sont pas perçues par ses initiateurs et ne manqueront pas de se retourner contre eux : « Une conquête excite naturellement contre le vainqueur la *haine* du peuple conquis, *l'alarme* chez ceux qui sont exposés au même sort, et la *jalousie* parmi les nations indépendantes. Lors donc que, pour se créer des débouchés, une nation a recours à la violence, elle ne doit point s'aveugler : il faut qu'elle sache qu'elle soulève au-dehors toutes les énergies sociales, et elle doit être préparée à être toujours et partout la plus forte. *Une nation avide de conquêtes ne saurait inspirer d'autres sentiments que la défiance, la haine et l'effroi.* » La prédiction se fait tragiquement précise : « On verra ces nations envahir des tribus paisibles, sous le prétexte le plus frivole, porter le fer et le feu dans les pays dont elles veulent s'emparer, brûler les maisons, couper les arbres, ravir les propriétés, violer les lois, les usages, les mœurs et la religion des habitants ; on les verra chercher à corrompre avec de l'or ceux que le fer n'aura pas abattus ; décerner des récompenses et des honneurs à ceux de leurs ennemis qui auront trahi la patrie, et vouer une haine implacable à ceux qui, pour la défendre, se dévouent à toutes les horreurs d'une lutte sanglante et inégale. Quelle école ! quelle morale ! quelle appréciation des hommes et des choses ! et se peut-il qu'au XIXe siècle, un tel exemple soit donné, dans l'Inde et en Afrique, par les deux peuples qui se prétendent les dépositaires de la loi évangélique et les gardiens du feu sacré de la civilisation [13] ! »

Mieux que quiconque, Bastiat a montré l'opposition entre l'esprit du capitalisme libéral et l'esprit du colonialisme. Au moment où il écrit, la course à la colonisation totale de l'Afrique est loin d'être encore lancée. Bastiat annonce ce qu'il en coûterait à l'Angleterre si elle s'y laissait entraîner : « Être toujours le plus fort est une lourde obligation. À mesure que les autres peuples grandissent, il faut que l'Angleterre accroisse la masse de forces vives qu'elle soustrait à l'industrie pour les consacrer à la marine, et il doit arriver un moment où l'emploi improductif de tant de ressources dépasse de beaucoup les profits du commerce colonial. »

Alors que la France s'installe par les armes en Algérie, l'Angleterre paraît se relâcher des rigueurs de l'Acte de Navigation et Bastiat salue le bon exemple ainsi donné. Il était « peu d'Anglais qui ne sachent fort bien que le commerce avec les États libres est plus avantageux que les échanges avec les colonies [14] ». Un peu trop optimiste, Bastiat se laisse aller à prophétiser que l'Angleterre va « se délivrer du gigantesque fardeau de ses colonies » : « Aux sentiments de haine, d'envie, de *méfiance* et d'hostilité que son ancienne politique avait semés parmi les nations, l'Angleterre substitue l'amitié, la bienveillance et cet inextricable réseau de liens commerciaux qui rend les guerres à la fois inutiles et impossibles. »

Ce que Bastiat sentait inéluctable, il a fallu un siècle à l'Angleterre pour s'y résoudre. Mais alors, le XXᵉ siècle l'a vue décoloniser avec naturel – ainsi que les Pays-Bas –, comme si elle retrouvait sa vraie nature, au même moment où la France – ainsi que le Portugal et l'Espagne – avait tant de mal à se déprendre de sa passion coloniale.

Un tableau de la société de défiance

Le mérite revient décidément à Bastiat d'avoir brossé le tableau psychologique, encore imprécis mais assez complet, qui réunit des traits si divers en apparence, de la société latine : le caractère étatique de la propriété, la survalorisation de l'État, le refus de l'échange, le protectionnisme, l'esprit de clientélisme et de dépendance, le colonialisme agressif, la conquête de marchés réservés, la peur de la concurrence, en un mot la *société de défiance*.

Tout cela, Bastiat l'a pressenti, suggéré, formulé, décrit. Sa force d'analyse ne pouvait manquer de provoquer Marx, le chantre même de la société de défiance : « Quant aux fadaises de Bastiat, qui débite des lieux communs sous forme de paradoxes, les aiguise en facettes et dissimule sous la logique formelle une effarante indigence de pensée, débarrassons-nous-en tout de suite [15]. » Ainsi croit-il, en trois lignes dédaigneuses, faire justice de celui qu'il appelle un « commis voyageur du libre-échange [16] ». L'histoire à son tour fait justice, et de ce mépris, et de la méprise qu'il révélait.

Chapitre 3

Schumpeter :
la personne au centre

Si Schumpeter a été tellement sensible au « marxisme » de Max Weber, c'est que, pour lui, les rapports de production, le capital, le travail, l'idéologie et le conditionnement économique ne jouent qu'un rôle tout à fait secondaire. Ce sont des facteurs dénués d'intérêt propre et d'autonomie : de simples pièces de la machine sociale. Comme toutes pièces de mécanique, elles sont vouées à être remplacées.

Contre l'interprétation wébérienne, Schumpeter fait valoir qu'« une intelligence et une énergie dépassant la norme expliquent, dans neuf cas sur dix, le succès industriel et, notamment, la *fondation* des positions industrielles [1] ». De Weber à Schumpeter, nous passons d'un univers à un autre, au centre duquel c'est la personne qui est placée.

Cet univers n'est pas étranger au darwinisme. Intelligence, énergie – ces deux qualités complémentaires forment le premier outil de l'homme. Ils assurent le succès dans la lutte pour la vie. À la différence de Max Weber, Schumpeter ne réserve pas au capitalisme moderne la nécessité de ce combat. Il ne distingue pas entre l'époque des commencements et celle d'aujourd'hui. Que l'on remonte aux origines de l'homme, ou que l'on descende la hiérarchie technique jusqu'au simple manœuvre, là où ne compte que le *travail*, Schumpeter montre qu'il est le lieu de « différences naturelles de qualité » : plus même que la « force physique ou l'agilité », « l'intelligence et la force de volonté [2] ».

Le gain et la mise

Le système capitaliste – ou, pour reprendre son expression, le « mode d'existence bourgeois » – accentue le caractère individuel de la sanction. Mieux que tout autre, il motive et récompense « la compétence, l'énergie, la puissance exceptionnelle de travail ». Il donne suite, avec une rapidité inexorable, aux promesses de richesse ou aux menaces de ruine qui sanctionnent la bonne ou la mauvaise observation de ses règles de conduite. « Ces promesses sont assez fortes pour attirer la grande majorité des intelligences exceptionnelles et pour identifier le succès avec la réussite dans les affaires. Cette réussite suppose néanmoins une part de chance qui ajoute à son attrait ; le jeu des affaires ne ressemble pas à la roulette, mais plutôt au poker [3]. »

La référence au poker montre que nous ne sommes pas dans le monde de la « rationalité » de Max Weber. Ou du moins, c'est la rationalité supérieure d'un jeu où l'on peut gagner plus que l'on n'a misé – avec, comme résultat, une extraordinaire dynamisation de la société. Schumpeter, délibérément provocateur, insiste même sur l'injustice féconde du système. « Des gains impressionnants, beaucoup plus élevés qu'il n'aurait été nécessaire pour provoquer tel ou tel effort spécifique, sont jetés en pâture à une faible minorité de gagnants et, du même coup, impriment une impulsion beaucoup plus puissante que ne l'aurait fait une répartition plus égalitaire et plus juste. La grande majorité des hommes d'affaires, en retour de leurs initiatives, ne reçoivent qu'une rémunération très modeste, sinon rien ou moins que rien, mais, néanmoins, s'évertuent au maximum, parce qu'ils ont les yeux constamment fixés sur les gros lots et surestiment leurs chances de réussir autant que les gros gagnants. »

En revanche, les pénalités du système sont dirigées contre l'incompétence. « Mais, bien que les hommes non qualifiés et les méthodes désuètes soient effectivement éliminés, parfois très rapidement, parfois après un sursis, la faillite menace également ou même engloutit plus d'un homme capable et, par suite, ce risque immanent tient en haleine tous les entrepreneurs et agit, à son tour, beaucoup plus efficacement que ne le ferait un système de pénalités plus égalitaire et plus juste. Enfin, le succès et l'échec en affaires sont tous les deux idéalement objectifs. Ni l'un ni l'autre ne peuvent être contestés [4]. »

La lutte pour le succès

C'est la personne de l'entrepreneur – et non sa confession religieuse, ou ses convictions idéologiques, ou ses préjugés sociaux – qui doit entrer en ligne de compte pour expliquer la réussite industrielle. Dans sa « lutte pour le succès [5] », l'entrepreneur n'est pas seulement *agi*, il est *acteur*.

Sur ce thème, l'une des analyses les plus pertinentes de Schumpeter porte sur l'idée de *sélection*. La spécificité du capitalisme est que le même appareil social, qui conditionne le rendement des individus et des familles composant la classe bourgeoise, sélectionne également, *ipso facto*, les individus et les familles appelés à accéder à cette classe ou à en être exclus. Accès, réussite ou élimination relèvent tous du même processus.

Il s'agit bien là d'une particularité. « La plupart des méthodes de sélection sociale (à la différence des " méthodes " de sélection biologique) ne garantissent nullement le rendement des individus sélectionnés. Leur impuissance à cet égard constitue même l'un des problèmes cruciaux qui se posent à l'organisation socialiste ». La même remarque pourrait s'appliquer à l'administration, à l'enseignement, à l'armée, à l'Église... Schumpeter souligne l'élégance de la promotion entrepreneuriale, qui combine sélection et impulsion : « L'homme qui accède jusqu'à la classe des entrepreneurs, puis s'élève à l'intérieur de celle-ci, est un homme d'affaires capable ; il a des chances de s'élever dans l'exacte mesure justifiée par ses dons – pour la simple raison que, sur le plan capitaliste, accéder à une position et réussir dans cette position sont synonymes. Une telle donnée de fait, si fréquemment laissée dans l'ombre en raison des réflexes d'auto-défense des " ratés ", intéressés à la dénier, présente, pour apprécier la société et la civilisation capitalistes, beaucoup plus d'importance que tout ce que l'on peut tirer de la théorie pure du mécanisme capitaliste [6] ».

La réussite capitaliste reste donc le fait d'une personnalité. La mobilité sociale que provoque cette sélection permet de dire que l'entrepreneur *s'est choisi lui-même*. Son accomplissement est moins l'œuvre d'un système, que la sienne propre. L'impulsion motrice de ce succès est, selon Schumpeter, l'innovation entrepreneuriale, *créatrice parce que destructrice*, confiante dans l'avenir parce que volontiers iconoclaste du passé.

Malgré les dynasties, la seule tradition de l'entrepreneur est de n'être pas ligoté par la tradition.

La destruction créatrice

Quelque vingt ans après Schumpeter, Albert O. Hirschman devait à son tour examiner l'hypothèse d'une contradiction culturelle du capitalisme. La *destruction créatrice* n'allait-elle pas s'étendre au capitalisme lui-même, pour finir en auto-destruction ? Peut-on bâtir sur cette destruction ? De la jungle schumpetérienne, peut-il sortir un paysage ?

Hirschman [7] montre la distance parcourue depuis le point de départ – la vision optimiste du « doux commerce » (Montesquieu, William Robertson, Thomas Paine) – jusqu'aux risques d'une société de marché qui tend à « miner les fondements moraux de toute société [8] ».

Mais la société de marché repose-t-elle vraiment sur un individualisme forcené, ignorant de tout intérêt général, méprisant toute forme de sociabilité ? Faut-il vraiment choisir entre la jungle du marché et la dictature du bien commun ? Entre la création auto-destructrice et la société figée ? Entre Crésus et Midas ? C'est le mérite d'Hirschman que d'esquiver ces typologies dualistes, de contester leurs prétendues contradictions et de refuser aux tensions de l'individu et de l'organisation sociale un inéluctable statut dialectique.

La thèse initiale du « doux commerce » peut reprendre du service. Elle associait d'ailleurs avec une certaine harmonie (sans doute naïvement représentée) la rencontre des intérêts individuel et social. Il demeure quelque chose de vrai dans les observations d'un Samuel Ricard en son *Traité du commerce* (1704) : « Par le commerce, l'homme apprend à réfléchir, à avoir de la probité et des mœurs, à être prudent et réservé dans ses propos et ses actions. Sentant la nécessité d'être sage et honnête pour bien réussir, il fuit le vice, ou du moins il a un extérieur plein de décence et de gravité, par crainte de nuire à son crédit ; ainsi, la société ne souffre pas d'un scandale dont peut-être elle aurait à se plaindre sans cela [9]. » Commerce oblige. Devant le client-roi, le commerçant, malgré qu'il en ait, se voit obligé de contenir ses impulsions, de réprimer ses défauts, d'exercer sa sociabilité.

L'entrepreneur de Schumpeter n'est pas le seul acteur social, même si son « inventeur » a parfaitement montré l'effet multiplicateur de son énergie. À côté de l'entrepreneur, il y a le commerçant de Ricard – dont la mentalité crée aussi du social, relaie les énergies libérées par l'entrepreneur, tout en les stabilisant. Et beaucoup d'autres acteurs entrent dans le jeu : le salarié, le fonctionnaire, l'élu, etc.

Mais rendons à l'entrepreneur l'hommage qui lui est dû. Si Schumpeter l'a découvert pour le placer au centre de toute explication, c'est bien parce qu'il est en effet un personnage neuf – le créateur d'une société neuve, par tous les risques qu'il assume, par toutes les innovations qu'il ose, par toute la richesse qu'il crée, par toutes les réactions en chaîne qu'il déclenche.

Chapitre 4

Hayek : l'éloge du bricolage

Considérons l'économie moderne, infiniment complexe : la multiplicité des enjeux, l'imbrication des rouages ne rendent-ils pas nécessaire un pouvoir régulateur ? Où le trouver, sinon dans l'État – un État légitimé par la démocratie ?

Du reste, l'État s'est développé parallèlement à l'économie, et aussi vigoureusement qu'elle, contrairement à ce qu'imaginaient et voulaient Davenant, Gournay ou Turgot. Faut-il donc leur donner tort et revenir à l'idéologie du « bien commun » ?

Friedrich von Hayek a entrepris de montrer qu'à cette question, il faut répondre non. Et ses propres réponses vont bien au-delà du seul sujet de l'État.

C'était la première fois, après et contre Marx, que s'exprimait, avec cette ampleur, l'idée que la rationalité économique ne procède pas forcément d'une autorité supérieure, considérée comme détentrice des connaissances nécessaires et de la raison suffisante. Mieux : l'idée que l'exercice de cette autorité omnisciente et toute-puissante s'avère contre-productif.

Partir de la micro-économie

Transposant dans le domaine économique le pressentiment de Tocqueville dans l'ordre politique, il tenait que l'intervention publique ouvrait *la route de la servitude*. Réciproquement, la liberté politique ne pouvait, selon lui, recevoir de contenu ni acquérir de consistance que dans une pratique du libéralisme économique.

Jusque-là, il ne dit pas plus que Bastiat. Son irremplaçable apport vient d'ailleurs : du fait qu'il a choisi d'analyser le fonctionnement économique au plus près des acteurs, de ceux qui prennent les décisions. Cette approche micro-économique, au lieu de l'éloigner d'une théorisation valide, l'a au contraire fondée.

Il ne craint pas de choquer tant les marxistes que les keynésiens, tous formés à un intérêt exclusif pour la macro-économie et imbus de théories qui expriment un profond dédain envers les acteurs vivants de l'économie.

De son œuvre si ample, retenons particulièrement un article de septembre 1945, suggestif entre tous, et passé à peu près inaperçu. Il s'attaque à la planification. Il dénonce, dans la façon dont elle est ordinairement conçue et pratiquée, une attitude anti-économique – lourde de conséquences, car elle tient la « compétence économique » à l'écart de « la connaissance des conditions particulières de temps et de lieu [1] » ; elle l'entretient dans l'illusion de la « connaissance de règles générales [2] », qui seraient applicables en tous temps et lieux.

. Mais il se défend de récuser l'idée même de planification. Pince-sans-rire, il explique que ce qu'on appelle libre concurrence n'est qu'une planification décentralisée : « On ne dispute pas s'il faut ou non planifier. On dispute si la planification doit être centralisée par une seule autorité pour tout le système économique, ou si elle doit être divisée entre de nombreux individus. La planification, selon l'acception utilisée dans la controverse contemporaine, signifierait nécessairement la direction de tout le système économique selon un plan unifié. C'est oublier que la concurrence entraîne une planification décentralisée entre de nombreuses personnes [3]. »

Retenir le mot de planification, même assorti de l'épithète « décentralisée », semble d'abord n'être qu'une inutile concession verbale à l'adversaire, ou une pirouette rhétorique de médiocre qualité. Mais au terme de la démonstration, on sera enclin à admettre qu'en effet, le libre marché est « planificateur ».

Qui a l'information ?

Étant admis que le choix entre ces deux planifications repose sur le critère de l'efficacité, on peut préciser l'alternative comme suit : « La plus grande efficacité de l'un ou l'autre système dépend principalement de la capacité de l'un ou de l'autre à utiliser le plus complètement le savoir existant. Cette capacité dépend à son tour de la réponse à la question suivante : avons-nous plus de chances de mettre à la disposition d'une autorité centrale unique tout le savoir qui doit être utilisé, mais qui est initialement dispersé entre différents individus ? Ou vaut-il mieux transmettre à ces individus le savoir supplémentaire dont ils ont besoin pour être à même d'ajuster leurs plans avec ceux des autres [4] ? »

Le choix trop souvent fait en faveur de la planification centralisée vient du fait que l'on minimise l'utilité de connaissances qui ne peuvent être acquises que par les praticiens sur le terrain. La différence entre une économie performante et une économie qui l'est moins, réside dans l'exploitation plus ou moins heureuse de données, dont chacune est négligeable, mais dont la somme fait la... différence : « Connaître et mettre à bon usage une compétence ou une machine sous-employées, savoir l'existence de stocks excédentaires sur lesquels on peut tirer pendant une interruption de l'approvisionnement, sont des informations socialement tout aussi utiles que la connaissance des meilleures techniques alternatives. L'affréteur qui gagne sa vie en utilisant des trains vides ou à moitié remplis, l'agent immobilier dont tout le savoir est constitué presque exclusivement d'occasions temporaires, ou l'*arbitrageur* [en français dans le texte] qui tire son bénéfice des différences locales entre les prix des produits, remplissent tous des fonctions éminemment utiles, fondées sur une connaissance spécifique de circonstances fugitives, que ne possèdent pas les autres [5]. »

Hayek décrit une économie vécue, c'est-à-dire un ensemble de processus pleins d'imperfections, de hiatus, de trous, de pannes, d'emballements. Ce qu'il montre, c'est que cette « irrationalité » peut être rattrapée, utilisée, tournée en définitive au bien de tous, si les acteurs de terrain, ceux qui sont à même de voir ces imperfections, sont aussi à même d'en tirer quelque profit.

Cette exaltation du « bricolage économique », Hayek sait qu'elle est irrecevable pour les « messieurs » qui pensent l'économie comme un tout : « Il est étrange que, de nos jours, l'on considère généralement ce savoir avec un certain mépris et que ceux qui, par ce savoir, obtiennent un avantage sur d'autres mieux équipés en savoir théorique ou technique, aient mauvaise réputation. [...] Ce préjugé a considérablement affecté l'attitude face au commerce en général, comparée à celle que l'on adopte face à la production [6]. »

Le diagnostic est clair. Accusation d'irrationalité lancée contre la micro-économie, mépris du marché, mauvaise réputation de ses agents, refus de l'occasion commerciale, préférence pour un ordre scientifique *ne varietur*, sous-estimation de la pratique par rapport à la théorie : voilà la fausse analyse des « macro-économistes ».

Le remède s'impose : ne pas prendre, par la planification unifiée, le risque d'une fantastique déperdition de l'information nécessaire, mais créer sur le terrain les conditions de la transparence. Les extraordinaires progrès de la communication et du stockage des informations grâce à l'informatique auraient réjoui Hayek, et renforcé ses conclusions.

Contre la phobie du changement

Hayek identifie un autre obstacle psychologique, qui rejette tant d'économistes vers la planification unifiée : la phobie du changement.

Planifier à partir du centre, c'est se donner l'illusion de maîtriser le changement et d'en limiter les défis : « Les problèmes économiques apparaissent toujours et uniquement comme une conséquence du changement. Tant que les choses suivent leur cours, ou du moins se passent comme on l'avait prévu, aucun nouveau problème nécessitant une décision ne se pose, aucun besoin de concevoir un nouveau plan. La croyance que les changements, ou du moins les ajustements au jour le jour, sont devenus moins importants à l'époque moderne, implique l'affirmation que les considérations économiques sont passées à l'arrière-plan, tandis que grandissait l'importance du savoir technologique [7]. »

L'économie, c'est de la vie, non de la science. C'est de l'imprévisible, c'est un renouvellement incessant des circonstances. Planifier, c'est, au mieux, se masquer cette vérité, et constater régulièrement que les faits démentent les prévisions. Au pire, c'est étouffer la vérité, arrêter la vie, pour que l'économie-zombie se plie aux oukases du Gosplan...

Hayek voit poindre, chez beaucoup de praticiens gouvernementaux, de consultants économistes, de grands hommes d'affaires, la même phobie du changement, alliée à la même illusion scientifique et technique. Mais comment croire, demande-t-il, « qu'une fois une usine construite, le reste soit plus ou moins mécanique, déterminé par la nature de l'usine, et ne laisse que peu de chose à changer pour s'adapter aux circonstances [8] ? »

La vie économique concrète ne se réduit pas à un mécanisme. Elle est faite d'évolution, de changements, d'adaptations perpétuelles.

L'illusion statistique

Hayek dénonce enfin l'illusion *statistique*. Comme le plan, la statistique efface la diversité de la vie. Elle donne le sentiment que les choses sont plus stables qu'elles ne sont : « L'une des raisons pour lesquelles les économistes oublient si facilement les petits changements qui modifient sans cesse le paysage économique est probablement leur préoccupation grandissante des agrégats statistiques, qui montrent une beaucoup plus grande stabilité que les mouvements de détail [9]. »

Mais quelle est l'origine de cette illusion d'optique ? Hayek s'emploie à écarter l'explication classique, laquelle légitime la dimension macro-économique, et elle seulement : « La stabilité relative des agrégats ne peut pas s'expliquer – comme les statisticiens ont parfois tendance à le faire – par la " loi des grands nombres " ou par la compensation mutuelle de changements fortuits. Le nombre des éléments dont nous devons tenir compte n'est pas assez élevé pour que de telles forces accidentelles puissent produire une stabilité. Le flux continu des biens et des services se maintient par des ajustements incessants, et délibérés chaque jour à la lumière de circonstances inconnues encore la veille [...] Même une usine importante fortement mécanisée dépend d'un environnement industriel grâce auquel elle peut satisfaire toutes sortes de besoins inattendus : des tuiles pour son toit, du papier pour ses dossiers, et mille et une sortes d'équipements, dont elle ne peut avoir elle-même la maîtrise, et qui doivent être rapidement disponibles sur le marché pour que les plans de fonctionnement de l'usine soient respectés [10]. »

Hayek inverse donc le processus. Ce n'est pas l'échelle macroscopique qui neutralise les aléas, les circonstances, le détail irrationnel – et dit la vérité. C'est, tout au contraire, l'action microscopique qui rattrape en permanence les déséquilibres, affronte les défis du changement et crée ainsi un état d'équilibre relatif, que le regard macroscopique ne fait que constater. La planification centralisée, fondée sur l'information statistique, ne peut pas, de par sa nature même, prendre directement en compte ces facteurs de temps et de lieu. Le planificateur central devra trouver le moyen de laisser l'*homme sur le terrain* prendre les décisions qui dépendent de ces facteurs [11].

La *planification décentralisée* est ainsi la seule issue au problème de l'organisation économique, parce qu'elle valorise la décision individuelle, seule capable d'assurer une « adaptation rapide aux changements dans des conditions spécifiques de temps et de lieu » ; parce qu'elle valorise aussi la connaissance directe « des changements significatifs et des ressources immédiatement disponibles qui permettent d'y faire face [12] ».

L'information par le prix

La centralisation va-t-elle retrouver une place, cette fois, au service de l'information ? Ce serait mal connaître Hayek. Il nous prépare un coup à sa façon. À cette question très technocratiquement posée, la réponse qu'il sort de son chapeau est la plus vieille du monde : le marché, exprimé par le prix. « Dans un système où la connaissance des faits pertinents est dispersée entre de nombreux individus, les prix peuvent agir pour coordonner les actions séparées de gens différents. »

Le prix, en effet, n'indique pas seulement les conditions d'un échange. Il résume l'état d'un ou plusieurs marchés : « Nous devons considérer le système des prix comme un *mécanisme* permettant de communiquer l'information [13]... » Indicateur des coûts de production et de transport, de la disponibilité des produits, des réactions de la clientèle, régulateur des flux de marchandises, le système des prix communique à l'homme sur le terrain les informations qui lui permettent d'agir en cohérence avec l'ensemble.

La boucle est bouclée : c'est encore par un processus librement déterminé, fondé sur d'innombrables décisions libres, que la liberté de l'homme-sur-le-terrain peut intégrer des données très générales. Ainsi sont tout naturellement coordonnées des « valeurs subjectives ». L'efficacité de ce système économique a beau être pensée « sur le modèle d'un *mécanisme* », il doit plutôt être comparé avec le monde des valeurs.

Cette splendide démonstration de l'efficacité de la liberté économique, du commerce et du marché n'a qu'un défaut – signalé par le simple mot de *mécanisme,* que nous avons souligné. Elle était conçue pour répondre à la tentation du globalisme, ainsi qu'à celle du contrôle de la vie économique réelle par le pouvoir politique ou technique, voire par le pouvoir des confrères économistes. Voici qu'elle finit par démontrer que l'économie libérale est une machine – et que son résultat est rationnel. On n'est guère éloigné de l'« harmonie préétablie » de Leibniz, ou de la « main invisible » d'Adam Smith. Ce que Hayek ne nous dit pas, bien qu'il le sache fort bien, c'est ce qu'il y a de vraiment libre dans la démarche de la liberté économique.

Le problème est-il résolu pour autant ? Seulement en partie. « S'il faut décentraliser, reconnaît Hayek, sur l'*homme du terrain,* celui-ci ne peut pas décider sur la seule base de sa connaissance de son environnement immédiat. Il faut aussi lui communiquer les informations supplémentaires dont il a besoin pour adapter ses décisions au schéma des changements d'un système économique plus large [14]. »

Chapitre 5

Quand les économistes découvrent
une inconnue : le mental

Depuis quelques décennies, la science économique a multiplié ses savants et ses savoirs, ses ambitions et ses méthodes. Du développement, elle a tenté de modéliser les rythmes et les crises. Elle a calculé et recalculé les facteurs de son équation toujours inachevée – et pourtant définitive aux yeux de chacun de ses calculateurs.

Ne remontons pas au déluge de ces recherches et de ces échecs. Prenons l'histoire au moment où, après la crise entraînée par le premier choc pétrolier de 1973-1974 qui avait détourné les économistes des « théories de la croissance », le retour d'un certain optimisme économique dans le courant des années 1980 les a ramenés vers elles.

Ce fut en particulier pour réfléchir à la persistance des problèmes du *« développement inégal »*. Des analyses antérieures prédisaient, en effet, une convergence des taux de croissance des différents pays vers un taux commun, qui finirait par être unique. La mondialisation de l'économie, la standardisation des marchés, la diffusion des techniques de distribution et des technologies de production, devaient créer l'uniformité de la vie économique. Or, sur la période 1960-1980, le taux de croissance de l'Inde fut de 1,4 % par an, celui de l'Égypte de 3,4 %, celui du Japon de 7 %, celui des États-Unis de 2,3 %.

Il est vrai que ces taux n'ont de signification que dans une histoire. Il est nécessaire de calculer le produit national brut par tête si l'on veut ramener à leur juste signification des chiffres au premier abord surprenants, comme la supériorité de la croissance égyptienne sur celle des États-Unis. N'empêche, il restait à expliquer la persistance des distorsions de taux de croissance, dans une période qui s'était un peu vite prévalue d'un universalisme optimiste.

Robert Lucas, l'un des « maîtres de Chicago », dans un brillant article [1], intitulé : *« On the Mechanics of Economic Develop-*

ment * », ouvrit alors une voie sur laquelle se sont, à sa suite, précipités de nombreux économistes. Il démontrait l'insuffisance des analyses traditionnelles du « *résidu de Solow* » (ce qui reste quand on a ôté du taux de croissance l'influence du facteur travail et du facteur capital). Il proposait de faire intervenir ce qu'il nommait un « tiers facteur » ** : le capital humain.

La notion même de capital humain n'était pas nouvelle. Elle remonte aux travaux de Gary Becker à Chicago, dans les années 1960. Ce qui était nouveau, c'était d'incorporer dans un modèle de croissance des éléments caractéristiques de la réflexion sociologique.

La prise en compte de ce « tiers facteur » a permis de montrer comment sont possibles des taux divergents de croissance équilibrée. Néanmoins, comme dans les approches traditionnelles, la vision de la croissance reste résolument *mécaniste* ; la nature et les formes de l'accumulation *culturelle* ne sont pas analysées.

Linéaire ou pas ?

La prise en compte de ce « tiers facteur » avait néanmoins beaucoup d'importance. Elle interdisait de se faire de la croissance une représentation linéaire.

Le modèle classique de Solow [2], qui intégrait déjà pourtant une composante « culturelle », le progrès technique, restait en effet un modèle linéaire. La production y est une fonction simple du capital, du travail et du progrès technique, ce dernier étant considéré comme un facteur exogène, venant s'ajouter de l'extérieur aux facteurs de croissance de la production.

Mais Lucas fit remarquer que le progrès technique, variable de la croissance, était lui-même fonction de cette croissance. Il y avait donc interdépendance entre le progrès technique et le niveau de la production. Ce processus circulaire fait du progrès technique un facteur endogène, qui interagit avec la production, à l'intérieur même de la croissance. Pour les mathématiciens, cela veut dire que la croissance est une fonction non linéaire de ses composantes.

Mais une chose est de formaliser, avec Lucas, l'*interdépendance* du tiers facteur et de la production, autre chose est de reconnaître

---

* Cet article date de 1988. Coïncidence ? Nous avions développé cette notion de *tiers facteur immatériel* dans *Le Mal français* (1976) (pp. 185 à 208, traduit en américain en 1981 (« *The trouble with France* », New York, Alfred A. Knopf, 1981) : « **An immaterial third factor.** *What we are dealing with here, is the play of mental forces, what I propose to call the "immaterial third factor" a qualitative and invisible sign, with which to multiply, or divide, the first two factors, capital and labour, which are material, visible and quantitative. Etc.* » (pp. 138 à 155).
** La notion de croissance équilibrée *(balanced growth)* renvoie à un modèle de développement de plein emploi où la part respective des facteurs (capital, travail) croît proportionnellement. On ne peut donc invoquer la conjoncture financière et sociale pour expliquer les divergences qui se produisent : le facteur immatériel devient incontournable.

l'*indépendance* du tiers facteur. C'est le caractère automatique et mécaniste de cette interdépendance des facteurs de la production qu'il faut mettre en question, en remontant aux origines des théories contemporaines de la croissance.

Un objet non identifié

C'est Denison (1962), dans *The Sources of Economic Growth in the United States,* qui, par la notion d'une « comptabilité de la croissance » *(growth accounting)*, a donné le branle à une réflexion novatrice sur le développement.

Au départ, le projet de Denison consistait à proposer une vérification empirique des théories de Solow sur la croissance.

Solow avait écrit que le produit national brut pouvait s'interpréter mathématiquement comme le produit du facteur capital et du facteur travail, affectés chacun d'un coefficient exponentiel *.

Hélas, l'application de sa formule aux croissances observées faisait apparaître l'insuffisance du modèle. L'équation ne permettait pas de justifier les forts taux de croissance américains au cours du XXe siècle. Un « résidu » restait « inexpliqué ». Pire encore : le « résidu » était plus important que la contribution des facteurs !

Les optimistes, comme Malinvaud [3], jugèrent que ces modèles étaient surtout des outils de clarification. On n'aurait donc pas à reprocher à Solow une équation qui révélait son... inadéquation. Au contraire, elle avait servi à révéler l'importance de cet objet non identifié.

Pour améliorer le modèle, on inventa alors la notion de « coûts d'ajustement ». Ils proviennent des rigidités de fonctionnement de l'économie. « Toute déviation par rapport à l'évolution régulière d'une grandeur entraîne des coûts additionnels. » Ces coûts concernent la main-d'œuvre, sous forme de licenciements, de recrutements importants, de besoins de formation. C'était une façon de réduire un problème culturel à une question de coûts, c'est-à-dire de ramener dans le champ de la doctrine économique l'ensemble du réel observé.

Denison : la distorsion des taux de croissance

Denison [4] ne se contenta pas de cette histoire de « coûts d'ajustement ». Il proposa d'instituer un « facteur résiduel » s'ajoutant

---

* Conservons les lettres devenues classiques, en sachant qu'elles se réfèrent à l'anglais : Y pour *yield*, production, L pour *labour*, travail, et K pour capital. La formule s'établissait ainsi $Y = K^\alpha L^\beta$. Ce qui implique que le taux de croissance est donné par l'équation $y = \alpha k + \beta l$ (où y, k, l sont respectivement les taux de croissance du PNB, du capital et de la main-d'œuvre). Il est possible d'ajouter à cette formulation un terme linéaire supplémentaire, reflétant le progrès technique et indépendant de l'accumulation du capital et du travail.

aux deux facteurs classiques du travail et du capital, et ayant en somme le même statut mathématique *.

Cependant, son « facteur résiduel » n'est autre qu'un « fourre-tout ». Denison y place le niveau de l'éducation, la qualité de la main-d'œuvre, la taille et l'organisation des marchés, le savoir utile pour la production, l'affectation des ressources, etc. Ressortait néanmoins l'idée que ce facteur « résiduel », tout résiduel qu'il était, pesait lourd dans l'équation et qu'il fallait des dépenses importantes sur ce facteur pour augmenter la croissance de façon significative – de 1 ou 2 %.

Surtout, en 1967, Denison [5] soulève le problème de la distorsion des taux de croissance entre pays. Il cherche à comprendre pourquoi, après la guerre, la croissance a été plus lente aux États-Unis qu'en Europe de l'Ouest. Son explication repose sur un paradoxe apparent : l'Europe ravagée a eu la chance de devoir se consacrer au *rattrapage*. Pour faire progresser une économie, il faut détruire, se débarrasser de ce qui est inutile ou vieilli. Cela coûte cher. Mais en Europe, la guerre avait en somme fait le ménage, d'où un taux de croissance plus élevé.

La distorsion des taux de croissance économique ne serait donc pas tant liée aux fluctuations conjoncturelles du facteur *capital*, qu'à son utilisation pertinente et principalement à la modernisation – rénovation, innovation – par le « *capital humain* ». La situation « *année zéro* », telle que l'ont connue particulièrement le Japon et l'Allemagne de 1945, serait extrêmement stimulante.

Pourtant, dans des situations semblables, de fortes distorsions reparaissent : l'Union Soviétique, elle aussi exsangue en 1945, ne connaît que sur le papier une croissance analogue à celle de l'Allemagne et du Japon vaincus. Le « rattrapage » à faire ne se convertit pas automatiquement en performance productive, en modernisation et en croissance. Une fois de plus, se trouve disqualifiée la théorie du « désavantage initial ».

Un problème d'optique

Parmi tous ces travaux, ceux d'Albert O. Hirschman [6] présentent l'intérêt d'étudier les agents – plutôt que les « causes » du développement. Comme Max Weber, il les recherche du côté du facteur culturel. Il y trouve de tout autres agents que les puritains chers à Weber : « L'éclosion soudaine d'une classe d'entrepreneurs industriels au Pakistan après la partition, au Moyen-Orient après la Seconde Guerre mondiale, en Amérique latine depuis les années trente, confirme l'idée que les pays sous-développés abritent peut-être une " armée de réserve " d'entrepreneurs, animés par une

---

* L'équation y = αk + βl devient donc y = αk + βl + a.

volonté de réalisation aussi forte que celle de n'importe quel puritain. »

Reste que ce facteur culturel est difficile à cerner. On explique tout *après* le développement, rien *avant*. Pourtant, en s'appuyant autant sur une analyse des politiques de relance, qui tentent de « recombiner » des facteurs de production existants, que sur celle des politiques de lancement d'une économie sous-développée, qui doivent « combiner » de nouveaux facteurs de production, Hirschman parvient à la même conclusion : « Dans les deux cas, il faut un catalyseur. » Lequel ?

Les aspects conscients du développement sont importants. Que la première révolution industrielle anglaise se soit faite « spontanément », on peut à la rigueur l'admettre ; mais depuis, les « révolutions industrielles » ont incorporé au moins une partie d'action consciente, de la part des gouvernements ou des entreprises. Le « catalyseur » du développement, ne serait-ce pas, tout simplement, une « optique de croissance » ? Elle ne consisterait pas seulement à « désirer la croissance économique, mais aussi à percevoir la nature essentielle de la route qui y conduit ».

Hirschman s'en prend aux approches traditionnelles qui conçoivent le progrès, soit, la marxiste, en fonction du groupe, soit, la « libérale », en fonction de l'individu. Très concrètement, il note que « les premiers à concevoir le progrès en fonction à la fois du groupe et de l'individu seront ceux qui auront fait l'expérience des processus modernes de développement économique, pour s'y être trouvés activement mêlés » : les praticiens ont en effet eux-mêmes pratiqué la synthèse.

La perspective interactive d'Hirschman met surtout l'accent sur le rôle de la *combinaison* des facteurs, plus que sur leur existence. Comme son ouvrage traite des problèmes modernes de développement, il postule que l'existence de phénomènes de développement déjà accomplis donne la clé de la mise en œuvre *consciente* des développements présents. Néanmoins, les réussites initiales du développement restent inexpliquées : l'approche « stratégique » d'Hirschman donne les clés d'une pratique, non d'une compréhension des origines. Sauf si l'on admettait que la volonté *consciente* était également présente, et même particulièrement active, chez les premiers créateurs du développement. Ce qui reste à prouver.

Deux éthos d'entreprises

Le moment est venu d'évoquer des travaux qui ont porté sur l'entreprise. Le « tiers facteur immatériel » n'est pas forcément une autre façon d'appréhender les acteurs individuels, ou de prendre en compte les hommes selon d'autres critères que leur force de travail. Il peut aussi agir, et s'évaluer, à travers les performances de l'organisation sociale, et particulièrement de l'organisation des entreprises.

Tout entrepreneur sait bien que le problème essentiel de son entreprise est un problème d'organisation. Comment mêler l'apport d'énergies diverses ? Comment les combiner de la meilleure façon possible ? Dans la plupart des structures tant soit peu vieillies, il est aisé de diagnostiquer un gaspillage de compétences et un sous-rendement. La « prolétarisation » de l'encadrement reflète précisément une incapacité à en utiliser les talents.

Motiver des hommes pour un travail, c'est identifier l'accomplissement de leur travail avec la satisfaction d'un de leurs besoins fondamentaux. David Mc Clelland a identifié le *besoin d'accomplissement (need for achievement)* comme moteur principal du travail des entrepreneurials [7].

A.H. Maslow a raffiné la typologie des besoins dont la satisfaction motive, selon une gradation ascendante [8] : les exigences physiologiques ; la sécurité ; les liens sociaux ; l'estime ; et enfin, l'accomplissement.

De son côté, Douglas Mc Gregor [9] a popularisé l'opposition entre deux types de conceptions de l'entreprise, dès lors qu'on ne s'intéresse pas seulement à son chef, l'entrepreneur capitaliste, mais à l'ensemble des hommes qu'il met sous tension dans une entreprise.

Dans le premier type, prévaut l'idée que l'homme moyen répugne au travail ; elle est à l'origine des structures traditionnelles, de type autoritaire, paternaliste et mécaniste, qui mettent l'accent sur la contrainte, l'obligation, l'interdiction, le contrôle. Prépondérante dans le passé, cette conception exprime toujours pour les travailleurs de base une part de la réalité.

Dans le type opposé, celui de la gestion participative par objectifs, les individus peuvent poursuivre leurs fins à travers celles de l'entreprise. Ce second type substitue au style autoritaire un fonctionnement qui met en jeu la liberté, l'initiative et la responsabilité de chacun. Il s'adresse principalement aux cadres.

Le lecteur n'aura pas de mal à reconnaître dans cette antinomie la divergence des deux éthos contraires, que nous avons vus s'opposer terme à terme depuis le XVIᵉ siècle, et que l'on peut qualifier de *défiance* et de *confiance*.

Management et changement

Drucker aux États-Unis, Gélinier en France, ont attaché leur nom à la description et à la promotion d'entreprises qui soient des micro-sociétés de confiance. Une gestion dynamique et concurrentielle repose sur le dépassement de l'état antérieur. Elle exige une définition des objectifs, non seulement prévisionnelle, mais prospective, voire visionnaire : il s'agit d'anticiper les tendances du marché et l'évolution du travail. Une bonne méthode permet de systématiser l'action et d'éviter d'avoir à redécouvrir sans cesse les mêmes solutions. Il n'y a rien d'irréversible dans les insuffisances d'un « management » à un moment donné.

Gélinier a souvent souligné le « sous-développement français » en matière de management [10]. Il montre qu'un ensemble d'habitudes et d'attitudes nationales, auto-reproduites, peut aboutir à créer un « retard » au développement d'un pays. Son approche n'explique pas exactement « comment » on en est venu au « sous-développement français », sinon de façon négative : c'est en ne faisant pas ce qu'il estime nécessaire de faire – et qu'il va puiser dans les entreprises américaines, afin qu'elles nous apprennent elles-mêmes à relever « le défi américain »...

Qu'est-ce que le défi américain ? Le défi « d'entreprises qui ont maîtrisé la dynamique des énergies humaines ». C'est parce qu'elles ont maîtrisé la « direction participative par objectifs » que les entreprises américaines sont puissantes. Il faut adopter leurs principes et abandonner ceux de « l'organisation bureaucratique, avec ses règles générales et stables s'imposant par la contrainte et les contrôles aux exécutants anonymes » ; car cette organisation-là est, pour l'entreprise, « la recette pour gâcher ses chances ». Gélinier ne manque pas de déboucher sur la confiance : « Il faut être pénétré d'une profonde *confiance* dans les ressorts de la nature humaine, dans son aptitude à découvrir des solutions utiles et à tirer enseignement de l'expérience. »

Aptitude à découvrir et à innover, adaptation à la concurrence, confiance, telles sont les clés de la direction participative par objectifs. Elles ressemblent fort à ce que nous appelons l'*éthos de confiance compétitive*.

Le capital humain

Les contributions récentes à l'analyse de la croissance sont très diverses. Contentons-nous d'y repérer quelques analyses intéressantes du « capital humain ».

Pour Gary Becker [11], sociologue de l'école de Chicago, chaque individu est censé détenir deux sortes de richesses : son capital monétaire (la valeur de ses actifs) et son capital humain (la valeur de son savoir). Le capital humain peut se chiffrer par la somme actualisée des revenus futurs (salaires, primes, etc.) que son savoir peut procurer à un individu. On comprend aisément qu'une telle analyse ait plu aux économistes, puisqu'elle autorise la quantification de données habituellement considérées comme non quantifiables.

Dans la même veine, l'article de Lucas [12] cité plus haut expose que la « société » investit sa richesse en capital physique (immeubles, machines, etc.) et en capital humain (savoir, éducation, etc.). D'autre part, elle offre sur le marché une certaine quantité de travail. Ces processus aboutissent à un taux de croissance, dont la vigueur dépend du bon emploi des ressources humaines et monétaires ainsi que de la force de travail. Ainsi s'explique qu'un prêt consenti à un pays en voie de développement n'ait pas le même « rendement » que s'il était accordé à un pays développé. Le « tiers facteur » de production, le facteur humain, joue un rôle décisif : les pays en voie de développement manquent bien plus de capital mental que de capital monétaire.

Poursuivant la réflexion, Romer [13] souligne une particularité du facteur humain : la façon dont il se communique. Si j'ai une machine et que mon voisin veut acquérir la même machine, il devra payer le prix qu'elle coûte sur le marché. En revanche, tout savoir acquis est plus aisément reproductible – et à moindres frais. Ainsi, tout savoir individuel peut, sans coûts importants, améliorer le savoir collectif. Dès lors, la croissance est engendrée par l'effet collectif de l'accumulation des savoirs individuels.

Kaldor, disciple de Keynes et prix Nobel d'économie [14] dès 1957, avait introduit l'idée que la production, à elle seule, suscitait un savoir, par la répétition des tâches et par les améliorations que celle-ci suggère. Mervyn A. King [15] reprend cette idée à partir d'une remarque simple : acquérir la machine de mon voisin me coûte le prix de la machine ; acquérir les idées de mon voisin me coûte seulement la peine de le regarder faire. Il crée donc un modèle de la croissance fondé sur « *learning by watching* ».

Ainsi, le savoir d'une société dépend de l'investissement matériel et humain qui a été réalisé par le passé. King explique de cette façon les forts taux de croissance des pays détruits par une guerre. Le savoir, au lendemain de la destruction, est à son niveau de la veille. En revanche, le capital du matériel est détruit. Avec un savoir élevé et un capital détruit, on dispose d'un puissant moteur ; le rendement marginal de tout investissement est élevé. La reconstruction elle-même crée un terreau favorable à de nouvelles idées et à des progrès techniques supérieurs à ceux des pays qui ont échappé à la destruction.

Le facteur Floirat

Ainsi, les économistes, d'un côté, ont admis la nécessité d'élargir leur étude de la croissance à d'autres facteurs que le capital et le travail ; de l'autre côté, ils ont été victimes de la logique – mathématique, financière et matérialiste – qui est la base de leur discipline.

Il est trop tôt pour juger d'un courant de recherche qui remonte seulement à quelques années. Toutefois, la diversité des modèles explicatifs ne semble pas tendre vers un consensus. On pourrait voir dans cette situation incertaine une preuve, en tout cas un indice, que la théorie économique est mal préparée, avec ses méthodes traditionnelles, pour résoudre cette question.

Il ressort pourtant de toutes ces recherches que le « capital humain », le « facteur organisationnel », l'« élément intellectuel », le « tiers facteur immatériel », « comme on voudra l'appeler, ne doit pas être traité sur le mode résiduel, comme un sous-produit des deux autres, ou leur « creux ».

Il s'agit bien d'un tiers facteur, qui complète les deux premiers, additionne ses effets aux leurs et fournit l'appoint explicatif indispensable.

Sans capital, le travail ne peut produire, et réciproquement. De même, imaginons (nous n'avons pas de grands efforts à faire) une société d'où la compétition, la motivation pour l'accomplissement personnel par le travail, le respect de l'individu, de la propriété et de l'initiative privées, le goût du risque responsable, l'innovation, la recherche, la valorisation de l'activité commerciale, etc., seraient absents. Elle aurait un capital humain de force nulle. De quoi lui serviraient ressources naturelles, machines, abondance d'argent et de main-d'œuvre, si la vie économique y est paralysée par la défiance ?

On pourra faire observer que la confiance n'est rien, sans le capital et sans le travail qu'elle fait fructifier. Mais, alors que capital et travail sont des conditions nécessaires et non suffisantes de la croissance, le tiers facteur immatériel est plus nécessaire encore – et suffisant – au moins pour faire naître une situation où travail et capital s'accumuleront. Sa mise en œuvre dépend moins des deux autres facteurs, qu'eux d'elle.

En définitive, la grande erreur marxiste est d'avoir cru que l'on pouvait et devait, à rebours, aller de l'économie à la conscience humaine. Certaines structures économiques peuvent, au mieux, raviver, mobiliser, galvaniser l'état d'esprit le plus propice du développement. Elles ne sauraient le créer *ex nihilo*.

En revanche, à partir de rien, de rien d'autre que lui-même, l'entreprenant peut créer, fonder, accomplir. C'était ce que, d'après sa propre expérience, croyait fermement Sylvain Floirat – titulaire du certificat d'études primaires, apprenti charron à onze ans, avant de devenir entrepreneur, négociant, avionneur, créateur de grands *medias* : « Qu'on me laisse *nu comme un ver* au milieu du Sahara ; sans un sou (mais près du passage des caravanes) ; quelques mois plus tard, je redeviendrai milliardaire. » Ce patron français avait compris qu'il ne fallait pas manquer la caravane. À tout prendre, cette gageure reste plus facile à tenir que l'édification du socialisme mondial, ou du technocratisme du développement.

Chapitre 6

Anthropologie du développement

Il n'est pas indifférent que ce soient des économistes du développement qui aient les premiers prouvé l'existence et la puissance du facteur culturel – en découvrant l'inadéquation radicale de toute analyse qui ne lui ferait pas une place majeure. Il est plus important encore qu'ils n'aient pas réussi à définir les éléments constitutifs de ce nouveau facteur, en tout cas pas d'une façon qui soit saisissable, même très approximativement, à travers des chiffres.

On peut avancer que toute tentative de modéliser le développement devra rendre les armes : il est *irréductible à la détermination*.

Or, ce résultat nous met sur la voie d'une explication qui dépasse largement le phénomène du développement. Nous sommes renvoyés très au-delà du point de départ de notre interrogation – vers les données élémentaires de l'anthropologie. Qu'est-ce qui, en effet, est « irréductible à la détermination », sinon l'homme lui-même ?

Tous les comportements qui nous sont apparus indissociables de l'apparition de l'économie moderne – liberté, initiative, responsabilité, innovation, confiance – ne sont pas nés avec le développement, au XVIe ou au XVIIe siècle. Ils ne sont pas exclusivement liés à l'économie industrielle de marché. Elle ne peut s'épanouir sans eux. Mais ils lui préexistaient.

Sommes-nous donc engagés sur une piste trop vague ? C'est ce qu'il conviendra d'examiner. Mais de toute façon, nous devons avancer sur cette piste-là. Nous y trouverons l'homme en état natif de déséquilibre – et dans ce déséquilibre, s'inscrit la possibilité d'adopter les comportements d'un *éthos* de confiance.

Un animal de progrès

Dès qu'il apparaît, l'homme est un être de progrès, et qui avance ; un être de dépassement, capable de s'affranchir des exigences du milieu ; un être de prospective, dont les anticipations peuvent aller au-delà des contraintes de la sélection. Sa faculté d'adaptation n'est pas strictement déterminée par la pression sélective du milieu. Il a pu ainsi échapper à la mécanique évolutive, pour créer une évolution libre et libératrice.

Certes, cette indépendance se réalise en société. Il faut donc se demander si la contrainte sociale ne se substitue pas au contrôle du programme génétique.

Toutefois, la société humaine n'est pas du même ordre que les sociétés animales, même les plus élaborées. Comme le fait remarquer plaisamment Jacques Ruffié, chez les abeilles, « aucun coup d'État ne menace la reine ; les ouvrières ne se mettront jamais en grève pour obtenir une amélioration de leurs conditions de travail ou l'abaissement de l'âge de la retraite ». Chez les animaux, le comble de la complication sociale est aussi le comble de la détermination. Certes, tout n'est pas absolument prédéterminé. Une certaine marge de manœuvre est laissée à l'initiative de l'abeille ou de la fourmi : option entre plusieurs itinéraires, choix des fleurs ou des matériaux de construction (à moins qu'il ne s'agisse que d'ignorance de notre part). De toute façon, cette marge étroite de liberté est pareille au jeu entre deux rouages d'une mécanique, lequel n'est là que pour leur meilleur ajustement : elle n'est pas autorisée à modifier la mécanique. Car, dans les sociétés animales, le changement s'identifie, le plus souvent, à la mort. Alors que les sociétés humaines ne meurent que d'immobilité.

D'un côté, l'immobilisme vital ; de l'autre, le changement nécessaire. D'un côté, la sélection au niveau de l'espèce ; de l'autre, la sélection au niveau des individus et des groupes. D'un côté, l'irréversibilité de l'évolution ; de l'autre, la réversibilité des acquis. D'un côté, l'empire de ce qu'on peut appeler la nature ; de l'autre, le déploiement de ce qu'on peut nommer la culture.

Il est vrai que – tout comme « l'art imite la nature » – la culture peut aussi prendre la nature pour modèle : chercher à imiter sa pérennité, son ordonnance indéfiniment reproductible. La culture peut viser à la fixité. Le changement est alors moins perçu comme une nécessité intérieure ou un défi lancé de l'extérieur, que comme une menace. L'*empire* veut *lui-même* rester *immobile*. La liberté cherche à limiter son propre champ au minimum « utile ». Les motifs ne manquent pas de rejeter l'effort d'adaptation, qui menace l'ordre ancien et qui exige des sacrifices dont le bénéfice n'est pas immédiat.

Cependant, à travers cette autre motivation, c'est encore la liberté qui est à l'œuvre. Les processus d'acquisition culturelle sont toujours différents de simples mécanismes de dressage, où interviendrait seul un conditionnement des réflexes, sans nulle intervention volontaire.

C'est pourquoi il importe de s'assurer que les fondements biologiques du comportement n'enferment pas dans un mécanisme réducteur l'initiative, l'invention, la prospective.

Le cerveau de la liberté

Les progrès de la neurobiologie, en particulier à travers les recherches de Changeux et de Danchin, confortent ces analyses (peut-être même à leur corps défendant). Ils ont mis en évidence que, chez l'homme, la surabondance des connexions neuronales possibles autorise une totale liberté de programmation. Les cerveaux étroits des animaux obligent à utiliser des sortes de « circuits préimprimés ». Notre liberté est née dans le triplement de notre capacité crânienne depuis les préhominiens jusqu'à l'*homo sapiens*. Mais si l'espèce a sélectionné ses « grosses têtes », c'est parce que, à chaque étape, les meilleurs cerveaux ont utilisé leur surcroît de neurones pour progresser, pour mieux survivre, pour s'imposer.

Quel statut doit-on accorder au choix de l'agencement des liaisons neuronales chez l'homme ? Est-ce un choix libre ? Ou un tri avantageux ? Libre est-il ici synonyme d'aléatoire ? La question n'est pas encore résolue, et l'on devra attendre, pour se prononcer, les progrès ultérieurs de la neurobiologie. On peut toutefois conjecturer le caractère irréductible des comportements supérieurs. C'est en ce sens qu'on peut conclure à une solution de continuité entre l'évolution biologique et l'évolution culturelle chez l'homme. La seconde ne contredit pas la première, mais la première rend seulement possible la seconde, sans la prédéterminer entièrement.

L'homme est capable d'échapper au schéma darwinien. C'est une question de rapidité. Face à un défi du milieu extérieur, à un climat qui change, à un animal dangereux qui trouble la sécurité, la sélection naturelle des animaux, au fil de mutations aléatoires, met beaucoup de temps à tomber sur la réponse adaptée. La liberté va incomparablement plus vite. Du coup, elle maîtrise « la lutte pour la vie » avec beaucoup plus d'efficacité que les mécanismes décrits par Darwin. L'évolution « culturelle » rend inutile l'évolution « naturelle ».

Cependant, qui peut le plus peut aussi le moins. L'homme se dépasse, notamment en dépassant les autres. Il peut également rester très en deçà de ses propres limites. À cet égard, l'existence sociale est ambiguë. Elle multiplie la capacité de chacun, mais elle suppose une organisation. Elle autorise la spécialisation des tâches, prend en charge la sécurité collective, protège les longues enfances qui sont la matrice (ou le tombeau) de la liberté ; elle assure la transmission, donc le caractère cumulatif et critique, des expériences vécues par les individus et le groupe. En même temps, cette organisation comporte aussi ses contraintes. Elle fait naître le pouvoir, l'interdit, l'obéissance. Elle aime la sécurité du mimétisme, le confort de la répétition.

L'histoire des sociétés humaines est l'histoire de cette ambivalence, où se mêlent plus ou moins d'autonomie et plus ou moins de soumission.

Diversité et réversibilité

Car il faut parler des sociétés au pluriel. À mesure que les millénaires passaient, l'évolution humaine n'est pas restée celle d'une espèce, mais de groupes, de cultures distincts. Les peuples sont devenus différents les uns des autres, avec chacun son histoire, ses mythes, ses repères, ses lieux de mémoire. Ce qu'ils ont gagné en richesse, ils l'ont perdu en universalité.

Cette évolution n'exclut pas les rapprochements, voire un mouvement vers davantage d'homogénéité. On peut observer, avec Ruffié, que la diversité culturelle, qui faisait l'originalité de l'espèce humaine, tend à s'affaiblir : « Depuis deux ou trois siècles, une certaine conjoncture historique a commencé à imposer la culture européenne occidentale comme culture dominante à une partie sans cesse croissante de l'espèce humaine [1]. »

La supériorité des évolutions « culturelles » sur l'évolution biologique présente un revers : la fragilité ; et une exigence : la responsabilité. L'une et l'autre sont périlleuses. Le prix de la liberté, c'est l'éducation inlassable de l'autonomie intellectuelle et des devoirs, contrepartie des droits ; c'est la renonciation à la sécurité sans effort qu'offrait un programme génétique.

Aux éducateurs, revient la redoutable mission d'exploiter ou d'inhiber les prédispositions humaines à la liberté. Cette transmission de la culture ne saurait se réduire à la transmission génétique : entre l'une et l'autre, il y a toute la différence de la *réactivité*, dont l'homme a le monopole. L'enfant, l'élève, l'apprenti sont parties prenantes dans cette transmission-là ; ils peuvent réagir de manière inattendue et provoquer des effets pervers. Du coup, de la part de l'adulte, des stratégies et des tactiques plus ou moins conscientes, mais qui ouvrent la gamme des choix − et donc engagent une responsabilité. Responsabilité qui, devant le prix à payer pour le risque de l'invention et du développement, peut provoquer un mouvement de recul : on peut préférer le retour à l'invariance des modèles organiques ; on peut estimer qu'un membre du groupe n'est rien par lui-même, mais doit tout à la structure dont il est une parcelle. On peut s'enfermer dans la défiance.

Trois modèles d'une éducation de la méfiance

Empruntons à Pierre Héraux [2] trois exemples de modes d'éducation délibérément tournés vers la reproduction d'un modèle social considéré comme achevé.

À Sumer, vers la fin du IIIᵉ millénaire avant notre ère, l'organisation et la reproduction d'une caste éclairée – les scribes – semble avoir été l'objectif. Cette caste forme l'ossature administrative et intellectuelle de la société, et l'on voit paraître simultanément « l'écriture et l'école, mais aussi les bibliothèques, le crédit, les codes, les villes et l'État ». L'apprentissage, à l'école sumérienne ou « maison des tablettes », est systématique et pratique : parfaite maîtrise des langues akadienne et sumérienne, des exercices sous forme de « problèmes professionnels » tels que « rédaction d'un contrat, tenue des registres, arpentage », ainsi qu'une forte teinture de « droit, administration, géographie, histoire, arts musicaux, théologie, grammaire, littérature [3]... » – tout cela sous une sévère discipline.

À Sparte, même rigueur, conditionnement aussi intense, mais tout différent dans son contenu et son objet : l'introduction à la vie civique y est exclusivement physique et militaire, par un dressage qui prend en charge le jeune aristocrate dès sa naissance, pourvu qu'il soit robuste et bien conformé, en le sevrant de toute affectivité familiale. La vie d'internat – de caserne – favorise la rapacité et institutionnalise le meurtre. Le passage à la vie adulte, à seize ans, présente, entre autres rites d'initiation, la *cryptie* – nuit de retraite au cours de laquelle l'adolescent « doit pratiquer la chasse aux esclaves et en tuer au moins un [4] ». La séparation des sexes est prolongée bien au-delà du mariage – dont la fonction eugénique n'est que trop claire. Quant à l'homosexualité, émulation dans la virilité, elle achève de replier sur soi un mode d'existence ordonné au seul maintien de la classe au pouvoir – minorité à la mentalité obsidionale et xénophobe, refusant tout ce qui n'est pas le culte d'elle-même.

Tout autre est l'éducation à Rome, au Iᵉʳ siècle. Bien qu'au sommet de sa gloire, Rome imite ; elle copie l'éducation athénienne, y compris son mépris de l'utilité. L'enseignement se fonde sur l'imitation et la répétition. On y pratique certes *l'inventio,* mais qu'on ne s'y méprenne pas : ce n'est pas *l'invention* intellectuelle, mais *l'inventaire* judicieux d'arguments déjà employés – et que seule l'érudition mythologique et oratoire est capable de mobiliser, sans conférer une véritable mobilité à la pensée ainsi formée. Auguste tentera bien de créer des « collèges de garçons », pour donner le goût des armes et de la cité. Mais ces collèges deviennent vite des clubs aristocratiques, où les jeunes patriciens « se livrent aux sports à la mode et s'initient à la vie mondaine ». Au cœur de la puissance romaine, s'installe durablement une culture de la jouissance conservatrice.

Trois modèles fondamentalement différents, dont chacun atteignit à peu près son objet et assura pour une longue période la pérennité du modèle social recherché – mais dont aucun ne prenait de grands risques du côté des données élémentaires du développement : liberté, créativité, responsabilité.

À l'inverse, s'autoriser les ressources de la liberté, de l'autonomie individuelle, de l'invention, de la prospection, les exploiter dans le temps de l'éducation, cela suppose une très forte *confiance en l'homme* – ce facteur par excellence du développement.

Défiance, confiance : deux réponses – individuelles et sociales – à la condition humaine. L'émergence de l'homme civilisé laisse place à une détermination non déterministe, à une auto-détermination du comportement. L'homme est largement le maître de son évolution.

Chapitre 7

Lorenz : une éthologie de l'être inachevé

Le terme d'*éthologie*, attesté dans la langue française dès 1611, eut d'abord le sens de *traité sur les mœurs* [1] ; simple transposition du latin impérial *ethologia,* qui *signifiait description des comportements* ou *des caractères,* à la façon des *Caractères* de Théophraste (ou de La Bruyère). De la littérature, par conséquent, et rien de plus.

Il importe de distinguer l'éthique – démarche normative –, de l'éthologie – démarche descriptive. La première propose un choix de valeurs, la seconde décrit un rapport aux valeurs. L'éthique définit devoirs et règles de conduite ; l'éthologie constate des manières de se comporter *.

Le terme d'éthologie est recréé par John Stuart Mill [3] en 1843 pour désigner « la science *déductive* des lois qui *déterminent* la formation du caractère ». Elle « *déduit,* des lois psychologiques connues, explique-t-il, les effets généraux que les différentes conditions d'existence *doivent produire* sur les caractères individuels ou collectifs [4] ». Il est clair que ces « effets » sont soumis, dans son esprit, à un déterminisme.

L'historien ne devrait-il pas, plus humblement, se contenter d'une science descriptive, au lieu de prétendre à une science déductive ? N'est-ce pas préjuger du comportement humain, que de le supposer *a priori* régi par un déterminisme strict ?

Sans céder à un tel préjugé, on peut accepter l'exigence qui se dessine derrière lui : celle d'une explication unique de la complexité des faits et des séquences de l'histoire économique. Konrad Lorenz a souligné avec force les limites des méthodes d'analyse fragmentaire dans le domaine de l'éthologie [5]. Toute la difficulté est bien

---

* *Éthique* et *éthologie* ont-elles un rapport ? Aristote l'affirme. « La vertu *éthique*, écrit-il dans l'*Éthique à Nicomaque*, est le produit de l'habitude, d'où lui est venu aussi son nom, par une légère modification du mot ἔθος (habitude) [2]. » « Les dispositions de notre caractère (ἦθος), dit encore Aristote, sont formées par notre manière d'être habituelle. » Éthologie, éthos paraissent provenir à la fois de ces deux mots grecs, en mêlant leurs significations : manière d'être habituelle, comportement, caractère, mœurs.

d'appréhender le comportement (en l'occurrence, le comportement économique) comme un tout, un « fait total » au sens où l'entendait Marcel Mauss, et de mettre en évidence la primauté d'un « tiers facteur culturel » – essentiellement facteur d'indétermination. La gageure consiste à adopter une approche à la fois globale et non déterministe.

Obstacles sur la voie d'une éthologie de la liberté

Il nous faut à présent examiner de quelle manière ce « tiers facteur » est justiciable d'une recherche éthologique. S'il a été jusqu'à présent négligé, la raison peut en être trouvée dans l'antagonisme méthodologique constamment dénoncé par Konrad Lorenz, et par la solution qu'il donne à ces contradictions refusées.

Résumons à grands traits, avec l'inévitable maître de l'éthologie, l'opposition entre :

– le *behaviorisme*, selon lequel tout comportement animal est appris par conditionnement, se réduit au mécanisme de stimulations exogènes et ignore toute spontanéité.

– le *finalisme*, pour lequel un instinct infaillible détermine le comportement [6].

Si l'on applique à l'homme l'un ou l'autre de ces schémas, on se heurte à de grandes difficultés. L'explication *behavioriste* est disqualifiée, dès lors qu'on constate que certaines sociétés ne se comportent pas de la même façon, tout en étant confrontées à un environnement identique. Quant au déterminisme de « l'infaillible instinct », il faudrait admettre qu'il ne dispense pas de manière égale ses faveurs ; ce qui nous renverrait à des schémas de caractère raciste, dont il n'existe aucune base biologique.

Bref, le comportement volontaire de l'individu ne reçoit pas sa finalité de l'extérieur ; elle peut lui être proposée, mais il en décide par un acte *sui generis*. Ni « finaliste », ni « behavioriste », Lorenz n'est pas, pour autant, partisan d'une éthologie de la liberté humaine. Il tient à faire ressortir « la signification des lois physiologiques particulières aux automatismes endogènes, au regard de la sociologie humaine [7] ». Au niveau de base de la « psychologie des profondeurs », les « pulsions » ne seraient que les productions endogènes d'un influx spécifique d'action. Des métaphores mécanistes illustrent le déclenchement inné de ces manifestations (« serrure de la réaction », « clé du déclencheur [8] »).

Sans leur être réductibles, les comportements dits supérieurs seraient eux aussi justiciables d'une explication causale de type physiologique : « Participent fondamentalement à la structure du comportement social humain, toute une série de fonctions qui sont communément considérées comme des activités de la morale rationnelle et responsable, mais qui, en réalité, sont à classer avec les comportements sociaux innés des animaux supérieurs, comportements dont les analogies avec la morale sont purement fonctionnelles [9]. »

Les comportements supérieurs, auto-déterminés, viendraient se loger dans une plage de variation *côtoyant* (l'expression est de Lorenz) des motivations issues de mécanismes déclencheurs innés (comme par exemple les attitudes d'agressivité ou de soumission).

Ainsi, Lorenz est *déterministe*, mais non réductionniste. Chez les humains, le comportement inné est beaucoup plus restreint que chez n'importe quel animal. Non seulement il « côtoie » l'intelligence, la morale, la responsabilité, mais il entretient avec elles des liaisons complexes : « Nous avons démontré le rôle que les mécanismes de déclenchement innés jouent comme éléments de squelette du comportement social humain ; mais cela ne signifie nullement que nous sous-estimions l'importance chez l'homme d'autres types d'action et de réaction esthétiques et moraux [10]. »

Chez Max Weber, nous avions déjà noté une semblable concurrence entre deux explications : par l'hérédité biologique et par l'éthique rationnelle. Mais là où le sociologue fermait la recherche par des vues réductionnistes, le physiologiste ouvre la voie d'un passage « de la biologie à la culture ».

De la biologie à la culture

Comment ce passage peut-il s'opérer ? Qu'est-ce qui, dans l'évolution phylogénétique de l'homme, permet un comportement réputé libre, fondé sur l'initiative responsable ? Dans quelle mesure le rapport avec l'environnement naturel ou social peut-il devenir un rapport de maîtrise volontaire, échappant à la détermination passive ? Comment passe-t-on de la *sélection naturelle,* ou de l'adaptation fonctionnelle, à ce que nous pourrions appeler *l'élection culturelle* ?

Konrad Lorenz le suggère à travers le concept de la « domestication » de l'homme – domestication qu'il impute à un « élargissement des schémas déclencheurs innés, impliquant une perte de sélectivité des mécanismes réactionnels [11] ».

Si l'on ne peut encore parler de choix, au moins la rigidité du comportement est-elle ici convertie en mobilité. Il s'ensuit une ouverture au monde, une disponibilité des fonctions organiques, qui rendent capable de nouveauté.

La capacité d'adaptation de l'homme à l'environnement est hors de pair : « Nous voyons une des propriétés constitutives de l'homme, et peut-être la plus importante d'entre elles, dans son *adaptation perpétuellement curieuse et scrutatrice* au monde des choses, dans l'activité spécifiquement humaine consistant à construire activement, par extension progressive, son environnement propre [12]. »

Notons cependant que, selon Konrad Lorenz, la « curiosité de recherche » qui maintient l'ouverture de l'homme au monde et son « aptitude à la juvénilité » sont classées comme des phénomènes phylogénétiquement déterminés. L'homme est un « *être en devenir* qui échappe à la contrainte fixe des types d'action et de réaction innés ». Élargissement, affranchissement, capacité d'adaptation active et créatrice, tels pourraient être les éléments d'une éthologie de la liberté, socle d'une anthropologie du développement.

L'être inachevé

S'il s'agissait d'un phénomène phylogénétiquement déterminé, il devrait embrasser l'ensemble des comportements humains, sans laisser place à aucune distorsion autre que celles imputables aux conditions naturelles, au potentiel géophysique, à l'environnement.

Nous avons vu qu'il n'en était rien. Bien au contraire. On est donc amené à avancer l'hypothèse que « la capacité d'adaptation active et créatrice » puisse être soit *stimulée*, soit *inhibée*.

C'est bien ce qu'avance Konrad Lorenz, en insistant toutefois surtout sur l'inhibition. Il souligne la persistance de certains attachements à l'autorité – empruntant à la psychanalyse quelques éléments d'explication : le poids du père, y compris dans sa transformation en un dieu anthropomorphe, induisant soumission, voire démission.

Lorenz était également sensible au *risque* qu'entraîne cette capacité d'adaptation créatrice : « Une écrevisse qui mue, un être humain qui, à l'âge de la puberté, dépouille les structures de personnalité de l'enfant pour revêtir celles de l'homme adulte, ou encore une société humaine sénescente qui se transforme en une société nouvelle : toujours et partout, la marche du développement est exposée à des dangers ; et ceci précisément parce que l'ancienne structure doit nécessairement avoir éclaté, avant que la nouvelle puisse remplir pleinement sa fonction. Aucun autre organisme que l'homme ne fut et n'est pareillement exposé à de tels dangers, parce qu'aucun autre, dans toute l'histoire de la vie sur notre planète, n'a parcouru et ne parcourt encore un développement aussi précipité que lui. L'homme est l'être inachevé. »

Sans doute Lorenz rappelle-t-il volontiers l'importance des types d'action et de réaction spécifiques innés, sous-jacents aux comportements supérieurs, les « côtoyant » à chaque étape du développement phylogénétique. Il n'en recourt pas moins à la métaphore d'un *prix à payer* pour accéder à un développement organique supérieur, en particulier intellectuel – prix en termes de conflits, de combats, de risques. Selon Lorenz, ces conflits *doivent* même se produire. La résistance fait partie du jeu. Et le jeu se joue à l'intérieur de chacun. Une telle indication est précieuse : elle évite d'opposer l'individu apte au développement – comme proprement humain –, à l'individu résistant au développement – comme proche de l'animalité. C'est un mérite important de l'éthologie selon Lorenz (malgré son innéisme tenace) que de permettre d'expliquer le comportement humain par ces deux pôles. Le comportement de *développement* sera celui où prévalent la recherche, l'acceptation du risque, l'exploration de nouvelles possibilités et de nouveaux équilibres. Le comportement de *résistance* sera celui qui admet les seules adaptations déjà réalisées.

Précisément parce que cette partie n'est jamais gagnée d'avance, et parce que le jeu se joue à la fois au sein de chaque individu, dans la société, et entre individus et groupes dans la société, on est en droit d'affirmer – ce que Lorenz ne fait pas, mais qu'il ne peut contredire – que l'adoption de ces comportements de développement ou de résistance est libre, non déterminée par l'hérédité biologique, et à tout moment réversible.

Un antagonisme au cœur de l'humanité

La « liberté d'action spécifiquement humaine » n'oppose donc pas seulement l'homme à l'animal. Elle introduit une différenciation, sur le plan de la liberté d'action, au sein même de l'humanité. Nous sommes conduits à transposer, à l'intérieur de l'espèce humaine, une opposition analogue entre :
– un comportement « incapable d'adaptation », dominé par « des types d'action et de réaction à structure fixe » ;
– et un comportement animé par « la plasticité », « la réduction », « la désagrégation » de ces types d'actions.

On peut juger, par l'exemple de ce que Claude Lévi-Strauss appelle les sociétés froides [13], et par celui du *non-développement*, que l'homme peut, à la limite, approcher de « cet équilibre statique d'adaptation structurelle qui, chez d'autres organismes, peut durer pendant des époques géologiques entières [14] ».

Il est frappant que la ligne de fracture ainsi définie par Lorenz – hors de toute réflexion économique, et à plus forte raison de toute analyse du développement – corresponde si exactement à celle que nous avons vu apparaître dans la divergence de la société d'Europe occidentale à partir du XVIe siècle. Cela signifie, selon toute vraisemblance, que cette divergence n'est pas un événement singulier, enfermé dans son temps et son lieu, mais qu'elle a un sens permanent et traduit un phénomène reproductible.

Pour rester apte à s'adapter, il faut être en quête d'adaptations nouvelles. L'inachèvement de l'être humain est la condition de son

« besoin d'accomplissement ». *L'homme cherche à s'accomplir parce qu'il est inaccompli.*

Or, cette condition ne définit pas un programme hérité : elle ouvre l'éventail des comportements à une « liberté d'action spécifique ». Pour rendre compte de la distorsion du développement économique et culturel des sociétés et des individus, force est de postuler que l'adoption du comportement de liberté d'action, tout comme son opposé, la recherche d'un équilibre statique, ne sont ni mécaniques, ni génétiques, mais procèdent d'un choix : refus de la fatalité vitale ou sociale, d'un côté ; refus de l'innovation vitale et sociale, de l'autre. Choix d'une adaptation dynamique ; choix de persistance dans l'adaptation statique.

Lorenz a saisi, « dans toute son impressionnante grandeur, la singularité de l'être humain [15] ». Il a vu qu'elle résidait dans cette démarche « responsable ». Certes, il estimait que cette grandeur n'était véritablement impressionnante que si on la voyait, sur le fond « ancestral », se détacher des comportements innés. Mais ce qui nous intéresse dans sa vision, c'est qu'il était sensible au rôle « conservateur » [16] que jouait l'inné, au « blocage » [17] qu'il pouvait provoquer.

Le projet d'une explication culturelle du développement économique, intellectuel, politique, social des groupes humains, en tant qu'ils présentent des distorsions, apparaît donc en phase avec les résultats de la recherche biologique et anthropologique sur la spécificité de l'homme.

Nous n'y voyons pas seulement une satisfaction d'ordre intellectuel, sur l'harmonie de la nature et les connexités du savoir. Nous y voyons le moyen d'arracher l'étude des sociétés au double piège d'un spiritualisme peu soucieux des faits, et d'un historicisme vidé de sens ou lesté d'idéologie (« l'homme n'a pas de nature, il a, ou plutôt il est, une histoire [18] »).

Du reste, l'analyse de l'histoire nous a montré que les deux adversaires, behaviorisme et finalisme, identifiés par Lorenz dans son domaine de recherche, ne pouvaient pas non plus rendre compte de la divergence de l'Occident. Elle n'est guère explicable en termes *« behavioristes »*, ni par l'effet du *« deus ex machina »* d'une raison dans l'Histoire, ou d'un « génie » national. L'une et l'autre explications participent d'un même fatalisme, alors que l'histoire économique nous a découvert le développement comme un processus remontant une pente, pendant que le fatalisme la descend. Innovation, anticipation, calcul, confrontation, échange, adaptation : si ces comportements se sont révélés féconds, c'est qu'ils n'étaient pas contraints, c'est qu'ils émanaient de l'initiative d'individus libres et responsables.

Chapitre 8

Pour une éthologie de la confiance

Il est temps de rassembler les fils de notre enquête sur le développement, conduite à grandes guides à travers l'histoire des civilisations, l'histoire des faits économiques, politiques, sociaux, l'histoire des idées philosophiques, religieuses, économiques et, pour finir, l'anthropologie.

Interrogeant d'abord les commencements, cherchant à y débusquer le secret d'un phénomène dont on sent bien, après trois siècles, à quel point il était radicalement neuf, nous avons pu donner au lecteur pressé le sentiment que ce « secret » initial servirait à ouvrir toutes les portes, à faire jouer tous les mécanismes du développement. En réalité, au fur et à mesure que notre enquête progressait, elle dégageait le phénomène de sa gangue historique, pour le faire apparaître dans son caractère anthropologique, en deçà et au-delà de toute histoire.

Sommes-nous tombés dans le même piège que Locke ou Adam Smith, en reliant le développement à des comportements si profondément enracinés dans la nature humaine qu'on ne comprend plus pourquoi il a fallu attendre la Hollande et l'Angleterre de l'âge moderne pour en manifester la fécondité ?

Nous ne le pensons pas. Au contraire, nous croyons indispensable de garder bien en main les deux bouts de la chaîne : l'histoire et l'anthropologie.

Entre l'histoire et l'anthropologie

Le développement est histoire – comme le mot même le suggère. Il est né et s'est affirmé dans les circonstances que nous avons scrutées. Il évolue, comme évolue toute donnée politique, économique, sociale ou religieuse. Mais cette histoire ne suffit pas à le définir, alors qu'elle suffit à définir une institution, un territoire d'État, une entreprise particulière. Pour tous ces objets de l'histoire, le passé est le passé ; ce qui a disparu ne reparaîtra plus ; les tuiles ne remonteront pas sur le toit. En retracer l'histoire permet d'expliquer la généalogie de notre présent.

Toutefois, les origines du développement ne rendent pas pleinement compte de celui-ci – et c'est si vrai qu'elles ont été écrites et récrites bien des fois, sans que ses véritables ressorts soient apparus. L'histoire nous a servi à poser des questions ; elle ne nous a pas livré les réponses. Elle nous a conduit à chercher ailleurs.

Mais en cherchant du côté de l'anthropologie, nous pourrions ne trouver que ces permanences bien connues des historiens – et aussi des moralistes.

L'histoire est un mouvement perpétuel, parce que des hommes la font bouger sans cesse : intérêts et passions, vices et vertus poussent à agir et réagir, faire et défaire, protéger et conquérir, lutter et se résigner. Le jeu est sans fin, parce que les compromis qu'on croyait avoir atteints sont remis en cause par l'intervention de nouveaux acteurs, le renouvellement des générations, les revirements des projets. Il est possible de lire l'histoire à l'aide de ces catégories morales ; mais si le vocabulaire change, si le jugement porté sur ces ressorts de l'action oscille entre la neutralité de Machiavel et l'utilisation moralisatrice, il reste que la liste des mobiles humains est la même depuis les origines. Ceux qu'énumère Konrad Lorenz tiennent à coup sûr un rôle important dans le développement, mais ils sont présents aussi dans les sociétés traditionnelles, la Rome des papes, la Venise du XIVe siècle ou la Hollande du XVe... Ils ne nous apprennent donc rien sur le « miracle » de la divergence occidentale à partir du crépuscule du XVIe siècle.

Bref, l'historiographie permet de mesurer la singularité de la divergence et d'en cerner les circonstances ; mais elle nous renvoie à l'anthropologie pour une recherche du sens. L'anthropologie nous donne des clés pour mesurer la puissance du facteur humain à la base de ces immenses progrès matériels, pour en cerner les orientations ; mais elle ne sait comment rendre compte de l'*événement*.

Sortir du cercle

Il y a trois façons de sortir de ce cercle vicieux.

La première, la plus répandue, a consisté à refuser de le voir. « La question ne sera pas posée » : on se cache l'ampleur et la nouveauté du phénomène. On limite cette révolution économique à la « révolution industrielle », qui devient un phénomène à la fois majeur et anecdotique, comme la fin de l'Autriche-Hongrie. La description suffit. Cette occultation peut elle-même être occultée sous l'abondance de talent : tel est le paradoxe de l'historien, poussé à son plus haut degré chez Braudel.

La deuxième est une variante déterministe de la première. La description des séquences se hausse au niveau de l'analyse d'un enchaînement causal. Dérive classique chez l'historien, mais qui entraîne des conséquences particulièrement graves pour la compréhension de ce phénomène-là. Elle le dénature complètement, car nous pensons avoir montré que le propre du développement est précisément son indétermination.

L'idée même d'une cause initiale a quelque chose d'absurde. Elle ne peut que réduire le phénomène à de modestes proportions. On ne trouvera jamais une cause qui soit suffisante : ni la prédestination calvinienne, ni « l'ascèse puritaine », ni la ruine d'Anvers, ni la surpopulation de la Hollande, ni les techniques financières héritées des Florentins et des Lombards, ni les ressources de houille, ni la navigabilité des rivières anglaises, ni la banque de techniques que devient l'Angleterre au XVIIIᵉ siècle. Et invoquer une convergence fortuite de toutes ces causes, c'est encore renoncer à expliquer ce qui fait l'*unité* dynamique du phénomène : c'est-à-dire justement ce qui lui donne son caractère cumulatif et global.

Il faut donc chercher une autre façon de résoudre le problème qui nous est posé. La solution doit à la fois préserver le caractère historique du phénomène — justifier qu'il n'ait pu apparaître qu'à un certain moment, et à ce moment-là — et sa dimension anthropologique, donc permanente et universelle. C'est à quoi peut servir une éthologie spécifique du développement.

L'œuf et la poule

La société moderne, fondée sur la compétition d'initiatives responsables et rationnelles, est-elle née de Jean Calvin ? Le facteur *cultuel* a-t-il été l'agent principal, sinon exclusif, des transformations économiques ? Ou seulement un adjuvant, une force d'appoint précieuse, mais secondaire, de la modernisation ? Si le calvinisme (un certain calvinisme) a accompagné l'éclosion d'un fort développement économique, ce développement pouvait-il éclore sans lui ? L'œuf était-il arrivé à maturité ? Le calvinisme n'a-t-il fait que couver cet œuf préexistant — sans l'avoir pondu [1] ?

Entre l'adhésion au protestantisme et l'aptitude économique, il apparaît, au terme de cette étude, qu'il n'y a pas simple relation mécanique de cause à effet.

Serait-ce *parce qu'on est protestant*, que l'on est économiquement plus apte (comme l'affirment Weber et les post-wébériens) ? Ou serait-ce *parce que l'on a une mentalité économique,* que l'on suscite le protestantisme (comme Marx le donnait à penser), ou que du moins on s'y rallie (par la conversion, ou par l'émigration) ? La Réforme protestante n'a-t-elle pas servi à la fois de pierre de touche ET de catalyseur à une mentalité économiquement performante qui se développait depuis plusieurs siècles, plus encore dans l'Europe méridionale que septentrionale ?

La Réforme protestante a pu libérer des forces retenues ou bridées par l'organisation politique et sociale héritée de la chrétienté médiévale. Mais ces forces ne sont pas nées de la seule Réforme : celle-ci a révélé celles-là, comme celles-là ont conforté celle-ci. Il y a bien parenté entre la Réforme et le développement économique, mais non descendance directe.

On chercherait en vain lequel des deux est la poule, lequel est l'œuf. Reste à trouver leurs ancêtres communs.

À la lumière de notre enquête, il nous semble pouvoir déchiffrer un peu mieux l'énigme du développement. Pour tenter de la résoudre, nous l'avons présentée sous la forme d'une *divergence*. L'excuse du climat ou du sous-sol, ou, au contraire, l'alibi du désavantage initial, ou encore l'invocation de l'hérédité biologique – tous ces prétextes se sont dissipés les uns après les autres.

Derrière les combinaisons du capital et du travail, derrière les mutations technologiques et sociales, derrière les structures de l'échange et les jeux de la conjoncture, il y a, il y a toujours eu, il y aura toujours, les décisions ou le renoncement des hommes, leur énergie ou leur passivité, leur imagination ou leur immobilisme.

Inutile de chercher au-dehors, dans ce que les économistes appellent d'un mot savant « *externalités* », la cause profonde des avancées ou des stagnations. « Ne sors pas au-dehors, dit saint Augustin, rentre en toi-même, la vérité habite à l'intérieur de l'homme. » C'est en nous que réside le développement. L'enfouir ou le faire fructifier dépend de nous.

L'éthos de confiance

Il s'agit de dégager des dispositions mentales et des comportements cohérents, qui soient en mesure de libérer l'homme individuel et social de l'obsession de la sécurité, de l'inertie des équilibres déjà atteints, du poids des autorités ou de la poix des coutumes. Il s'agit de le mettre sur le chemin, non de la rébellion et de la destruction, mais de la construction d'un monde où la satisfaction des besoins matériels et l'épanouissement des aspirations naturelles puissent bénéficier de progrès constants.

Pour décrire cet éthos, il convient de le baptiser – le choix d'un concept fédérateur est en partie arbitraire. *Liberté* pourrait convenir ; mais le mot est trop chargé d'interprétations diverses et même contradictoires ; et il ne renvoie pas assez à un comportement concret. Depuis de longues années, nous nous sommes arrêté à celui de *confiance*. Et nous avons eu plaisir à le relever, on l'a vu, dans le vocabulaire des meilleurs analystes de la société et de l'économie ; jusqu'à Maurice Allais à une date toute récente, qui l'identifiait comme en passant : « Que l'on considère la mise en place de la démocratie ou celle d'une économie de marché, le facteur majeur du succès, c'est l'établissement de la confiance, de la confiance à l'intérieur, de la confiance à l'extérieur [2]. »

La confiance ne se commande pas. Elle vient du fond de nous-même. La considérer comme la matrice d'une société, c'est renvoyer à l'intériorité, c'est affirmer que la société ne relève pas d'une fabrication.

Ce concept a aussi l'avantage de souligner la totale interdépendance entre le personnel et le social : la confiance en soi, la confiance en autrui, c'est le même mouvement de l'âme. Elles ne peuvent guère être pensées, ni vécues, l'une sans l'autre. Pas de confiance sans fiabilité. *Confiance oblige.* Je ne peux, autrui ne peut, avoir et garder confiance en moi, si je ne suis pas digne de cette confiance : « régulier », c'est-à-dire rigoureux, ferme, fidèle à mes engagements, à mon projet, à mes devoirs. Et, tout en accordant spontanément ma confiance à autrui, je ne peux la lui maintenir que s'il s'en montre, lui aussi, digne.

On pourrait faire une liste de comportements qui procèdent de la confiance, ou du moins la supposent.

La *confiance en soi* : il en faut, pour vouloir l'autonomie, prendre des risques, rechercher l'épreuve de ses capacités, accepter de prendre des responsabilités ; pour oser se fier à son propre jugement, au lieu de s'en remettre et se soumettre au jugement d'autrui ; pour affronter la concurrence et même apprécier l'émulation ; pour fonder une famille et vouloir des enfants.

La *confiance en autrui* : elle est nécessaire pour accepter de déléguer, de décentraliser ; tolérer les divergences d'idées, de doctrines, de religion ; savoir travailler en équipe ; rechercher l'association ; éduquer ses enfants dans l'esprit de la confiance en soi.

Plus généralement, la *confiance dans l'homme* : elle facilite l'accueil à l'innovation ; l'affirmation qu'il existe des droits naturels ; la croyance que la solution des problèmes collectifs se trouve dans le mouvement ; que l'homme peut changer, mais aussi rester lui-même dans le changement ; que les contraintes du milieu naturel ne sont pas de droit divin ; que l'homme peut faire mieux que de s'y adapter, qu'il est en son pouvoir de les desserrer, de les transformer, d'y échapper ; que la maladie et la malnutrition, « la peste et la famine », peuvent être vaincues ; que le désir d'accéder à la prospérité est sain ; qu'elle n'est pas forcément un bien rare, à la quantité fixe, et qu'elle s'accroît de ce que chacun lui apporte ; que le savoir n'est pas non plus un bien réservé à quelques-uns, ou à quelques catégories de la société ; que chacun en est capable, et y trouvera de quoi améliorer son sort personnel et faire ainsi progresser la société.

Confiance en Dieu, enfin : admettre que les hommes, en s'affermissant dans leur dignité et leur bien-être, en exerçant au mieux leur raison, en faisant fructifier leurs talents, ne s'éloignent pas mais – s'il existe – se rapprochent d'un Dieu créateur, bon et juste.

Chacune de ces propositions se retourne aisément. On trouverait, dans cette même grille mais inversée, les comportements d'une société de défiance : gageons que si le lecteur interroge sa propre expérience, il y reconnaîtrait bien des traits de notre société.

Culture, développement et avènement du royaume

« Il y a culture, écrit Bachelard, dans la mesure où s'élimine la contingence du savoir [3]. » On pourrait dire de même : il y a développement, dans la mesure où s'élimine la fatalité des circonstances, le poids de la conjoncture, ou toute autre pesanteur inhibitrice. Mais cette élimination n'est pas spontanée. Elle procède d'une activité volontaire et, en dernier ressort, repose sur l'initiative et l'entreprise individuelles ; sur une démarche où l'homme s'engage tout entier et se développe lui-même autant qu'il développe les choses.

On pourrait méditer la parole du Christ, interrogé par les pharisiens sur l'avènement du règne de Dieu [4] : « Le royaume de Dieu ne vient pas à vue d'œil. Et l'on ne dira pas : " Le voici, ici ou là. " Oui, le royaume de Dieu est en vous [5]. »

Quand viendra le développement ? Il ne viendra pas comme un événement extérieur, mais comme l'épanouissement d'une disposition intérieure.

Sans contester l'importance des effets de taille, d'accumulation, ni des économies d'échelle et de masse, il peut se révéler fécond de prendre en compte la dimension intérieure du développement.

Le royaume des cieux est-il fermé aux riches ? L'accès leur en est, certes, difficile ; la porte est étroite ; mais c'est une porte.

Donner la terre en royaume à tous – c'est bien cela, le développement – n'est pas aisé non plus. Ce n'est pas les appeler à se détourner du royaume des cieux. Entre l'un et l'autre, il y a une communication, celle de la vie intérieure.

Le déclic de l'économie marchande

Que la *confiance* ait une position centrale, on en verra une confirmation dans le sort que lui fit le Concile de Trente. Il condamna sévèrement la confiance, où il ne vit qu'orgueil et outrecuidance. Il suffit de reprendre positivement les formules du concile : cet homme est dangereux, qui se fie à ses propres lumières *(sapere aude)*, qui s'appuie sur son propre pouvoir de prévision *(innixus suae prudentiae)*, qui agit dans la confiance en soi *(fiducia)* et non dans la soumission à une autorité extérieure.

Si ce concept mérite la place d'honneur, cela ne signifie pas qu'il renferme à lui seul tout l'*éthos*, et que celui-ci puisse en être rigoureusement déduit ; l'exercice serait quelque peu artificiel. Il y a certains éléments de cet éthos qu'il vaut mieux considérer en eux-mêmes, et qui jouent un rôle particulier dans le champ économique, celui qui relie la confiance au développement proprement dit.

Le rapport de l'homme à l'argent. Nous avons vu quelle place le débat sur le prêt à intérêt a occupée, dans la période où le développement se cherche et se trouve. Mais ce n'est qu'un aspect d'une question plus générale. Une attitude libérée face à l'argent (on pourrait la qualifier de confiante) met, si l'on ose le jeu de mots, de la *liquidité* dans la société : un usage répandu de l'argent introduit de la fluidité dans les relations humaines. Entre la rapacité et l'étalage de la réussite, la voie est ouverte pour des usages plus généreux ou plus utiles.

Commercer, consommer, investir, créer de l'emploi, rémunérer le travail, pratiquer le mécénat, deviennent des activités dont le volume peut s'accroître presque indéfiniment, et où le libre choix des acteurs peut s'exprimer davantage. À condition que l'argent se banalise et puisse circuler à la hauteur de l'activité économique qu'il permet de soutenir.

La société d'entreprises et l'extension du salariat. Il n'y a pas d'entreprises sans entrepreneurs ; ni d'entrepreneurs sans éthos de confiance. Mais il n'y a pas non plus d'entreprises sans organisation ni salariés. La société de confiance est celle où l'éthos de confiance pénètre à l'intérieur de l'entreprise. Le problème ne se situe pas seulement là. Même si l'expression choque, le « marché du travail » affranchit l'employé de son entreprise. Plus il est ouvert, plus il libère le travailleur. Le développement a fortement étendu la relation salariale ; l'éthos de confiance l'a enrichie de liberté, en armant l'autonomie de la personne et en la plaçant au centre de la vie sociale.

La prévalence de la relation marchande. Le développement projette bien au-delà du commerce la relation marchande. Elle affecte le travail, elle oriente la production, elle fait la police de la gestion des entreprises, elle n'est pas étrangère à l'expression culturelle, elle règle les services et par là même les formes de la vie sociale. Dans tous ces domaines, l'argent mobilise l'offre et la demande. Mais ce n'est pas lui qui décide. Le marché constate ce qui se passe entre des acteurs libres de leurs moyens, de leurs désirs, de leurs décisions. L'éthos de confiance est celui d'une société qui croit que cet anti-système est le meilleur.

La plus démocratique des institutions

Aux yeux des adeptes de l'économie planifiée, l'économie de marché s'exerce de façon chaotique. Tentons pourtant de voir fonctionner le système concurrentiel.

Chaque jour, sur le marché, des millions de consommateurs *choisissent* d'épargner ou de dépenser. De consommer la viande ou le poisson, le vin ou la bière, les produits frais ou les conserves. De garder leur situation ou, s'ils ont le choix, d'en changer. D'habiter en ville ou en banlieue. D'acheter telle marque de voiture ou de téléviseur.

Par cette foule de décisions, le consommateur exerce un pouvoir souverain sur l'orientation économique : la façon dont il emploie son revenu constitue un exercice beaucoup plus constant du droit de vote, que celui qu'autorisent les urnes. Le marché, c'est, en économie, la démocratie directe ; on pourrait dire que c'est la plus démocratique de toutes les institutions.

Des dizaines de millions de centres de décisions autonomes se livrent chaque année à des milliards d'actes d'échanges : tout est enregistré, comme sur un ordinateur géant. Et les entreprises doivent adapter leur production, réviser leurs plans, bouleverser leurs investissements.

Nombre de ces décisions sont irrationnelles ? On pourrait même dire que toutes le sont ; que toutes doivent l'être. C'est le grand jeu ordonné de millions de libertés, face à des milliards de sollicitations concurrentes. C'est un immense mouvement d'adaptation, individuelle et collective, à la diversité mouvante de la vie. C'est un référendum quotidien, silencieux et irrésistible.

La publicité, dira-t-on, manipule les clients, incapables de résister à ses mirages ? Mais pourquoi leur reconnaîtrait-on la capacité de résister aux mirages de la démagogie ? Pour un régime totalitaire qui refuse aux citoyens le droit de voter, il est cohérent de refuser aux consommateurs le droit de choisir leur consommation. Non pour un régime politiquement libéral. Rien n'empêche un autre produit, ou une association de consommateurs, de mettre en garde contre une publicité à sens unique.

L'économie d'échanges fait circuler sans arrêt produits, informations, sanctions, obligeant chaque producteur à améliorer sa prestation sans retard, sous peine d'être remplacé par un concurrent. Ne prétendons pas que ce système est parfait ; reconnaissons simplement qu'il est le plus efficace levier du progrès économique.

La combinatoire du développement

Les analyses qui précèdent peuvent paraître introduire une certaine distinction entre le développement et l'éthos de confiance. Il importe de préciser ce point.

Disons d'abord que l'éthos de confiance, tel qu'on vient de l'esquisser, est en arrière-plan de tout développement réel et durable. Il est sa source d'inspiration, initiale et permanente. Mais parler de développement, c'est entrer dans les applications, sous les formes plus concrètes.

Nous avons proposé un répertoire de douze critères auxquels on peut reconnaître une société développée ou en voie (réelle) de développement *. Le développement enchaîne les caractéristiques suivantes :

1. la *mobilité sociale*, l'évolution de la société civile, l'adaptation organique ;

2. l'*acceptation* et la *recherche de la nouveauté* ; la prévision, l'anticipation, la valorisation de la recherche et du développement, l'innovation, l'initiative, sont des valeurs fécondes, non des menaces pour l'ordre social ;

3. l'*homogénéisation de la société* par la circulation aisée des biens, des personnes, des informations ;

4. la *tolérance* aux idées hétérodoxes, fondée sur l'attachement au pluralisme ;

5. le pari sur l'*instruction*, c'est-à-dire la confiance dans le développement intellectuel et la diffusion culturelle ;

6. la recherche d'une *organisation politique* qui soit perçue comme *légitime* par le plus grand nombre ;

7. l'*autonomie* de fonctionnement de la *sphère économique* ;

8. une *économie* qui repose sur la coopération du *plus grand nombre* ;

9. la *santé* publique considérée comme une valeur essentielle : la mortalité y est énergiquement combattue (au point d'aller jusqu'à l'acharnement thérapeutique) ;

10. la *natalité* maîtrisée et responsable (avec un risque grave, qui est le refus de la vie) ;

11. une *organisation* des ressources alimentaires *rationnelle* et quotidiennement *négociée* par un marché ouvert et concurrentiel ;

12. une *violence maîtrisée* par un pouvoir policier et judiciaire considéré comme légitime.

Tous ces traits ont une cohérence, dont le principe est l'éthos de confiance ; ils entrent en synergie. Ils forment une véritable combinatoire du développement.

---

* Dans nos *Leçons au Collège de France*, « La notion de miracle en histoire économique ».

Le coût humain du développement

On peut à bon droit estimer que notre approche est celle d'une valorisation *morale* du développement. Cela pourra choquer certains – et ils n'auront pas de difficulté à argumenter.

De fait, on ne saurait ignorer le lourd tribut qu'ont payé, que payent encore, des travailleurs sans nombre, ni de passer par profits et pertes les effets pervers de la révolution marchande et industrielle, comme autant de dérapages incontrôlables. Dès que la machine capitaliste s'emballe, le capitalisme se fait *sauvage* : progrès, profit, prospérité ont alors des relents de barbarie. Mais la machine ne s'emballe pas toute seule : l'imprévoyance ou la complicité des machinistes doit être mise en cause, si l'on ne veut pas s'abriter lâchement derrière le fonctionnement autonome de structures produisant un mal nécessaire.

Fera-t-on le procès du développement « capitaliste », réduit à une entreprise criminelle plus ou moins délibérée, à l'homicide plus ou moins volontaire ? Non. Ce serait procéder par amalgame. Nul ne peut prétendre que l'économie de marché a soif de sang autant que d'or. L'économie « socialiste » a-t-elle des leçons à donner en la matière ? L'utopie totalitaire du modèle soviétique n'a-t-elle pas surpassé en horreur, et de combien, les méfaits de l'ère industrielle – l'Angleterre de Dickens, la France de Zola ?

Cela dit, on n'a pas le droit de traiter comme secondaire le coût humain de la modernisation. Si l'homme – libre et responsable, fiable et confiant – est l'acteur principal du développement économique, comment admettre qu'il devienne la victime de ses propres succès et succombe sous le poids de ses propres réalisations ? L'entreprise économique qui s'édifierait sur la ruine physique et morale de l'homme tournerait le dos à son principe vital. Elle ne prospérerait que dans une forme de violence, d'humiliation, de dégradation, de soumission, voire de crime. Née d'un acte de confiance, elle engendrerait, comme ce fut et c'est encore souvent le cas, la défiance et la haine. Elle durcirait les rapports humains jusqu'au conflit. Une réalisation qui piétine ceux qui l'ont rendue possible est une victoire sans vainqueur. Car ceux-là mêmes qui en tirent profit déchoient du titre d'homme – pour avoir voulu en priver ceux qu'ils ont asservis.

C'est bien d'hommes et de l'homme qu'il s'agit. Non comme d'une entité abstraite et indifférenciée – simple molécule de l'organisme social – mais d'une personne, avec son histoire, sa compétence, ses difficultés, ses espoirs. Il est absurde de condamner en bloc un système économique et social (féodalisme, capitalisme, socialisme), comme s'il subsistait sans l'accord de la majorité, ou sans la contrainte imposée par quelques-uns et acceptée par beaucoup. Absurde et inutile : l'histoire se charge — tôt ou tard — de balayer les tyrannies bureaucratiques, qu'elles soient économiques ou administratives. L'histoire, c'est-à-dire les hommes.

Jean-Paul II l'affirmait avec pertinence à Buenos Aires en 1987 : « La loi fondamentale de toute activité économique est le service de l'homme : la satisfaction de ses besoins, sa formation, l'amélioration de ses conditions de vie, sa promotion culturelle. C'est une fonction éthique, une contribution au bien commun. »

Notre investigation de ce phénomène complet de civilisation qu'est le développement fait fond sur un humanisme économique, politique et social. On pourrait le formuler comme suit : *ce n'est pas l'homme qui est fait pour l'économie, c'est l'économie qui est faite pour l'homme — parce qu'elle est issue de son génie et mise en œuvre par son talent.*

Marx avait beau jeu de stigmatiser les « libertés bourgeoises », la liberté formelle du marché du travail ; comme, plus tard, Althusser de dénoncer l'« humanisme théorique », justification suspecte du système capitaliste. L'homme libre reste irremplaçable. L'histoire des hommes ne se réduit pas à la contingence de leurs caprices ou de leurs exploits ; mais elle ne s'accommode pas davantage de leur suppression pure et simple.

Il est urgent de sortir du dilemme où se trouve prise l'historiographie contemporaine. D'un côté, « l'histoire traités-et-batailles » ; de l'autre, le matérialisme historique et la dialectique de la lutte des classes. N'aurait-on le choix, pour comprendre le développement et la modernisation, qu'entre la dureté des hommes et l'inflexibilité des structures ?

Marx nous l'a rappelé : « le chemin de l'enfer est pavé de bonnes intentions ». Il faut rompre avec la vision éthérée, naïve et angélique du progrès industriel, social, politique et culturel comme allant de soi. Mais non renoncer pour autant à l'exigence d'un développement de l'homme par et pour l'homme.

Un possible toujours présent

Tels que définis, en termes délibérément généraux, l'éthos de confiance et la combinatoire du développement ont une valeur universelle. Mais leurs statuts sont distincts. La combinatoire constate et analyse un phénomène historique. Elle ne s'est pas vraiment mise en place avant les XVIIe et XVIIIe siècles, dans quelques sociétés protestantes d'Europe du Nord. En revanche, l'éthos de confiance est présent dans toute société humaine. Depuis les origines, il en a été le ferment ; il en a permis la diversification infinie. Dans les sociétés les plus opprimées par la défiance, par la hiérarchie, par la coutume, il a ménagé les espaces ou les moments de respiration, il a ouvert les fenêtres, desserré les barreaux, souvent s'est réfugié dans l'art, ou s'est laissé confisquer par les élites.

C'est cette différence qui permet de sortir du cercle vicieux. Le développement est né « là et alors », mais il aurait pu naître ailleurs et à un autre moment – avant ou après. Beaucoup des circonstances présentes en Europe du Nord dans la période de post-Réforme étaient déjà présentes en Grèce au Ve siècle : affranchissement des tabous religieux, découverte de la monnaie comme outil commercial, éclosion de la démocratie, mobilité et curiosité, vitalité expansionniste, intérêt pour la science et la *techné* – l'œuvre du travail. Il y a eu un bref miracle grec – qui n'a pas eu de suites, en tout cas pas celle du développement, sans que l'historien trouve à cet arrêt du décollage antique de causes *suffisantes* (pas plus qu'on n'en trouve pour l'essor du développement moderne). Et il faut bien faire l'hypothèse d'un auto-blocage mental – dans lequel le mépris des philosophes grecs pour le « matérialisme » des marchands a dû beaucoup compter. Les élites se sont raidies, détachées du mouvement, enfermées dans la spéculation.

Le développement a été comme en suspension à divers moments de l'histoire, en divers points de la planète – par exemple, en Chine. Mais la catalyse ne s'est effectuée que là où nous l'avons marquée, par un mélange indébrouillable des circonstances et des permanences, de l'histoire et de l'anthropologie, dans une mise en tension soudaine de l'éthos de confiance, sous l'effet de conjonctures où l'événementiel a d'ailleurs sa forte part : la confiance hollandaise s'est exaltée dans la lutte.

L'éthos caché

Quand le développement apparaît, on pourrait s'attendre à ce qu'il révèle l'efficacité prodigieuse de l'éthos de confiance. Mais les choses ne se passent pas ainsi. Paradoxalement, le développement commence par masquer l'éthos de confiance. Les formes concrètes détournent l'attention de l'esprit qui les a fait naître. L'incarnation escamote la divinité. Cette révolution anthropologique, car c'en est bien une, est perçue au détail, encore qu'elle agisse en gros. Et l'observateur, badaud ou philosophe, se raccroche à ses critères d'interprétation habituels : providence ou « élection » divine, génie du lieu ou de la race, roue de la Fortune, dons de la Nature, dialectique historique, etc.

C'est pourquoi il importe de retrouver, derrière le développement, l'éthos caché, le « tiers facteur immatériel », dont la présence ou l'absence, ou plus justement le degré d'activité, valorise ou inhibe les deux facteurs matériels du capital et du travail.

Ce n'est pas seulement pour comprendre le phénomène du

développement, qu'il faut mettre en évidence l'éthos de confiance. C'est aussi, c'est surtout, pour le faire durer et pour l'étendre.

Étendre le développement

À ce point, il convient d'insister sur les risques que cette méconnaissance de l'éthos de confiance fait courir au développement.

D'abord, quant à son extension, qui est un objectif majeur, si l'on veut bien prendre la mesure de l'étendue actuelle du non-développement.

Pour avoir trop cru que le développement était le produit du capital et du travail, on a investi, on a embauché ; et on s'est étonné que le développement ne fût pas au rendez-vous.

Pour avoir cru aussi que le développement était le résultat de certains dispositifs économiques et sociaux, on les a imités, on les a importés – mais, faute de s'être appuyés sur une assise culturelle, ils se sont effondrés sous leur propre poids.

Pourquoi le développement, après quatre siècles, est-il encore resté si limité dans son aire géographique ? Pourquoi est-il si souvent mal assuré, là où il s'est implanté ? C'est qu'on a cru pouvoir faire l'économie du facteur immatériel, et fabriquer du développement sans éthos de confiance : répéter l'histoire apparente des plus favorisés, sans procéder à la révolution anthropologique qui les avait favorisés.

Ou même, en faisant des révolutions anthropologiques à l'envers – et ce fut l'erreur du communisme : emprunter les objectifs matériels et nombre des mécanismes du développement, en s'évertuant à faire fonctionner ceux-ci, et à atteindre ceux-là, sur le principe d'une société de défiance méthodiquement bâtie.

Il ne faudrait pas croire pour autant que, dès lors qu'on accepte de faire le détour de la révolution mentale et morale, l'éthos de confiance va produire partout les mêmes effets. Vécu par une société donnée, à un moment donné, il devient l'éthos de *cette* société-là. Il se forme et s'impose à partir d'une histoire particulière. Si nous l'avons décrit en termes généraux (et sans doute auraient-ils dû l'être davantage encore, mais le langage, lui-même chargé d'histoire, n'y aide pas), c'est précisément pour prendre quelques distances avec le type de développement qui a servi de base à notre analyse – celui de la divergence occidentale. D'autres modes de passage au développement, d'autres incarnations de l'éthos de confiance sont possibles.

La piste d'envol

Il n'y a aucune raison de retrouver ailleurs la cristallisation de l'éthos autour d'affrontements religieux, comme ce fut le cas en

Europe de l'Ouest aux XVIᵉ et XVIIᵉ siècles. Et ce n'est certes pas parce que le développement est né en pays protestant qu'il faudrait se faire protestant pour réussir à « décoller ».

Le Japon en a administré une preuve éclatante à la fin du XIXᵉ siècle ; les « petits dragons » la renouvellent à la fin du XXᵉ.

Dans notre *Du « miracle » en économie*, nous avons étudié le cas japonais. Cette réussite foudroyante a reposé sur un acte de confiance collectif. Il en fallait, pour retourner comme un gant le diktat du commodore Perry, s'en faire un défi intérieur, et se lancer dans l'imitation systématique de l'Occident, avec la certitude de garder intact le caractère nippon.

Et de fait, l'imitation a réussi au Japon parce qu'elle a été pratiquée comme une recherche de la perfection, à l'instar de la répétition à l'infini des mêmes gestes ou des mêmes formes artistiques dans le drame lyrique du *nô*. Il est frappant aussi que l'État japonais, volontariste certes et interventionniste, ait fait (ou laissé) apparaître de vrais entrepreneurs, tantôt anciens samouraïs, tantôt anciens commerçants, c'est-à-dire issus de la classe la plus basse. Il y a eu une révolution mentale, mais *à la japonaise,* pragmatique et passionnée. Cette révolution a fait ressortir des dispositions mentales, que le Japon traditionnel vivait autrement jusque-là : la curiosité, le sens de l'adaptation, le goût de l'éducation, le perfectionnisme, le culte de l'objet simple, beau et fonctionnel, la capacité à travailler ensemble, l'accomplissement personnel dans le groupe, l'accomplissement collectif du groupe national.

Voyez encore comment s'effectue la sortie du communisme. En Russie, sont apparus des entrepreneurs, issus pour la plupart de l'ancienne *nomenklatura*, mais qui ont eu d'autant moins de mal à se défroquer de leur langage idéologique, que personne n'y croyait plus depuis longtemps. La force de travail existe en abondance ; l'éducation généralisée et de bon niveau lui assure un potentiel technique plus que suffisant. Le « capital » ne manque pas, tant par la braderie des actifs que par la disponibilité des investisseurs occidentaux ou pétroliers. Mais la grande question est résumée par le mot de « mafia ». Il nous rappelle que le capitalisme occidental le plus *sauvage* a toujours été un monde de rationalité (le mot de Max Weber était juste), garanti par la solidarité des entrepreneurs dans le respect de leur propre liberté d'action, et qu'il a grandi à l'intérieur d'États de droit et d'un monde de juristes. En Russie, le communisme avait faussé le droit ; sa crédibilité, fondée seulement sur la crainte qu'il inspirait, s'est effondrée dans la ruine générale. On ne reconstruit pas une culture du droit, base nécessaire de la confiance sociale, par une révolution.

Ces remarques rapides ont pour objet de souligner la nécessité d'un enracinement profond dans la culture pré-existante. Toutes ne sont pas également transformables, sans doute – mais on aurait tort de sous-estimer et le potentiel disponible, et la force de libération de ce potentiel, que la décision collective de sortir du sous-développement peut déclencher.

C'est tout de même un paradoxe de notre époque, que le marxisme ait mobilisé tant d'énergies pour imposer ses illusions, que les peuples lui aient consenti de si énormes sacrifices, souvent avec un enthousiasme non feint, et que les sociétés de développement se soient montrées incapables de susciter les mêmes adhésions. On ne peut dire qu'elles n'aient pas eu une vision et une ambition à la dimension de la planète. Mais le colonialisme, puis la guerre froide, puis les visées égocentriques de leur propre prospérité, ont détourné les sociétés de développement d'une entreprise de persuasion à l'échelle du monde. Même aujourd'hui, où le ciel international est plus dégagé, on aime mieux commercer que convaincre, et délocaliser ses entreprises que délocaliser ses idées.

Quand donc les pays les plus « favorisés » mettront-ils autant d'énergie que naguère les pays socialistes, à faire partager à autrui leur credo ? Quand répandront-ils les « *faveurs* » dont ils ont bénéficié, c'est-à-dire les vraies richesses, celles de l'initiative libre, rationnelle et concurrentielle, celles qui permettent seules de créer durablement les richesses d'esprit ?

Conclusion

Un combat pour demain

Nos sociétés de développement, on les appelle un peu vite, un peu imprudemment, « sociétés développées ». Le risque les menace aussi, si elles méconnaissent l'éthos de confiance qui a sous-tendu leurs progrès.

Il n'y a pas de sociétés développées

Développées ? Est-ce acquis ? La tâche est-elle achevée ? Il n'y a pas, si l'on y songe, de sociétés développées, il n'y a que des sociétés en développement – de même que les sociétés dites par euphémisme « en voie de développement » ne sont que des sociétés non développées. Il faut rabattre d'un cran les prétentions, pour mieux soutenir les ambitions.

N'oublions pas que nos sociétés ont été mises en marche par et pour le développement – et la marche n'est, comme chacun sait, qu'une série de chutes évitées de justesse. Vouloir s'installer dans l'acquis, c'est jeter un bâton dans les jambes d'un coureur. On ne pourrait arrêter le développement, sans briser l'énergie qui tient ces sociétés ensemble, et ruiner, justement, leur confiance en elles-mêmes.

Weber avait mal posé une bonne question : « Les principes puritains qui ont été à l'origine du capitalisme sont-ils nécessaires à sa continuation ? » Son erreur sur les termes de la question l'obligeait à répondre *non*. Mais on peut la poser autrement : « L'éthos de confiance qui a été à l'origine de la société de développement est-il nécessaire à sa pérennité ? » La réponse, alors, ne peut être que positive. Retirez toutes les dispositions mentales que nous avons placées sous ce drapeau de la confiance, que resterait-il, non seulement du développement économique, mais même de notre société ?

Prenons garde : le processus est réversible. Le miracle grec s'est interrompu après un petit siècle. Le nôtre pourrait bien s'inter-

413

rompre après deux ou trois siècles. À l'horloge de l'histoire, la différence des durées ne serait guère perceptible.

Confiance et défiance se disputent en chacun

Le processus est d'autant plus réversible que l'éthos de confiance n'est pas un bloc. Nous ne sommes pas dans le *tout ou rien* ; les simplifications de l'explication ne doivent pas devenir des pièges.

Il y a toujours eu *de la confiance* dans toute société – même celles que nous baptisons de défiance ; la question n'est que de savoir si elle devient le principe dominant. La proposition comporte sa réciproque : il y a *de la défiance* dans toute société. Il en subsiste dans toute société de confiance, et pas seulement à l'état de traces : elle y demeure active.

En pratique, l'éthos d'une société donnée – pas plus que l'éthos des personnes – n'est jamais pur. Confiance et défiance se disputent le cœur et la tête, les réflexes et la raison, de chacun d'entre nous, et de chaque société. Mais la confiance comme la défiance ont en elles un principe dynamique ; dans l'action, l'une l'emporte sur l'autre.

Cette lutte intérieure peut du reste ne pas se conclure de la même façon dans les divers champs de l'activité. On peut être tyrannique à la maison et confiant dans ses collaborateurs, commerçant adepte du marché et patron autoritaire, médecin libéral et adversaire de l'école libre...

De même, un pays où domine la confiance peut comporter des secteurs où elle cède le pas. C'est inévitable, jusqu'à un certain point. Nous avons souvent opposé à la société de confiance la société hiérarchique ; mais comment se passer de la discipline hiérarchique dans l'armée ou dans l'administration ? La société de confiance ne supprime pas le châtiment judiciaire, ni la prison. L'extension même du savoir produit ce résultat paradoxal que l'on passe dans la position d'« apprenant » une part de plus en plus grande de sa vie ; et en face de celui qui sait, celui qui ne sait pas est nécessairement subordonné.

Cependant, les sociétés où nous pouvons reconnaître à l'œuvre l'éthos de confiance n'ont pas tout à fait la même façon de fonctionner dans ces « secteurs protégés » de l'esprit hiérarchique. Une confiance active, quand elle prévaut, a des moyens d'étendre son champ en s'insinuant partout – même si elle n'y parvient pas toujours.

À l'inverse, nous en avons vu des exemples, les sociétés de confiance font des entorses, souvent lourdes de conséquences, à leurs principes. Ainsi la Grande-Bretagne, si confiante qu'elle fût dans le libéralisme, a longtemps défendu son protectionnisme naval et cédé aux tentations du colonialisme ; confiante dans la tolérance, elle en a longtemps exclu les catholiques ; confiante dans le savoir pratique, elle a refusé pendant des décennies d'adopter le calendrier grégorien *, parce que la réforme, cette fois, venait de Rome.

La société de développement est une société mixte. L'éthos de confiance y connaît des flux et des reflux. Il peut se désactiver sans que l'on s'en aperçoive.

Le lecteur pourra en voir des preuves dans les annexes : la divergence européenne, sur la ligne de fracture entre pays réformés et contre-réformés, a mis très longtemps à se résorber. Peut-on dire qu'elle ait disparu tout à fait ? L'auteur du *Mal français* ne s'y aventurerait pas. Il est vrai que le fossé s'est rétréci. Nous avons vu l'Église catholique intégrer dans son enseignement ce qu'elle avait si longtemps combattu. La construction européenne a été pour beaucoup de pays, dont le nôtre, la démarche volontaire qui a engendré une nouvelle conscience du développement – et une démarche de confiance.

Le fossé s'est aussi résorbé parce que les sociétés protestantes se sont éloignées de leurs principes. Le phénomène bureaucratique n'a cessé d'y progresser, de même que l'obsession de sécurité. En Angleterre notamment, le travaillisme avait bloqué la liberté entre-preneuriale et, de façon plus perverse, la souplesse et l'innovation dans les relations du travail. Le redressement opéré – par Mme Thatcher et après elle – n'est pas à l'abri d'une nouvelle volte politique.

Aussi, dans la situation présente de l'Europe occidentale, il est devenu plus opérationnel de la considérer comme un ensemble – sinon uniforme ou homogène, du moins composé de sous-ensembles comparables – de sociétés en développement. Elle est encore marquée par une forte diversité ; elle n'est plus fracturée par un dualisme.

Des préceptes sûrs

Il y a donc quelque paradoxe dans le fait qu'au moment où la divergence fait place à la similitude – et d'ailleurs à la solidarité – sur l'idée et le fait du développement, celui-ci connaisse une crise profonde, à la fois objective et morale.

À l'heure où tant de sociétés démocratiques vivent une crise de *confiance,* et voient menacé leur crédit, dans tous les sens du mot ; où le problème de la répartition des richesses se pose de façon aiguë, non plus seulement entre pays, mais à l'intérieur même des

---

* Le pape Grégoire XIII réforma en 1582 le calendrier « julien », qui avait pris 10 jours d'avance sur le mouvement du soleil. Les États protestants d'Allemagne ne s'y rallièrent qu'en 1700, et l'Angleterre dans le second XVIIIe. Les pays orthodoxes ne s'y sont ralliés qu'en ce siècle ; l'Église orthodoxe ne s'y est toujours pas ralliée.

sociétés dites avancées que gangrènent mafias, ghettos et sectes — il est urgent de prendre conscience de ce qui fonde et construit un développement harmonieux.

Nous n'avons regardé vers le passé que pour mieux envisager l'avenir, espérant que la mise en perspective des siècles de divergence aidera à distinguer les recettes anecdotiques des préceptes sûrs.

Envisageons cinq aspects de la crise de l'Occident qui mettent en jeu l'éthos de confiance — cette clé du développement que nous avons exhibée pour l'enclencher dans la serrure du présent, et non pour enrichir le cimetière des hypothèses en histoire économique.

1. *Crise de l'État et de l'administration,* toujours plus hypertrophiés.

2. *Crise du comportement face à l'argent,* qui ne cesse d'être tabou que pour devenir idole — bloquant l'investissement productif et drainant un clientélisme parasitaire.

3. *Crise de l'accueil de la vie,* qui, de la façon la plus radicale, traduit la défiance et trahit la confiance dans l'avenir.

4. *La crise de l'entreprise,* menacée dans ses fonctions essentielles par des exigences étrangères à sa nature.

5. *La crise de l'industrie,* accusée de détruire des emplois.

Crise de l'État et principe de subsidiarité

Il est sain que l'État soit garant, et non gérant, de l'économie d'un pays. La réconciliation de nos contemporains avec une mentalité économique ouverte à un développement harmonieux passe par des choix de valeurs et des préférences institutionnelles. La valorisation de l'initiative personnelle et responsable s'exprime par la remise en honneur du *principe de subsidiarité,* expression concrète de la confiance dans la diffusion des responsabilités, qui renvoie dos à dos l'État-providence et le capitalisme sauvage.

Ce principe, nous l'avons vu à l'œuvre chez les pionniers hollandais du commerce planétaire, dans l'organisation de la voc et de l'*East India Company,* dans le développement britannique des transports, du marché intérieur et des manufactures. De quoi peut-il s'agir aujourd'hui ? D'un *laisser-faire* intégral ? D'un capitalisme débridé ? Certes non. Il s'agit précisément de purger les entreprises publiques ou privées, comme les services administratifs nationaux ou territoriaux, nécessairement hiérarchisés, de tout élément arbitraire et césarien, pour retenir les seules vertus d'un arbitrage équitable et d'une diffusion efficace des responsabilités.

Diffusion et non dilution ; délégation et non téléguidage : pour ce faire, la compétence de chaque échelon doit être définie selon un repérage clair ; elle doit être dotée des moyens d'exercer, dans la *confiance,* les missions qui lui auront été confiées.

L'État doit se garder de deux excès symétriques : accaparer des tâches de proximité, qui par leur nature lui échappent ; et se défausser sur les collectivités locales des responsabilités qu'il doit assumer.

L'histoire de notre pays a connu l'un et l'autre de ces excès. D'abord, un puissant et long mouvement unificateur : Philippe-Auguste avait réalisé l'unité du royaume ; saint Louis avait réconcilié le pouvoir et la justice ; Philippe le Bel réunit les Français autour d'une administration centralisée. Un pays, un droit, un État : en un siècle et demi, trois capétiens avaient forgé les trois attributs nécessaires à l'existence d'une nation. Des institutions sociales et administratives, des habitudes mentales sont créées, indestructibles. Quand viendra l'épreuve de la Réforme, l'État, affermi par des siècles de patience, la supportera sans broncher. Lorsque apparaît Louis XIV, les Français, malmenés par cinquante ans d'administration italienne, par les longues saturnales des troupes allemandes, anglaises, écossaises, espagnoles, et par les convulsions de la Fronde, idéalisent le pouvoir absolu du trône. Louis XIV incarnera la centralisation solaire, instruisant ses ministres d'en référer à lui « pour toutes choses, fût-ce pour établir un passeport ». Le marquis d'Argenson constate que la capitale est dans le pays ce que le cœur est dans le corps humain : tout y passe et repasse plusieurs fois pour aller circuler aux extrémités du corps [1]. La France est peu à peu réduite à l'obéissance prétorienne. Le mal romain fait rage.

Cent ans passent, et Malesherbes, ministre de Louis XVI, le déplore encore sans détours en 1772 : « On a travaillé à étouffer en France tout esprit municipal, à éteindre jusqu'aux sentiments des citoyens ; on a interdit la nation et on lui a donné des tuteurs [2]. » Cette tendance étatiste, la Révolution la renforce.

De Richelieu aux Jacobins, de Colbert à Bonaparte, la continuité est assurée. Une telle conception repose sur la défiance systématique de l'État envers les particuliers ; elle engendre la défiance des particuliers envers l'État. Elle cloue au pilori l'initiative, sème le tracas et récolte la fraude.

L'autre tendance – à laquelle on s'essaie en France depuis les années 1970 seulement – c'est la décentralisation. Une tentative de démocratie locale. Mais ce vœu pieux s'est avéré, trop souvent, n'être qu'un pieux mensonge.

« Délocaliser » : le mot ne convient pas seulement à ces quelques transferts géographiques, de Paris vers quelque ville de province bien « introduite », d'administrations marginales de l'État. Il conviendrait souvent pour ce que nous appelons noblement décentralisation. Oui, nous « délocalisons » – entendez que nous transférons le cancer administratif de la capitale vers autant de métastases provinciales. Le mal romain est démultiplié à souhait. On ne fait que *délocaliser* la société de défiance. On ne voulait plus du

Leviathan ; c'est l'Hydre aux cent têtes (une par département) qui a pris sa place. Pourquoi ? On a transféré un pouvoir de décision sans l'assortir des modalités de contrôle appropriées ; à force de laisser signer des chèques en blanc, on se retrouve obligé d'honorer des chèques en bois. On a omis de définir des blocs de compétence exclusive, sans interférences d'une collectivité territoriale à une autre. L'exploitation des marchés publics par les clientèles locales donne au « mal romain » toute sa signification : elle évoque l'administration des provinces de l'Empire par quelques proconsuls aussi gourmands que dénués de scrupules. Le développement économique et la vie politique s'enchevêtrent alors dans un réseau de complicités que débrouillent tant bien que mal, quand éclatent les scandales, les juges d'instruction, nouveaux Cicérons s'acharnant sur de nouveaux Catilina et de nouveaux Verrès.

La vraie subsidiarité n'est pourtant pas un mythe. Mais elle suppose bien plus qu'un attirail juridico-politique : la confiance. Au siècle dernier, un philosophe, économiste et mathématicien considérable, Cournot, écrivait : « La confiance est le ressort moral, le ressort de gouvernement, qu'aucun règlement ne peut remplacer. Vainement décentraliserait-on par voie réglementaire, c'est-à-dire sur le papier : si l'esprit de méfiance, si la jalousie des attributions personnelles, si le goût de certains détails se trouvent chez l'autorité supérieure [3]... » Cette observation a-t-elle perdu de sa pertinence ?

Pour rendre confiance dans le développement, il faudra donc réussir, enfin, la décentralisation – faire vivre le principe de subsidiarité, tailler hardiment dans les tumeurs administratives. Bref, pour nous approprier le développement, il faudra que nous réglions nos comptes avec l'État.

Ni argent-idole, ni argent-tabou

Il faudra les régler aussi avec l'argent. Aujourd'hui que la circulation monétaire atteint une vitesse, un volume et une diversité de traitement inouïs, il importe d'identifier notre comportement face à l'argent. On entendra souvent des protestations d'intégrité, de vertueuses indignations ou de saintes colères, sur le thème de *l'argent malhonnête, l'argent sale, l'argent fou*, comme si un simple signe monétaire était doué de qualités morales – en l'occurrence, immorales. D'un autre côté, si l'argent ne fait pas le bonheur, alors, comme lançait Jules Vallès : rendez-le ! Il est somme toute plus aisé d'imiter la sagesse de Sénèque, qui méprisait les richesses tout en les possédant. On le devine – l'argent (comme le pouvoir) est source ambivalente de fascination et de répulsion, de confiance et de méfiance.

Or, la réconciliation de nos contemporains avec l'économie, le développement et l'entreprise, suppose qu'on en finisse avec cette double méprise, en forme de dilemme, que constitue la répulsion invétérée de l'argent d'une part – et son idolâtrie qui n'est souvent que le revers de cette répulsion, le *retour du refoulé.*

Il est plus difficile qu'on ne croit d'échapper au dilemme de l'argent *tabou* ou de l'argent *idole.* L'argent *tabou*, cela stérilise tout développement, bien sûr. Mais l'idolâtrie de l'argent ne lui est pas plus propice.

Aussi peu propice au développement que le mépris de l'argent. On ne rencontre aucun Shylock, aucun Harpagon, aucun Père Grandet parmi les véritables acteurs du développement. Le mobile de l'entrepreneur n'est pas cette « exécrable soif d'or », cette *auri sacra fames* déplorée par Virgile, mais le succès de l'entreprise elle-même, la satisfaction concrète d'un besoin d'accomplissement personnel ou collectif. Bien entendu, il faut que l'entreprise soit *profitable.* Les profits sont là pour attester une réussite, mesurer la rentabilité des opérations, permettre leur financement autonome, ou l'amortissement des emprunts qu'il a fallu souscrire. Le profit joue à plein son rôle d'*indicateur* de santé économique et accessoirement, de récompense de l'effort consenti.

Ne rêvons pas d'un entrepreneur désintéressé : il risquerait d'être hypocrite, ou médiocre. Ce qu'a d'ailleurs parfaitement reconnu l'encyclique *Centesimus Annus.* Bref, le profit d'argent *n'est pas* intrinsèquement pervers, et c'est une victoire mentale remportée sur une méfiance pluriséculaire que d'avoir su l'affirmer avec pédagogie.

L'argent peut constituer un levier de développement, un moyen d'entreprendre, un instrument permettant de convertir l'industrie humaine en profit individuel ou social, de transférer la propriété de denrées et de biens, de façon à faciliter, par le biais d'un échange différé, la satisfaction des besoins complémentaires auxquels pourvoient les différents membres du corps social.

Mais que l'argent redevienne – à lui seul et en lui-même – le mobile exclusif de l'activité économique, ou l'enjeu exorbitant des jeux du pouvoir, alors il divise le corps social et fait obstacle à l'épanouissement de ses membres.

La remoralisation de la vie économique et politique dans nos sociétés passe par cette nécessité : retrouver la confiance dans un juste fonctionnement de l'outil monétaire, ni *tabou*, ni *idole.*

On peut relire pour cela, avec le cardinal Lustiger [4], la parabole dite du gérant malhonnête (Luc 16,1-8). Malhonnête, il ne l'est pas, car c'est à tort qu'il est accusé *(diffamatus)* de faire un mauvais usage des biens de son maître. « Devant l'urgence du jugement auquel il va être soumis, il réduit la dette dont il avait chargé des débiteurs au nom de son maître. Ce faisant, il n'agit pas au détriment de son maître ; il le sert bien, puisqu'il observe la loi qui interdit l'usure... »

Le premier enseignement de cette parabole est donc d'exhorter au *bon usage* des opérations financières – l'usage qui ne tire pas de l'argent un profit illégitime.

Puis, le Christ change de registre : « Vous ne pouvez pas être l'esclave de Dieu et de Mammon ». On a dit : « Mammon, c'est l'argent ». Équation lourde de conséquences. C'est faire de l'argent un *tabou*, alors que le Christ ne veut que libérer les hommes de l'argent-*idole* : Mammon. « Par-delà l'argent, simple unité monétaire, l'idole Mammon symbolise un instrument de la volonté de puissance, un moyen de possession du monde, une expression de l'avidité des choses et aussi un détournement des relations des hommes entre eux [5]. »

Servir Dieu, c'est refuser Mammon, mais c'est *aussi être gérant*. L'homme est gérant de ce qui lui a été *confié* – la création, les biens de la nature, et ceux de la société, au nombre desquels l'argent joue un rôle essentiel. Ce n'est pas pour rien que le Christ précise l'enseignement de sa parabole dans le sens de la confiance : « Si vous n'avez pas été *dignes de confiance* pour ce qui vous est étranger, qui vous donnera ce qui est vôtre [6] ? »

Tout s'éclaire. L'économie terrestre, la gérance des richesses de ce monde sont un test de *confiance*.

Le développement économique est *confié* à l'homme, pour qu'il n'utilise pas l'argent comme moyen d'oppression, mais comme levier de développement.

La religion de Jésus libère des forces d'émancipation et de vitalité. Elle voue aux ténèbres le serviteur qui n'a pas fait fructifier l'argent à lui confié. Elle réhabilite, contre le préjugé aristocratique et païen, le travail : « Celui qui ne travaille pas n'est pas digne d'être nourri », écrit Paul aux Thessaloniciens [7].

Le christianisme est une religion de l'aventure, de l'entreprise, de la confiance, capable de fonder une société de confiance [8]. Par un de ces malheurs dont l'histoire a le secret, l'État césarien allait, avec la conversion de l'empereur Constantin, étouffer ce levain de confiance, enrayer ce levier de développement, sous le poids des structures autoritaires et des pesanteurs hiérarchiques.

C'est avec l'économie que la religion chrétienne, si vigoureusement personnaliste, aurait dû contracter alliance, plutôt qu'avec l'État. C'est dans une crise de cette religion, il y a quatre siècles, que se redéfinit la relation aux biens matériels, et à l'argent, leur signe universel. Il serait paradoxal, au moment où toutes les religions chrétiennes, catholique comprise, sont désormais au clair sur cette relation, que perdure, dans la société civile elle-même, le mariage malsain entre l'idole et le tabou.

Le berceau de l'avenir

Pour croître, il faut croire : mais en quoi ?

En nous-mêmes et en notre avenir.

Et d'abord au renouvellement des générations – signe même de l'éternelle obligation de renouvellement. Pas de croissance économique durable, sans croissance démographique, sans une densité de population suffisante. Les nations latines se sont écrasées longtemps sur le mur de la densité kilométrique 40 (voir Annexe 4) – et ont retardé d'autant leur décollage. En vain chercherait-on, dans toute l'histoire de l'humanité, un seul exemple de développement économique et social, sur fond de régression démographique. Polybe et Ménandre l'ont observé pour la Grèce ancienne. La Rome du Bas-Empire n'a plus que des vieillards à opposer aux Barbares. Alfred Sauvy repérait le déclin de Venise aux XVIIe et XVIIIe siècles en termes de vieillissement dramatique.

Or, une vision malthusienne de la société fait l'unanimité chez nos contemporains. Comment, se disent-ils, le repli démographique serait-il responsable de la stagnation économique et de la régression sociale, alors qu'une démographie galopante ruine l'essor des pays « en voie de développement » ? Tout pénétrés du dogme de l'égalité des peuples, nous répugnons à admettre l'inégalité des effets de la natalité selon l'état d'avancement des sociétés.

Pourtant, si une une natalité irresponsable, fataliste, résignée, ne constitue jamais dans un pays non développé un terrain favorable au développement, une mentalité de refus de la vie ne fait pas mieux dans un pays avancé : elle trahit la peur de faire face, l'angoisse devant l'avenir.

Dans un pays sous-développé, les progrès sanitaires protègent d'abord les versants les plus fragiles de la vie, l'enfance et la vieillesse. La proportion des personnes actives diminue ; et diminue aussi le revenu disponible pour les investissements. La croissance de la population atteint ou dépasse celle de la production ; le développement est ralenti, voire enrayé ; la misère s'étend.

Au contraire, dans un pays qui a déjà effectué son décollage économique, l'accroissement de la jeunesse stimule l'activité, et renouvelle production et consommation, selon une relance naturelle et non artificielle.

Les deux miracles économiques de l'après-guerre en Europe ont consisté à relever un défi lancé par la population. L'Allemagne fédérale a dû absorber treize millions de réfugiés venus de l'Est ; la plaine du Pô a accueilli trois millions d'immigrants venus du *Mezzogiorno*. Quelle confiance ne régnait pas alors !

Mais le réflexe de défiance – un moment surmonté – a la vie dure. La croyance, profondément enracinée, que la croissance démographique entraîne le chômage et la pénurie refait son apparition. « Plus il y a de bouches à nourrir, moins on se nourrit. » La taille du gâteau est réputée immuable : plus les convives seront nombreux, plus maigres seront les parts.

À la fin du XXᵉ siècle, nous réagissons comme nos aïeux malthusiens du XVIIIᵉ. Nous gardons la mentalité d'un pays sous-développé – surpeuplé par rapport à ses ressources... Le recroquevillement frileux de nos sociétés provoque déjà de graves déséquilibres sociaux. Jamais les « jeunes » n'ont été si peu nombreux, proportionnellement. Mais jamais ils n'ont été aussi nombreux à être exclus du monde du travail. Il y a un lien entre ces deux seuils de détresse.

Craindre l'avenir, c'est le condamner à l'avance. Craindre la vie, c'est entrer dans une perspective dont la mort est le seul horizon *.

Menaces sur l'entreprise

L'entreprise est au cœur de la société de développement. Elle en est l'institution centrale. Mais il semble qu'elle devienne la victime de cette position privilégiée. Unité d'action économique, elle s'est vue chargée d'une mission sociale, comme si elle était comptable du destin de tous ses salariés. C'est un retour en arrière, vers la société agraire traditionnelle, où l'économique et le social sont indissociables, où la terre ordonne le labeur, la fête, l'habitat, et jusqu'aux mariages... Il n'est même pas étonnant que cette image sociale de l'entreprise soit née très tôt, dans des entreprises françaises. Car le « paternalisme » tant décrié n'est autre, quand il va jusqu'au bout, que cette prise en charge sociale : chez les Wendel de Lorraine, chez les Schneider du Creusot, chez les Michelin de Clermont-Ferrand, la mine ou l'usine embrassait « ses » ouvriers de la naissance à la mort, dans et hors le travail. Ce paternalisme patronal a disparu, mais l'idée est revenue en force, sous des formes publiques. Le résultat ne peut en être qu'une hausse du coût du travail, une diminution de l'adaptabilité, une altération de la fonction économique.

Menacées par le modèle rural, les entreprises peuvent l'être aussi par le phénomène bureaucratique. Et doublement : celui qui s'impose à elles de l'extérieur, sous la forme d'un déluge de réglements et de contrôles ; et celui qu'elles sécrètent en elles-mêmes, quand elles atteignent une certaine taille. Dans le premier cas, le paradoxe est que l'intégration européenne, facteur d'une meilleure concur-

---

* Un taux de fécondité de 1,4 est celui de l'extinction totale d'un peuple en 4 siècles, *le taux de reproductibilité* étant situé à 2,1. Les pays industrialisés de souche européenne représentaient 30 % de la population mondiale en 1989. Ils n'en représenteront plus que 10 % vers 2100. C'est dire le rythme de l'implosion démographique[9].

rence, devienne un producteur incontrôlable de normes, de contraintes et de paperasses. Dans le second cas, paradoxe encore, car les entreprises-phares, celles qui devraient avoir un rôle directeur, s'empâtent et s'ankylosent : il y est de plus en plus difficile d'innover, de réagir, d'agir.

Briseurs de machines, canuts de Lyon

Tout aussi grave est une croyance qui tend à s'installer : que l'industrie, après avoir donné du travail à de si grandes masses d'hommes et de femmes, le leur enlève ; que le progrès technique a cessé de créer de l'emploi et désormais le détruit – involontairement ou même volontairement, pour affranchir la production de l'homme occidental, imprévisible et coûteux.

On voit combien le raisonnement est dangereux : derrière l'industrie, c'est le progrès technologique que la défiance atteint ; et derrière le progrès technologique, tout le processus d'innovation. Quand l'Occident en vient à douter de la vertu créatrice de l'innovation, il entre en régression.

Cette inquiétude a un fondement : il est vrai que, depuis plusieurs années, l'industrie supprime plus d'emplois qu'elle n'en crée *.

Le mal existe pour l'Europe qu'on disait industrialisée. Mais il ne faut pas se tromper de diagnostic. Que l'innovation détruise de l'emploi, ce n'est pas une nouveauté. Au XIXe siècle, les briseurs de machines d'Angleterre, comme les canuts de Lyon, le savaient. Mais l'innovation a aussi créé des emplois, et combien plus. Si l'on vérifie le solde, ce n'est pas l'excès d'innovations qui supprime l'emploi, mais leur insuffisance.

Il est vrai que la mécanisation a détruit sans retour des emplois agricoles. Mais il ne faut pas isoler l'agriculture de l'ensemble des activités : la destruction de l'emploi agricole a été largement compensée par la création d'emplois industriels. Si de nos jours le solde est négatif, ce n'est pas qu'on supprime trop d'emplois ; c'est qu'on n'en crée pas assez. Comment en créer sans innover, et sans transformer l'innovation en activité rentable et dynamique ?

Les pays qui souffrent le plus sont ceux qui ont raté le train de nouvelles industries créées autour de nouvelles technologies : l'informatique, la robotique, l'audiovisuel, etc. Mais aussi ceux qui, d'une façon plus générale, ne parviennent pas assez bien à garder

---

* De 1970 à 1990, le nombre des emplois industriels en France est tombé de 7 812 000 à 6 284 000, soit de 38,4 % à 29,0 % de la population « active ». En Allemagne occidentale, de 12 706 000 à 10 893 000, soit de 48,7 % à 39,0 %. En Italie, de 7 586 000 à 6 841 000, soit de 39,8 % à 32,5 %. Aux Pays-Bas, de 1 933 000 à 1 620 000, soit de 37,5 % à 32,5 %. En Suède, de 1 456 000 à 1 289 000, soit de 38,0 % à 28,3 %. Au Royaume-Uni, de 10 531 000 à 7 508 000, soit de 43,2 % à 28,2 %. En revanche, le nombre des emplois s'accroît aux États-Unis (de 26 080 000 à 29 610 000), au Canada (de 2 360 000 à 2 959 000) et au Japon (de 17 880 000 à 20 890 000) [10].

ouverts tous les circuits de l'innovation et de son exploitation entrepreneuriale. Sur les deux tableaux, la France est, reconnaissons-le, mal placée.

Le partage du travail

Le débat sur la thérapeutique est mal engagé. Évoquer un « partage du travail », c'est se placer dans une hypothèse fixiste : le contraire même de l'esprit du développement, l'éternelle erreur du « jeu à somme nulle ». Se battre sur le « maintien d'emplois », c'est mener un combat défensif, au lieu d'attaquer ; c'est aggraver la désadaptation des entreprises. Répondre à la demande croissante de services (santé, assistance, formation, aide technologique, protection de la forêt, écologie, consommation, etc.) en créant ou en réclamant des fonctionnaires, au lieu de multiplier les emplois marchands dans tous ces domaines, c'est alourdir le poids fiscal, rendre rigide une recherche qui doit rester souple, créer de la pénurie.

Il n'y a, en fait, pas d'autre réponse que d'aller toujours plus loin sur la voie du développement – sans lui assigner de limites *a priori* *. Pas d'autre issue que de sur-développer la société de confiance.

Vouloir le développement

Vouloir le développement, aujourd'hui, en France et en Europe, ce n'est pas continuer, répéter, protéger. Il n'y a pas de « droits acquis » dans une société en développement ; et surtout, il ne doit pas s'y installer une mentalité des droits acquis.

Pour maintenir le niveau de prospérité déjà atteint, il faudra davantage de développement ; davantage de vitalité technologique, davantage d'esprit d'entreprise, davantage de créations d'entreprises, davantage d'ambition quant au niveau des biens matériels et culturels, davantage de sociétés en développement à travers le monde.

Mais pour nous, l'urgence, l'extrême urgence, c'est de nous réconcilier intellectuellement, moralement, psychologiquement, avec ce qui, dans notre passé, a fait le développement et avec ce qui, dans notre présent, le fait encore vivre. Ce livre n'avait pas d'autre but.

---

* Voir notamment, pour une analyse de la situation française et des propositions précises, le rapport *Pour développer l'emploi* de François Dalle et Jean Bounine (mai 1987, Masson), toujours d'actualité, et celui de Robert Lattès et Danièle Blondel, réalisé à la demande du CADAS (Conseil des Applications de l'Académie des Sciences), juin 1995.

Le développement a été, est, sera un combat. Combat intérieur, en chacun d'entre nous, pour substituer l'énergie à la résignation, l'invention à la routine. Combat au sein de la société, pour que, dans ses institutions et dans ses acteurs, les forces de la confiance l'emportent, à chaque niveau, sur celles de la défiance.

L'unanimité n'est pas nécessaire. Elle n'est pas possible. Elle n'est même pas concevable. Les sociétés de développement ont toujours été des sociétés de tension, des sociétés où le mouvement crée du frottement, de l'échauffement, des ruptures.

Une société d'entreprise n'est pas une société comportant cent pour cent d'entrepreneurs. Ce n'est pas même une société où l'on compte cent pour cent de gens qui croient en l'entreprise, qui adhèrent à l'éthos de confiance.

Mais à coup sûr, c'est une société où ceux qui ont pouvoir de décider, d'entraîner, de créer, de former, d'enseigner, de juger, de faire exemple ou modèle, adhèrent dans leur grande majorité aux comportements qui font une société de développement. Nous en sommes encore loin, très loin.

C'est pourquoi, ami lecteur, si j'ai pu fortifier vos convictions, en vous communiquant un peu plus de confiance en la confiance, ne refermez pas ce livre comme un consommateur satisfait. Ne vous repliez pas sur le plaisir éventuel d'avoir un peu mieux compris. Parlez, écrivez, agissez.

ANNEXES

RÉMANENCES DE LA DIVERGENCE

Annexe 1

Confession religieuse
et comportement économique

Comment évaluer d'éventuelles corrélations

S'il y a relation de cause à effet entre les formes de piété et le comportement, comment s'en assurer ? Tout ce que l'enquête historique peut se proposer, c'est de mettre au jour des corrélations entre appartenance confessionnelle et performance. La méthode statistique permettra ensuite d'évaluer le caractère significatif de cette corrélation. Mais les corrélations jusqu'à présent tentées restent mal définies, n'ont jamais revêtu un caractère systématique et restent trop isolées pour ne pas prêter à contestation. Tâchons de repérer les raisons de cette insuffisance.

L'appartenance confessionnelle, mesurée à partir des registres paroissiaux, pondérée par les témoignages d'époque relatifs aux usages, est-elle un critère suffisant de la profession d'une foi et de l'attachement aux dogmes correspondants ?

Un premier problème est celui de la *sincérité* : le comportement religieux peut être influencé, voire déterminé par un environnement culturel pesant. *Cujus regio, ejus religio,* mais aussi *cujus civitas, cujus familia,* etc. Quel coefficient statistique pourrait mesurer une sincérité, dont le croyant n'est d'ailleurs comptable que devant Dieu ? « Ils disent et ne font pas », reprochait le Christ aux Pharisiens. Qui peut chiffrer le taux de pharisaïsme dans chaque confession ?

Deuxième problème : quand bien même serait accordée une sincérité absolue aux convictions exprimées par l'appartenance à une Église et la participation à une vie de foi, le lien entre la confession religieuse et le comportement économique reste sujet à caution.

L'adhésion à un dogme entraîne-t-elle mécaniquement un type de comportement économique donné ? Ne fait-elle que l'accompagner ? N'a-t-elle rien à voir avec lui ? Leur coïncidence n'est-elle que fortuite ? Constitue-t-elle une justification aux yeux du monde, ou une satisfaction strictement personnelle ? Peut-il s'agir d'une forme d'auto-suggestion compensatoire ?

Les discours et les actes

Exploitant les découvertes freudiennes et la relation de compensation qui s'établit entre le langage et l'inconscient, Lacan disait : « Tout acte manqué est un discours réussi. » On comprendrait ainsi que les groupes les plus épris d'initiative, de nouveauté, de travail, de profit, de liberté, aient invoqué, comme le suggérait Max Weber, la prédestination, le mépris des œuvres et la justification par la seule foi, l'imbécillité de l'action humaine, voire le retour à l'Église primitive. Inversement, ce à quoi ne s'était nullement attaché Max Weber, les sociétés restées les plus soumises à la hiérarchie, à l'autorité, à l'archaïsme, aux inhibitions et aux interdits de toute sorte n'ont-elles pas proclamé le libre arbitre, apporté des licences au droit canon, insisté sur l'importance des œuvres, relâché la morale ecclésiastique ?

Comment pourraient résider dans un dogme religieux, quel qu'il soit, le ferment de l'activité, l'aiguillon du développement économique, ou au contraire le frein à l'activité productive, commerciale et financière ?

En jouant la carte de l'explication religieuse du capitalisme aux XVIᵉ, XVIIᵉ et XVIIIᵉ siècles, Martin Offenbacher pour le pays de Bade, Max Weber et Ernest Troetschl pour l'espace européen se sont efforcés avant tout de contrer une interprétation marxiste d'inspiration totalement matérialiste, plutôt que d'analyser le processus d'innovation, d'initiative, de prise de responsabilités économiques. Les sources invoquées par Max Weber, certes, ne manquent pas : manuels puritains d'exhortation au travail, *Mémoires* de Benjamin Franklin, etc.

Mais ces documents sont pris pour argent comptant, et jamais critiqués au titre de leur invraisemblance psychologique. Avant de convaincre, la démonstration de Weber sur la notion luthérienne de *Beruf* (vocation), par exemple, devrait être étayée par des faits : on devrait nous montrer une majorité d'entrepreneurs du pays de Bade fondant leur entreprise pour un motif religieux et nul autre. L'ironie, un peu facile, que Werner Sombart manifestait contre la thèse de Max Weber, ne paraît pas injustifiée : « On ne possède pas encore la preuve qu'une mine ait jamais été mise en exploitation ou qu'un haut fourneau ait jamais été allumé pour des raisons ayant un rapport quelconque avec la piété [1]. »

Quant aux « catholiques », leur baptême dans l'Église romaine et leur assiduité à la vie sacramentelle paroissiale peuvent-ils être tenus pour la cause de leur moindre aptitude à faire prospérer le capital foncier, technique et humain ? Max Weber ne répond pas à cette question, et ne paraît même pas se l'être posée. Il croit déceler un stimulant économique dans le protestantisme, nullement un frein dans le catholicisme.

Et pourtant, faut-il dénier à la foi religieuse tout rôle d'influence dans l'activité économique ? Le recoupement des zones dynamiques avec la culture réformée, celui des zones ankylosées avec le maintien du catholicisme et surtout avec son durcissement lors de la « Contre-Réforme », peuvent-ils être le fruit du seul hasard ? En revanche, il est temps d'en finir avec une explication mécanique, en termes de causalité pure et simple : protestant, donc économiquement avancé ; catholique, donc économiquement retardé. Cette alternative est une caricature, à laquelle il nous faut substituer des traits réels.

Le facteur confessionnel peut entrer en ligne de compte dans l'appréciation de la distorsion économique et culturelle dont la chrétienté d'Europe occidentale constitue une remarquable occurrence – non la seule. Mais c'est moins, on le verra, par le contenu de ces confessions religieuses, que par la forme de sociabilité qu'elles privilégient et où elles se reconnaissent.

En somme, c'est une erreur, à nos yeux, que de vouloir aligner comme des facteurs homogènes confession religieuse et comportement économique. Cette façon de procéder a donné naissance à une vision aussi déterministe que sa rivale : aux rapports de production, il faudrait substituer, comme moteur de l'histoire économique, ce que Marx traitait dédaigneusement d'*opium du peuple*. L'expropriation du prolétariat, la propriété privée des moyens de production et les contradictions du capital seraient remplacées par la prédestination, le salut par la seule foi ou l'octroi des indulgences.

Nous espérons avoir montré que ce scénario ne résiste pas à l'analyse, de l'aveu même de Max Weber, dont on se réclame encore pour promouvoir une vision spiritualiste de l'histoire : il n'y croyait certainement pas, du moins si l'on se fie à l'Avant-Propos des *Essais sur la sociologie de la religion*.

Il ne suffit pas de répéter « *valeurs, esprit, éthique* », pour qu'aussitôt ces entités se montrent à l'œuvre dans l'histoire économique et sociale. Est-ce à dire qu'elles en sont absentes ? Certes, non. Mais le concept de *mentalité économique* reste encore à construire. Un effort vers un peu plus de modestie devant les faits, un peu moins d'abusives généralités, n'est pas inutile dans une telle entreprise. Comment négliger, par exemple, le fait bien concret que vers 1507 Hans Luther, père de Martin, était l'un des entrepreneurs les plus aisés de toute la Saxe ?

Une frontière culturelle

La carte religieuse de l'Europe s'est fixée à la fin du XVIᵉ siècle, distribuant entre les États du moment les effets religieux, mais aussi culturels et comportementaux, de la Réforme et de la Contre-Réforme.

Une distorsion mentale se fait jour, que l'imprimerie et le développement culturel vont amplifier tout au long des XVIᵉ et XVIIᵉ siècles. Une Europe bouscule, sans complexe, l'ancien système de valeurs. L'autre, obsédée par la dérogeance, voit ses élites se complaire dans une morgue de classe appuyée sur les valeurs traditionnelles. L'Europe des XVIᵉ-XVIIIᵉ siècles constitue le plus remarquable laboratoire des distorsions cultuelles, culturelles, économiques, sociales, institutionnelles : Venise et Amsterdam, les Provinces-Unies et les Pays-Bas espagnols, l'Espagne et l'Angleterre, la France et l'Angleterre, la Suisse et la France.

Une longue imprégnation a commencé alors, dont la fécondité a été sans doute largement sous-estimée. On dirait que la plupart des historiens abandonnent cette différenciation religieuse, dès lors qu'elle s'installe dans la longue durée : elle ne les intéresse plus. Ils passent à d'autres éléments interprétatifs : le progrès des Lumières, l'expansion de la société industrielle, la montée de la démocratie. Mais ils ne mettent pas en rapport ces phénomènes de la « modernité » avec des données confessionnelles qui leur paraissent étrangères à la modernité, ni avec une géographie religieuse finalement assez arbitraire.

Ils ne manquent pas de faire remarquer que, si l'imprégnation religieuse a pu jouer jusque vers le début du XIXᵉ siècle, il n'en a pas été de même ensuite. La laïcité de combat dans les sociétés catholiques, la sécularisation progressive des sociétés protestantes, relayées l'une et l'autre au XXᵉ siècle par une déchristianisation générale, ont fortement atténué l'influence de la religion, jusqu'à la mettre hors jeu. Pour eux, cela fait longtemps que la division religieuse de l'Europe n'était pas, si même elle l'a jamais été, un facteur qui permît d'expliquer les évolutions économiques et sociales, ni les écarts de développement.

Or, les chiffres que l'on découvrira dans les annexes qui suivent démentent cette vue des choses. Ce n'est pas seulement au XVIᵉ et au XVIIᵉ siècle que la géographie religieuse est pertinente. C'est encore le cas à la fin du XXᵉ.

En rapprochant systématiquement la carte religieuse de l'Europe et les cartes des phénomènes économiques, sociaux et culturels, on constate qu'elles se recouvrent à peu près exactement ; et qu'en termes statistiques, ces recouvrements sont significatifs. Selon que des sociétés sont historiquement protestantes ou catholiques, réformées ou contre-réformées, elles se situent en haut ou en bas des échelles par lesquelles on peut mesurer la modernité ; elles ont avancé plus ou moins vite sur les axes de progression du développement.

Aussi surprenant et irritant que cela soit, il faut conclure que, jusque dans l'époque contemporaine, ce critère religieux hérité du XVIᵉ siècle demeure un discriminant topique.

Les faits qui vont être présentés auraient pu l'être en introduction de cet ouvrage, pour en faire partager le choc au lecteur. Nous avons préféré étudier historiquement l'apparition et l'extension du phénomène du développement. Mais les chiffres qu'on va lire traduisent l'extraordinaire rémanence de la distorsion religieuse. Tels quels, ils posent une corrélation, sans prétendre l'expliquer. Sauf quelques commentaires, nous nous en tiendrons, dans ces annexes, aux faits bruts.

Le lecteur dispose maintenant des clés d'interprétation. Elles lui permettent de dépasser toute explication mécaniste et de constater que cette géographie du développement correspond à une géographie de l'éthos de confiance, libéré dans certaines contrées par la Réforme, inhibé dans d'autres par la Contre-Réforme.

Annexe 2

L'école en divergence

Géographie religieuse de l'alphabétisation

La diffusion de l'instruction a partie liée avec la Réforme. Mais pour ce qui est du XVIᵉ siècle, il ne s'agit guère que de vraisemblances. Il faut attendre le XIXᵉ siècle pour disposer de données chiffrées relativement fiables pour l'ensemble de l'Europe. Elles montrent que, trois siècles après la Réforme, il s'est créé en Europe une différenciation très forte, et qu'elle suit les lignes de partage tracées par le fait religieux.

Certes, les *élites* reçoivent partout une éducation (plus ou moins bonne : une analyse comparative de sa qualité serait captivante, mais on pourrait la récuser pour cause d'*a priori* ; tenons-nous-en à l'indiscutable). Ce qui introduit une distorsion profonde, c'est la façon dont l'éducation s'étend à la *masse*.

Reportons-nous aux travaux fondamentaux de C.M. Cippola. On découvre, au milieu du XIXᵉ siècle, un paysage très contrasté. Une zone de « haut développement alphabétique [1] » comprend l'Allemagne, la Hollande, la Grande-Bretagne, la Suisse et la Scandinavie. Au contraire, le Portugal, l'Espagne méridionale, l'Italie méridionale, les Balkans, la Hongrie et la Russie restent dans les tréfonds de l'illettrisme.

Au premier coup d'œil, ce paysage peut être lu selon les lignes de la carte religieuse. Il y a coïncidence entre alphabétisation et protestantisme, entre illettrisme et catholicisme ou orthodoxie. Avec de notables exceptions : ainsi les régions germaniques des Alpes catholiques sont très alphabétisées.

Ces données peuvent être reliées à la proportion entre les maîtres d'école (privée et publique) et la population d'un pays donné, saisies vers 1890 (tableau 1).

Paradoxalement, la France arrive en tête : très loin devant tous les pays catholiques, mais devançant aussi tous les pays protestants. Rappelons d'abord que la défaite militaire de 1870-1871 avait été imputée massivement, dans le débat national qui suit l'installation de la République, à un faible niveau de formation scolaire des Français. La victoire, en revanche, était censée avoir été celle des « maîtres d'école allemands ». De ce double diagnostic sortit une politique de scolarisation intense. En outre, pays catholique contestant vivement l'emprise catholique, la France a connu une concurrence acharnée entre les deux écoles, la laïque et la confessionnelle, qui a abouti à un surencadrement.

Le classement des autres pays d'Europe laisse apparaître une nette supériorité « protestante ». Cette supériorité est encore confirmée par la comparaison des pourcentages de la population (tous âges confondus) se trouvant dans des écoles (tableau 2). Ce critère tempère justement celui de l'encadrement scolaire. La France retrouve son rang parmi les nations catholiques.

Voilà donc établie une corrélation significative entre protestantisme et « facteur culturel ». L'alphabétisation s'inscrit dans le cadre d'un *éthos*

433

Tableau 1

CLASSEMENT DES TAUX D'ENCADREMENT DES POPULATIONS
DES PAYS D'EUROPE PAR LES MAÎTRES D'ÉCOLE PRIMAIRE [2]

France	1890	37 pour mille
Hollande	1890	35
Angleterre-Pays de Galles	1890	35
Écosse	1890	33
Suisse	1890	31
Suède	1890	27
Norvège	1890	25
Allemagne	1891	24
Prusse	1891	24
Seuil des 20 pour mille		
Belgique	1890	20
Espagne	1890	20
Italie	1890	19
Autriche	1890	18
Portugal	1890	8

Tableau 2

POURCENTAGE DE LA POPULATION (TOUS ÂGES CONFONDUS)
SE TROUVANT DANS DES ÉCOLES (1830-1928) [3]

	1840	1850	1887	1928
États-Unis	15	18	22	24
Angleterre + Galles		12	16	16
Écosse	(9)	?	16	17
Irlande		7	14	18
Australie	6	?	14	16
Allemagne	17	16	18	17
Suisse	13	?	18	?
Pays-Bas	12	13	14	19
Danemark		?	12	16
Norvège	14	14	13	17
Suède		13	15	13
France	7	10	15	11
Autriche	5	7	13	14
Hongrie			12	16
Italie	3	?	11	11
Espagne	4	?	11	11
Portugal	?	1	5	6
Grèce	?	5	6	12
Russie/URSS	?	2	3	12

de développement, favorable à la lecture personnelle de la Bible, à l'éducation, à la responsabilité de l'individu. La seule transmission orale d'une culture prive ses auditeurs de la distance critique. Au contraire, l'accès à l'écrit est un indice assez certain de la *confiance* placée dans le jugement du lecteur individuel. « *Verba volant, scripta manent* », dit le proverbe, mais on pourrait retourner la formule. Les paroles demeurent fixes, car elles rivent l'auditoire à une tradition. Les écrits permettent au lecteur de penser par lui-même. Ils l'incitent à voler de ses propres ailes.

Signer le registre

On peut lire autrement cette divergence culturelle : en examinant à quelle époque les diverses sociétés franchissent tel ou tel seuil – quand, par exemple, la proportion des époux qui signent le registre de mariage à l'aide d'une simple croix [4] reste inférieure à 10 % ou dépasse ce chiffre. *Intrinsèquement*, ce critère est discutable. Savoir reproduire la calligraphie de son nom, ce n'est pas forcément savoir écrire et lire. Mais, *comparativement*, ce critère retrouve toute sa congruence, surtout si l'on considère que les taux de nuptialité des pays comparés sont très voisins.

L'Écosse, dont on a souligné le particularisme culturel, s'inscrit la première à ce palmarès en 1859. Suivent l'Angleterre et le Pays de Galles en 1886, la France en 1888, l'Irlande en 1901, enfin, l'Italie en 1925.

Les soixante-six ans qui séparent le franchissement de ce seuil d'alphabétisation en Écosse et en Italie ouvrent un éventail impressionnant. La place avantageuse de la France, qui talonne l'Angleterre, atteste la pénétration, tout au long du XIXᵉ siècle, sur le modèle protestant, d'une mentalité éducative dont la IIIᵉ République allait faire son cheval de bataille.

Toutefois, il est préférable de multiplier les approches quantitatives de ce genre, l'isolement d'un critère pouvant rendre fragile la démonstration.

On se reportera donc à un autre indice de la distorsion culturelle : la date à laquelle le taux d'analphabétisme, chez les conscrits du service militaire, tombe à 10 %. Cet indice peut sembler plus fiable *, étant donné le contrôle systématique qu'il présente sur une population représentative.

La Prusse atteint ces 10 % en 1840.
La France   en 1890.
La Belgique   en 1904.

Quant à l'empire russe, il en est encore en 1907 à 40 % de recrues analphabètes, alors que la France et la Belgique avaient respectivement atteint ce chiffre en 1848 et 1859 [5].

Résistances

La croissance du taux d'alphabétisation ne fournit pas un indice linéaire, ni homogène, du développement culturel. En effet, l'Angleterre, qui était au milieu du XVIIIᵉ siècle le pays où l'analphabétisme était le plus bas (51 % des couples signent avec leur nom durant la période 1754-1762), plafonne longtemps à ce niveau : en 1799-1804, le chiffre est de 54 % [6].

En France, pendant la même période, l'avance est plus nette : en 1686-

---

* Il est malheureusement lacunaire : tous les pays ne connaissent pas le système de la conscription – la Grande-Bretagne par exemple.

1690, 25 % des mariés pouvaient signer les registres de leur nom ; ils devinrent 40 à 45 % pour les années 1786-1790. La France avait alors presque rattrapé son retard séculaire sur l'Angleterre.

La « stagnation » anglaise du XVIIIᵉ siècle indique sans doute qu'au-delà de 50 % de lisants-écrivants, la progression exige un effort plus radical. La « révolution industrielle » britannique a pu s'appuyer sur une population à moitié alphabétisée, mais le mouvement de cette révolution n'a pas fait progresser l'alphabétisation. On peut même observer un phénomène nouveau dans l'environnement protestant : certains commencent à voir un danger dans une scolarisation qui détournerait les masses du nécessaire travail en usine.

Le président de la *Royal Society* – la « Société royale pour le progrès des sciences » – s'écrie en 1807 : « Aussi séduisant que puisse être le projet de dispenser l'éducation aux catégories laborieuses des pauvres, il serait en réalité préjudiciable à leurs mœurs et à leur bonheur. Ce serait leur apprendre à mépriser leur condition, au lieu de faire d'eux de bons serviteurs, dans l'agriculture et dans les autres emplois auxquels leur état les a destinés. Au lieu de leur apprendre l'obéissance, ce serait les rendre factieux et rebelles, comme on l'a vu dans les comtés manufacturiers. *Ce serait les mettre en mesure de lire des libelles séditieux, des ouvrages pervers et des publications hostiles à l'Église chrétienne. Ce serait les rendre insolents envers leurs supérieurs.* Le résultat serait que, sous peu d'années, le parlement devrait abattre sur eux le bras de la force [7]. »

La Suisse, en revanche, adopte assez massivement une attitude confiante dans l'alphabétisation et dans le développement de la lecture comme de l'écriture. Pour la région de Genève, à la fin du XVIIIᵉ siècle, la consultation des registres de mariage montre que 90 % des nouveaux mariés issus des milieux urbains ou suburbains sont alphabétisés, ainsi que 60 % des nouveaux mariés issus de la campagne.

La Hollande se distingue aussi, avec, pour la ville d'Amsterdam, 63 % de nouveaux mariés signant leur nom en 1729-30 ; et 74 % en 1780 [8].

Une analyse de facteurs

On peut aller un peu plus loin dans cette analyse. La démarche est simple. Il s'agit de rapporter le pourcentage d'analphabètes vers 1850 – très différent d'un pays à l'autre – aux diverses données avec lesquelles on pourrait, *a priori*, le relier.

Cipolla en avait suggéré quatre :

1. Le pourcentage de protestants.

2. Le facteur climatique (dans les pays froids, les longs hivers sont favorables à la scolarisation, plutôt qu'à l'école buissonnière).

3. L'urbanisation (la ville favoriserait l'organisation et le financement de l'instruction et lui créerait un climat plus favorable que la campagne).

4. La distribution des revenus agricoles (un pays plus « égalitaire » aurait une instruction plus également distribuée).

L'étude des données réunies est conforme aux hypothèses : chacun des phénomènes choisis semble bien, soit favoriser, soit défavoriser la diffusion de l'instruction (tableau 3). Mais la seule corrélation qui soit significative, en termes statistiques [9], est celle que l'on peut établir avec le pourcentage de protestants (tableau 4). En moyenne, *un point supplémentaire du*

Tableau 3

VARIABLES EUROPÉENNES
DE LA PRÉDICTION DE L'ANALPHABÉTISME [10]

	Variable	Analphabétisme	Protestantisme	Ruralité	Vie urbaine	Température
N°	Pays	% analphabètes	% protestants	% part du pro. agric.	% pop. villes > 5 000	Moyenne janv.-juill. °C
1	Prusse	20	60	43,5	28	6
2	Écosse	20	96	22	52	8
3	Suède	10	99	55	10	5
4	Autriche	42,5	1,6	60	46	7
5	Belgique	47,5	5	35	26	9
6	Angleterre-Galles	31,5	98,2	20	50	10
7	France	42,5	5	45	27	12
8	Italie	77,5	1	60	27	16
9	Espagne	75	1	65	15	15
10	Russie	92,5	0	80	10	3

ANALPHABÉTISME ET PROTESTANTISME EN EUROPE (1850) :
DES VARIABLES INVERSEMENT PROPORTIONNELLES [11]

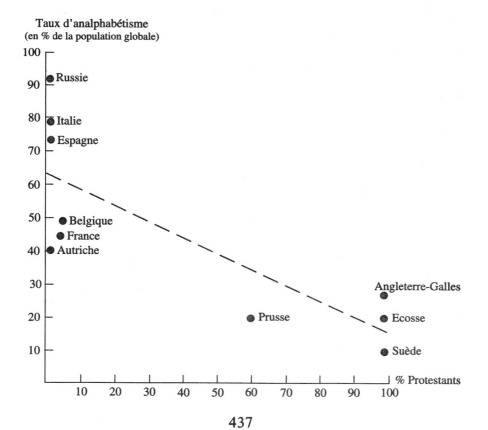

pourcentage de protestants se traduit par un demi-point de moins dans le pourcentage d'illettrés.

La variable « pourcentage de protestants » est homogène à 62 % avec les variations de l'analphabétisme. Les trois autres, à elles toutes, n'expliquent que 8 % de la variance du phénomène. *La seule variable qui agit avec une forte régularité d'un pays à l'autre est une variable « cultuelle »,* celle qui mesure le pourcentage de protestants.

La corrélation n'étant pas totale, on observe des écarts, en plus ou en moins, par rapport au nombre d'analphabètes que chaque pays « aurait dû » avoir si la seule variable « protestants » avait joué. Il est intéressant de les repérer (tableau 4).

Les pays qui sont plus scolarisés que ce qui est prévu (« prédit ») sur la base de la seule variable religieuse sont la Prusse, la Suède, l'Autriche, la Belgique et la France. Les pays moins scolarisés que prédit sont l'Angleterre, l'Italie, l'Espagne et la Russie.

Ces faits indiquent qu'une spécificité nationale se superpose au facteur cultuel. Mais elle est moins importante que celui-ci, qui reste largement dominant.

Dans les pays à dominante « catholique » (Autriche, Belgique, France, Italie, Espagne) ou orthodoxe (Russie) s'opposent deux groupes.

Le premier est celui où le pourcentage réel d'analphabètes est inférieur à celui que laissait prévoir la variable religieuse : Autriche, Belgique, France. Nous examinerons plus loin le cas de la France.

Le cosmopolitisme austro-hongrois, avec sa forte minorité juive et son rôle de carrefour de l'Europe centrale, est assez important pour faire chuter de 20 points le taux d'analphabétisme attendu. Il faudrait aussi mesurer les conséquences du « joséphisme » qui, dès les années 1770, a beaucoup réduit le rôle de l'Église.

Pour la Belgique, la chute est moindre (13 points) mais sensible néanmoins. On sait que le clergé catholique belge est, au XIXe siècle, réputé libéral.

À ce premier groupe de pays « catholiques », qui se situent en « frontière

Tableau 4

POURCENTAGE D'ANALPHABÈTES
DANS LA POPULATION ADULTE EN 1850 [12]

	Prédit (théorique) (si le protestantisme était le seul facteur)	Réel (observé)
Angleterre-Galles	17,2	31,5
Suède	16,8	10
Écosse	18,2	20
Prusse	35,1	20
Belgique	60,9	47,5
France	61	42,5
Autriche	62,6	42,5
Italie	63	77,5
Espagne	63	75
Russie	63,5	92,5

de catholicité », on opposera l'Italie, l'Espagne et la Russie. Pour les deux premiers pays, le pourcentage d'analphabétisme attendu est dépassé de 12 à 14 points dans la réalité. Cette contre-performance culturelle n'est pas due aux autres facteurs (urbanisation, température, distribution des revenus agricoles). Il faut plutôt considérer que le facteur religieux a pu agir en toute liberté. Rien n'est venu contrecarrer les éléments les plus négatifs de la Contre-Réforme ici, de l'orthodoxie là. On peut parler alors d'*inhibition des facteurs culturels de développement*.

La méfiance pluriséculaire de l'Église envers l'autonomie culturelle expliquerait son comportement inhibiteur. Quiconque acquiert des lettres serait suspect d'échapper au giron de la structure sociale dominée par l'Église, en Italie jusqu'au milieu du XXe siècle, et plus longtemps encore en Espagne. Le cas du Portugal serait probablement encore plus démonstratif. Mais on ne dispose d'aucune statistique – cette carence même constituant un indice sans équivoque de sous-développement culturel...

Quant à la Russie, elle présente l'écart le plus grand : 29 points. Son environnement géophysique ne l'a-t-il pas confinée dans un état de léthargie alphabétique prolongée ? À l'examen, c'est insoutenable. La Russie et la Suède, deux pays ruraux du Nord, se trouvent en effet aux deux extrémités du tableau : 10 % d'analphabètes pour 99 % de protestants, face à 92,5 % d'analphabètes pour 0 % de protestants. Pour 2°C de température de différence sur la moyenne janvier-juillet avec la Suède, et une part du revenu agricole supérieure de 25 points, mais une population urbaine proportionnellement égale, la Russie verrait son taux d'analphabétisme multiplié par 9,25 ! L'explication matérialiste, climatologique ou sociologique se révèle ici d'une efficacité plus que douteuse.

Entre ces deux extrêmes, les apparences d'anomalie – d'ailleurs assez minimes et n'altérant pas le classement général – ne sauraient être imputées à des facteurs matériels. On voit des pays qu'opposent nettement les traits matériels, telles l'Angleterre et l'Espagne, et qui se retrouvent ensemble faire mieux que « prédit ». À l'inverse, des taux d'urbanisation égaux, comme c'est le cas pour la France et l'Italie, peuvent correspondre à des écarts de sens contraire par rapport à la prévision. Toutes ces oscillations nous renvoient en définitive à des facteurs mentaux, même s'ils apparaissent plus complexes que leur simple mesure par le fait religieux.

Contrastes internes

Complétons les indications précédentes, en étudiant ces distorsions culturelles, non plus entre nations, mais à l'intérieur d'une même nation : la France, ou encore l'Allemagne et l'Italie. Nous serons amené à affiner l'analyse.

Sur les comptages faits par Cipolla, pour la France, département par département, à l'aide des signatures des femmes mariées sur les registres, en 1686-1690 et en 1786-1790, bâtissons deux cartes qui rendront plus lisible la situation de l'analphabétisme, à la fin du XVIIe siècle et à la fin du XVIIIe siècle. Les cartes parlent d'elles-mêmes : elles montrent à la fois un progrès et une permanence. Les départements « pointillés » des pages 441 et 442, ceux de l'ignorance crasse, où à peine un jeune adulte sur dix sait signer son nom, font moins de taches : de 15, ils sont passés à 3. Aucun département n'avait moins d'un tiers d'analphabètes ; il y en a six en 1786-1790.

Mais cette évolution positive ne fait que souligner davantage l'opposition, aussi nette en 1786-1790 qu'en 1686-1690, entre le Nord et l'Est d'une part, le Sud et l'Ouest d'autre part. Une ligne, aussi droite que les contours départementaux permettent de la tracer, semble partager la France, du mont Saint-Michel à Genève. Au nord de cette ligne, l'alphabétisation atteint au maximum deux adultes sur trois ; dans les deux tiers des départements de cette zone, ce n'est plus qu'un sur deux, ou moins encore : les Flandres et l'Artois ont retrouvé le niveau de leurs voisins, ce qui indique que leur situation de la fin du XVIIe siècle était due aux guerres incessantes qui les avaient troublés sous Louis XIII et Louis XIV. En revanche, dans le Sud et l'Ouest, la grande masse des départements oscille entre 17 et 90 % d'analphabètes. Il n'y a que trois départements encore en dessous et cinq au-dessus. Nombre de départements du Massif central, du Centre, de Bretagne n'ont pour ainsi dire fait aucun progrès.

L'interprétation de ces données reste ouverte. Il faudrait les mettre en relation avec beaucoup de facteurs très divers. Il y a la barrière linguistique des parlers d'oc : la scolarisation se fait en français ; pour une grande partie de la France, c'est alors une langue étrangère aux masses paysannes. Mais cela n'explique pas le retard du Centre ou de l'Ouest. Il y a la structure de l'habitat : on voit que la France la plus tôt instruite est celle des champs ouverts et des gros villages. Les bocages sont plus lents à pénétrer – et pourtant, la Normandie a de bons résultats.

Le rapprochement avec une carte du métayage est également éclairant. Nous l'avons [13] pour 1882 – mais elle vaut pour les époques antérieures, car il s'agit de structures très stables. On sait que le métayage est la forme de location des terres la moins responsabilisante pour le cultivateur, puisque tout l'investissement matériel est à la charge du propriétaire et que le métayer doit partager avec celui-ci le profit des améliorations qu'il peut apporter. En revanche, dans le fermage, il garde ce profit pour lui-même, n'étant tenu qu'à une redevance fixe. Or, on voit que le métayage est pratiquement inconnu dans le Nord et l'Est de la France. En revanche, les régions où il est vraiment répandu sont aussi des régions de grand retard à l'instruction : basse vallée de la Loire, Limousin, Aquitaine et bordures sud-ouest du Massif central, Provence.

L'explication nous échappe en partie. Mais le rapport entre la pénétration de l'instruction dans les milieux populaires et le décollage inégal du territoire français, au XIXe siècle, saute aux yeux : c'est ce tiers nord-est qui va se développer le plus vite, et qui gardera son avance jusqu'à la grande crise de l'industrie que nous vivons en cette fin du XXe siècle.

Le cas prussien

Dans la Prusse de 1871, la population catholique est sans conteste la moins alphabétisée. Cipolla indique certes que « la grande majorité des catholiques de Prusse étaient des Polonais, qui n'appartenaient ni linguistiquement ni culturellement au groupe allemand [14] ». Il conclut que le facteur religieux n'est pas le seul à entrer en ligne de compte. Sans

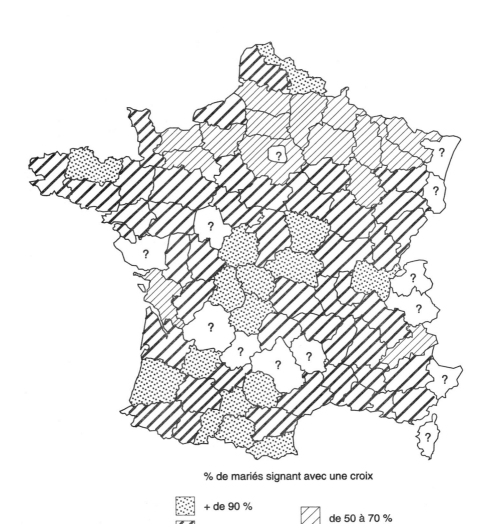

% de mariés signant avec une croix

+ de 90 %

de 70 à 90 %

de 50 à 70 %

441

GÉOGRAPHIE DE L'ANALPHABÉTISME
DANS LES DÉPARTEMENTS FRANÇAIS (1786-1790) [16]

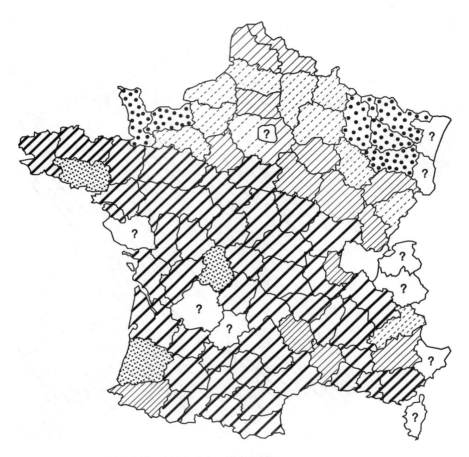

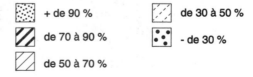

% de mariés signant avec une croix

⣿ + de 90 %		⣿ de 30 à 50 %
⣿ de 70 à 90 %		⣿ - de 30 %
⣿ de 50 à 70 %		

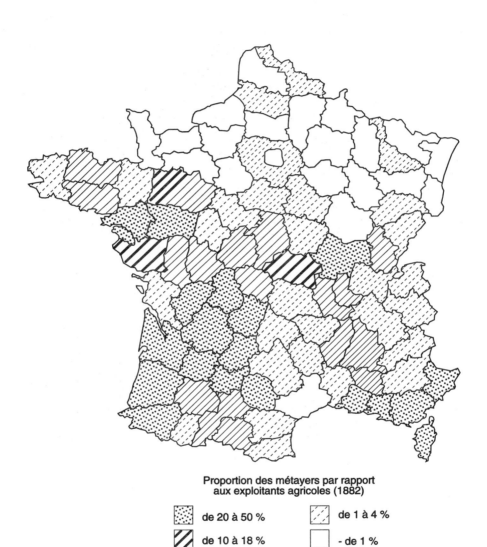

Proportion des métayers par rapport
aux exploitants agricoles (1882)

de 20 à 50 %   de 1 à 4 %

de 10 à 18 %   - de 1 %

de 5 à 9 %

doute. Mais ce qui frappe davantage que l'écart entre protestants et catholiques de Prusse, c'est que le niveau d'instruction de ces derniers est très largement supérieur à ce qu'il était à la même époque dans d'autres États : 18 % d'analphabétisme (hommes et femmes confondus), contre 40 % en Irlande ou 69 % en Italie. On est frappé de voir que les catholiques d'origine polonaise en milieu prussien, au contact de protestants, juifs, dissidents, sont bien plus alphabétisés que les catholiques irlandais (en bordure de la Grande-Bretagne, avec une minorité protestante) ; lesquels sont de beaucoup dépassés en illettrisme par l'Italie « toute catholique » de 1871.

Ces chiffres permettent de vérifier la pertinence de la notion de *frontière de catholicité*, proposée par Pierre Chaunu. Les cas bavarois, rhénan, tyrolien, n'apparaissent plus comme des exceptions. Ils confirment bien plutôt cette règle : la compétition religieuse favorise le développement culturel.

Le dégradé italien

En 1858, dans le Piémont et la Ligurie, qui sont pourtant les provinces les plus développées de l'Italie, le taux d'analphabétisme adulte atteint 61 %. Il est encore plus élevé ailleurs : on compte huit analphabètes sur dix adultes en Toscane, et plus de neuf sur dix en Sardaigne [18].

Le cas piémontais fournit l'occasion de constater un autre aspect de la divergence. Cipolla remarque en effet, par exemple, que dès 1740, 76 % des boulangers de Turin signaient de leur nom – et 97 % en 1796 [19]. Sur l'ensemble de la population adulte, de semblables taux d'alphabétisation ne seront atteints que plus d'un siècle après : en 1871, il reste inférieur à 75 %, 140 ans après qu'il a atteint ce chiffre chez les boulangers des grandes villes du Nord [20].

Ces données suggèrent une réflexion. La performance de certaines catégories sociales ou professionnelles, privilégiées en matière d'alphabétisation, ne doit pas masquer, dans les pays latins, une très forte disparité. En revanche, dans les pays protestants, l'élitisme alphabétique est moins marqué. Autrement dit, à peu près partout, dans les Europes catholique et protestante confondues, les classes supérieures, et de plus en plus les classes moyennes, sont éduquées. Les distorsions se notent dans la scolarisation des masses paysannes d'une part, des classes inférieures urbaines d'autre part : c'est là que les pays protestants sont en forte avance.

Annexe 3

Publier sur l'économie

Les chercheurs anglo-saxons se sont penchés, à la fin des années 1930, sur les problèmes de gestion de l'approvisionnement, de la logistique des transports et de la production. Il sort de ce mouvement, en 1941, un livre fameux, fondateur de la science du *management* : *The managerial revolution,* de Burnham. La traduction française paraîtra cinq ans plus tard.

Ce n'est rien, au regard des soixante années qui séparent la parution de *L'Éthique protestante et l'esprit du capitalisme* (1904) de sa traduction française (1964).

Pis encore. Voici Vincent de Gournay, économiste *français* celui-là, dont Turgot a fait un éloge célèbre ; ses écrits sont restés inédits pendant trois siècles, jusqu'à ce qu'un historien japonais, Takumi Tsuda, les exhume à Saint-Brieuc et les publie – mais à Tokyo [1].

Un autre Japonais, Mitsuzo Masui, compila, en 1935, une « bibliographie de la finance [2] ». Sa consultation fournit un indice du fossé qui sépare Français et Anglais, quant à l'intérêt que les uns et les autres portent à la chose économique. Avec une population quatre fois moindre que celle de la France, l'Angleterre avait déjà édité, avant 1700, 437 ouvrages concernant la monnaie, le crédit et l'administration financière [3] – contre 240 en France [4] (et encore, si l'on y prolonge la période jusqu'en 1714). Quatre fois moins de « lecteurs » potentiels, deux fois plus de livres ! Il est vrai que les Anglais sont plus nombreux à savoir lire. Mais surtout, ils sont bien plus nombreux à avoir envie de lire ce genre de livres.

Cette nouvelle distorsion franco-anglaise est plus frappante encore si l'on considère le contenu de ces livres ; une simple analyse comparative des titres suffira.

Pamphlets, traités, considérations, remarques, raisons, mémoires, projets, propositions, pétitions, tous les genres rhétoriques sont employés des deux côtés.

Mais on note qu'abondent, du côté anglais, les textes d'auto-exaltation : par exemple, *La Gloire dans le grand progrès réalisé par la banque et le commerce (Glory in the great improvement by banking and trade),* en 1694, ou encore les comparaisons avec, notamment, la République hollandaise. Le caractère compétitif de la vie est très vite saisi. Un ouvrage s'intitule : *L'avocat, ou narration de l'état des choses entre les nations anglaise et hollandaise, relativement au commerce, et ses conséquences (The advocate, or a narrative of the state and condition of things between the English and Dutch nations in relation to trade, and the consequences).* Autre exemple de comparaison explicite : *Discours sur le commerce... traitant de la raison du déclin de la force et de la richesse du commerce de l'Angleterre... de la croissance et de l'augmentation du commerce hollandais dépassant l'anglais (A discourse of trade [...] treats of the reason of the decay of the strength, wealth and trade of England, [...] of the growth and increase of the Dutch trade above the English)* (1670).

445

Quant à l'enthousiasme commercial, il est très présent, comme par exemple dans le traité de Parker : *Du commerce libre : discours recommandant sérieusement à notre nation les merveilleux bénéfices du commerce (Of a free trade ; a discourse seriously recommending to our nation the wonderful benefits of trade)* (1648).

En France, la production d'ouvrages relatifs à l'économie consiste essentiellement en publications officielles : arrêts, édits, déclarations royales nourrissent la bibliographie à bon compte. Donnons-en deux exemples : *Déclaration du roi portant interdiction à tous ses sujets et autres résidents en royaume de faire aucun commerce et traffic en Angleterre* (1627). Ou encore : *Arrest du Conseil d'État par lequel Sa Majesté ordonne le prix auquel les monnayes auront cours* (1665).

Quand ce n'est pas l'État qui parle, c'est à lui qu'on s'adresse. Dans ce tête-à-tête exclusif, la « requête », la « remontrance » répondent à l'« édit » ou à l'« ordonnance ». Voici un *Discours sur l'excessive cherté, présenté à la Reine, mère du Roi, par un sien fidèle serviteur* (1586), ou encore *La France en convalescence, ou ses très humbles remontrances au roi pour la recherche des financiers et la réformation de l'Estat* (1624).

Il est remarquable aussi que presque aucun ouvrage n'attire l'attention de l'esprit public français sur le bouillonnement de vitalité économique qui, à nos portes, caractérise la Hollande ou l'Angleterre : pas plus pour s'en plaindre, que pour y prendre des leçons. Il n'est pas question de rechercher des partenaires à l'école desquels on puisse développer commerce et industrie, s'ils sont dans le camp de la Réforme. En revanche, on ne manquera pas de louer le *Traité pour le rétablissement du commerce entre les sujets du roi et ceux du roi catholique dans les Pays-Bas espagnols, fait le 25 octobre 1675* (1700).

Quant aux suggestions qui traduisent un véritable esprit commercial, elles sont rarissimes. Citons, en 1682, un certain Frejus, qui écrit une *Relation d'un voyage fait en 1666 aux Royaumes de Maroc et de Fez, pour l'établissement du commerce avec la France*. Cette hirondelle ne fera pas le printemps.

L'enquête bibliographique de Mitsuzo Masui s'arrêtait à l'aube du XVIIIᵉ siècle. Elle peut être prolongée par celle de Cipolla sur les principales revues d'histoire économique [5]. Des 8 qui commencent de paraître entre 1870 et 1940, 5 naissent en effet en milieu protestant. Cette prédominance s'accroît encore de 1940 à 1960 (11 contre 3). C'est seulement après 1960 que, dans les sociétés de « tradition catholique », ce déficit de la recherche universitaire se comblera peu à peu.

Représentée en termes de stocks, la suprématie protestante est encore plus nette : le rattrapage des pays catholiques est en effet tardif et partiel. La suprématie numérique des populations catholiques aggrave le déséquilibre.

Annexe 4

La densité 40

Le développement est clairement lié à la multiplication des hommes. Du moins, tant que le progrès médical n'a pas conduit – en diminuant la mortalité naturelle – à connaître simultanément et le sous-développement et un accroissement humain devenu exponentiel, celui-ci aggravant celui-là.

Si l'on se reporte à l'époque où la médecine n'intervenait pas dans le jeu d'équilibre entre la population et son alimentation, il semble que, dans l'Europe occidentale tempérée, la « densité 40 » (40 habitants au kilomètre carré) ait été le seuil qui signalait l'accès au développement. Nous nous proposons de vérifier l'hypothèse avancée dans *Le Mal français* (chapitre 12), selon laquelle cette densité 40 représentait plus qu'un seuil, un mur, dont le franchissement supposait une modernisation irréversible.

Avec un territoire utilisé à moitié et un assolement triennal, avec des rendements en grains fluctuant entre 4 et 5, on obtient une densité kilométrique maximale de 40 habitants au km². Si l'on va au-delà, on entre dans un autre type de développement, caractérisé par l'urbanisation, l'industrie et le négoce. Faute de quoi, dans une « économie de subsistance » qui ne permet plus de subsister, la malnutrition, voire la famine, et de toute façon la maladie, abaissent la population en dessous de ce seuil. Pour ne pas s'écraser sur le mur de la densité 40 et le franchir durablement, il faut un autre moteur économique que l'agriculture.

Slicher van Bath *(The Agrarian History of Western Europe)* a tenté d'établir un lien entre la notion de « densité critique » et le problème des rendements. La technique consiste essentiellement à passer du concept de « surface requise pour nourrir une personne », à l'évaluation de la population maximale, compte tenu 1) du pourcentage de la superficie effectivement semée une année donnée, 2) des rendements. Il en ressort un tableau croisé.

LA DENSITÉ KILOMÉTRIQUE MAXIMALE

Rendement	% d'utilisation des sols					
	10 %	20 %	25 %	33 %	50 %	100 %
2	8	16	20	26,7	40	80
3	16	32	40	53,33	80	160
4	24	48	60	80	120	240
5	32	64	80	106,7	160	320
6	40	80	100	133,3	200	400
7	48	96	120	160	240	480

Ce tableau donne la densité kilométrique maximale, 1) du pourcentage de l'utilisation des sols et, 2) des rendements de la terre.

Dans la mesure où les rendements sont aléatoires, la densité lue dans le tableau est bien une borne supérieure, une barrière qu'on ne peut franchir : si on l'atteint, une chute des rendements au-dessous du rendement moyen déclenche immédiatement une disette.

Le franchissement du seuil

Quand et comment ce seuil a-t-il été franchi ?

À partir des données existant sur le sujet [1], on peut constituer deux tableaux, qui donnent l'évolution de la densité kilométrique pour le groupe des nations latines, et pour celui des nations protestantes *.

Le simple examen de ces tableaux fait apparaître une distorsion frappante entre nations latines, c'est-à-dire à dominante catholique, et nations protestantes.

Dès avant 1600, les Provinces-Unies atteignent et dépassent la densité 40. Deux siècles et demi d'avance les séparent du Portugal (années 1850) et trois siècles de l'Espagne (années 1910).

France-Angleterre

Entre ces extrêmes, les distorsions restent significatives. Exemple : le franchissement de la densité 40 par l'Angleterre puis la France. L'Angleterre dépasse cette densité critique dans les années 1710. La France le fait sans doute à la fin du siècle. De 31 h/km² en 1650, sa densité s'établit à 36 au cours du règne de Louis XIV et atteindra 40 pendant le règne de Louis XVI. La distorsion semble donc se traduire par un retard d'un peu moins d'un siècle, de l'ordre de 70 ans.

Cependant, si le regard embrasse une durée plus longue, on s'aperçoit que le mouvement s'aggrave. Après avoir presque rattrapé un temps l'Angleterre, la France se laisse distancer ; un siècle plus tard, la différence est du simple au double :

France 1881	75 h/km²
Royaume-Uni 1871	146 h/km².

Franchissons encore un siècle et l'écart se creuse, puisque le rapport dépasse 2,3 pour 1 :

France 1989	102,7 h/km²
Royaume-Uni 1989	233 h/km².

---

* Les nations scandinaves sont des nations protestantes – luthériennes, pour être précis. Mais il faut les mettre à part, en raison de l'immensité de leur territoire inhabitable et incultivable. En 1970 encore, elles atteignaient seulement les 15 h/km² en moyenne. À défaut de nations catholiques comparables, nous les excluons de l'analyse.

NATIONS CATHOLIQUES

Époques	Portugal	Espagne	Italie	France
XVIᵉ		12 h/km²		
XVIIᵉ		(1650) 17 h/km²	(1672) 36 h/km²	(1600) 25 h/km² (1650) 31 h/km²
XVIIIᵉ	(1768) 27 h/km²	(1768) 18 h/km² (1787) 20 h/km² (1797) 21 h/km²	(1700) 43 h/km² (1770) 48 h/km²	(fin XVIIIᵉ) 47 h/km²
XIXᵉ	(1801) 33 h/km² (1838) 36 h/km² (1861) 46 h/km²	(1857) 30 h/km² (1877) 33 h/km² (1897) 35 h/km²	(1800) 57 h/km² (1833) 70 h/km² (1852) 80 h/km² (1881) 94 h/km²	(1801) 50 h/km² (1821) 55 h/km² (1841) 62 h/km² (1881) 75 h/km²
XXᵉ	(1920) 69 h/km² (1950) 95 h/km² (1970) 98 h/km²	(1910) 39 h/km² (1930) 46 h/km² (1950) 55 h/km² (1970) 67 h/km²	(1911) 115 h/km² (1936) 142 h/km² (1971) 179 h/km²	(1921) 69 h/km² (1951) 76 h/km² (1968) 88 h/km² (1978) 96 h/km²

NATIONS PROTESTANTES

Époques	Royaume-Uni	Pays-Bas	Allemagne	
			RFA	RDA
XVIᵉ	(1600) 30 h/km²	(1600) 45 h/km²		
XVIIᵉ	(1695) 36 h/km²	(1650) 56 h/km²		
XVIIIᵉ	(1710) 39 h/km² (1750) 41 h/km² (1770) 47 h/km² (1790) 55 h/km²	(1700) 57 h/km² (1750) 57 h/km² (1795) 62 h/km²	(1700) 19 h/km² (1775) 33 h/km²	
XIXᵉ	(1811) 67 h/km² (1831) 79 h/km² (1851) 113 h/km² (1871) 146 h/km²	(1816) 61 h/km² (1839) 85 h/km² (1859) 98 h/km² (1879) 120 h/km² (1899) 152 h/km²	(1800) 46 h/km² (1816) 59 h/km² (1852) 90 h/km² (1871) 114 h/km²	
XXᵉ	(1911) 184 h/km² (1945) 201 h/km² (1970) 227 h/km²	(1920) 205 h/km² (1940) 266 h/km² (1970) 392 h/km²	(1910) 178 h/km² (1933) 183 h/km² (1950) 202 h/km² (1971) 240 h/km²	 170 h/km² 157 h/km²

Italie et Allemagne

Le cas de l'Italie mérite un traitement à part. L'histoire de ses États, le réel développement qu'ils ont connu avant la Contre-Réforme, l'ont placée en bon rang pour franchir la densité 40. C'est vers 1672 qu'on peut estimer qu'elle le fait. C'est-à-dire avant le Royaume-Uni. Qu'en est-il un siècle plus tard ? Ils sont à égalité, mais dès 1790, avec 55 h/km², le Royaume-Uni dépasse l'Italie qui atteint les 50 h/km² en 1801. Encore un siècle, et le rapport s'accroît à l'avantage du Royaume-Uni :

Italie 1881	94 h/km²
Royaume-Uni 1871	146 h/km².

Un siècle à nouveau – l'avance britannique se conserve :

Italie 1971	179 h/km²
Royaume-Uni 1970	227 h/km².

Il serait sans doute probant de décomposer l'étude du franchissement de la densité 40 et son évolution, en opposant l'Italie du Nord à l'Italie méridionale. L'effet *mezzogiorno* se traduirait par un net retard.

On a déjà relevé à plusieurs reprises la spécificité allemande. À partir du XVIᵉ siècle, les pays allemands se partagent entre catholicisme et protestantisme. La mosaïque d'États et de religions qui les composent n'autorise pas un jugement global. On remarquera toutefois la croissance exceptionnelle de la densité au cours du XVIIIᵉ siècle. Bien qu'encore en retard sur la France, et surmontant les ravages humains de la guerre de Trente Ans, elle progresse de 73 % entre 1700 et 1775, tandis que la France connaît une progression de sa densité kilométrique d'environ 30 %. Deux siècles plus tard, le rapport est du simple au double.

Histoire d'une distorsion : le cas du blé

L'exemple des céréales permet de vérifier notre hypothèse très générale que le mental est en relation étroite avec la géographie du progrès – particulièrement avec les méthodes culturales ou les structures agraires.

L'étude des rendements céréaliers des principaux pays européens met en évidence un phénomène de distorsion. L'intérêt d'une étude sur période longue apparaît, lorsque sont tracées les cartes de l'évolution de la productivité dans l'Europe agricole.

Sans doute convient-il de rester prudent. Les moyennes nationales gomment d'énormes variations dans le temps et dans l'espace. Morineau rapporte, pour un même domaine, des fluctuations du simple au double d'une année à l'autre. Et d'une parcelle à l'autre, du simple au quintuple ! Mais comme *statistique*, la moyenne garde sa valeur, et si elle écrase les réalités « régionales », elle permet de saisir les grandes tendances *nationales*.

Empruntons à Pierre Dockès et Bernard Rosier[2] la comparaison du nombre moyen de grains (correspondant à quatre céréales) moissonnés pour chaque grain semé. Elle fait ressortir que *peu à peu, la carte de l'Europe des rendements céréaliers se met à ressembler à la carte de l'Europe des religions.* Cette coïncidence n'existe pas à l'origine – au XVIe siècle. Elle apparaît au XVIIe et au XVIIIe siècle. Elle devient éclatante au XIXe. Ce décalage dans le temps traduit la lenteur, mais aussi la sûreté, des modalités d'opération du facteur mental.

Où la divergence est encore plus flagrante

Entrant davantage dans le détail, on peut considérer trois couples : chacun réunit une nation catholique et une nation protestante dont les données de base agricole sont comparables et où, au XVIe siècle, les rendements céréaliers sont à peu près égaux :
– la France et la Grande-Bretagne (Irlande exceptée), 6,26 et 6,9 ;
– la Belgique et les Pays-Bas, 10,9 et 10,3 ;
– l'Allemagne et la Pologne, 4,6 et 4,49.
Or, les siècles qui suivent vont voir l'évolution bifurquer au sein de chaque couple.
Prenons celui que forment les deux régions, catholique et protestante, des anciens Pays-Bas espagnols. Tandis que la Belgique se maintient au même niveau de rendement, les Pays-Bas, après avoir essuyé au XVIIe siècle les ravages de la guerre, parviennent à un rendement de 16 pour 1 au XVIIIe, soit une croissance de près de 60 % par rapport au XVIe siècle. Du XVIe au XVIIIe siècle, la Belgique et les Pays-Bas ont bifurqué.
Pour la France et l'Angleterre, la conjoncture a certes joué inversement, les guerres éprouvant plus durablement le pays catholique. Cependant, la progression britannique du XVIe au XVIIIe, moins spectaculaire que la néerlandaise, mais plus régulière, manifeste une incontestable supériorité sur la France. Elle atteint 33 %, alors que la France n'enregistre, passées les épreuves louisquatorziennes, qu'une plus modeste progression.
L'idée d'une « révolution agricole » en France au XVIIIe a été popularisée. En fait, elle est douteuse. Les efforts de propagande des physiocrates n'eurent pas l'impact attendu. « On écrivit des choses utiles sur l'agriculture ; tout le monde les lut, excepté les laboureurs », écrit Voltaire [3]. De sorte que les rendements moyens, de 6 à 8 grains récoltés par grain semé [4], qu'on utilise dans le tableau des rendements, traduit bien le « retard français ». Là encore, distorsion.
Entre l'Allemagne et la Pologne, la situation initiale est équivalente, légèrement à l'avantage de l'Allemagne. Les malheurs de la guerre de Trente Ans la lui font perdre. Mais cette stagnation ne rend que plus

	Angleterre, Hollande	France, Italie, Espagne
1500-1549	5,9	6,7
1550-1599	6,7	–
1600-1649	6,2	–
1650-1699	7,0	6,4
1700-1749	–	5,9
1750-1799	9,7	7,0
1800-1820	11,3	5,9

frappante la croissance allemande face à la récession polonaise au XVIIIᵉ siècle : + 40 % sur deux siècles, contre − 17 % pour la Pologne.

Autrement dit, la divergence entre nations catholiques et protestantes, déjà sensible lors d'une approche globale, est plus frappante encore si on l'analyse à une échelle plus régionale, là où la comparaison est plus pertinente, puisqu'elle repose sur la base d'un potentiel géophysique plus homogène.

On pourrait faire encore un couple Espagne-Italie : non plus pour les contrastes, mais pour remarquer que les deux pays se ressemblent toujours plus. L'Italie avait développé assez tôt les connaissances agronomiques. Elle n'avait, au XVIᵉ siècle, rien à envier à la Grande-Bretagne, au contraire. Force est pourtant de constater la décadence agricole qui frappe la péninsule, et notamment le *mezzogiorno* et la Sicile, autrefois greniers de l'Empire romain.

Bien sûr, protestantisme et catholicisme, Réforme et Contre-Réforme ne sont pas des révolutions ou contre-révolutions agraires. Mais les mêmes populations ont embrassé une Réforme protestante qui leur proposait une émancipation intellectuelle, et ont cherché à transformer les équilibres d'une économie de subsistance en créant une dynamique nouvelle, où une agriculture de rendements élevés s'inscrivait dans une économie d'échanges.

Les distorsions continuées : le XIXᵉ siècle

L'analyse doit être prolongée vers le XIXᵉ et le XXᵉ siècle. On peut se servir pour cela de l'indice de productivité agricole défini par Bairoch [5]. Bien que sa définition soit légèrement différente, il achève de tracer les lignes de partage entre Europe protestante et Europe catholique ou orthodoxe, comme en témoigne le graphique ci-contre.

La « distorsion » saute aux yeux, dans sa dynamique. En effet, il y a beaucoup plus de différence entre Italie et Allemagne que soixante-dix ans plus tôt. La distorsion devient une réalité concrète et perceptible.

Le recours à la machine

Vers la fin du XIXᵉ siècle, les agriculteurs commencent à se mécaniser. Ils le font, là encore, très diversement ; or, cette diversité se relie au critère religieux.

Il serait intéressant de reconstituer l'évolution de la mécanisation agricole (nombre de machines par millier de travailleurs) dans quatre pays européens (France, Belgique, Allemagne, Norvège) pendant la période décisive de la mutation agricole : avant 1875, le taux est partout faible ; après 1925, il est élevé dans toute l'Europe. Mais les pays protestants sont les premiers à avoir réussi la mutation. La France, particulièrement, n'a fait « diverger » sa mécanisation qu'à partir de 1910.

Il faut en outre rapporter ces évolutions à celle de la démographie agricole. La baisse de la population travaillant dans l'agriculture peut, certes, pousser à la mécanisation, mais la corrélation n'est pas automatique. Ce n'est pas parce qu'il y a moins d'agriculteurs, qu'il y a forcément

INDICE DE DÉVELOPPEMENT DE L'AGRICULTURE [6]

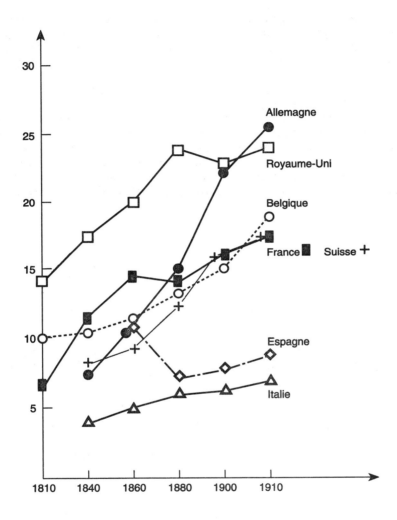

plus de machines agricoles par tête. La baisse de la population vivant de l'agriculture peut fort bien s'accompagner d'un abandon partiel du parc des machines agricoles.

On en a une illustration avec les cas belge et allemand. De 1895 à 1925, la population travaillant dans l'agriculture décroît en Allemagne, et la mécanisation progresse dans une proportion supérieure à celle de la Belgique. Sans doute la mécanisation connaît-elle, en Belgique, une forte croissance, mais son point de départ (21,2 machines pour mille travailleurs en 1880) est trop bas pour rendre significative cette croissance (+ 2 000 %). Plus lente mais plus sûre est cette croissance en Allemagne (+ 509 %). Elle correspond à un taux presque trois fois supérieur au belge.

La France, à cet égard, se rapproche de la Belgique. On notera toutefois, en faveur de la France, que la population travaillant dans l'agriculture continue d'augmenter entre 1892 et 1929, ou plus exactement connaît une forte reprise, après la forte décroissance de la décennie 1882-1892. Malgré cela, la mécanisation augmente autant en proportion pendant cette seconde période que pendant la première. La mécanisation n'en demeure pas moins en retard sur celle de l'Allemagne et de la Norvège. Dans tous les cas, un haut niveau de mécanisation est toujours atteint plus vite par les pays protestants.

Annexe 5

Les distorsions de la démographie

Le seuil – mental autant qu'économique – de la densité 40 nous a déjà introduit aux distorsions de la démographie européenne. Comparons à présent quelques traits des évolutions démographiques au XIXe siècle.

Et d'abord, le dynamisme global.

À une exception près (la Belgique, entraînée à la longue dans le dynamisme du monde anglo-néerlandais réformé), les nations protestantes connaissent une vitalité démographique qui laisse loin derrière elles les nations catholiques. L'Autriche germanophone prend la tête des pays catholiques et talonne la Suède protestante. Mais dans l'ensemble, les écarts de croissance entre pays protestants et catholiques sont le plus souvent très importants – pour la majeure partie, ils vont du simple au double.

On n'insistera pas sur les cas plus criants encore de distorsion démographique : rapport du simple au quintuple entre la France et l'Angleterre (plus le Pays de Galles), ou encore la distorsion absolue de l'Angleterre avec l'Irlande (+ 226 % contre − 9%).

L'émigration catholique et protestante hors d'Europe (1850-1950)

Une émigration massive vers les empires coloniaux et les nouveaux continents a caractérisé l'Europe depuis 1850. Émigration de pauvres, elle n'a pas le même caractère que les émigrations très localisées et spécifiques dont nous avons analysé plus haut la signification économique, voire anthropologique. La décision d'émigrer revêt un sens plus complexe qu'aux alentours de 1570 aux Pays-Bas espagnols, ou de 1685 en France. Les facteurs économiques, politiques, religieux et sociaux se mêlent de façon inextricable.

Les chiffres font apparaître, une fois de plus, une distorsion significative : un retard de 20 à 30 ans des pays catholiques sur les protestants. L'émigration hors d'Europe commence plus tôt et plus intensément dans les pays protestants : sa réduction au tournant du XXe siècle intervient plus tôt et par paliers alternés. Sa reprise dans les années 1930-1950 intervient plus rapidement qu'en pays catholique.

On note des variations conjoncturelles. Les chiffres du Royaume-Uni reflètent, pour l'Irlande, les suites de la catastrophe alimentaire de 1847 : 3 millions d'Irlandais allaient partir en l'espace de quelques années. Mais la propension à émigrer reste une donnée constante de la mentalité britannique.

ÉMIGRANTS HORS D'EUROPE PAR DÉCENNIE (EN MILLIERS) [1]

Pays à dominante catholique	1851-60	1861-70	1871-80	1881-90	1891-1900	1901-10	1911-20	1921-30	1931-40	1941-50	1951-60
France	27	36	66	119	51	53	32	4	5	–	155
Italie	5	27	168	992	1 580	3 615	2 194	1 370	235	467	858
Pologne	–	–	–	–	–	–	–	634	164	–	–
Portugal	45	79	131	185	266	324	402	995	108	69	346
Espagne	3	7	13	572	791	1 091	1 306	560	132	166	543
Belgique	–	2	2	21	16	30	21	33	20	29	109
Autriche-Hongrie	31	40	46	248	440	1 111	418	61	11	–	53
Total	111	191	426	2 137	3 144	6 224	4 373	2 279	675	731	2 064

Pays à dominante protestante	1851-60	1861-70	1871-80	1881-90	1891-1900	1901-10	1911-20	1921-30	1931-40	1941-50	1951-60
Danemark	–	8	39	82	51	73	52	64	100	38	68
Allemagne	671	779	626	1 342	527	274	91	564	121	618	872
Pays-Bas	16	20	17	52	24	28	22	32	4	75	341
Norvège	36	98	85	187	95	191	62	87	6	10	25
Suède	17	122	103	327	205	324	86	107	8	23	43
Suisse	6	15	36	85	35	37	31	50	47	18	23
Royaume-Uni	1 313*	1 572	1 849	3 259	2 149	3 150	2 587	2 151	262	755	1 454
Total	2 059	2 614	2 755	5 334	3 066	4 077	2 869	3 055	548	1 537	2 794

* La catastrophe alimentaire de 1847 ne suffit pas à expliquer ces chiffres, comme le montrent les chiffres suivants qui continuent d'augmenter. L'inclusion dans ces données de l'Irlande (majoritairement catholique) tempère, sans la modifier, leur signification.

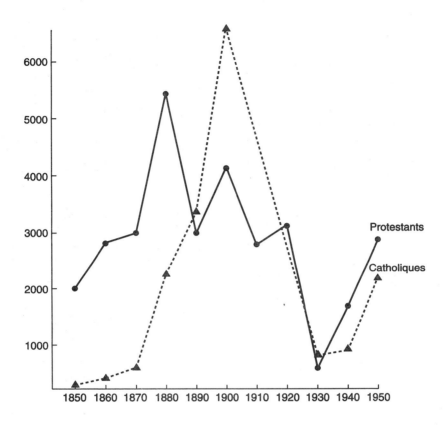

Structure de la population active

On peut retenir, comme seuil significatif pour le développement, la date où la part de l'agriculture dans la population active devient inférieure à 30 % : Grande-Bretagne (avant 1880), Belgique (1880), Pays-Bas (1900), Allemagne (1920), Suisse (1920), Autriche (1920), Suède (1940), Norvège (1940), Danemark (1940), France (1950), Italie (1960), Irlande (1980).

Alors que ce seuil est franchi avant la Seconde Guerre mondiale dans tous les pays protestants, les pays catholiques attendent 1950 pour le passer. L'exception de la Belgique – ce bloc de houille – est facile à interpréter. Il est frappant que la première société à franchir ce seuil soit l'anglaise ; la dernière, sa voisine, l'irlandaise. Encore, pour l'Irlande, s'agit-il d'une moyenne, incluant toute l'île. On peut avancer, sans risque d'erreur, que l'Irlande « catholique » a joué le rôle d'un frein dans le franchissement de ce seuil ; l'Irlande protestante, au contraire, celui d'un accélérateur.

Notons que la part de la population agricole *augmente* à nouveau, pendant certaines périodes. Ainsi vers 1900, en Autriche (de 55,6 à 60,9 %). Il en va de même en Italie, et en France où la population agricole passe de 39,1 à 41,8, niveau auquel elle stagne jusque dans les années 1920.

Ces phénomènes révèlent la persistance d'une mentalité autarcique. On ne connaît pas, en effet, de pays où la recrudescence de population active agricole soit le fait d'une confiance dans le développement. C'est plutôt le signe d'un repli et d'une défiance : ils s'expriment presque caricaturalement dans le « retour à la terre » sous Vichy, avec son mot d'ordre : « la Terre, elle, ne ment pas... ».

Les tableaux suivants complètent l'information en donnant la structure générale de la population active, de 1900 à 1980 [3].

La marche vers la grande urbanisation

L'urbanisation est-elle l'effet direct, ou seulement l'indice, du développement économique ? Ne peut-elle dans certains cas aller de pair

1900

	Agriculture	Industrie	Services	Inconnus/Autres
Autriche	60,9	21,3	16,3	1,5
Belgique	21,9	41,3	27,4	9,5
Danemark	47,5	25	25,7	1,8
France	41,8	30	28,2	–
Allemagne	35,2	39,0	25,1	7
Angleterre + Galles	12,5	86,1 *	–	1,4
Irlande **	–	–	–	–
Italie	59,4	23,7	16,9	–
Pays-Bas	30,8	31,6	35,8	1,8
Norvège	41,3	26,9	29,8	2,0
Suède	49,8	19,7	23,2	7,3
Suisse	31,0	43,7	24,8	0,5

* Pour l'Angleterre et le Pays de Galles, les données ne distinguent pas industrie et services. De même dans les trois tableaux suivants.
** Impossible d'utiliser des chiffres fiables, les statistiques de la Grande-Bretagne et de l'Irlande n'étant pas nettement dissociées.

	Agriculture	Industrie	Services	Inconnus/Autres
Autriche	30	33,3	32	4,7
Belgique	19,1	45,9	33	2
Danemark	35,2	26,9	36,6	1,2
France	41,5	29,6	28,9	–
Allemagne	30,5	41,2	27,6	8
Angleterre + Galles	10,0	89,4	0,5	0,1
Irlande	51,3	14,5	33,3	0,9
Italie	55,7	23,9	20,4	–
Pays-Bas	23,6	35,6	39,7	1,1
Norvège	36,8	27,0	30,6	5,7
Suède	40,4	30,4	27,5	1,7
Suisse	27,1	45,1	26,9	0,8

avec un ralentissement de l'activité économique ? Si elle traduit une centralisation politique et administrative, ne contribue-t-elle pas à démettre la population active de ses responsabilités locales ? Ne risque-t-elle pas de l'entraîner dans l'orbite d'une mégalopole entourée d'un désert humain ?

Ces questions ne peuvent recevoir de réponse simple. Quoi de commun entre Naples et Amsterdam, entre Rome et Londres ? L'évaluation quantitative des populations urbaines ne suffit pas à établir leur signification quant au développement et à l'inhibition économiques. Il reste que, pour un pays donné, la part de la population qui habite, par exemple, dans des villes de plus de 100 000 habitants nous renseigne sur sa physionomie économique et sociale. Un constat général peut être formulé : celui d'un mouvement lent mais sûr d'urbanisation, caractérisé par un essor des grandes villes européennes jusqu'en 1950.

Or, ce sont les pays protestants qui mènent la marche. Retenons le seuil de 20 % de la population habitant des villes de 100 000 habitants et plus. En 1920, il est déjà atteint par les Pays-Bas (24,2 %), l'Angleterre (37,9 %) et cela depuis 1860, le Danemark (21,4 %) et l'Allemagne (26,8 %).

Deux exceptions d'importance : l'Autriche catholique, qui est à 33 % dès 1920, et la Suisse, mi-catholique mi-protestante, qui n'approche les 20 % qu'en 1940 seulement. Mais l'Autriche d'après 1918 n'est qu'une

	Agriculture	Industrie	Services	Inconnus/Autres
Autriche	39	31,7	28,6	0,7
Belgique	12,1	48,3	36,8	2,8
Danemark	29,9	32,2	37,1	7
France	35,6	30,8	33,6	–
Allemagne	26,0	42,1	31,9	0
Angleterre + Galles	10,1	77,9	–	12
Irlande	45,3	18,3	35,3	1,0
Italie	47,0	27,3	23,2	2,5
Pays-Bas	18,8	35	45,1	1,0
Norvège	29,5	32,3	37,2	1,0
Suède	28,8	35,7	34,4	1,1
Suisse	20,8	43,6	33,6	2,0

province dotée d'une capitale d'Empire surdimensionnée. Et en Suisse, l'intensité de la vie des divers cantons a dispensé de la phase d'accumulation urbaine, et celle-ci n'a pas été nécessaire au développement économique.

On doit donc, une fois de plus, constater une distorsion entre pays catholiques et protestants, pour la grande urbanisation qui marque les cent ans de 1850 à 1950.

La désurbanisation contemporaine

Curieusement, les pays qui ont été les premiers à voir leurs grandes villes absorber une part si importante de la population vont être aussi les premiers à les décongestionner. Vers les années 1950, en effet, c'est dans les pays protestants que s'amorce le reflux des métropoles. Ce rééquilibrage, au moment où il intervient, est le fruit d'une gestion administrative décentralisée, qui s'emploie à déléguer les responsabilités politiques, économiques, sociales et culturelles. Des résorptions significatives et précoces interviennent dans les années 1940-1960, en Angleterre (– 5 %) et en Irlande du Nord (– 3 %), alors que, pendant la même période, la République d'Irlande voit progresser de 8 % la part de sa population habitant les villes de plus de 100 000 habitants.

	Agriculture	Industrie	Services	Inconnus/Autres
Autriche	22,8	40,6	35,4	1,1
Belgique	7,2	45,7	44,1	3
Danemark	17,8	37	42,5	2,7
France	20,3	38,5	40,1	1,1
Allemagne	13,5	48,2	37,8	0,4
Angleterre + Galles	7,1	89,3	0,7	2,8
Irlande	35,2	25,5	38,8	0,5
Italie	28,2	39,4	29,5	2,9
Pays-Bas	10,7	42,6	46,2	0,5
Norvège	19,5	36,5	43,6	0,4
Suède	13,8	45,1	40,8	0,3
Suisse	11,2	50,4	38,0	0,4

Dans les vingt années suivantes, les Pays-Bas et la Suisse voient leur population des villes de plus de 100 000 habitants décroître, en proportion, de −4 % et −3 %, le Danemark de −2 %, l'Allemagne de −1 %. Une étude plus précise montrerait la moindre urgence d'un rééquilibrage entre métropoles régionales et petites villes dans le cas de l'Allemagne, étant donné la performance des structures administratives et économiques.

Au cours des mêmes périodes, les pays catholiques voient au contraire le déséquilibre continuer de s'accentuer entre les gros centres urbains et les périphéries désertées. Aux Pays-Bas (− 4 %), on opposera la Belgique (+ 1 %). À l'Allemagne (− 1 %), la France (+ 2 %). À l'Angleterre (− 5 %), l'Italie (+ 5 %).

	Agriculture	Industrie	Services	Inconnus/Autres
Autriche	13,8	41,6	42,7	2
Belgique	4,6	43,7	49,6	2
Danemark	10,6	37,7	48,8	2,9
Allemagne	7,5	48,9	49,6	–
Angleterre + Galles	7,2	85,3	0,5	7
France	12,2	34,7	49,3	3,8
Irlande	25,4	31,5	42,3	0,8
Italie	16,3	42,2	36,6	4,9
Pays-Bas	6,1	36,2	49,4	8,4
Norvège	11,6	37,3	50,9	0,2
Suède	6,4	37,8	55,5	0,2
Suisse	7,7	48,2	43,8	0,3

Logement et conditions de vie

Les villes oui, mais quelles villes ? L'entassement urbain n'est pas en soi un signe de progrès. Il faut compléter l'approche en s'interrogeant sur la qualité de la vie urbaine.

À défaut de statistiques accessibles et comparables sur le logement dans les grandes villes, on se contentera d'une approche globale : elle suffit à donner une indication parlante. Retenons comme critère la proportion de logements d'une ou deux pièces – ceux dans lesquels la famille s'entasse, où le travail des enfants est difficile, où l'hygiène est souvent plus défectueuse [4].

L'évolution fait apparaître clairement deux groupes de pays. À partir d'un « potentiel » comparable, on assiste à une diminution marquée de la proportion de petits logements dans les pays protestants, diminution beaucoup moins nette dans les pays catholiques. Le retard des nations catholiques sur les nations protestantes est d'à peu près 80 ans.

Les pays qui comptent la plus forte proportion de petits logements ne sont pas ceux qui ont la plus forte densité. Sur l'échantillon considéré, les classements de ces deux indices sont même inversés. Les pays protestants, tout particulièrement, ont su combiner une forte croissance de la densité et une nette amélioration des conditions de logement.

L'URBANISATION EN EUROPE (1840-1980)
POURCENTAGE DE LA POPULATION HABITANT DES VILLES
DE PLUS DE 100 000 HABITANTS

Date	Irlande		Pays-Bas	Norvège	Suède	Suisse	Angleterre
1840	3 %						
1860	7 %				3 %		25 %
1880	9 %			8 %	3 %		30 %
1900	14 %		22 %	10 %	8 %	8 %	35 %
	Rép. d'Irl.	Irl. du Nord					
1920	23 %	33 %	24 %	10 %	12 %	11 %	38 %
1940	17 %	32 %	27 %	13 %	17 %	20 %	43 %
1960	25 %	29 %	33 %	16 %	19 %	20 %	38 %
1980	27 %	27 %	29 %			18 %	

L'URBANISATION EN EUROPE (1840-1980) (suite)
POURCENTAGE DE LA POPULATION HABITANT DES VILLES
DE PLUS DE 100 000 HABITANTS

Date	Autriche	Belgique	Danemark	Finlande	France	Allemagne	Italie
1840	3 %	5 %	9 %	0 %	5 %		
1860	3 %	8 %	10 %	0 %	8 %	5 %	5 %
1880	4 %	11 %	12 %	0 %	9 %	7 %	8 %
1900	9 %	12 %	16 %	5 %	12 %	16 %	9 %
1920	33 %	12 %	21 %	6 %	15 %	27 %	13 %
1940	32 %	10 %	23 %	13 %	16 %	30 %	23 %
1960	32 %	9 %	25 %	16 %	16 %	33 %	37 %
1980	31 %	11 %	23 %	18 %	18 %	32 %	42 %

Le cas le plus remarquable est celui des Pays-Bas, dont la densité croît de façon vertigineuse au cours de la période 1890-1970, tandis que la proportion des foyers vivant au plus sur deux pièces d'habitation décroît encore plus vertigineusement : elle est divisée par huit (de 59 à 7,3).

L'allure de la courbe belge la place entre les nations protestantes et les nations catholiques. Ce n'est pas la première fois que nous constatons la relative modernité de ces anciens Pays-Bas catholiques, par rapport à l'ensemble des nations catholiques. Nous avons souligné à divers propos le caractère assez libéral de la société belge, l'attraction moderniste exercée par le jumeau néerlandais, la situation de « frontière de catholicité ». Tout se passe comme si la Belgique, à travers ses crises d'identité (notamment culturelle et linguistique), rejoignait le groupe protestant, au sein du Benelux entraîné par le puissant partenaire calviniste.

On peut encore opposer la vitalité de la reconstruction allemande au retard autrichien, lors même que la dévastation immobilière a été

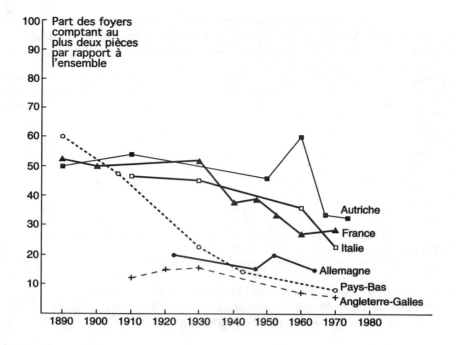

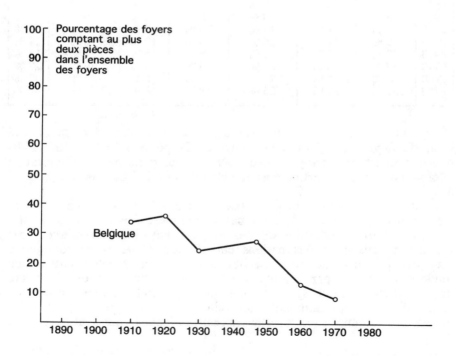

incomparablement plus importante et dramatique en Allemagne qu'en Autriche. Persistance d'une mentalité fataliste, inhibitrice du développement? Ce n'est qu'au milieu des années 60, dix ans après la réunification du territoire et le départ de l'Armée rouge, qu'une situation normale est rétablie, et que l'Autriche rejoint, pour y stagner, le niveau franco-italien.

Annexe 6

Éthos de confiance et conflits du travail

Dans quelle mesure les nations de tradition catholique ou protestante diffèrent-elles dans le domaine des conflits du travail ? Sont-ils nettement plus nombreux, ou moins, dans les unes que dans les autres ?

La grève comme indicateur de la méfiance

Certes, on peut se demander si les conflits du travail, leur fréquence, leur incidence sur la vie économique revêtent forcément une signification négative. La reconnaissance d'un droit de grève n'atteste-t-elle pas une réelle vitalité du système économique ? Une industrie sans conflits pourrait être une industrie anesthésiée. Il n'y avait pas de grèves dans l'Italie fasciste, ni dans la Russie de Staline et de Brejnev.

Restons donc prudents. Mais, d'une façon générale, le conflit n'est pas le dialogue ; la grève est en tout cas un échec de la confiance. On admettra donc que la défiance s'exprime dans la vie économique d'un pays par l'ampleur des grèves ; la confiance, à l'inverse, par leur réduction. Si même les économies qu'anime une plus grande confiance mutuelle des partenaires connaissent des grèves, celles-ci seront d'autant plus courtes et mieux réglées, que les habitudes du dialogue et la motivation commune pour la croissance seront fermement établies. Des grèves trop longues et trop nombreuses entretiennent un immobilisme convulsionnaire.

Les données d'une distorsion

Les données utilisables proviennent de diverses sources statistiques, dont une bonne synthèse a été faite par Peter Flora, Franz Kraus et Winfried Pfenning [1] : la production même des statistiques s'est développée parallèlement à l'augmentation du pouvoir des syndicats. Elles ne sont vraiment utilisables que pour le XXe siècle.

Les comparaisons exigent une certaine circonspection. La notion de « grève » peut varier d'un décompte à l'autre. La structure même de l'appareil syndical détermine – au moins en partie – la nature et le niveau des chiffres. Des syndicats puissants et centralisés disposent d'une information exhaustive, tandis qu'un système syndical plus morcelé est sujet à des lacunes. Enfin, les données relatives au nombre de grèves peuvent refléter des manipulations tactiques.

En conséquence, les données sur les grèves ont été en général peu utilisées pour des comparaisons internationales. Pourtant, prises globalement et sur la longue durée, elles sont fort éclairantes.

Retenons comme indice le nombre de jours de travail « perdus » pour 100 000 salariés (hors agriculture). En se bornant à l'Europe, on dispose de données annuelles pour 12 pays : 4 « catholiques » et 8 « protestants ».

Le groupe protestant se caractérise par la *décroissance* de l'indice, selon des taux moyens qui varient, d'un pays à l'autre, entre 1 et 7 % par an. Mais il y a une exception, et d'importance : la Grande-Bretagne, où, après la Seconde Guerre mondiale, l'indice *a crû* en moyenne de 3 % par an.

Le groupe « catholique » est moins homogène. Mis à part l'Italie, où le nombre des conflits n'a cessé d'augmenter, les autres pays ne présentent pas de chiffres significatifs qui confirment soit leur croissance – comme la France – soit leur décroissance – comme la Belgique et l'Irlande.

Commentons deux de ces cas : le contre-exemple britannique, et l'évolution suédoise : deux cas qui illustreront l'importance décisive du facteur mental.

L'exception qui confirme la règle

Le contre-exemple britannique de l'après-guerre coïncide avec la primauté de la doctrine du *Welfare State*. Il y a là un paradoxe. Un gouvernement travailliste, une affirmation claire du souci de promouvoir le bien-être personnel et collectif – et pourtant, une flambée de conflits.

Ce paradoxe oblige à une analyse plus en profondeur. L'approche politicienne est insuffisante. Faut-il rappeler que, face aux grèves qui compromirent un moment l'effort de guerre, ce fut Churchill qui promit, pour prix du sacrifice consenti par la nation, l'*État du bien-être* ? Le *Welfare State* a été le fait d'une aspiration vraiment nationale, exprimée solennellement par le chef des conservateurs à la tête d'un gouvernement d'union.

La croissance des conflits du travail ne s'explique pas non plus par le nouvel état de choses juridique. Que la législation du travail et les *Trade-Union Acts* aient permis en Angleterre une hypertrophie du pouvoir syndical, c'est certain. Mais qu'ils aient pu être adoptés révèle déjà une évolution anti-entrepreneuriale de l'esprit public. Une méfiance s'est installée, qui était absolument nouvelle en Grande-Bretagne. Le pays a paru tourner le dos à son génie économique.

S'ajoute une donnée moins connue : faute d'un projet de développement économique cohérent, l'économie britannique vit au jour le jour, l'action sociale y est conjoncturelle. Pour Andrew Shonfield, dans *Le Capitalisme d'aujourd'hui* [2], la gauche britannique, entre 1945 et 1951, s'est méfiée de l'État autant qu'elle l'a exalté. Elle a affirmé l'État-redistributeur. Elle a développé l'État-entrepreneur, par d'innombrables nationalisations. Mais elle a reculé devant l'État-planificateur. Un interventionnisme conjoncturel et suiviste, voilà l'état d'esprit qui présidait à la reconstruction économique de la Grande-Bretagne. « Tout ce qui pouvait donner à l'État un rôle actif et trop entreprenant, lui permettant de guider la nation selon son intérêt économique collectif à long terme, suscitait instinctivement la méfiance [3]. » Il y avait là une rémanence du vieux libéralisme, alors même que la multiplication des nationalisations privait l'économie de ses moteurs libres. Dans le socialisme anglais, ce qu'il y avait de socialiste se méfiait de l'économie privée, ce qu'il y avait d'anglais se méfiait de l'État. Cette méfiance au carré a été lourdement payée.

Ni acceptation de la libre initiative, ni volontarisme de l'État. Il en résultait un état d'esprit confinant à la démission de toute responsabilité.

467

Dans un tel contexte, les conflits du travail furent l'expression d'une méfiance qui ne cessait de renouveler des occasions de s'exprimer.

Le cas suédois

La Suède aussi mérite un détour. Bien que solidement protestante, elle n'a connu, sur le long terme, qu'une modeste décroissance des conflits du travail : − 2 % entre 1895 et 1975. Mais il faut savoir que les prodromes de la social-démocratie, pendant les années 1910-1930, ont été fort conflictuels. Les syndicats et les employeurs suédois n'ont pas toujours été enclins à se mettre d'accord par un dialogue prolongé. La Suède d'avant la guerre est allée de grève en grève [4].

L'avènement de la social-démocratie a ouvert une ère de *forte décroissance* des conflits – à la différence de l'Angleterre. Sans doute faut-il chercher la raison de cette différence dans une autre : la social-démocratie suédoise laisse intacts le secteur économique capitaliste et l'autorité patronale. Même l'État législateur se restreint, de façon à ne pas nuire au climat de confiance qui s'est établi peu à peu entre les partenaires économiques et sociaux [5]. Cette confiance est à l'œuvre dans la régulation stricte des conflits sociaux, et finalement leur diminution régulière.

CONFLITS DU TRAVAIL. NOMBRE DE JOURS DE TRAVAIL « PERDUS »,
POUR 100 000 SALARIÉS (HORS AGRICULTURE)
PAYS CATHOLIQUES – PAYS PROTESTANTS [6]

	1875-1975	1875-1940	1945-1975
Royaume-Uni	− 2 % (1891-1975)	− 2 % (1891-1940)	+ 3 % (1945-1975)
Allemagne (puis RFA)	− 5,7 % (1904-1975)	− 6 % (1904-1933)	− 9 % (1949-1975)
Pays-Bas	− 7,6 % (1905-1975)	− 3,6 % (1905-1940)	− 6 % (1949-1975)
Suisse	− 12 % (1927-1975)	− 18 % (1927-1939)	− 16 % (1945-1975)
France	+ 2,6 % (1895-1975)	+ 5,3 % (1875-1925)	+ 2,9 % (1945-1975)
Italie	+ 22 % (1895-1975)	+ 44 % (1875-1925)	+ 19 % (1945-1975)
Belgique	− 3 % (1925-1975)	− 16 % (1925-1940)	− 4,9 % (1950-1975)
Irlande	− 3,4 % (1925-1975)	− 1,65 % (1925-1940)	+ 4,9 % (1945-1975)
Danemark	− 0,2 % (1925-1975)	− 1,65 % (1925-1940)	− 4,9 % (1945-1975)
Norvège	− 8 % (1900-1975)	− 0,1 % (1900-1935)	− 10 % (1945-1975)
Suède	− 2,1 % (1895-1975)	− 0,1 % (1895-1979)	− 3,4 % (1945-1975)
Finlande	− 1,3 % (1905-1975)	− 2,4 % (1905-1939)	1 % (1945-1975)

Divergence culturelle et déclassement financier

Le loyer de l'argent

Jusqu'au XVIᵉ siècle, l'Europe de l'Ouest constituait un « marché monétaire » unique, dominé par les Italiens, qui contrôlaient même la finance des Pays-Bas. Les différences de taux d'intérêt d'un lieu à l'autre étaient négligeables. Elles n'avaient pas de signification économique et provenaient souvent de simples erreurs de mesure. À partir du XVIIᵉ siècle, les marchés se fragmentèrent. On vit l'émergence de finances nationales spécifiques en Angleterre et en Hollande, tandis que reculait l'influence des Italiens, atteints par le désastre de leur principal client, l'Espagne.

De même qu'il y a une psychologie de l'échange, une mentalité commerciale, de même il y a une psychologie du prêt, une mentalité du taux d'intérêt. Plus précisément, il existe un lien entre la pratique de taux d'intérêts élevés et la méfiance à l'endroit de l'activité économique (ou, de nos jours, envers la solidité d'une monnaie fiduciaire) ; comme un autre lien, de sens inverse et tout aussi fort, entre la pratique de taux d'intérêts bas et la confiance dans l'entreprise et le développement économique.

Toutes les données disponibles traduisent le glissement, en direction des pays protestants, des taux d'intérêts européens les plus bas [1].

Au-delà des positions théoriques prises par les théologiens catholiques ou protestants à l'égard du crédit, du profit et de la vie économique en général, apparaît ce fait massif, dès que l'on examine la pratique.

Du XIIᵉ au XVᵉ siècle, les taux les plus bas ne descendent jamais au-dessous de 5 %. Tout au long de cette période, on considère que des taux situés entre 10 et 15 %, puis entre 5 et 10 %, sont très favorables. Ce sont ceux que l'on pratique dans les villes flamandes ou en Italie du Nord. Au XVIᵉ siècle, les taux s'abaissent encore, mais c'est au XVIIᵉ qu'ils atteignent des niveaux inconcevables jusqu'alors : 2 ou 3 % ; et c'est justement en Hollande et en Angleterre.

Ainsi, c'est un déclassement des pays catholiques (Italie, Pays-Bas espagnols, Espagne, Portugal) qui se produit alors, la République hollandaise et l'Angleterre prenant au XVIIᵉ siècle la première place quant aux crédits commerciaux, comme le montre le tableau suivant.

Cette première place, Italie et Pays-Bas espagnols se l'étaient disputée jusqu'au XVIᵉ siècle. Leur compétition avait comprimé le taux de rémunération du crédit, le faisant descendre jusqu'à 4 %. Mais, sous la gouverne hollandaise et britannique, des taux de 1,75 % sont atteints.

Un phénomène tout à fait comparable se produit pour la rémunération des dépôts. Le déclassement de l'Italie, de l'Espagne et des Pays-Bas espagnols, déjà menacés par la banque allemande au XVᵉ siècle, aura lieu au XVIIᵉ siècle. Moins liés aux aléas de la conjoncture internationale, aux guerres coloniales, aux rivalités politiques, les dépôts vont connaître une compression presque régulière du taux de rémunération, exception faite de la légère remontée à 6 % au début du XVIIᵉ siècle.

Au XVIIIᵉ siècle, les Hollandais sont les marchands de crédit pour l'Europe entière ; l'inondation du papier est au début du siècle 4 ou 5 fois, puis à la fin du siècle 10 à 15 fois, supérieure à la masse monétaire réelle en circulation. Elle représente, tantôt des avoirs solides, tantôt ce que les Hollandais appellent *Wisselruiterij* – nous dirions de la « cavalerie »[2]. La cavalerie du duc d'Albe n'a pas eu raison de la cavalerie financière d'Amsterdam.

Quant aux rentes et prêts à long terme, indices certains de la confiance économique, ils voient, dès la seconde moitié du XVᵉ siècle, l'Allemagne damer le pion à l'Italie. Ébranlée par les guerres, elle repasse à son tour le flambeau au cours du XVIᵉ siècle aux Pays-Bas espagnols et même le rend à l'Italie, lesquels finissent par le céder définitivement à la Hollande et à l'Angleterre.

De tels prêts sont en général liés à l'endettement des États, ou au moins à leur financement : il convient de garder ce point en mémoire pour éviter les interprétations abusives. Les taux d'intérêts pratiqués connaissent des fluctuations assez importantes, mais la tendance est à la baisse. On notera que les baisses les plus spectaculaires interviennent quand la première place passe à un pays réformé ou prêt à accueillir la Réforme. C'est le cas dans la seconde moitié du XVᵉ siècle, quand l'Italie s'efface devant l'Allemagne.

CRÉDITS COMMERCIAUX

Classement du plus bas taux d'intérêt au plus élevé par demi-siècle
(XIIᵉ-XVIIᵉ)[3]

Siècle	Moitié	Italie	France	P.-Bas espagnols	Rép. holl.	Angleterre
XIIᵉ	1ʳᵉ					
	2ᵉ	2		1*		
XIIIᵉ	1ʳᵉ	2		1*		
	2ᵉ	1*	3	2		
XIVᵉ	1ʳᵉ	1*	3	2		
	2ᵉ	1*	3	2		
XVᵉ	1ʳᵉ	1*		2		
	2	1*		2		
XVIᵉ	1ʳᵉ	1*	3	1*		
	2ᵉ	1*	3	1*		
XVIIᵉ	1ʳᵉ				1*	2
	2ᵉ				1*	2

* Les plus bas taux recensés étaient : XIIᵉ : 10-16 % ; XIIIᵉ 1ʳᵉ : 10-16 % ; XIIIᵉ 2ᵉ : 8-15 % ; XIVᵉ 1ʳᵉ : 7-15 % ; XIVᵉ 2ᵉ : 5-15 % ; XVᵉ 1ʳᵉ et 2ᵉ : 5-15 % ; XVIᵉ 1ʳᵉ : 4-13 % ; XVIᵉ 2ᵉ : 7-12 % ; XVIIᵉ 1ʳᵉ : 6-12 % ; XVIIᵉ 2ᵉ : 1,75-4,5 %.

Classement du plus bas taux d'intérêt au plus élevé par demi-siècle (XIIe-XVIIe) [4]

Siècle	Moitié	Italie	Espagne	P.-Bas espagnols	Rép. holl.	Allemagne	Angleterre
XIIe	1re						
	2e						
XIIIe	1re	1*					
	2e	1*					
XIVe	1re	1*					
	2e	1*		2			
XVe	1re	3		1*		1*	4
	2e	3		1*		1*	4
XVIe	1re	3	1*	4		2	
	2e	2	1*	4		3	
XVIIe	1re				2		1*
	2e				1*		2

* Les plus bas taux étaient : XIIIe 1re et 2e : 10-20 % ; XIVe 1re et 2e : 5-12 % ; XVe 1re et 2e : 5 % ; XVIe 1re et 2e : 4-5 % ; XVIIe 1re : 6 % ; XVIIe 2e : 3-4 %.

Classement du plus bas taux d'intérêt au plus élevé par demi-siècle (XIIe-XVIIe) [5]

Siècle	Moitié	Italie	France	Espagne	P.-Bas espagnols	Rép. holl.	Allemagne	Angleterre
XIIe	1re							
	2e				1*			
XIIIe	1re				1*			
	2e	1*	3		2			
XIVe	1re	1*			2			
	2e	1*			2			
XVe	1re	1*	3		2			
	2e	3	5	2	4		1*	
XVIe	1re	1*	4		1*	4	1*	5
	2e	1*	5		1*	4	3	6
XVIIe	1re		2			1*		3
	2e		3			2		1*

* Les plus bas taux recensés étaient : XIIe 2e : 8-10 % ; XIIIe 1re : 8-10 % ; XIIIe 2e : 6,5-8,3 % ; XIVe 1re : 7,7-8,3 % ; XIVe 2e : 5,25-10 % ; XVe 1re : 8-12 % ; XVe 2e : 5 % ; XVIe 1re et 2e : 4-10 % ; XVIIe 1re : 5-8,5 % ; XVIIe 2e : 4-6 %.

Les outils du financement

La comparaison des évolutions contrastées des institutions ou pratiques financiers est éclairante. Nous proposons le tableau suivant, inspiré d'éléments recencés par Kindleberger [6].

Les éléments qu'il livre sont impressionnants. En particulier, ils permettent de voir que la « *distorsion financière* » *s'est produite très tôt : dès le xvᵉ siècle (point 6) ; elle s'affirme au xviiiᵉ.*

INNOVATIONS DE TECHNIQUES FINANCIÈRES

Nature de l'innovation	France	Grande-Bretagne
1. Création d'une banque centrale	1800	1694
2. Révolution financière résultant de la nationalisation des finances publiques, et de la nécessité pour l'État de recourir à une vente de ses titres sur le marché	Au lendemain de la Révolution française	Après la « *Glorious Revolution* » (1689)
3. Généralisation du billet de banque	Après 1850	xviiiᵉ siècle
4. Généralisation des dépôts	Après 1875	Entre 1826 et 1850
5. Système de *clearing* entre les banques	1872	1772
6. Usage généralisé des effets de commerce	Au xviiiᵉ siècle	Avant la fin du xvᵉ siècle
7. Nombre des émissions de titres négociables	4 à Paris en 1815	14 à Londres en 1725 ; 20 en 1740

Monnaie et mentalités

Le degré de développement du système monétaire, lié au niveau de développement des infrastructures financières, est un autre indice, précis et clair, de l'importance du facteur culturel.

Ainsi que l'ont montré Jonung et Bordo [1], l'évolution monétaire des nations pendant leur industrialisation peut être schématisée de la façon suivante. Au cours du XIXe siècle, on assiste tout d'abord à un processus de « monétisation » qui accompagne la Révolution industrielle. Le développement économique engendre une croissance des besoins monétaires : les régions se spécialisent, vendent leur production, achètent celle des autres régions. Le troc recule. Pendant cette période, la demande de monnaie augmente plus rapidement que le produit national.

La seconde évolution, consécutive à la première, est une modification *structurelle* dans la composition de la masse monétaire. Tandis que le numéraire métallique prédomine pendant la première phase, la spécialisation et la modernisation du système bancaire aboutissent par la suite à substituer graduellement des moyens de paiement plus modernes : billets de banque, chèques, traites, virements, etc. Le numéraire métallique, en revanche, se concentre dans l'encaisse des banques d'émission.

On a dès lors un indice simple du degré de développement, qui tient compte des différents facteurs énumérés ci-dessus. Une première comparaison oppose la France à la Grande-Bretagne (tableau 1), ce qui permet de clarifier la nature du retard monétaire français. Le stock de monnaie métallique est proportionnellement beaucoup plus important en France qu'en Grande-Bretagne, indice du sous-développement bancaire français (« bas de laine » ou « lessiveuse »).

Une seconde comparaison (tableau 2) oppose les nations catholiques aux nations protestantes, aux alentours de 1860, c'est-à-dire en plein cœur de l'expansion industrielle du XIXe siècle. Les nations catholiques sont en général soit moins « monétaires » (faible coefficient du numéraire par tête : Italie par exemple), soit moins sophistiquées (faible concentration du numéraire dans les réserves des banques ou prédominance du numéraire dans la masse monétaire) que les nations protestantes (Angleterre et États-Unis ont la plus forte concentration de numéraire dans les banques, et la plus faible proportion du numéraire dans la masse monétaire).

Tableau 1

NUMÉRAIRE MÉTALLIQUE PAR TÊTE (EN FRANCS) [2]

	1844	1855	1865	1875
Angleterre	55	67	84	110
France	65	108	158	171

Tableau 2

STOCKS DE NUMÉRAIRE AUTOUR DE 1860 [3]

Pays	France	Italie	Belgique	Suisse	Allemagne	Angleterre	États-Unis
(date)	(1865)	(1862)	(1878)	(1865)	(1860)	(1868)	(1860)
Numéraire (millions de F)	6 300	1 120	837	205	1 887	2 600	1 175
Num./Masse monétaire	78 %	73 %	56 %	71 %	76 %	26 %	20 %
Num./Tête	158	51	152	80	48	114	39,2
Bque Centr. %	14 %	4 %	19 %	12 %	18 %	19 %	38 %

C'est là l'indice d'une divergence de comportement monétaire entre pays « à dominante protestante » et nations « à dominante catholique ». La mentalité économique monétaire des premiers se tourne résolument vers le crédit et l'investissement ; les seconds sont nostalgiques de « siècles d'or » et d'espèces métalliques. Marx avait raison au moins sur ce point : « Le système monétaire est essentiellement catholique, le système de crédit essentiellement protestant [4]. »

Finances, État, marché

Une autre façon de mesurer l'importance de la divergence dans l'ordre des mentalités est de regarder la distribution du crédit aux premiers temps du développement économique de l'Europe, en étudiant en particulier la distribution État/privé.

En effet, le financement de la croissance a pris deux formes principales. La première est passée par les crédits obligataires, adressés à des États (qui ont ensuite investi ces ressources en infrastructures, chemins de fer, etc.) ; la seconde a été directement destinée aux agents privés qui étaient à l'origine des projets de développement.

Les chiffres que donne Rondo Cameron [5], dans son ouvrage classique, se rapportent au montant total des crédits que la France a accordés à d'autres nations ; ils permettent de distinguer entre deux types de destinataires : « gouvernement » pour les États, et « privé » pour le marché.

Les résultats de ce tableau sont éclairants. Ils indiquent une prédominance des crédits aux États dans les nations catholiques. En contrepoint, les crédits au marché dominent dans les nations protestantes (Allemagne), ou les « moins catholiques » comme la Belgique.

Le même clivage se retrouve pour la période 1852-1881, qui est marquée par un développement général des destinataires privés. Là encore, cependant, on observe une dominance plus marquée du marché dans les nations protestantes (Europe centrale, Europe du Nord-Ouest) que dans les nations catholiques (Europe méridionale).

Le thème de la confiance se trouve à nouveau illustré. Dans les nations protestantes, la confiance du marché permet à ce dernier de s'approvisionner comme il l'entend. Dans les nations catholiques, la défiance nécessite le rôle médiateur de l'État, qui doit se substituer à la liberté des agents. Spontanéité et fiabilité d'un côté, télécommande et réticence de l'autre.

INVESTISSEMENTS FRANÇAIS À L'ÉTRANGER AU XIXᵉ SIÈCLE [6]

Valeur (millions de FF)			Pourcentage		
Gouvernement	Privé	Total	Gouvernement	Privé	Total
1816-1851					
Italie 500	50	550	20	2	22
Belgique 150	300	450	6	12	18
Espagne 775	100	875	31	4	35
Portugal 125	–	125	5	–	5
Autriche 225	25	250	9	1	10
Allemagne –	50	50	–	2	2
Reste de l'Europe 100	–	100	4	–	4
Reste du monde 75	25	100	3	1	4
Total 1 950	550	2 500	78	22	100
1852-1881					
Monde méditerranéen 2 200	3 185	5 385	14,6	21,3	35,9
Europe centrale 800	2 000	2 800	5,3	13,4	18,7
Europe de l'Est 990	340	1 330	6,6	2,3	8,9
Europe du Nord-Ouest 100	485	585	0,7	3,2	3,9
Reste du monde 3 650	1 250	4 900	24,4	8,3	32,7
Total 7 740	7 260	15 000	51,6	48,4	100

Annexe 9

Les transports

La flotte marchande des nations protestantes (et non seulement de l'Angleterre) *connaît une expansion régulière* des tonnages depuis les origines de la révolution industrielle. En outre, les nations protestantes généralisent, les premières et le plus vite, *l'usage de la machine à vapeur.*

Celle-ci est déjà bien répandue dans les flottes anglaise ou scandinaves, quand elle ne fait qu'apparaître en France, en Italie, en Espagne, au milieu du XIXᵉ siècle. C'est en 1880 que l'écart est le plus important ; il s'accentue en valeur absolue. Ainsi, la flotte marchande de la Grande-Bretagne en 1880 représente un nombre de tonneaux supérieur à l'ensemble de la flotte des pays catholiques réunis.

Si l'on rapproche le nombre des bateaux du tonnage global, on obtient un tonnage moyen par bateau. Donnée dont l'évolution est, elle aussi, frappante : de 1830 à 1880, ce tonnage augmente assez lentement, mais presque parallèlement dans les pays catholiques et dans les pays protestants – ceux-ci maintenant leur avance initiale. Puis, les évolutions bifurquent nettement, le tonnage moyen des pays protestants grimpant beaucoup plus vite. Ces données illustrent encore la distorsion entre nations catholiques et protestantes. L'insularité britannique ne saurait expliquer seule l'existence d'une telle distorsion. L'Irlande, la Corse, la Sardaigne, la Sicile sont des îles, et n'ont pas de bateaux, si ce n'est de pêcheurs.

Le réseau ferré européen – XIXᵉ et XXᵉ siècles

Le chemin de fer est le symbole même de la révolution industrielle. La carte de son réseau en Europe *reproduit, encore une fois, la carte religieuse.*

Ce n'est pas sensible au départ. Le potentiel initial est à peu près égal dans deux ensembles comparables : le couple France-Belgique et le couple Grande-Bretagne-Pays-Bas. Mais la distorsion apparaît bientôt et s'accentue rapidement. Dès 1860, l'Allemagne passe devant la France, tandis que la suprématie britannique s'affirme.

Les pays catholiques méditerranéens ne connaîtront une extension sérieuse de leur réseau qu'au XXᵉ siècle. À la fin du XIXᵉ siècle, le réseau ferré de l'Espagne et du Portugal est encore embryonnaire.

Observons donc la *densité* du réseau ferré : le kilométrage de voie ferrée rapporté à la superficie de chaque pays.

Deux types de « valeur de long terme » émergent : suivant la première, celle des « grands pays », on tend vers une valeur aux alentours de 80 000 km ; selon la seconde, celle des « petits pays », on tend vers plus de 100 000 km.

À partir des années 1920, la suppression des lignes secondaires traduit la montée du transport automobile et ce mouvement inverse affecte le plus les pays que leur essor économique avait poussés à les multiplier.

LA FLOTTE DES NATIONS EUROPÉENNES [1]
Tonnages (mesures anglaises) (milliers de tonnes)

Pays catholiques	France		Belgique		Italie		Espagne		Total	
	voile	vapeur	voile	vapeur	voile	vapeur	voile	vapeur		vapeur
1780	697									
1830	642		22	1			240	5		965
1880	233	278	10	65	922	77	326	234		2 554
1930		1 831	2	356	128	1 920	43	114		5 597
1980		10 291	82	1 274	160	10 673		5 200		27 680

Pays protestants	Norvège		Suède		Royaume-Uni		Danemark		Allemagne		Pays-Bas		Total
	voile	vapeur	voile	vapeur	voile	vapeur	voile	vapeur	voile	vapeur	voile	vapeur	
1780	121		88		1 278		65						1 487
1830	233		133		2 168	30	148		282		148		3 059
1880	1 461	58	462	81	3 851	2 724	15	52	927	177	264	64	10 269
1930	11	2 480	72	114	468	11 986	78	1 152	183	2 373	24	2 397	22 275
1980		25 781		7 711		31 489		4 647	3 026	5 663		3 223	81 618

478

TONNAGES EUROPÉENS
VALEURS EN LOGARITHMES * 2

Catholiques ▲	1780	1830	1880	1930	1980
		6.87	7.04	8.68	10.25
Protestants ●	7.3	8.2	9.24	10.01	11.3

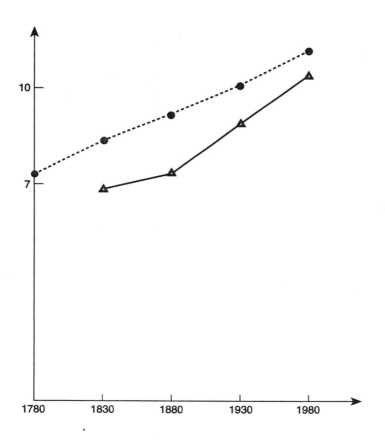

* Nous avons choisi de figurer l'évolution en logarithmes, pour que les données restent comparables et puissent figurer dans un même tableau. En données brutes, l'écart est évidemment beaucoup plus considérable (965/3 059 en 1830 ; 28 360/81 618 en 1980).

Ainsi, les écarts se resserrent entre nations catholiques et protestantes ; mais ces dernières n'en continuent pas moins de détenir le record de densité ferroviaire.

GRAPHIQUE : RÉSEAU FERROVIAIRE
RAPPORTÉ À LA SUPERFICIE DES PAYS [3]

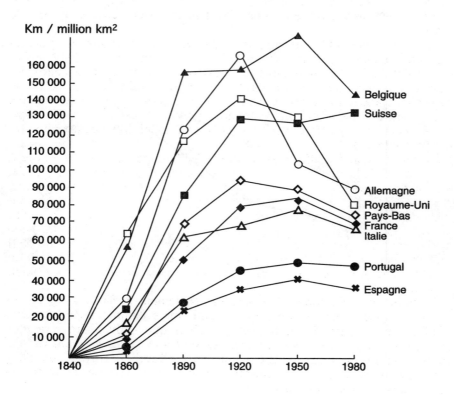

Le sport et la mentalité compétitive
L'indice olympique

Si la société industrielle de marché est bien un phénomène complet de civilisation, fondé sur un *éthos* de confiance, encourageant la responsabilité individuelle, favorisant le goût de la compétition, alors l'ensemble des activités sociales doivent peu ou prou porter la marque de cet *éthos*. C'est le cas d'une activité où l'on n'irait guère le chercher *a priori* : le sport [1].

Est-ce si étonnant ? *Par rapport à l'activité économique, le sport se présente comme une épure, un modèle.* L'affrontement de l'obstacle fait l'objet de règles, d'anticipations, d'entraînement, alors que l'urgence des situations économiques évoque davantage le sauve-qui-peut de la sélection naturelle. Dans le sport, l'obstacle est voulu, mesuré, prévu ; en économie, il est subi, peu mesurable, largement imprévu... C'est pourquoi la mentalité sportive a pu être l'éducatrice de la mentalité économique (et réciproquement).

La loi du moindre effort est naturelle à l'homme. Elle est contraire à l'attitude du sportif, qui ne cherche aucunement à éliminer l'obstacle, mais à l'élever toujours plus haut. *Le sport est une recherche de l'obstacle.*

On pressent la formidable valeur pédagogique du sport pour les situations de concurrence et de dépassement de soi. *Il enseigne* la maîtrise de soi et *la rationalisation de l'effort.* Il développe la faculté de prévision de l'obstacle – parce qu'il habitue à le construire ou à l'inventer. Il impose d'anticiper l'effort, qui n'est plus simple réaction à la pression du milieu, mais prise de possession d'une distance, d'un espace, d'un objet, d'un élément.

Dans le sport, l'homme n'affronte pas seulement la nature. Il affronte aussi l'homme – non comme un ennemi, mais comme un adversaire. L'affrontement aura d'autant plus de valeur que l'adversaire sera plus valeureux. En définitive, *nos adversaires sont les étalons de notre valeur.* En nous mesurant à eux, nous donnons notre mesure. À travers eux, nous nous affrontons nous-mêmes, puisqu'en cherchant à surpasser notre adversaire, nous devons nous surpasser.

Dès l'Antiquité grecque, la compétition a été valorisée : la déesse « Eris », chez Homère comme dans la mythologie grecque, occupait déjà une place de choix. Cette compétition a littéralement explosé au ve siècle av. J.-C., avec le triomphe des Olympiades. Ce n'est sans doute pas un hasard si ce même siècle a vu l'apparition de la démocratie athénienne, de l'ironie socratique et, dans les ports de Grèce et de Grande Grèce, l'affirmation de l'économie de marché.

On pourrait résumer ces réflexions en disant que la mentalité sportive est orientée par la *confiance compétitive.*

Le match France-Angleterre

Le sport confirme-t-il la corrélation entre mentalité protestante et développement précoce, entre mentalité catholique et retard de développement ? Nous pouvons raisonner sur le cas particulier qu'offre une fois encore la comparaison de la France et de l'Angleterre.

La Renaissance avait remis à l'honneur en Europe la « culture corporelle » à l'antique. La France du XVIe siècle découvre les ébats corporels. Ils font partie de l'éducation de Pantagruel. À Paris, les salles de jeu de paume s'ouvrent au coin de la rue. Mais, très vite, la manière dont Français et Britanniques assument cet héritage et développent les prémices de cette renaissance de la culture physique présente une distorsion notable.

Le XVIIe siècle français connaît une dérive des sports vers la parade, l'apparat, ainsi qu'un goût pour l'académisme, dont les traités de l'époque sur l'escrime se font l'écho : *La théorie de l'art et exercice de l'épée seule ou fleuret* (1653) par Charles Besnard ; *Les vrais principes de l'épée seule* (1670) de Philibert de la Touche ; *L'exercice des armes ou le maniement du fleuret* (1676) par La Perche du Coudray. Il est vrai que cette recherche quasi stylistique est une façon de faire échapper l'escrime au duel. On valorise le geste pour dévaluer son efficacité meurtrière.

Dans les jeux équestres, *la prestance prend le pas sur la performance* ; la complaisance envers le public tient lieu de compétence. Sans doute y avait-il des « courses de tête » et des « courses de bague », dotées de prix pour le vainqueur. Mais le vainqueur ne s'imposait pas. Seul le sort le désignait – signe que la compétition n'était pas au centre de l'intérêt.

Selon l'*Encyclopédie*, le XVIIe siècle fut, quant au développement de la culture corporelle, « le plus malheureux de tous les siècles [2] ».

Dans le même temps, un phénomène curieux se passe en Angleterre : l'ébat sportif y est vigoureusement combattu, et non moins vigoureusement défendu.

Le sport entre anglicans et puritains

Le sport anglais a trouvé ses premiers « supporters » ou praticiens dans l'aristocratie, et ses premiers contempteurs chez les puritains. Les jeunes nobles n'y voyaient pas autre chose qu'un loisir et ce sont justement ces valeurs très « mondaines » que les esprits religieux, et particulièrement les puritains, ont âprement rejetées.

Le puritanisme tenait au respect du jour du Seigneur, qui ne devait être consacré qu'au repos, à la prière, à la lecture de la Bible. Cette opposition des puritains aux sports pourrait-elle servir d'argument contre l'idée qu'il existe un lien direct entre le protestantisme et l'*éthos* dont nous voulons cerner l'identité ? Nous ne le croyons pas. C'est certes une occasion de plus de constater que, dans ses formes les plus intensément religieuses, le calvinisme n'est pas porteur de nouveauté ; mais qu'une société de culture protestante a su créer quelque chose de radicalement nouveau : le comportement sportif. Ce n'est pas en tant que puritaine que l'Angleterre s'est affirmée la mère des sports modernes : c'est même contre sa part puritaine qu'elle a mûri sa personnalité sportive.

L'Église anglicane était plus tolérante. En s'exacerbant, le débat a conféré à l'activité physique, aux jeux du corps, une sorte d'identité, un statut que personne jusqu'alors n'avait songé à leur donner. Sous les attaques dont ils étaient l'objet, les tenants des jeux et exercices physiques ont été amenés à en dégager la valeur humaine. Le débat fut si vif que l'autorité royale dut s'en mêler. Jacques Ier prit parti contre l'intégrisme protestant. En 1618, il promulgua une « *Declaration on Legitimate Sports* ». Le mot de *sport,* même en anglais, n'a pas la même connotation qu'aujourd'hui, mais c'est tout de même de cette *légitimité* des « sports », des jeux et divertissements du corps, qu'est né notre sport. Charles Ier renouvela sa royale protection en 1633, non sans l'opposition d'un Parlement acquis au sectarisme puritain. S'il eut quelques années plus tard la tête tranchée, ce fut aussi pour l'honneur du sport naissant...

Le sport resta essentiellement aristocratique pendant tout le XVIIIe siècle. Le peuple, auquel il était interdit de s'ébattre le dimanche, dut attendre que le progrès économique lui libérât le samedi après-midi : alors le sport devint vraiment populaire.

L'importance d'être parieur

Les puritains avaient une bonne raison de se défier du sport : c'était le rôle qu'y tenait une autre pratique, à leurs yeux condamnable, le pari. Il est vrai que les Anglais sont de grands parieurs, et que le sport moderne est né de cette passion. En elle, Walter Umminger voyait avec raison le déclic intéressé d'un phénomène qui ne se réduit pas à cet intérêt, mais qui n'est plus tout à fait jeu ou délassement : « Assurément, cela avait existé déjà, les spectateurs avaient déjà fait des paris sur l'issue d'un jeu, d'une compétition ou d'une rencontre. Mais le pari, c'était toujours une sorte de jeu de hasard, accessoire d'un événement sportif qui aurait eu lieu de toute manière. *Les Anglais, au contraire, parièrent sur des exploits sportifs qui n'étaient entrepris qu'en raison de ce pari. Le pari fut l'incitation du record.* Ici aussi, comme dans la lutte contre le temps, s'annonce l'ère industrielle dont la Grande-Bretagne passe également pour être le berceau [3]. »

Le pari est décisif. Il transforme la partie de plaisir en compétition clairement organisée. Les règles sont nécessaires pour qu'il y ait *« fair play »* entre les parieurs, tout autant qu'entre les compétiteurs. De plus, le pari ne tolère pas les *ex aequo* : il faut un vainqueur. Aussi va-t-on affiner les mesures. Le temps de la course va exiger le chronomètre : les secondes, les demi-secondes commencent à compter.

Assurément, le sport n'a pas fait sa première apparition en Grande-Bretagne, et elle n'en a nullement le monopole. Mais si elle ne lui a pas donné naissance, elle lui a donné son nom, ainsi qu'à la plupart de ses disciplines.

Prenons la course contre la montre : en mai 1606, un certain John Lepton, « célèbre à la cour de Jacques Ier pour sa science exceptionnelle de l'équitation », paria qu'en six jours il parcourrait cinq fois à cheval la distance de Londres à York (soit 200 miles par jour). Il ne mit que cinq jours. Prototype de ce qui devait se répandre de plus en plus : une tentative de performance entreprise en raison d'un pari, et qui se traduit le plus souvent sous la forme d'un match contre le temps [4].

Au moment même où l'Angleterre prélude sérieusement à sa « divergence » économique, la conception et la pratique du sport s'y développent. Dès lors, les activités sportives, loin de ne revêtir qu'une signification marginale par rapport à la société et à l'économie britanniques, animent l'une et l'autre. Vitesse des coureurs, des chevaux ou des rameurs, vitesse des transports commerciaux : il y a là un rapport de connivence mentale, comme il y en a un entre la compétition sportive et la concurrence économique. *Time is money.*

Quand le sport s'organise

La boxe mérite une mention spéciale. Les voyageurs continentaux ont été très frappés du succès de cette pratique en Angleterre. Ils étaient surtout étonnés qu'elle ne fût pas seulement l'apanage des gens du commun. Les nobles jouaient du poing, sans craindre de déroger. Entre eux, le point d'honneur avait l'épée pour arme. Ce qui est nouveau, c'est que les nobles acceptent de se battre avec des roturiers – et de vider ces querelles-là à coups de poing. Dès lors qu'ils le font, la pratique se codifie ; elle gagne en dignité. On sanctionne les « coups bas ». La bagarre devient boxe – le « *noble art* ». Si *noble,* que même entre gentilshommes, elle en vient à remplacer parfois le duel à l'épée. Si *art,* qu'elle aussi se motive par le pari, et devient ainsi un véritable sport, avec ses champions et ses codes.

Chacun des trois sports principaux – hippisme, course à pied et boxe – se développe en Angleterre au XVIIIᵉ siècle, sous l'impulsion de l'*éthos de confiance compétitive,* lequel mobilise au même moment le commerce extérieur, l'industrie, la marine, la flotte de guerre, l'Empire britannique. Au XIXᵉ siècle, l'Angleterre réinventera, pour ainsi dire *ex nihilo,* l'athlétisme antique ; elle inventera l'aviron, dans les *colleges* d'Oxford et Cambridge, dans les *public schools* d'Eton et Harrow.

Nous avons vu comment est née, au XVIIᵉ siècle, une divergence entre la France et l'Angleterre sur ce fait de société qu'est le sport. Constatons ici qu'elle s'est prolongée au XIXᵉ et au XXᵉ siècle, et qu'elle caractérise non seulement ces deux pays, mais les deux groupes de nations – le protestant et le catholique.

Examinons les dates de création des principales fédérations nationales dans quelques pays (cf. tableau ci-après). On constate que la France n'a presque jamais la primeur sur les nations protestantes : neuf années d'avance sur l'athlétisme allemand constituent une exception.

On pourra enrichir l'impression de précocité britannique en indiquant la liste des premières organisations sportives apparues en Grande-Bretagne.

Si on s'intéresse, à présent, non plus aux principales fédérations nationales, mais à celles qui se sont créées les premières dans chacun des pays considérés, on constate encore la précocité de la Grande-Bretagne.

484

DATES DE CRÉATION DES PRINCIPALES FÉDÉRATIONS
NATIONALES DANS QUELQUES PAYS [5]

Sport	G.-B.	Allemagne	Suède	France	États-Unis
Cyclisme	1878	1884	1880	1881	1880
Athlétisme	1880	1898	1888	1889	1888
Tennis	1886	1902	1881	1903	1881

DATES DE CRÉATIONS DES PREMIÈRES FÉDÉRATIONS NATIONALES

Grande-Bretagne		États-Unis	
Jockey Club	1750	Patinage	1868
Golf	1754	Équitation	1870
Cricket	1788	Aviron	1871
Alpine Club	1857		
Football	1863	Base-ball	1876
Athlétisme	1866	Natation	1878
Canoë	1866	Athlétisme	1879
Natation	1869	Cricket	1879
Rugby	1871		

Allemagne		France	
Gymnastique	1866	Yacht Club de France	1867
Cyclisme	1884	Gymnastique	1873
Natation	1887	Club Alpin Français	1874
Patinage	1888	Union Vélocipédique de France	1881
Athlétisme	1891	Racing Club de France	1882
Escrime	1897	Athlétisme	1889
		Touring Club de France	1890

On notera également à quel point le nom même des organisations sportives françaises est tributaire de la tradition britannique : *football, tennis, rugby, golf, club, yacht, racing, touring.*

Les Allemands ne sont pas égaux devant le sport

Une enquête menée par Günther Lüschen en 1958 [6], sur un échantillon de 1 880 jeunes athlètes (15 à 25 ans) en Allemagne fédérale, révèle un écart impressionnant entre la répartition confessionnelle de la population globale, et sa représentation dans les clubs sportifs.

Cet écart se creuse pour les sports individuels (natation, course), et s'accentue encore chez les sportifs de haut niveau dans ces disciplines.

C'est ce que résume le tableau ci-dessous

Un comportement de performance sportive individuelle apparaît comme l'apanage des héritiers de l'éthique protestante, tandis que le goût pour les sports d'équipe semble marquer les régions où domine le catholicisme. L'exemple du football en Amérique du Sud, assez pauvre en sport individuel, est à cet égard significatif.

RÉPARTITION (%) DE LA PARTICIPATION
ET DU NIVEAU SPORTIF COMPARÉS À L'ORIGINE CONFESSIONNELLE
(ALLEMAGNE FÉDÉRALE 1958)

	Population d'Allemagne fédérale (1958)	Membres d'un club de sport (15-25 ans)	Course à pied natation	Sportifs de haut niveau (course, natation)
Protestants	52 %	60 %	67 %	73 %
Catholiques	44 %	37 %	31 %	26 %
autres	4 %	3 %	2 %	1 %
échantillon	toute	1 880	366	111

La tête et les jambes

Nous nous proposons de prolonger l'enquête de G. Lüschen, en reconsidérant les données relatives à cet étalon international de la performance, de l'accomplissement, du dépassement de soi, que sont les Jeux Olympiques.

On pourrait définir un « indice olympique » * : c'est le rapport du nombre de médailles obtenues par un pays donné (or, argent et bronze) ** avec sa population (moyenne dans la période considérée). Les Jeux Olympiques existent depuis 1896, de sorte que la période considérée est comparable à la période utilisée *infra* pour l'indice Nobel. Les deux indices sont complémentaires : « la tête et les jambes ».

Certaines réserves s'imposent. L'indice olympique reflète des résultats qui sont très souvent le fruit de politiques nationales. Nombreux sont les régimes qui ont cherché dans les Jeux Olympiques une « vitrine » pour faire leur propagande. Toutefois, quelles que soient la pression exercée et les dispositions prises par les gouvernements, la réussite de leur politique sportive suppose un potentiel de compétitivité sportive. D'autre part, faute d'une enquête sur les convictions religieuses de chaque athlète, on se contentera d'une « préférence religieuse plausible » établie sur la base des pourcentages des différents groupes religieux de leur pays. Elle sous-estime donc la différenciation interne mise en évidence par Lüschen.

Or, l'indice olympique ainsi analysé montre l'écrasante supériorité des

---

* Pour 100 000 habitants : 2,5 signifie 2,5 médailles par 100 000 habitants. Si le pays a 10 000 000 d'habitants, c'est qu'il aura gagné 250 médailles sur l'ensemble des jeux depuis 1896.
** On peut pratiquement confondre ces trois types de médailles, puisque les différences de performance sportive sont infinitésimales. Nous avons du reste calculé un indice olympique pondéré en comptant les médailles d'or pour 3, d'argent pour 2 et de bronze pour 1. On constatera que le résultat du classement est presque identique.

athlètes « éthologiquement protestants », au moins jusqu'en 1960 [7] : plus de 50 % des médaillés, alors que la part de ces pays dans la population mondiale est de moins de 8 % [8]. La sur-représentation du protestantisme dans les palmarès olympiques est incontestable. Le « protestantisme » est plus de six fois plus « médaillé » qu'il ne devrait l'être : si l'on considère en particulier les 25 pays dont l'indice est nettement supérieur à 0, cette prédominance saute aux yeux.

Il faut aussi remarquer la présence à ce palmarès de certaines démocraties populaires, avec, en première place, l'Allemagne de l'Est, qui, entre les JO d'Helsinki en 1952 et ceux de Séoul en 1988, a raflé 517 médailles ; soit deux fois plus que l'Allemagne fédérale quatre fois plus peuplée ; ce qui, pour une population moyenne de 16 millions d'habitants, lui donne le meilleur indice olympique pour cette période. Sans doute la RDA n'était-elle pas, tant s'en faut, un modèle de société de confiance. Mais le comportement de performance sportive n'est pas inculqué par décret : il reflète une tradition d'effort, d'affrontement de l'adversité, de discipline, de maîtrise de soi, exploitée par un régime soucieux de « forcer » ses athlètes comme on force des plantes de serre. Or, tandis que l'Allemagne d'avant-guerre comptait, en 1939, 62 % de protestants, la RFA de 1950 en comptait 51 %, à peine plus que la majorité. En revanche, en RDA, les citoyens de culture protestante disposaient d'une majorité massive, de l'ordre de 80 %. Cette caractéristique religieuse de l'ex-RDA ne doit-elle pas être rapprochée de son exceptionnelle performance olympique ?

LISTE COMPLÈTE DES NOMBRES DE MÉDAILLES OBTENUES PAR LES PARTICIPANTS AUX JO DE 1896 À 1994 (JEUX D'ÉTÉ ET D'HIVER) [9]

Nations	Total des médailles	Nations	Total des médailles
États-Unis	2 002	Venezuela	8
ex-URSS	1 567	Chili	7
Allemagne *	1 180	Trinité	7
Grande-Bretagne	607	Luxembourg	7
France	548	Philippines	7
Suède	537	Lettonie	6
Italie	458	Colombie	6
Finlande	408	Indonésie	6
Hongrie	400	Ouganda	5
Norvège	326	Slovénie	5
Japon	287	Tunisie	5
Australie	259	Porto Rico	5
Canada	255	Ghana	4
Suisse	253	Pérou	4
Roumanie	221	Taiwan	4
Pologne	221	Thaïlande	4
Pays-Bas	220	Algérie	4
Autriche	202	Bahamas	3
Tchécoslovaquie	175	Croatie	3
Bulgarie	169	Lituanie	2
Danemark	154	Surinam	2
Belgique	133	Cameroun	2
Chine **	120	Haïti	2
Corée du Sud	108	Islande	2
Yougoslavie	90	Israël	2
Cuba	90	Panama	2
Grèce	69	Tanzanie	2
Nlle Zélande	65	Namibie	2
Afr. du Sud	55	Antilles néerl.	1
Turquie	53	Bermudes	1
Espagne	50	Chili	1
Argentine	47	Costa Rica	1
Mexique	40	Côte-d'Ivoire	1
Kenya	39	Djibouti	1
Brésil	39	Rép. Dominicaine	1
Iran	33	Guyana	1
Jamaïque	26	Îles Vierges	1
Estonie	23	Irak	1
Corée du Nord	22	Liban	1
Égypte	18	Malaisie	1
Irlande	18	Monaco	1
Inde	14	Niger	1
Liechtenstein	14	Qatar	1
Éthiopie	13	Sénégal	1
Portugal	13	Sri Lanka	1
Mongolie	13	Singapour	1
Pakistan	10	Syrie	1
Maroc	9	Zambie	1
Uruguay	9	Zimbabwe	1
Nigeria	9		

* Pour l'Allemagne, les résultats des JO ont été comptabilisés globalement de 1896 à 1936 et depuis 1992, séparément après la Seconde Guerre mondiale des JO de 1952 à ceux de 1988. On a donc, en quelque sorte, quatre pays :
** La Chine populaire n'a participé aux JO qu'à partir de 1984.
1. L'Allemagne jusqu'aux JO de 1936.
2. La RDA des JO de 1952 aux JO de 1988 (517 médailles).
3. La RFA des JO de 1952 aux JO de 1988 (242 médailles).
4. L'Allemagne réunifiée depuis 1992.

On peut additionner indistinctement les médailles, quel que soit leur métal. On a ainsi un « indice olympique » brut, rapporté à la population. On peut aussi considérer que, à la différence des « prix Nobel », qui se valent tous, l'or olympique pèse plus lourd que l'argent, et l'argent que le bronze. On est alors amené à pondérer l'indice olympique, en affectant à chaque type de médaille le coefficient suivant : or = 3 ; argent = 2 ; bronze = 1. Ainsi calculé, l'indice olympique ne donne pas des résultats bien différents de l'indice brut, ainsi que le montrent les deux tableaux comparatifs.

INDICE OLYMPIQUE [10]
(NOMBRE DE MÉDAILLES POUR 100 000 HABITANTS)

Indice olympique brut		Indice olympique pondéré	
1° Finlande	8,1	1° Finlande	7,9
2° Norvège	7,6	2° Norvège	7,8
3° Suède	6,2	3° Suède	6,0
4° Hongrie	3,8	4° Suisse	3,5
5° Suisse	3,7	5° Danemark	2,8
6° Danemark	3,0	6° Allemagne	2,7
7° Allemagne	2,7	7° Autriche	2,6
8° Autriche	2,5	8° Hongrie	1,9
9° Bulgarie	1,8	9° Bulgarie	1,7
10° Australie	1,4	10° Australie	1,4
11° Pays-Bas	1,4	11° Pays-Bas	1,3
12° Belgique	1,3	12° Belgique	1,2
13° Tchécoslovaquie	1,1	13° Tchécoslovaquie	1,05
14° Grde-Bretagne	1,0	14° Grde-Bretagne	1,2
15° France	0,9	15° États-Unis	0,93
16° Canada	0,9	16° Roumanie	0,90
17° Roumanie	0,9	17° France	0,85
18° Italie	0,8	18° Italie	0,8
19° États-Unis	0,7	19° Canada	0,8
20° Pologne	0,5	20° ex-URSS	0,6
21° ex-URSS	0,4	21° Yougoslavie	0,5
22° Yougoslavie	0,3	22° Pologne	0,5
23° Corée du Sud	0,25	23° Corée du Sud	0,25
24° Japon	0,2	24° Japon	0,2
25° Chine	0,01	25° Chine	0,009

* La Chine a été absente des JO jusqu'à 1984 et y a fait une entrée fort remarquable.

L'indice Nobel de 1901 à 1990

Remontant de la cendrée olympique au Parnasse de la gymnastique intellectuelle, nous voudrions à présent actualiser l'indice Nobel, que nous avions publié dans *Le Mal français* [1].

Cet indice a été établi en comparant le nombre des lauréats des prix Nobel de sciences expérimentales (physique, chimie, médecine et biologie, à l'exclusion des prix de littérature et de la paix) par million d'habitants (chiffre obtenu par la moyenne – de 1901 à 1960 – des chiffres de population).

Nous pouvons prolonger cet indice pour les années 1961 à 1992 (en incluant désormais dans notre comptabilité les lauréats du prix Nobel en sciences économiques, décerné à partir de 1969). Nous rapportons le nombre des lauréats au nombre moyen des habitants de 1961 à 1992.

La suprématie « protestante » est toujours aussi sensible, même si l'internationalisation croissante du monde de la recherche, la pratique des échanges universitaires et des transferts de laboratoires atténuent le caractère significatif de la corrélation. Le haut niveau de l'Autriche est dû en partie à un nombre élevé de savants juifs installés à Vienne avant la Seconde Guerre mondiale et qui, tel Einstein, se sont réfugiés aux États-Unis pour fuir le nazisme.

« L'INDICE NOBEL »

Pays	Nombre de prix Nobel scientifiques (lauréats)	Nombre moyen d'habitants 1901-1960	Indice Nobel (lauréats par million d'habitants)
1. Suisse	11	4,2	2,62
2. Danemark	5	3,5	1,43
3. Autriche	8	6,7	1,19
4. Pays-Bas	9	7,8	1,19
5. Suède	7	6,2	1,13
6. Royaume-Uni	41	44,7	0,91
7. Allemagne	45	63,8	0,71
8. États-Unis	52	125,4	0,41
9. France	17	42,6	0,40
10. Finlande	1	3,5	0,29
11. Belgique	2	7,8	0,26
12. Hongrie	2	8,6	0,23
13. Portugal	1	17,1	0,14
14. Italie	4	40,8	0,10
15. Argentine	1	133,4	0,08
16. Tchécoslovaquie	1	14,7	0,07
17. Espagne	1	24,1	0,04
18. Russie	7	156,1	0,03
19. Japon	1	69,2	0,01
20. Inde	1	350,0	0,002

Pays	Nombre de prix [2] Nobel scientifiques 1961-1992	Nombre moyen * d'habitants 1959-1992 (millions d'habitants)	Indice
1. Suisse	7	6,1	1,11
2. Suède	8	8,02	0,99
3. Norvège	3	3,9	0,7
4. Grande-Bretagne	34	55,9	0,6
5. États-Unis	129	228,3	0,56
6. Belgique	3	9,4	0,3
7. Autriche	2	7,3	0,27
8. Allemagne fédérale	16	60,2	0,26
9. Danemark	1	4,9	0,20
10. France	10	53,0	0,18
11. Pays-Bas	2	13,1	0,15
12. Australie	2	14,4	0,13
13. Canada	2	23,8	0,08
14. Italie	3	54,7	0,05
15. Japon	4	110,0	0,03
16. Argentine	1	26,6	0,03
17. URSS	4	248	0,01
18. Pakistan	1	87,4	0,01

* Pour la population, les chiffres utilisés proviennent de *Estimations de la population en milieu d'année*, fournies par l'*Annuaire annuel statistique*, New York, Bureau de statistiques de l'Organisation des Nations Unies.

La performance économique *ou* l'indice de prospérité

À partir des données de l'*Atlas de la Banque mondiale*, 1976, nous avions établi dans *Le Mal français* un indice de prospérité mettant en évidence la suprématie globale des nations protestantes en matière de produit national brut par tête : Produit national brut par tête de 1973 (dernière année avant la crise mondiale) et de 1975 (dernière année dont les résultats fussent disponibles), en dollars, pour les 25 pays industrialisés dépassant 2,5 millions d'habitants en 1975 *.

INDICE DE PROSPÉRITÉ EN 1973 ET 1975

Pays (dans l'ordre de 1975)	Année 1973			Année 1975		
	Population (en millions d'habitants)	PNB par tête (en $)	Classe-ment suivant le PNB	Population (en millions d'habitants)	PNB par tête (en $)	Classe-ment suivant le PNB
Suisse	6,43	7 060	1	6,40	8 050	1
Suède	8,14	6 360	2	8,20	7 880	2
États-Unis	210,40	6 230	3	213,61	7 060	3
Danemark	5,02	5 870	4	5,06	6 920	4
Canada	22,13	5 580	6	22,83	6 650	5
Allemagne RFA	61,97	5 690	5	61,83	6 610	6
Norvège	3,96	5 190	7	4,01	6 540	7
(Afrique du Sud) **	4,37	4 940	9	4,58	6 160	8
Belgique	9,74	4 990	8	9,80	6 070	9
France	52,13	4 810	10	52,91	5 760	10
Australie	13,13	4 650	12	13,50	5 640	11
Pays-Bas	13,44	4 670	11	13,65	5 590	12
Finlande	4,67	4 120	13	4,71	5 100	13
Autriche	7,53	3 900	15	7,52	4 720	14
Nouvelle-Zélande	2,96	3 980	14	3,09	4 680	15
Japon	108,35	3 800	16	110,95	4 460	16

---

* Ce critère élimine, outre le Luxembourg (qui viendrait en 10e place avec 6 050 $) et l'Islande (13e place, 5 620 $), des pays comme la Libye, Qatar, les Émirats arabes et le Koweit, dont les ressources en hydrocarbures masquent le sous-développement.
** Les chiffres concernant l'Afrique du Sud ne s'appliquaient qu'à la population blanche (soit 18 % de la population). Le calcul du revenu moyen par habitant blanc a été effectué d'après les estimations sur la répartition du revenu entre communautés noire et blanche.

Allemagne RDA	16,98	3 210	18	16,85	4 230	17
Royaume-Uni	55,93	3 270	17	55,96	3 840	18
Tchécoslovaquie	14,57	2 980	20	14,82	3 710	19
Israël	3,25	3 080	19	3,46	3 580	20
Arabie saoudite *	7,74	2 070	25	8,29	3 010	21
Italie	54,91	2 520	21	55,81	2 940	22
Pologne	33,36	2 160	23	34,02	2 910	23
Espagne	34,74	2 170	22	35,35	2 700	24
URSS	249,75	2 110	24	254,38	2 620	25

Nous proposons de mettre à jour cet indice en donnant le classement, presque inchangé, des 25 pays en tête pour leur PNB par habitant en 1991.

INDICE DE PROSPÉRITÉ EN 1991 [1]

Pays **	Population (en millions d'hab.)	PNB/hab. (US$)
1. Suisse	6,8	34 304
2. Suède	8,6	27 520
3. Japon	124,3	26 983
4. Danemark	5,1	25 308
5. Finlande	5,0	24 933
6. Norvège	4,2	24 824
7. Allemagne	80,5	22 436
8. États-Unis	255,0	22 219
9. Canada	27,3	21 562
10. Autriche	7,8	21 176
11. France	57,3	21 053
12. Italie	56,7	19 930
13. Belgique	9,9	19 717
14. Pays-Bas	15,1	19 318
15. Australie	17,5	17 351
16. Royaume-Uni	57,8	16 994
17. Espagne	39,0	13 511
18. Israël	5,1	12 869
19. Irlande	3,5	12 480
20. Nouvelle-Zélande	3,7	12 388
21. Portugal	9,8	6 955
22. Grèce	10,2	6 951
23. Corée du Sud	46,6	6 462
24. Pologne	38	3 770
25. Tchécoslovaquie	15,6	3 140

---

* Même observation que pour les autres pays arabes.
** Les indications dont nous disposons sur l'Afrique du Sud à cette date ne nous permettent pas de l'inclure dans ce tableau.

Annexe 13

Valeurs de l'entreprise et trésor de la langue française

Puisque nous cherchons à déceler les affinités ou les répulsions entre les divers types de libéralismes (religieux, culturel, politique) et le développement économique, il peut être éclairant de mesurer l'émergence de certaines valeurs réputées « libérales » (tolérance, innovation, confiance, profit, etc.), ou de valeurs antagonistes, dans la production publiée d'une société donnée. Romans, pièces de théâtre, poésies, Mémoires, récits de voyages, correspondances, sermons, journaux, traités et essais ont recueilli l'écho des phobies ou des attirances entretenues par leurs contemporains à l'égard des pratiques politiques, sociales, économiques, et des habitudes mentales qui prévalaient ou s'estompaient.

Le premier, David C. Mc Clelland a repéré le « besoin d'accomplissement » *(need for achievement)* comme principal mobile de l'activité économique. C'est, dit-il, un désir de bien faire, non pas pour acquérir prestige ou considération sociale, mais pour atteindre à un sentiment intérieur de réussite personnelle [1].

L'un de ses disciples, Juan B. Cortès, a montré que l'évolution du langage révèle une corrélation entre le degré de ce besoin d'accomplissement tel qu'il s'exprime dans la littérature et le développement économique. Ainsi, dans l'Espagne dynamique des XVe-XVIe siècles, les expressions, proverbes, métaphores, exprimant l'énergie des individus et de la société abondent dans les textes publics comme dans les correspondances personnelles. Ils se raréfient ou changent de sens à partir du XVIe siècle [2].

L'élaboration du *Trésor de la Langue française* a permis de constituer une base considérable de données textuelles [3], qui permet de sonder l'histoire des faits, des idées, des institutions, des comportements [4]. Étant donné la diversité de l'échantillon, proportionnée à l'importance de la production littéraire, chaque catégorie étant équitablement représentée, il n'est pas téméraire de conjecturer que la fréquence ou la rareté d'un terme, la valeur qu'il prend selon le contexte dans lequel il est inséré, sont autant d'indicateurs, ou tout au moins d'indices, permettant de mesurer l'importance que revêtait le comportement ou la signification qu'il exprimait.

Bien entendu, l'indice ne saurait valoir comme preuve. Pour deux raisons principales :

1. On ne dispose pas encore d'une base de données exhaustive. La solution actuellement praticable d'un corpus plus maniable pose un nouveau problème : celui de sa représentativité. Les choix présidant à la sélection de telle œuvre réputée plus représentative ne prédéterminent-ils pas le résultat de toute interrogation du corpus ?

2. D'autre part, quand bien même les textes retenus seraient idéologiquement représentatifs, il n'est pas dit qu'ils le soient lexicalement : il arrive en effet qu'ils se fassent l'écho fidèle d'un comportement ou d'une attitude mentale, sans que les locutions et expressions accoutumées s'y trouvent : la chose y est, mais non le mot.

Donnons un exemple de cette limitation méthodologique : sur les

1 600 ouvrages interrogés du XVIe au XVIIIe siècle à partir de la base de données FRANTEXT, les mots de NOVATEUR, NOVATRICE, INNOVATION n'apparaissent pas [5].

Cela prouve qu'ils n'étaient pas couramment employés. Ils n'étaient nullement inconnus cependant. Ainsi, le terme d'*innovation* apparaît dans le discours de Louis XVI devant les États Généraux, le 5 mai 1789 : « Une inquiétude générale, un désir exagéré d'innovations se sont emparés des esprits... » Et celui de *novateur,* souvent qualifié par d'injurieuses épithètes *(fou, schismatique),* a couramment été brandi contre les sectateurs de la « religion nouvelle », de la « nouvelle opinion », comme nous l'a appris l'étude des *Représentations de la Réforme (1517-1561) dans les abrégés et manuels d'histoire français des XVIe, XVIIe et XVIIIe siècles* [6]. Ce travail révélait que, pour le catholicisme militant contre le protestantisme, s'imposait l'équation INNOVATION = CHANGEMENT = DÉSORDRE = TROUBLE [7]. Puisque ces mots ne figurent pas dans la base de données, la recherche doit passer par d'autres mots-clés, pour ouvrir, sans la forcer, la serrure des affinités ou répulsions entre mentalités, développement économique, libéralisme culturel, etc. Nous le ferons avec des termes comme *aventure, profit, invention, entreprendre.*

Aventure

Tandis que les termes d'*adventure* et d'*adventurer* sont exaltés, comme l'avenir même de l'Angleterre élisabéthaine, par le pouvoir royal, en liaison avec l'activité marchande, leur connotation en France, souvent péjorative, n'est presque jamais engageante.

Un test d'occurrences effectué sur la période 1556-1643 permet de prendre la mesure de la méfiance inspirée par l'*aventure.* Notons au passage que le *Traité d'économie politique* d'Antoine de Montchrestien y figure, et que le mot ne s'y rencontre qu'au sens de *hasard dangereux,* de *malheur* advenant au marchand.

On peut classer les occurrences selon les catégories suivantes :

Connotations péjoratives	1) infortune, péril
Connotations neutres	2) événement étrange, circonstance extraordinaire (ex. : « étrange et neuve aventure »)
	3) occasion rare, ou curieuse, hasard
	4) superstition (la bonne aventure, etc.)
	5) liaison amoureuse
	6) divers
Connotations positives	7) hasard : chance, *bonne* fortune, événement favorable : proche du sens (3) par la rareté *(« mon heur en est extrême, et l'aventure rare »)*
	8) risque encouru volontairement (notamment, audace militaire).

Même les connotations que nous avons créditées d'une valeur « positive » sont loin de revêtir le caractère volontariste et entreprenant des *Merchant adventurers.* Seule l'audace militaire semble faire exception :

encore confine-t-elle davantage, dans les exemples relevés, à la « *furia francese* » qu'à l'acte d'une volonté déterminée et responsable.

RÉPARTITION DES CONNOTATIONS DU TERME *AVENTURE*
DANS LA LITTÉRATURE FRANÇAISE (1556-1643)

1	2	3	4	5	6	7	8	Total
infortune 38	extraordinaire 11	hasard 26	superstition 4	liaison 8	divers 4	bonne fortune 10	risque 8	109

C'est assez dire que la valorisation de l'*aventure* au sens d'entreprise courageuse et responsable est tout à fait marginalisée, du moins dans la représentation littéraire de cette période 1556-1643 qui voit se dessiner et se mettre en place les grandes lignes de la Contre-Réforme.

L'acception générale du terme est neutre (pour près de la moitié des occurrences) ou défavorable (pour plus d'un tiers). Il faudra attendre le XIXe siècle – ère du démarrage industriel français – pour que l'aventure soit une entreprise, implique des compétences, puisse être vécue par des « chevaliers d'industrie », et non plus par des Don Quichotte.

S'il y a eu, selon le titre de l'ouvrage de Léo Moulin, une « aventure européenne », force est d'admettre que la littérature française n'est pas pressée d'en faire état.

Profit, entreprendre, invention

Suivons, sur un corpus plus vaste (7 815 exemples, allant de 1556 à 1799), les termes suivants : *profit, entreprendre, invention*.

Les *Tragédies saintes* de Des Masures (1566) valorisent la notion de *profit* dans un contexte eschatologique.

> *Mais vous (si me croyez, et avez bonne envie*
> *Laisser la terre, et tendre à la céleste vie)*
> *Sans tant vous arrester à chose qui ne sert,*
> *Faîtes plutôt profit du bien qui ne se perd.*

Le verbe « *entreprendre* » est associé au risque inconsidéré, à l'excès, qu'il faut éviter tant qu'on peut :

> *Il ne convient à l'homme entreprendre ni faire*
> *D'un conseil trop léger un trop pesant affaire*
> *Aussi n'est-il au camp nul si hardi qui ose*
> *Entreprendre gagner ce que le roi propose,*
> *Tant soit ce qu'il présente excellent et de prix.*

Le verbe est même associé à la trahison et au risque de mort, comme il le sera également dans la *Troade* de Garnier. De ce même dramaturge, l'*Antigone* (1579) fait un sort intéressant au verbe *entreprendre*, utilisé six fois : cinq apparaissent en contexte négatif.

Chez Ronsard, le terme *entreprendre* désigne une action impossible, chimérique (*Le second livre des amours*, 1578).

De même, Charron réserve « *entreprendre* »[8] à la trame d'actions néfastes et destructives, qu'accompagnent « le trouble et le danger » (*ibid.*, p. 401). Il peut être bénéfique *d'entreprendre*, mais indirectement : « C'est aimer sainement que d'*entreprendre* à blesser et offenser un peu, pour profiter beaucoup... » (*ibid.*, p. 500). « *Entreprendre* » évoque le coup de lancette aussi douloureux que salutaire. Ce n'est en aucun cas le cheval de bataille de la *sagesse* prônée par Charron. La *résistance à l'entreprise* est au contraire un précepte de la sagesse : on n'entreprendra rien individuellement, sans le conseil familial. « Le quatrième (précepte) est de *ne rien* faire, remuer, *entreprendre* qui soit de poids, sans l'avis, consentement et approbation des parents... » (*ibid.*, p. 561).

L'« *invention* » est « moins naturelle mais plus ambitieuse » que la vérité : elle est une expression de la violence, de la démesure humaine qui veut « entreprendre de remuer les hautes et fortes puissances, et par ce moyen mettre tout en alarme et confusion ». Il entre toujours de la présomption dans ce terme : c'est d'ailleurs le fait des riches ou des esprits forts.

L'invention est logée à l'enseigne de la fausseté. Voyez Charron (*De la sagesse*, 1601) : « Il y a six ou sept choses qui meuvent et mènent les esprits propriétaires, et leur font estimer les choses à fausses enseignes, dont les sages se garderont, qui sont *nouvelleté, rareté, étrangeté, difficulté, artifice, invention, et surtout le bruit, la montre et la parade.* »

On aura soin de noter, pour apprécier l'impact de ces doctrines, l'importante diffusion du livre de Charron, véritable vade-mecum de l'honnête homme en ce début de XVIIᵉ siècle – où la France enterrera l'imagination baroque.

Mots et maux de la mentalité économique

Une enquête semblable plus récente a servi à constituer le *Dictionnaire historique de langue française (Le Robert)*[9]. Glanons-y quelques illustrations supplémentaires ou complémentaires.

Prenez *commerce* : sa signification économique est bientôt occultée. Au XVIᵉ siècle (1540), il prend le sens abstrait de relation réciproque – qu'il s'agisse de conduite sociale ou de relations charnelles. L'adjectif commercial prendra une valeur péjorative ; quant aux termes de *commercialiser, commercialisation*, leur apparition tardive est éloquente (1872 et 1904).

D'abord limité au domaine juridique, le verbe *innover* sera introduit dans son usage intransitif par Calvin (1541). De même pour *innovation*, introduit par Amyot (1559)[10].

Initiative est attesté isolément au XVIᵉ siècle (1567) au sens d'« action de quelqu'un qui est le premier à proposer, à organiser quelque chose ». Mais le sens politique et constitutionnel du terme sera prisonnier d'une pratique parlementaire : l'*initiative* est, en 1790, le « droit de soumettre à l'autorité compétente une proposition en vue de la faire adopter ». Ce n'est qu'en 1803 que le mot prend le sens de « liberté de choisir » et, en 1842, de « disposition à entreprendre, qualité de décision [11] ».

Économie connaît en France, à partir du XVIe siècle, un repli sémantique tout à fait intéressant. Il désignait jusqu'alors l'administration domestique, domaniale, ou étatique des biens. Il se restreint de plus en plus à ne désigner que « la gestion où l'*on évite toute dépense inutile* [12] ». Obsédée par l'*épargne*, l'économie n'est pas un lieu d'initiative et de risque, mais de contrôle et de mise en réserve.

Nouveau prend à partir du XVIIe siècle (1669) une connotation ironique : « qui présente les mêmes caractéristiques qu'un personnage célèbre », non sans *vaine prétention* : « un nouveau Virgile ». De même, la valorisation de la notion de *nouveauté* est tardive : elle commence avec Stendhal. Nous avons repéré ailleurs la mauvaise fortune du terme de *novateur*, synonyme de fou, schismatique, dangereux.

L'origine négative du terme *entreprendre* pourrait bien attester la méfiance manifestée lorsqu'il s'est agi de donner un nom aux activités des commerçants, artisans, explorateurs prenant les devants de l'histoire économique. En ancien français, le verbe signifie attaquer (XIIe siècle), interpeller, accuser, atteindre (en parlant d'une maladie, ce sens perdurera jusqu'au XIXe siècle).

On a vu ailleurs la valeur de ruse, de séduction, de tromperie qui était associée à l'action d'*entreprendre*. Son application aux rapports marchands remonte, semble-t-il, à 1671, par suite d'une confusion avec *emprendre*, commencer, mettre en œuvre. Cette confusion n'est pas innocente : « *s'il y a mépris au monde, il est sur le marchand* ». Le terme d'*entrepreneur* traversera la Manche avec bonheur, puisqu'il cessera de signifier comme en France « entrepreneur en bâtiment ou en travaux publics » et deviendra synonyme de « créateur et chef d'entreprise » dans les pays anglo-saxons. Il damera le pion à *undertaker*, relégué dans le sens d'entrepreneur... de pompes funèbres. En France, c'est, en ce sens, un... anglicisme.

Emprunté à l'italien *mercantile,* « qui se rapporte au commerce » (XIVe siècle), ce mot prend en français (1551) une valeur péjorative, voire injurieuse. Jusque sous la plume d'Holbach, il signifie « poussé par l'appât du gain » et le dérivé *mercantilisme* désigne d'abord l'âpreté au gain [13].

Étonnante est la régression de l'adjectif *marchand* : au XIIIe siècle, il désignait encore « une chose ayant les qualités requises pour être vendue » (1215), d'où le sens de « vendable, de bonne qualité » (1238), qui perdure dans l'expression : « loyal et marchand ». Au XVIIe siècle, il signifiera vulgaire, peu distingué. Les *précieuses ridicules* objectent à leur père et oncle, le bourgeois Gorgibus qui veut les marier à deux plats gentilshommes : « Est-il rien de plus marchand que ce procédé-là ? »

Vers la fin du XVIIIe siècle, l'emploi du terme *industrie* est réservé à l'« activité économique ayant pour objets l'exploitation des richesses minérales, des sources d'énergie, ainsi que la transformation des matières premières en produit fabriqué », et exclut dès lors le commerce et l'agriculture.

Mais la préhistoire de ce terme est lourde de sens. La nuance de zèle et d'activité héritée du latin *industrius* s'efface devant celle de machination (qui existe aussi en latin : *Quid struis* ? « que machines-tu », demandait Didon à Énée).

Au XVᵉ siècle (1467), le mot signifiait encore : « profession comportant une activité manuelle et demandant une certaine ingéniosité [14] » ; mais la locution *coupable industrie* déteint sur le terme, qu'on associe à ruse dès la fin du XVᵉ siècle. Vivre d'*industrie* (1694), c'est vivre d'*expédients* – comme le feront tant de « chevaliers d'industrie ».

Sans avoir une aussi mauvaise réputation, les termes d'*inventeur* et d'*innovation* ont partie liée avec l'imagination romanesque et le refus du réel [15]. Au XVᵉ siècle (1431), le mot *invention* désigne l'action d'imaginer une chose que l'on donne pour vraie : un mensonge. Vers 1485, le sens plus positif de découverte réelle est attesté – mais la connotation d'illusion ou d'échec est longtemps conservée.

L'invention est maudite, dès lors qu'elle veut transformer l'existence concrète : elle rencontre l'hostilité, la méfiance, la calomnie. « Invente, disait encore Balzac [16] quatre siècles plus tard, et tu mourras persécuté comme un criminel ; copie, et tu vivras heureux comme un roi. »

Égalité de la femme et de l'homme

Les tableaux ci-après sont issus du Programme des Nations Unies pour le Développement (PNUD), tel qu'il a été publié dans le *Rapport mondial sur le développement humain 1995* [1]. Cet ouvrage traite de « l'égalité sociologique entre les sexes » avec indicateurs et tableaux. Nous n'avons retenu que les chiffres concernant les pays industrialisés.

« L'Indicateur Sexospécifique du Développement Humain (ISDH) » mesure le niveau de développement atteint, en tenant compte des inégalités sociologiques entre les femmes et les hommes. Il est calculé d'après les valeurs du revenu, le niveau d'éducation (taux brut de scolarisation combiné – primaire, secondaire et supérieur, 1992) et de l'espérance de vie pour les femmes et les hommes :

INDICE DES DISPARITÉS ENTRE LES SEXES
POUR LE DÉVELOPPEMENT DANS LES PAYS INDUSTRIALISÉS

Classement des pays	ISDH	Classement des pays	ISDH
1. Suède	0,919	12. Royaume-Uni	0,862
2. Finlande	0,918	13. Italie	0,861
3. Norvège	0,911	14. Belgique	0,852
4. Danemark	0,904	15. Suisse	0,852
5. États-Unis	0,901	16. Pays-Bas	0,851
6. Australie	0,901	17. Portugal	0,832
7. France	0,898	18. Grèce	0,825
8. Japon	0,896	19. Irlande	0,813
9. Canada	0,891	20. Espagne	0,795
10. Autriche	0,882	21. Luxembourg	0,795
11. Nouvelle-Zélande	0,868		

L'indice de la participation des femmes (IPF), à la vie économique, politique et professionnelle, répond à la question : « Les hommes et les femmes sont-ils pareillement à même de participer activement à la vie politique et économique et de prendre part aux processus de décision ? »

Il prend en compte les indicateurs de fonctions gouvernementales et de représentation parlementaire, de fonctions administratives et d'encadrement, d'emplois de techniciens et professions libérales. (Il a été établi, pour la France, avant la formation du gouvernement Juppé de juin 1995, comportant 12 femmes face à 31 hommes.)

Une anomalie : la Suisse, société mixte mais que l'on peut considérer comme « éthologiquement protestante » et même prototype de « société de confiance », n'a admis le vote des femmes qu'après la Seconde Guerre.

INDICE DE LA PARTICIPATION DES FEMMES
À LA VIE POLITIQUE, ÉCONOMIQUE ET PROFESSIONNELLE
DANS LES PAYS INDUSTRIALISÉS

Classement des pays	IPF	Classement des pays	IPF
1. Suède	0,757	12. Luxembourg	0,542
2. Norvège	0,752	13. Suisse	0,513
3. Finlande	0,722	14. Royaume-Uni	0,483
4. Danemark	0,683	15. Belgique	0,479
5. Canada	0,655	16. Irlande	0,469
6. Nouvelle-Zélande	0,637	17. Espagne	0,452
7. Pays-Bas	0,625	18. Japon	0,442
8. États-Unis	0,623	19. Portugal	0,435
9. Autriche	0,610	20. France	0,433
10. Italie	0,585	21. Grèce	0,343
11. Australie	0,568		

Tant il demeure vrai que les sociétés de méfiance sont des sociétés « machistes ».

Indice de la corruption 1995
dans les pays industrialisés

Cet indice est publié par *Transparency International* [1], ONG siégeant à Berlin, et un économiste de l'Université de Göttingen, le Dr comte Johann Lambsdorff. Il résulte d'une moyenne des appréciations portées par des hommes d'affaires et journalistes financiers. Il repose sur trois colonnes. La première est le barème de l'intégrité générale (notée de 0 à 10). La deuxième précise le nombre d'enquêtes effectuées dans chaque pays par divers organismes (trois émanent du *Rapport sur la compétitivité mondiale 1992-1994* de l'Institut pour le Développement des Affaires de Lausanne ; trois sont issus du bureau de prévision *Political and Economic Risk Consultancy* de Hong Kong pour 1992-1994 ; un, enfin, d'un sondage plus ancien − 1980 − de *Business International* de New York). La troisième colonne reflète la variation dans les barèmes : ainsi, un indice très bas est le signe d'une bonne concordance entre les opinions des personnes questionnées au fil des sondages ; un chiffre élevé souligne de fortes divergences d'opinions. Nous avons choisi de ne retenir que les chiffres concernant les 22 pays les plus industrialisés sur les 41 pays du monde de l'étude initiale.

Parmi les treize premiers, un seul est issu d'une nation à prédominance catholique : l'Irlande (n° 10).

Classement des pays	Barème	Nombre de sondages	Variation
1. Nouvelle-Zélande	9,55	4	0,07
2. Danemark	9,32	4	0,01
3. Finlande	9,12	4	0,07
4. Canada	8,87	4	0,44
5. Suède	8,87	4	0,11
6. Australie	8,80	4	0,54
7. Suisse	8,76	4	0,52
8. Pays-Bas	8,69	4	0,63
9. Norvège	8,61	4	0,78
10. Irlande	8,57	4	0,61
11. Royaume-Uni	8,57	4	0,17
12. Allemagne	8,14	4	0,63
13. États-Unis	7,79	4	1,67
14. Autriche	7,13	4	0,36
15. France	7,00	4	3,32
16. Belgique/Lux.	6,85	4	3,08
17. Japon	6,72	7	2,73
18. Portugal	5,56	3	0,66
19. Espagne	4,35	4	2,57
21. Grèce	4,04	4	1,65
22. Italie	2,99	4	6,92

Étonnant dégradé, de la plus grande transparence des pays réformés à la plus grande dissimulation des nations « romaines ». Ici, la confiance règne et alimente la transparence. Là, méfiance et corruption se nourrissent l'une l'autre, comme on nourrit des soupçons.

Annexe 16

Indice de compétitivité

Le dernier rapport connu sur la compétitivité mondiale (*The World Competitiveness Report,* 1995, Genève) intègre à son classement un maximum de critères originaux. Outre les paramètres macro-économiques classiques (PIB par habitant, performances d'inflation ou du commerce extérieur, infrastructures, moyens de communication ou équipements industriels), le *World Economic Forum* de Genève et l'*International Institute for Management Development* de Lausanne ont tenu compte de facteurs socio-économiques, tels que le niveau d'éducation ou les problèmes de criminalité. Une enquête d'opinion menée auprès de 21 000 responsables d'entreprises permet d'incorporer au classement, en outre, des paramètres comme l'environnement administratif et gouvernemental, l'organisation du travail, la qualité des services financiers, etc.

Ces classements attestent la spectaculaire rémanence de la divergence éthologique qui fait l'objet du présent ouvrage. Elle trouve à s'exprimer dans la divergence entre nations de tradition protestante (ou ralliées aux principes de la Réforme protestante) et nations de tradition romaine, moins flexibles, plus méfiantes envers l'innovation, plus hostiles aux réformes économiques et administratives.

De nombreux classements partiels ont été établis – pas moins de 378 critères. Par exemple, celui des dépenses publiques en matière d'éducation (*The World Competitiveness Report,* 1995, p. 720 ; classement établi pour l'année 1992), celui des inscriptions dans l'enseignement supérieur (*ibid.,* p. 723), celui de la place accordée aux langues étrangères (*ibid.,* p. 465) sont particulièrement significatifs – c'est-à-dire particulièrement flatteurs pour les nations « éthologiquement protestantes ». Leur prédilection pour les outils modernes de communication apparaît avec le classement par nombre d'abonnés au téléphone cellulaire mobile par rapport au nombre d'habitants (*ibid.,* p. 599). Etc.

La place nous manque pour reproduire tous les classements. Il suffit de reproduire ci-après le classement qui les synthétise.

1. États-Unis	17. France	33. Indonésie
2. Singapour	18. Royaume-Uni	34. Chine
3. Hong Kong	19. Belgique/Luxembourg	35. Philippines
4. Japon	20. Chili	36. Colombie
5. Suisse	21. Malaisie	37. Brésil
6. Allemagne	22. Irlande	38. République tchèque
7. Pays-Bas	23. Israël	39. Inde
8. Nouvelle-Zélande	24. Corée	40. Turquie
9. Danemark	25. Islande	41. Jordanie
10. Norvège	26. Thaïlande	42. Afrique du Sud
11. Taiwan	27. Égypte	43. Grèce
12. Canada	28. Espagne	44. Mexique
13. Autriche	29. Argentine	45. Pologne
14. Australie	30. Italie	46. Hongrie
15. Suède	31. Portugal	47. Venezuela
16. Finlande	32. Pérou	48. Russie

La présence de « Nouveaux Pays Industrialisés » (Singapour, Hong Kong, Taiwan, imitateurs du modèle anglo-saxon), en fort bonne place dans le classement, suggère la présence active de l'*ethos de confiance compétitive*, tel que nous l'avons défini plus haut. Si ces pays ne sont pas historiquement marqués par la Réforme protestante, ils ont en revanche, à la faveur de dispositions mentales propices, cultivé l'innovation, la commercialisation, l'initiative économique... Sous réserve d'une étude de cas, on pourrait les appeler des pays « éthologiquement protestants ».

En effet, le reste du classement est conforme à nos hypothèses : aucun pays « catholique » avant la treizième place, un seul jusqu'à la dix-septième. Deux exceptions protestantes : le Royaume-Uni en dix-huitième position (victime, depuis le *Welfare State* de 1945, de ce que nous avons appelé dans *Le Mal français* « La syncope anglaise ») et l'Islande, en vingt-cinquième position.

Le cas de l'Afrique du Sud s'explique évidemment par la dysharmonie sociale et économique.

Notes

Page 5

1. François Véron de Forbonnais, *Considérations sur les finances d'Espagne* (1753 ; 2e édition à Madrid, et à Paris chez Lamy, quai des Augustins, 1781, p. 188).
2. Dépêche du Consul de France à Gênes, Archives Nationales, Affaires Étrangères, B1, 331-2, 25 novembre 1713.

Introduction

1. *Du « miracle en économie »*, Paris, Odile Jacob, 1995, pp. 39 sq. et 84-85.

Première partie

AVANT LA DIVERGENCE

Chapitre 1 : À la recherche des origines : « décollage » ou « divergence » ?

1. *Die grosse Wende*, Hambourg, Claasen und Goverts, 1948.
2. Immanuel Wallerstein, *Le système du monde du XVe siècle à nos jours*, t. 1, *Capitalisme et économie-monde 1450-1640*, Paris, Flammarion, 1980, ch. I, p. 19.
3. Immanuel Wallerstein, *op. cit.*, p. 22.
4. Slicher Van Bath, *The Agrarian History of Western Europe. 500-1850*, Londres, Edward Arnold, 1963.
5. Cf. Yves Renouard, *Les villes d'Italie de la fin du Xe siècle au début du XIVe*, 2 vols, Paris, SEDES, 1969, t. 1, p. 15.
6. Fernand Braudel, *Civilisation matérielle, économie et capitalisme* (désigné ci-après CMEC), Paris, Armand Colin, 1979, t. 3, p. 77. Cf. J. Bühler, *Vida y cultura en la edad media*, 1946, p. 204.
7. Pierre Chaunu, *L'Expansion européenne*, 2e éd. Paris, PUF, 1983.
8. Pierre Chaunu, *in* Pierre Léon (dir.), *Histoire économique et sociale du monde*, Paris, Armand Colin, 1977 (désigné ci-après PLHESM), t. 1, p. 55.

Chapitre 2 : État des lieux de la chrétienté occidentale

1. Ogier d'Anglure, *Voyage de Jérusalem*, in A. Pauphilet (éd.), *Jeux et Sapience du Moyen-Âge*, Paris, Gallimard, Pléiade, p. 443.
2. Maurice Daumas (dir.), *Histoire générale des techniques*, t. 2 : *Les premières étapes du machinisme*, Paris, PUF, 1965, pp. 221-222.
3. Ch. XX, Paris, Librairie générale française, 1962, t. 1, p. 151.
4. *Ibid.*, p. 160.
5. Même résistance des villes en Angleterre (exemple de Bristol en 1346), où 150 moulins à foulon sont installés entre les XIIe et XIIIe siècles. E. M. Carus Wilson « The woollen industry », in *Cambridge Economic History*, Cambridge, CUP, 1952, t. 2, p. 409. Cf. Braudel, CMEC, t. 3, p. 470.
6. *Batavia illustrata*, 2 vols, Londres, 1728, pp. 258-259.
7. Indications données par G. Duby, *L'économie rurale et la vie des campagnes dans l'Occident médiéval (France, Angleterre, Empire IXe, XVe siècle)*, Paris, Aubier, 1962.
8. Pierre Bezbakh, *La société féodo-marchande*, Paris, éd. Anthropos, 1983, p. 124.

L'auteur renvoie aux pénétrantes analyses d'Henri Sée dans *Louis XI et les villes*, Paris, Hachette, 1892.

9. Pierre Bezbakh, *op. cit.*, p. 125.

Chapitre 3 : Après la Grande Peste *ou* faire autant avec moins d'hommes

1. In *Trois millions d'années, quatre-vingts milliards de destins*, Paris, Laffont, 1990, p. 221.

2. Cf. M.H. Gelting, « Affranchis par la peste ? », in *L'Histoire en Savoie Magazine*, décembre 1993, p. 9.

3. W.W. Rostow, *Les étapes de la croissance économique*, Paris, Le Seuil (Points-Économie), 1970, p. 14.

4. Fernand Braudel, CMEC, t. 1, p. 90.

5. Bartholomé Bennassar, in PLHESM, t. 1, p. 479.

6. *Ibid.*, t. 1, p. 477.

7. In Guy Fourquin, PLHESM, t. 1, p. 332.

8. John U. Nef, *La naissance de la société industrielle et le monde contemporain*, Paris, Armand Colin, 1964.

9. Cf. *L'Ulysse français, ou le Voyage de France, Flandres et Savoie*, Paris, 1643, pp. 52-53. Cf. Braudel, CMEC, t. 3, p. 21.

10. *Das Zeitalter der Fugger*, Iena, Fischer, 1912.

11. Henry Phelps Brown et Sheila Hopkins, *A perspective on wages and prices*, Londres, New York, Methuen, 1981.

12. Bartholomé Bennassar, in PLHESM, t. 1, p. 401.

13. *Discours* I, ch. 5.

Chapitre 4 : Sous le signe de Gutenberg

1. P. Chaunu, *Église, Culture et Société, 1517-1620*, Paris, SEDES, 1981, p. 153.

2. Emmanuel Todd, *L'invention de l'Europe*, Paris, Le Seuil, 1990, p. 141. On peut songer aux fulminations de Luther dans son adresse *À la noblesse chrétienne de la nation allemande* (1520), Intr., trad. et notes par M. Gravier, Paris, Aubier, 1944, pp. 94-95 : « Aussi est-ce une fable qu'ils ont inventée par blasphème, et ils ne peuvent pas même citer une seule syllabe pour prouver qu'il appartient au Pape seul d'interpréter l'Écriture ou de confirmer leur interprétation ; ils se sont arrogé ce pouvoir » (trad. remaniée).

3. Cf. Herbert Lüthy, *Le Passé présent, combats d'idées de Calvin à Rousseau*, Monaco, éditions du Rocher, 1965, p. 37.

4. Pour que la date ait davantage de sens, on ne retient que les signataires âgés de 20 à 25 ans : c'est donc, pour chaque date, la performance de la génération arrivant à l'âge adulte qui est examinée. En outre, l'enquête porte sur les hommes seulement.

5. Menée au début des années 1980, l'étude ne porte que sur les pays en deçà du « rideau de fer ».

6. Emmanuel Todd, *op. cit.*, p. 107.

7. L'Imprimerie en 1480 : *Source* : Emmanuel Todd, *op. cit.*, p. 107.

8. Le décollage culturel : *Source : ibid.*, p. 147.

9. Id., *ibid.*, p. 133, p. 135.

10. Egil Johansson, « The history of literacy in Sweden », *in* Harvey Graff *et al.*, *Literacy and Social Development in the West*, Cambridge, CUP, 1981, pp. 151-182.

11. Pitirim A. Sorokin, *Society, Culture and Personality*, New York, Harper and brothers, 1947, pp. 540 sq.

12. *Tableau du mariage représenté au naturel*, Orange, E. Voisin, 1635, p. 226, *in* Linda Timmermans, *L'accès des femmes à la culture (1598-1715)*, Paris, Honoré Champion, 1993, p. 815.

13. *La doctrine curieuse des beaux esprits de ce temps, ou prétendus tels*, S. Chappelet, 1624, Livre V, section VI, *in* Linda Timmermans, *op. cit.*, pp. 843-844.

14. Natalie Zemon Davis, *Les cultures du peuple. Rituels, savoirs et résistances au XVIᵉ siècle* (1975), Paris, Aubier-Montaigne, 1979, pp. 127-129, cité par Linda Timmermans, *op. cit.*, pp. 29 et 867.

Chapitre 5 : Le moment d'Érasme

1. Dans une lettre à Servais Roger du 8 juillet 1514, Érasme déclare : « J'ai horreur des cérémonies et je suis amoureux de la liberté », *Œuvres choisies*, Paris, Librairie Générale Française, 1991, p. 272.

2. *Ibid.*, p. 259.

3. *Ibid.*, p. 260.

4. *Ibid.*

5. *Ibid.*, p. 262.

6. *Ibid.*, p. 268. Nous soulignons.

7. *Ibid.*, p. 58. Nous soulignons. Voir également p. 75. « Si tu as *confiance* en toi-même... » ; ou encore, p. 83, l'exemple du « médecin de confiance ».

8. *Ibid.*, p. 59.

9. *Ibid.*, pp. 312-315. Il s'agit de la leçon au sens philologique de lecture, déchiffrage, et plus généralement d'interprétation.

10. *Éloge de la folie*, XXVIII, XXIX, où l'initiative est opposée au scrupule.

11. Lettre à Dorp, *ibid.*, p. 297 ; de même, *Éloge de la folie, ibid.*, p. 188.

12. *Œuvres choisies, op. cit.*, p. 318. Nous soulignons.

13. *Ibid., Annotations sur l'Évangile*, p. 483.

14. *Ibid.*, pp. 450-451. Exhortation (en tête de l'édition du *Nouveau Testament*, 1516).

15. *Ibid.*, p. 451.

16. Voir par exemple le début de l'*Enchiridion*, ou encore le commentaire des *Béatitudes*, pp. 76 sq. et 570 sq.

17. *Adages*, n° 812 : « Exiger un tribut d'un mort », *ibid.*, p. 374.

18. *Ibid.*, p. 375.

19. *Ibid.*

20. *Ibid.*, p. 377.

21. *Ibid.*, pp. 374-375.

22. Érasme, *Codicille d'or ou petit recueil*, tiré de l'*Institution du Prince chrétien*, mis en français pour la seconde fois, 1665. Maxime n° 35, pp. 87-88. On rappelle que l'*Institution* a été écrite en 1516 pour le futur Charles Quint, alors âgé de 16 ans.

23. *Œuvres choisies, op. cit.*, p. 272. Nous soulignons.

24. *Ibid.*, p. 59. Nous soulignons.

25. Michel Veissière, *Autour de Guillaume Briçonnet 1470-1534*, Provins, 1993, pp. 271 et 213-216.

26. *Ibid.*, pp. 266-267.

27. *Erasmus posuit ova, Luther eduxit pullos.*

28. M. Bataillon, *Érasme et l'Espagne, Recherches sur l'histoire spirituelle du xvie siècle*, Genève, E. Droz, 1937, p. 493.

Deuxième partie
LA DIVERGENCE RELIGIEUSE

Chapitre 1 : Sous le regard de l'Église

1. Régine Pernoud, *Histoire de la bourgeoisie en France*, Paris, Le Seuil (Points Histoire), 1981, t. 1, *Des origines aux temps modernes*, p. 92.

2. *Ibid.*, t. 1, p. 95.

3. *Ibid.*, t. 1, p. 93.

4. *Ibid.* ; cf. *Somme théologique*, IIa, IIae, Quaestio. LXXVII, art. 7.

5. Même question, art. 4, 2e rép.

6. *Ibid.* Antonin de Florence dira la même chose, un siècle et demi plus tard (Summa moralis, III, 8,3, IV).

7. *Ibid.*, art. 4.

8. Marco Polo, édition de Paris, 1556, BN 0 1266, pp. 11 a-b.

9. *Summa moralis*, II, I, 16, ii.

10. *In* Régine Pernoud, *op. cit.*

11. *Essais*, I, Paris, Garnier-Flammarion, 1969, t. 1, p. 153.

Chapitre 2 : Le tabou sur le prêt d'argent

1. *Deutéronome*, XXIII, 20, 21.

2. Aristote, *Les Politiques*, Livre I, 10, 1258b. Traduction Pierre Pellegrin, Paris, Garnier-Flammarion, 1990, p. 122. « Cet art d'acquérir (aux dépens des fruits de la terre et des animaux), comme nous l'avons dit, a deux formes, une forme commerciale et une forme familiale : celle-ci est indispensable et louable ; celle qui concerne l'échange, en revanche, est blâmée à juste titre, car elle n'est pas naturelle, mais se fait aux dépens des autres. » À la suite de ce texte, est prononcée la condamnation du métier d'usurier : « Il est tout à fait normal de haïr le métier d'usurier, du fait que son patrimoine lui vient de l'argent lui-même et que celui-ci n'a pas été inventé pour cela. Car il a été fait pour l'échange, alors que l'intérêt ne fait que le multiplier. Et c'est de là qu'il a pris son nom : les petits, en effet, sont semblables à leurs parents, et l'intérêt est de l'argent né d'argent. » Aristote fait un jeu de mots sur *tokos* : rejeton et intérêts.

3. Sourate 2, 275-276.

4. Saint Ambroise de Milan, *De Tobia*. Au xve siècle, Bernardin de Sienne reconduira cette argumentation. Cité par Louis Hyde, « Don et usure », 1re et 2e partie, in *Revue du Mauss*, n° 11, 1991, p. 148.

507

5. Ainsi, le canon 20 du Concile d'Elvire (vers 300) : « *si quis clericorum detectus fuerit usuras accipere, placuit eum degradari et abstineri* » (« il doit être déposé et excommunié »), *Dictionnaire de théologie catholique*, XV,2, col. 2329. De même, aux Conciles d'Arles (314) et de Nicée (325). C'est le Concile de Clichy (626) qui étend la prohibition de l'usure à tous les chrétiens.

6. « *Veniunt kalendae, parit sors centesimam ; veniunt menses singuli, generantur usurae* », *Dictionnaire de Droit canonique* (ci-après *DDCA*), Paris, Le Touzey et Ané, 1965, sous la direction de R. Naz : article « Intérêt et usure » par Auguste Dumas, vol. 5, col. 1475-1518. Il est important de rappeler que l'usure n'est pas un taux de prêt de l'argent excessif, mais toute somme, si minime soit-elle, réclamée à titre de gain en vertu d'un prêt. « *Quod cumque sorti accedit, usura est* » : « est déclaré usuraire tout surplus fourni par l'emprunteur au prêteur », *ibid.*, col. 1783.

7. « *Non foenerabis fratri tuo ad usuram pecuniam, nec fruges...* », *Deutéronome*, XXIII, 19. Cf. aussi *Lévitique*, XXV, 36-37. « *Ne accipias usuras ab eo nec amplius quam dedisti... Pecuniam tuam non dabis ei ad usuram et frugum superabundantiam non exiges.* » Les autres textes mentionnés par Auguste Dumas (*Exode*, XXII, 25 ; *Ezechiel*, XVIII, 5, 13) ne recourent pas à cette métaphore. Ils n'en sont pas moins menaçants. Le péché d'usure est assorti de peine de mort. L'Église catholique la remplacera, jusqu'au XIVe siècle, par les peines éternelles. Y gagne-t-on au change ?

8. Jacques Le Goff, *La bourse et la vie*, Paris, Hachette, 1986, p. 34. Cf. également pp. 21-24 pour les fondements scripturaires de la condamnation de l'usure, et 25 et suivantes les textes de la tradition précisant la condamnation : conciles, décrets, bulles, décrétales – que nous avons par ailleurs analysés, sur la base du *Dictionnaire de Droit canonique, op. cit.*

9. *DDCA*, vol. 5, col. 1476-1477.

10. *Ibid.*, col. 1477.

11. *Ibid.*

12. « *Pecunia, quantum est de se, per ipsam non fructificat ; sed fructus venit aliunde* », *DDCA*, vol. 5, col. 1483. Léon X conservera en 1515, dans le préambule de la constitution *Inter multiplices* (Ve Concile du Latran), cette définition de l'usure : « Quand on s'efforce de rechercher un gain pour l'usage d'une chose, qui ne germe pas sans qu'on y contribue par aucun travail... », *ibid.*, col. 1492. L'origine aristotélicienne est en *Politique*, I, 10,5,1258 b 6-9.

13. « *Nummus non parit nummos* », *ibid.*

14. *Luc*, VI, 35. *Traduction œcuménique de la Bible*, Paris, Le Cerf, 1976, p. 213.

15. Verset 34.

16. Jacques Le Goff, *op. cit.*, pp. 14-15.

17. Dante, *Inferno*, chant XVI, vers 73-74.

18. *Ibid.*, chant XVII, vers 1-3, 7-12.

19. *Ibid.*, chant XI, 95-96 « *usura offende la divina bontade* ».

20. *Ibid.*, chant XI, « *l'usuriere altra via tene* ».

21. Dieu seul ignore la nouveauté. Dante l'appelle (*Purgatorio*, X,94) celui « qui jamais ne vit chose nouvelle » : *che mai non vide cosa nova*.

22. *Somme théologique*, IIa, IIae, Quaestio. LXXVIII. On en trouvera une version en français dans Paul Gemähling, *Les grands économistes*, Paris, Génin, 1925.

23. *Summa moralis*, II, I, 7, XVIII.

24. Cité par Paul Gemähling, *op. cit.*, p. 20, note 5. Turgot combattra l'argument dans son *Mémoire sur les prêts d'argent*, 1769, § XXVI sq. On a vu sa première réfutation dans *La lettre de Jehan Calvin à quelqu'un de ses amis*.

25. Quesnay, *Du commerce*, Premier dialogue in *Physiocratie*, Paris, Flammarion, 1991, p. 301.

26. *Ibid.*

27. *Traités des monnaies et autres écrits monétaires du XIVe siècle* de Nicolas Oresme, Bartole de Sassoferrato, Jean Buridan, textes réunis et introduits par Claude Dupuy, traduits par Frédéric Chartrain, Paris, La Manufacture, 1989, ch. XVII, p. 71.

Chapitre 3 : Les tolérances incertaines

1. *DDCA*, vol. 5, col. 1487 dans l'ordonnance de déc. 1312.

2. *Ibid.*, vol. 5, col. 1490. Les taux d'usure avoisinent 45 % par an, pratique aussi anti-économique que la prohibition pure et simple.

3. Auguste Dumas signale le *Traité de la pratique des billets* du docteur en théologie Lecorreur, Mons, 1684 ; le *Traité des prêts de commerce*, anonyme, Lille, 1738 ; et le traité sur *Le prêt de commerce* du cardinal de La Luzerne, publié en 1823 ; *DDCA*, vol. 5, col. 1507.

4. *Ibid.*

5. Article 202, *ibid.*

6. *Ibid.*, col. 1508.

7. *Ibid.*

8. *Ibid.*

9. *Ibid.*, col. 1509.
10. *Ibid.*, col. 1511.
11. *Ibid.*, col. 1505.
12. *Ibid.*
13. *Ibid.*

Chapitre 4 : Calvin *ou* la distinction libératrice

1. *DDCA*, vol. 5, *op. cit.*, col. 1492.
2. Cf. Henri Hauser, « À propos des idées économiques de Calvin ». Tiré à part extrait des *Mélanges d'histoire offerts à Henri Pirenne*, 1931.
3. André Bieler, *La pensée économique et sociale de Calvin* (ci-après désigné *PESC*), Genève, Georg, 1959, p. 167. Dans *Naissance et Affirmation de la Réforme*, 6ᵉ éd., Paris, PUF, 1991, p. 313, Jean Delumeau nuance le tableau d'une Genève prospère au XVIᵉ siècle, en invoquant les travaux d'André E. Sayous (1934-1935) sur la banque à Genève aux XVIᵉ- XVIIIᵉ siècles. Mais il corrige cette nuance avec J.-F. Bergier (1962).
4. *PESC*, p. 472. Bieler renvoie à son analyse des textes de Calvin, p. 458.
5. *Quaestiones juridicae*, in *Johannis Calvin Opera Omnia* (ci-après *J.C. Opera Omnia*), « *quid expediat et quatenus* », t. X, Brunschvicg, 1871.
6. *Ibid.*, col. 245.
7. *Ibid.*
8. Position citée au synode de 1567. Aymon, *Actes ecclésiastiques et civils...*, La Haye, 1710, t. I, 2ᵉ partie, p. 86.
9. *J.C. Opera Omnia, op. cit.*, t. X, col. 246. Voir, dans le même sens, la *Lettre à François Morel* : « Je ne voudrais pas, en la justifiant, favoriser l'usure et je souhaiterais même que le nom en disparût de la terre. »
10. *Ibid.*
11. Voir encore les textes cités par Jean Delumeau, in *Naissance et affirmation de la Réforme, op. cit.*, pp. 312-313. On rappelle que « le taux légal de l'intérêt avait été fixé en 1538 à 5 %. En 1557, Calvin acceptera le relèvement à 6 2/3 %. Sous Théodore de Bèze, il fut généralement de 8 % ».
12. *J.C. Opera Omnia, op. cit.*, t. X, col. 245. Calvin interprète : le Christ, « voulant corriger la coutume vitieuse de prester argent nous commande de prester principalement a ceux desquelz il n'y a point d'espoir de recouvrer », col. 246. Interprétation bien subtile et retorse à la vérité.
13. *Ibid.*, col. 246.
14. *Ibid.*, col. 247.
15. *Ibid.*, col. 248.
16. *Ibid.*, col. 247. Ce disant, Calvin a « ouvert la voie à une mentalité nouvelle qu'il n'a ni prévue ni voulue (...) c'est la mentalité d'une économie monétaire et d'échanges qui se reconnaît comme telle, au lieu de se concevoir comme une économie naturelle dépravée ». Herbert Lüthy, *Le passé présent, combats d'idées de Calvin à Rousseau, op. cit.*
17. Cité par A. Bieler, *PESC*, pp. 458-459.
18. *Institution de la Religion chrétienne*, ch. XVI (« Du gouvernement civil »).
19. Cf. III et IVᵉ synodes nationaux d'Orléans (25 avril 1562) et de Lyon (10 août 1563) : « Les Églises condamneront les usures et toutes sortes de concussions autant qu'il leur sera possible, et toutefois ne condamneront point ceux qui recevront quelque profit de leur argent, selon l'ordonnance du Roi et les règles de la Charité ». Aymon, *op. cit.*, t. I, 2ᵉ partie, p. 26. De même, p. 35 pour le synode de Lyon, et p. 39.
20. Voir André Bieler, *Calvin, prophète de l'ère industrielle* (ci-après *CPEI*), Genève, Labor et Fides, 1964, p. 24.
21. *Ibid.*, p. 25.
22. J. Calvin, *ibid.*, p. 28.
23. Voir A. Bieler, *PESC*, p. 75.
24. *Institution...*, 1560, t. II, ch. I, § 9 in *PESC*, p. 188.
25. *Commentaire Moïse, Genèse*, ch. I, v. 26.
26. *Ibid.*, ch. 2, v. 25 cité par A. Bieler, *PESC*, p. 188.
27. Calvin, *Œuvres*, t. X, p. 25, cité par A. Bieler, *PESC*, p. 155.
28. Émile Rivoire et Victor Van Berchem : *Les sources du droit du canton de Genève*, Aarau, H. R. Sauerlander et Cⁱᵉ, 1927-1935, 4 vols, t. III, p. 14, cité par André Bieler, *PESC*, p. 156.
29. *La confession d'Augsbourg et l'apologie de la confession d'Augsbourg*, traduction de P. Jundt, Paris, Cerf, 1989, p. 388.
30. *Ibid.*, p. 115.
31. *Ibid.*, p. 116.
32. *Ibid.*, p. 117.
33. Calvin, *Commentaire Nouveau Testament, Matthieu*, ch. 25, v. 15 et 20, cité par A. Bieler, *PESC*, p. 235.

34. *Ibid.* C'est moi qui souligne.
35. *Ibid.*
36. A. Bieler, *PESC*, p. 308.
37. Calvin, *Sermon XVIII, Épître aux Éphésiens* (ch. 6, v. 1-4), t. LI, p. 790, cité par A. Bieler, *PESC*, p. 185.
38. Calvin, *Commentaire Moïse, Genèse*, ch. 41, v. 46, *in* A. Bieler, *PESC*, p. 230.
39. Daniel Alexander et Peter Tschopp, *Finance et politique : l'empreinte de Calvin sur les notables de Genève*, Genève, Labor & Fides 1991. Série d'entretiens réalisée par Daniel Alexander.
40. Calvin, *Comm. Nouveau Testament, Romains*, ch. 12, v. 1, cité par A. Bieler, *PESC*, p. 214.
41. Calvin, *Institution* (1560), t. III, ch. XIX, § 8, *in* A. Bieler, *PESC*, p. 214. Nous soulignons.
42. Calvin, *Institution*, t. III, ch. XIV, *in* A. Bieler, *PESC*, p. 215.
43. *Ibid.*, ch. X, § 2, *in* A. Bieler, *PESC*, p. 216.
44. On voit combien la doctrine canonique de l'usure fait le lit de la doctrine marxiste. En refusant la séparation des moyens de production d'avec le producteur, en récusant l'achat ou la location de la force de travail, le loyer de l'instrument de production, Marx est économiquement « catholique ».

Chapitre 5 : La permanence d'un tabou

1. Christian Baboin-Jaubert, *Le problème du prêt à intérêt dans l'Encyclique Vix pervenit de Benoît XIV (1745) et chez Jean Calvin*, in *Le Supplément : revue d'éthique et de théologie morale* (Le Cerf), n° spécial : *Entre la réalité et les valeurs : l'éthique économique*, n° 176, mars 1991, p. 115 qui renvoie notamment à Harold J. Laski, *Le libéralisme européen du Moyen Âge à nos jours*, Paris, éd. Émile-Paul, 1950.
2. *Dictionnaire de Droit canonique, op. cit.*, vol. 5, col. 1492.
3. *Ibid.*, col. 1494.
4. *Ibid.* Nous complétons les indications du *DDC4* grâce aux *Nouveaux patrons de l'usure*, de l'Abbé Rougane, cité note suivante, pp. 77-79.
5. *Ibid.*, col. 1495. Voir également *Les nouveaux patrons de l'usure réfutés, y compris le dernier défenseur de Calvin sur le même sujet* de l'Abbé Rougane, à Paris, chez Veuve Hérissant..., 1789 qui détaille l'arrêt de 1777, lequel transcrit le capitulaire de Charlemagne, les ordonnances de Philippe III, de Philippe IV, de Louis XII, Charles IX, Louis XIII, ensuite les arrêts jusque et y compris celui de 1764 (pp. 77 sq.).
6. *DDC4*, col. 1496.
7. *Ibid.*
8. *Vix pervenit* (1.XI.1745), *in* Arthur Utz, *La doctrine sociale de l'Église à travers les siècles*, 4 vols, Bâle et Rome, Herder, Paris, Beauchesne et fils, 1970, § 3.II, p. 1983.
9. *Vix...* § 3.III, p. 1983.
10. *Vix...* § 3.IV, p. 1985.
11. Benoît XIV, *Vix pervenit*, 2e partie, pratique & 8, cité par Christian Baboin-Jaubert, *Le problème du prêt à intérêt dans l'encyclique Vix pervenit de Benoit XIV (1745), op. cit.*, p. 108.
12. *DDC4*, vol. 5, col. 1517.
13. Thomassin, *Traité du Négoce et de l'Usure*, 1697, p. 96, cité par Bernard Groethuysen, *Les origines de l'esprit bourgeois en France*, Paris, Gallimard, 1927, p. 236.
14. *Mémoire sur les prêts d'argent* (1769), Paris, Malher et Cie, 1828, art. XVII, p. 228.
15. *Ibid.*, p. 264.
16. *Ibid.*
17. *Ibid.*
18. *Ibid.*, art. XXIX, p. 269.
19. Jeremy Bentham, *Défense de l'usure ou lettres sur les Lois qui fixent le taux de l'intérêt de l'argent*, 4e éd., 1787, Paris, Malher et Cie, 1828, lettre II, pp. 51-52.
20. *Ibid.*, Lettre X, p. 121.
21. A Paris, chez Veuve Hérissant..., 1789.
22. « *Item in eodem concilio seu in decretis Papae Leonis, nec non in Canonibus qui dicuntur Apostolorum, sicut et in lege ipse Dominus praecipit, omnibus omnino interdictum est ad usuram aliquid dare.* »
23. *DDC4*, col. 1496.

Chapitre 6 : Le concile de la fermeture

1. Jacques Le Goff (éd.), *Histoire de la France religieuse*, Paris, Le Seuil, 1988, t. 2, p. 249.
2. *Déclaration d'ouverture du Concile de Trente*, in *Histoire des Conciles* (ci-après *HC*) par Charles-Joseph Hefele, Paris, Letouzey et Ané, 1938 ; t. X, 1re partie, p. 1.

3. *HC*, t. X, 1re partie, p. 633.
4. *Ibid.*
5. *Ibid.*, Session VI, canon 24, pp. 150-151.
6. *Ibid.*, Session VI, canon 12, p. 142.
7. *Ibid.*, Session VI, canon 8, p. 139.
8. Luther, *Commentaire de l'Épître aux Romains*, IV, 7, Leipzig, J. Ficker, 1908, t. II, p. 123 cité par Hefele, *HC*, t. X, 1re partie, p. 108 qui cite également les *thèses* d'Heidelberg (1518).
9. *Ibid.*, p. 100, *Décret sur la justification*, ch. IX.
10. *Ibid.*
11. In *Œuvres complètes*, édition publiée et annotée par P. Coste en 3 tomes, 13 vols, Paris, J. Galbada, 1920-1924, t. 10, p. 503.
12. Lettre 136 à M. Boisguérard, dans *Œuvres complètes de H.-M. Boudon*, Petit Montrouge, éd. Migne, 1856, t. 3, col. 960.
13. 3 éd., Paris, 1666, pp. 29-30.
14. *Somme théologique* IIa, IIae, q. 128, « *Spes, ut virtus theologica, facit confidere in Deo ; sed fiducia facit confidere in se, tamen sub Deo* ».
15. Heffele, *HC, op. cit., Décret sur la justification*, ch. IX, p. 28 ; voir encore l'expression péjorative : « *innixus suae prudentiae* » : s'appuyant sur leurs propres lumières – avec l'appui de leur seule sagesse.
16. *Ibid.*, p. 10.
17. *Ibid.*, p. 9.
18. *Ibid.*, pp. 30-31.
19. À Paris, chez Edme Couterot, 1706.
20. *Op. cit.*, p. 11.
21. *Ibid.*, p. 12.
22. *Ibid.*, p. 13, voir encore p. 53.
23. *Ibid.*, p. 17.
24. *Ibid.*, p. 33.
25. Sarpi, *Traité des bénéfices*, Amsterdam, chez Henry Wetstein, 1685, p. 21.
26. *Ibid.*, p. 147.
27. *Ibid.*, pp. 283-284. L'inventaire des types de réservations suit, pp. 285-286.

Troisième partie
LA DIVERGENCE DU DÉVELOPPEMENT

Chapitre 1 : Concomitance ambiguë entre deux bouleversements

1. *In* Wallerstein, *Capitalisme et économie-monde 1450-1640, op. cit.*, p. 186.
2. Cf. *Du « miracle », op. cit.*, pp. 82-83.
3. *Ibid.* (désigné ci-après *ME*), pp. 106-107.
4. *Ibid.*, p. 140.
5. Trad. française de 1680, à La Haye, chez Jean et Daniel Steucker, 1680, p. 204.
6. Bartholomé Bennassar, *PLHESM*, t. 1, pp. 402 et 446.
7. *ME*, p. 143.

Chapitre 2 : Le décollage anglais : la dispute du commencement

1. *ME*, pp. 149-202 (Le « miracle » anglais. L'éthos du marchand britannique).
2. *ME*, pp. 151-152.
3. Ann Kussmaul, « England's Industrial Evolution (1541-1840) », 1991, article « en circulation » non encore édité au 12 décembre 1991.
4. Les deux sources principalement consultées sont : Brian Mitchell, *European Historical Statistics 1750-1975,* 2nd ed. Londres, Macmillan, 1980, et Phyllis Deane & William A. Cole, *British Economic Growth 1688-1959. Trends and structure.* Cambridge, CUP, 1962.
5. Il s'agit d'une sorte d'« indice de Balassa », qui mesure en livres constantes la quantité = Exportations de produits domestiques + Importations + Réexportations. Les deux indices sont donnés en logarithmes : les chiffres indiquent le taux de croissance moyen de l'indice.

Chapitre 3 : La divergence coloniale

1. Michel Morineau, *PLHESM*, t. 2, p. 82.
2. *Ibid.*, p. 105.
3. *Ibid.*
4. Voir Henry Hobhouse, *Seeds of Change*, New York, Harper and Row, 1985, pp. 59 sq.
5. Michel Morineau, *PLHESM*, t. 2, p. 125.
6. *ME*, p. 113.
7. *Ibid.*, p. 116.

8. *Ibid.*, pp. 109-123 et 172-175.

9. *Instructions* de Browne à Macartney, 11 avril 1792, Washington State College, Pritchard Collection, n° 31, point 15.

10. Henri Bourde de la Rogerie, « Hélène Boullé femme de Samuel de Champlain » extrait des *Mémoires de la Société archéologique du département d'Ille-et-Vilaine*, t. 63, 1937, Rennes, Imprimerie centrale, 1938.

11. « Champlain était-il huguenot ? » par N.W. in *Bulletin de la Société d'histoire du protestantisme français*, 1912, p. 275.

12. *Ibid.*, p. 276.

13. Pierre Deyon, PLHESM, t. 2, p. 245.

14. *Les Oisivetés*, Paris, J. Cobread, 1842, t. IV, pp. 32-34.

Chapitre 4 : Le déclin espagnol

1. Cf. Claude Chauchadis, « Honneur, Morale et Société dans l'Espagne de Philippe II » (ci-après HMS), in J.-P. Amalric (dir.) et B. Bennassar (dir.), *Aux origines du retard économique de l'Espagne XVIᵉ-XIXᵉ siècle*, Paris, CNRS, 1984, p. 167.

2. Pablo de Léon, *Guia del cielo*, edicion de Vicente Beltran de Heredra, Barcelona, Juan Flors, 1963, p. 195 (1ʳᵉ édition : 1553).

3. Cf. Jonathan Brown, *Velazquez painter & courtier*, New Heave & Londres, Yale University Press, 1986, pp. 195, 208, 251-252.

4. Cf. Claude Chauchadis, HMS... notes du ch. V., note 21, pp. 183-184. Barthélemy Joly, *Voyage de Barthélemy Joly en Espagne 1603-1604*, publié par L. Barrau Dihigo, extrait de la *Revue hispanique*, t. XX, New York, Paris, 1909, p. 617. Nous analysons le texte de Barthélemy Joly au ch. 2 de la IVᵉ partie de notre ouvrage.

5. En 1622 ; cité par N. Steensgaard, in M. Aymard (éd.), *Dutch capitalism and world capitalism*, Cambridge, CUP, 1982, p. 255.

6. Gaspar Guttiérez de Los Rios, *Noticia general para la estimacion de las artes*, Madrid, 1600, p. 256, cité par Claude Chauchadis, HMS..., p. 168.

7. *Id.*, cité par Chauchadis, HMS..., p. 167.

8. *Mémoire du cantador Luis de Ortiz à Philippe II*, Valladolid, 1ᵉʳ mars 1558, cité par Chauchadis, HMS..., p. 169, BN Madrid, mss 6487 publié par Fernandez Alvarez Manuel dans *Economica, sociedad y coronce, enzayos historicos sobre el siglo XVI*, Madrid, ediciones Cultura Hispanica, 1963.

9. *Noticia general para la estimacion de las artes*, Madrid, 1600, cité par Chauchadis HMS..., p. 169.

10. Fray Luis de Leon, *La perfecta casada*, Madrid, Novena edicion, 1968 cité par Chauchadis, HMS..., p. 169 d'après J.A. Maravall dans *Estado moderno y mendalidad sociedad*, Madrid, 1972, vol. 2, p. 28. On retrouvera ce texte au livre II du présent ouvrage. L'extrait ici proposé par Chauchadis se retrouve dans la 1ʳᵉ traduction française : *L'épouse parfaite* (par Ph. Guignard), Paris, V.-A. Waille, 1845, p. 68. Posons au passage la question : à quel besoin répond cette édition française de 1845, à la Résistance ou au Mouvement ?

11. Fray Tomas Mercado cité par Chauchadis, HMS..., p. 170.

12. Il convient de se reporter ici au livre classique de Marcel Bataillon : *Érasme et l'Espagne. Recherches sur l'histoire spirituelle du XVIᵉ siècle, op. cit.*

13. Cité par Claude Chauchadis, HMS..., note 64, p. 191. L'œuvre d'Antonio Agustin, écrite dans la seconde moitié du XVIᵉ siècle, est rééditée à Madrid en 1734.

14. Jean-Pierre Dedieu, « Responsabilité de l'Inquisition dans le retard économique de l'Espagne ? Éléments de réponse », in *Aux origines du retard économique de l'Espagne XVIᵉ-XIXᵉ siècle, op. cit.*, p. 143, que nous désignons par le sigle RIREE.

15. RIREE, p. 144.

16. Chauchadis, HMS..., p. 71 ; RIREE, 1984, pp. 143 sq.

17. Comme le souligne Albert Sicroff, ces statuts étaient apparus dès la première moitié du XVᵉ siècle. Ils furent cependant réactivés à Tolède en 1547 et acceptés par Philippe II dix ans après, cité par Chauchadis, HMS..., p. 171.

18. RIREE, p. 146.

19. *Par un frère maçon sorti de l'Inquisition. Dans la vallée de Josaphat, l'an de la fondation du temple de Salomon, 2803 (sic !)*. Il s'agit, dans la première partie des *Procédures*, d'une relation de ce qui est arrivé à John Coustos dans les années 1740.

20. *Ibid.*, pp. 2-3.

21. *Ibid.*, p. 4.

22. *Ibid.*, p. 86.

23. En 1482, les Portugais installaient un comptoir sur l'actuelle côte du Ghana, détournant le commerce de l'or à leur profit.

24. Il s'agit d'un témoignage de Townsend rapporté par Bartholomé Bennassar : *L'homme espagnol. Attitudes et mentalités du XVIᵉ au XIXᵉ siècle*, Paris, Hachette, 1975, p. 72, que nous désignons par HE.

25. *Ibid.*, p. 98. C'est à peu près le double de ce qui prévalait en France au début du

XVIIIᵉ siècle. Les jours fériés, imposés par l'Église aux paysans et artisans afin de favoriser l'exercice de la piété, étaient au nombre de quatre-vingt-quatre (*Histoire des mœurs*, Paris, Gallimard-Bibliothèque de la Pléiade, t. 2, pp. 1189-1190).

26. *HE*, p. 110.

27. *Ibid.*, pp. 112-113.

28. *Ibid.*, p. 113.

29. *Ibid.*, p. 115.

30. « *The scarcity of money here is not to be believed but by eye-witnesses, notwithstanding, the arrival of so many flottas and galleons* », lettre à Normanby, 6 janvier 1699, in *Spain under Charles the second or extracts from the correspondence of the Hon. Alexander Stanhope*, Londres, John Murray, 1840, p. 120.

31. *Correspondence*, p. 12.

32. *Ibid.*

33. *Ibid.*

34. Henry Kamen, « The Decline of Spain : a historical myth ? », in *Past and Present*, nº 81, 1978, p. 49. « La tendance au déclin démographique se trouve " concentrée sur la seule période 1596-1652 " », id., p. 36.

35. *Ibid.*, p. 49.

36. Témoin Gonzalo Anes qui écrit, dans *Las crisas agrarias en la Espana moderna*, Madrid, Taurus, 1970, qu'« il n'est pas possible d'établir la chronologie des crises de l'économie castillane aux XVIᵉ et XVIIᵉ siècles ni de déterminer avec une précision suffisante les commencements du déclin que l'Espagne subit au XVIIᵉ siècle. Nous ne pouvons pas davantage quantifier les divers facteurs qui ont provoqué ce déclin », p. 101.

37. Henry Kamen, art. cité, p. 43.

38. *Ibid.*

39. *Ibid.*, p. 47, note 105.

40. Braudel, *La Méditerranée : l'espace et l'histoire*, Paris, Flammarion, 1985, t.1, p. 63.

41. *Considérations sur les finances d'Espagne*, 2ᵉ éd., à Madrid, et se trouve à Paris chez Lamy, libraire, quai des Augustins, 1781 (la première édition est de 1753), pp. 1-3.

42. *Ibid.*, pp. 3-4.

43. *Ibid.*, pp. 7-8.

44. *Ibid.*, p. 8.

45. *Ibid.*, p. 11.

46. *Ibid.*, p. 14.

47. *Ibid.*, pp. 17-18.

48. *Ibid.*, pp. 26, 81 et 139.

49. J.-H. Parry, in R.B. Wernham (ed.), *New Cambridge Modern History*, III : *The counter-revolution and price evolution 1559-1610*. Cambridge, CUP, 1968, pp. 510-511, cité par Wallerstein, *Capitalisme et économie-monde 1450-1640, op. cit.*, p. 171.

50. Immanuel Wallerstein, *Capitalisme et économie-monde 1450-1640, op. cit.*, p. 174.

51. *Ibid.*, p. 172.

52. Pierre Chaunu, *Séville et l'Atlantique 1504-1650*, 12 vols, Paris, SEVPEN, 1955-1960, t. 8 (1), p. 244.

53. Comme nous l'avons rappelé en comparant, avec Peter Burke, Venise et Amsterdam au XVIIᵉ siècle (*Venise and Amsterdam. A Study of XVIIth century elites*, Londres, Temple Smith 1974). Cf. *Du « miracle » en économie, op. cit.*, pp. 126-132.

Chapitre 5 : France-Angleterre : la divergence de l'innovation

1. *De la supériorité de l'Angleterre sur la France*, Paris, Librairie académique Perrin, 1985, p. 28.

2. *Ibid.*, pp. 33-34.

3. *Ibid.*, p. 34.

4. *Ibid.*, p. 29.

5. *Ibid.*, p. 30.

6. *Ibid.*, p. 34.

7. Ces indications sont tirées de la *Chronologie de l'histoire des sciences et des techniques de 1530 à 1955* citée, sous forme allégée avec l'accord de l'auteur, le R.P. Russo, dans l'*Introduction à l'histoire des sciences* de G. Canguilhem, Paris, Hachette, 1970, t. 1, pp. 227 sq. Elles sont complétées par Michel Beaud, *Histoire du capitalisme, 1500-1980*, Paris, Le Seuil, 1981, pp. 89-91.

8. Nous renvoyons sur ce point à l'*Histoire des techniques* de Pierre Rousseau, Paris, Arthème Fayard, 1956, p. 241.

9. Comme plus tard Thomas Edison, qui pouvait déclarer, à la fin de sa vie : « J'ai pris plus de 1 200 brevets, tous commercialisables », in Bouquerel, *Vers une nouvelle économie de marché*, Rennes, Ouest-France, 1986, p. 123.

10. Pierre Rousseau, *op. cit.*, p. 192.

11. Paul Bairoch, *Révolution industrielle et sous-développement*, 4ᵉ éd., Paris, La Haye, Mouton, 1974, p. 21.

12. Citée par Bairoch, *ibid.*, p. 23.

13. Source : Derry et Williams, *A short history of technology*, Oxford, OUP, 1960, pp. 714-749, cité par Bairoch, *op. cit.*, pp. 23-24.

14. Michel Beaud, *op. cit.*, p. 90.

15. Pierre Dockès et Bernard Rosier, *L'histoire ambiguë, croissance et développement en question*, Paris, PUF, 1988, p. 124.

16. *De la supériorité...*, *op. cit.*, pp. 39-41.

17. Cité par François Caron, *Le résistible déclin des sociétés industrielles*, Paris, Librairie académique Perrin, 1988, p. 155. Comme le remarquent encore les auteurs de l'*Histoire ambiguë* (*op. cit.*), « *les innovations techniques furent produites pour répondre aux besoins de la nouvelle classe des maîtres des manufactures et des fabriques* » (p. 127).

18. « *No random walk* » (pas de marche au hasard) : *a comment on* « Why was England first ? » in *Economic History Review*, vol. XXI, nᵒ 4, november 1978, pp. 610-612, cité par Crouzet, *op. cit.*, p. 61.

19. Voir Iʳᵉ partie, ch. 4.

20. « Il convient de ne pas oublier que le point de départ des perfectionnements qu'il apporte à la machine à vapeur fut ses constatations sur la faible rentabilité des machines de Newcomen. » (Paul Bairoch, *Révolution industrielle et sous-développement*, *op. cit.*, p. 17.) On peut ici rappeler, à la suite de Carlo-M. Cipolla, *Literacy and development in the West*, Harmondsworth, Penguin Books, 1969, p. 18, qu'« à la fin du XVIIIᵉ siècle, l'Écosse s'est toujours distinguée honorablement par le niveau supérieur d'éducation de ses classes les plus modestes... En 1859, elle atteint un taux d'alphabétisation que l'Angleterre n'atteindra pas avant 1886 ».

21. Cf. l'étude citée en note par Crouzet, *De la supériorité...*, p. 476, de E.E. Hagen, *On the theory of social change. How economic growth begins*, Londres, Tavistock Publication, 1964.

22. Voir ci-après, ch. 9.

23. Cité par Paul Mantoux, *La révolution industrielle au XVIIIᵉ siècle*, Paris, Génin, 1959, p. 203.

24. Bairoch, *op. cit.*, p. 19.

25. *Ibid.*, p. 20. Elle enregistre une progression de 117 % entre 1740 et 1770.

26. Bacon, *Essais* (1613), trad. fr., Paris, F. Julliot, 1619, p. 127.

27. Turgot, *Édit du Roi portant suppression des Jurandes donné à Versailles au mois de février 1776, registré le 12 mars en lit de justice*, in L. Robineau, *Turgot : administration et œuvres économiques*, Paris, Guillaumin, 1889, p. 177.

Chapitre 6 : Où le mercantilisme bifurque

1. Pierre Deyon, PLHESM, t. 2, p. 201.

2. *Traité de l'économie politique dédié en 1615 au Roi et à la Reine-Mère du Roi*, Introduction et notes par Th. Funck-Brentano, Paris, Plon, 1889, Préface, p. x.

3. Cité par Régine Pernoud, *Histoire de la bourgeoisie en France*, *op. cit.*, t. 2, p. 96.

4. Avec Pierre Deyon, PLHESM, t. 2, pp. 201 sq.

5. *Traité de l'économie politique*, 1615, éd. Funck-Brentano, 1899, p. 241.

6. *Discours au Conseil du Commerce* du 3 août 1664.

7. Cité par Michel Béaud, *Histoire du capitalisme*, *op. cit.*, p. 47.

8. *Traité de l'économie politique*, *op. cit.*, p. 241.

9. Michel Béaud, *op. cit.* Cf. à ce propos la citation, *in* Bouquerel *Vers une nouvelle économie de marché*, *op. cit.*, p. 80 : « L'heur des hommes consiste principalement en la richesse... Nous ne vivons pas tant par le commerce des éléments que par l'or et l'argent. »

10. Pierre Deyon, PLHESM, p. 216.

11. *Ibid.*, pp. 217-218.

12. Adam Smith, *Richesse des nations*, livre IV, ch. II, Paris, Garnier-Flammarion, 1991, t. 2, p. 50.

13. Cité par Pierre Deyon, PLHESM, t. 2, p. 218. Adam Smith lui-même apportera sa caution au *Navigation Act*, tout en reconnaissant qu'il a pu être animé par une « haine nationale ».

Chapitre 7 : France-Angleterre :
les suites politiques de la divergence

1. *Traité de l'économie politique*, cité par Michel Béaud, *Histoire du capitalisme*, *op. cit.*, p. 47.

2. Cité par Pierre Deyon, PLHESM, t. 2, p. 218.

3. Cité par Michel Béaud, *Histoire du capitalisme*, *op. cit.*, p. 51.

4. *Ibid.*, p. 60.

5. Voir cependant à ce sujet les réserves émises par Crouzet, *De la supériorité..., op. cit.,* p. 37.

6. On peut encore évoquer l'extraordinaire puissance des « *aldermen* », membres du *Common Council* de Londres, « marchands ou changeurs de profession et tous actionnaires des grandes compagnies de navigations » ; *in* Pierre Deyon, PLHESM, *op. cit.,* t. 2, p. 314.

7. Cité par Bouquerel, *Vers une nouvelle économie de marché, op. cit.,* p. 86.

8. Cité par Régine Pernoud, *Histoire de la bourgeoisie en France, op. cit.,* t. 2, p. 163.

9. E. Levasseur, *Histoire des classes ouvrières,* cité par Bouquerel, *op. cit.,* p. 86.

10. Mention inscrite en marge d'un mémoire, cité par Régine Pernoud, *Histoire de la bourgeoisie en France, op. cit.,* t. 2, p. 99.

11. Cité par Régine Pernoud, *ibid.,* t. 2, p. 106.

12. *Ibid.,* t. 2, p. 112.

13. *Ibid.,* t. 2, p. 127.

14. Cité par E. Pognon, *Histoire du peuple français,* Paris, Nouvelle Librairie de France, 1964, p. 297.

15. Cité par Michel Béaud, *Histoire du capitalisme, op. cit.,* p. 82.

16. *Ibid.* Nous analysons dans sa totalité le texte de l'*Éloge de Gournay* au Livre II du présent ouvrage.

17. Cité par Régine Pernoud, *Histoire de la bourgeoisie, op. cit.,* t. 2, p. 163.

18. *Considerations upon the East India Trade,* in Michel Béaud, *Histoire du capitalisme, op. cit.,* p. 85.

19. Nous reprenons en la modifiant l'excellente mise au point de Pierre Dockès et Bernard Rosier, *L'Histoire ambiguë, op. cit.,* pp. 139-142, évidemment inspirée du *Capital* de Marx, Livre I, ch. XXVIII.

Chapitre 8 : Réforme et Contre-Réforme

1. *Église, culture et société. Essais sur Réforme et Contre-Réforme* (1517-1620), Paris, SEDES, 1981, p. 46. P. Chaunu renvoie, pour la démonstration, à son article fondateur, « Niveaux de culture et Réforme » (ci-après désigné NCR). *Bulletin de la Société d'histoire du protestantisme français,* avril-juin 1972, pp. 301-325 et *Le temps des Réformes,* 2 vols, Paris, Fayard, 1975, pp. 474-475. Nous avions fait les mêmes constatations dans *Le Mal français,* Paris, Plon, 1976 (annexes I et II), pp. 475 sq., en établissant le classement des nations à dominantes protestante et catholique pour « l'indice de prospérité » d'une part, « l'indice Nobel » d'autre part.

2. Cf. Emmanuel Todd, *L'invention de l'Europe, op. cit.*

3. Cf. Pierre Chaunu, NCR, pp. 301-325.

4. *Ibid.,* p. 326.

5. *Ibid.,* p. 324.

6. E. Todd, *L'invention de l'Europe, op. cit.,* p. 212.

7. *Ibid.*

8. Pierre Chaunu, NCR, p. 323, texte et note 33.

9. *Ibid.,* p. 325.

10. *Cambridge History of Poland,* 2 vols, Cambridge, CUP, 1950-1951.

11. S. Kieniewicz, *Histoire de la Pologne,* Paris, Hachette, 1971.

12. Trevor-Roper, *De la Réforme aux Lumières,* Paris, Gallimard, 1972, p. 8.

13. *Ibid.,* p. 62.

14. *Ibid.,* p. 46.

15. *Ibid.,* p. 72.

16. *Ibid.,* p. 50.

17. *Ibid.*

18. Peter Burke, *Venice and Amsterdam..., op. cit.*

19. Trevor-Roper, *De la réforme aux lumières, op. cit.,* pp. 51-52.

20. *Ibid.,* p. 52.

21. *Ibid.,* p. 55.

22. *Ibid.,* pp. 55-56.

23. *Ibid.,* p. 58

24. *Ibid.,* p. 59.

25. *Ibid.*

26. *Ibid.* Ajoutons, avec Violet Barbour, que, sur les 320 plus gros détenteurs d'un dépôt à la banque d'Amsterdam dans les années 1609-1611, plus de la moitié proviennent des provinces méridionales. *Capitalism in Amsterdam in the XVIIth Century,* Baltimore, The Johns Hopkins Press, 1950, p. 27.

27. Trevor-Roper, *op. cit.,* p. 59.

28. Pierre Jeannin, *L'Europe du Nord-Ouest et du Nord aux XVII* et *XVIII* siècles,* Paris, PUF, 1969, p. 98.

29. *Op. cit.,* p. 24.

30. Trevor-Roper, *op. cit.,* p. 78.

31. *Ibid.*, p. 79.

32. Louis Desgraves, *Répertoire des ouvrages de controverse entre catholiques et protestants en France (1598-1685)*, Genève, Librairie Droz, 1984, 2 tomes (ci-après *Répertoire*).

33. Exemples 19, 164.

34. N° 711 au *Répertoire* de L. Desgraves, t. 1, p. 92. On notera que le même Albert Grawer associe nouveauté et horreur dans son *De novo ac horrendo errore...* n° 1006 au *Répertoire* de L. Desgraves, t. 1, p. 126.

35. *Ibid.*, n° 925, p. 117.

36. *Ibid.*, t. 1, n° 1705.

37. *Ibid.*, t. 1, n°ˢ 1751, 1788.

38. *Ibid.*, t. 1, n° 1882.

39. *Ibid.*, t. 1, n° 2052.

40. *Ibid.*, t. 1, n° 2431.

41. *Ibid.*, t. 2, n°ˢ 3828, 5691.

42. *Ibid.*, t. 2, n°ˢ 3711, 4022, 4693, 5273, 3768, 3769, 3770, 4381, 6883, 7053, 4693. Comme d'ailleurs en arabe, où *bid'a* signifie à la fois nouveauté et hérésie.

43. *Ibid.*, t. 2, n° 3756.

44. *Ibid.*, t. 1, n°ˢ 3217, 3493, 3865, 4089, 5290.

45. *Ibid.*, t. 2, n° 3954.

46. *Ibid.*, t. 2, n°ˢ 3651-3652-3653.

47. *Ibid.*, t. 2, n° 6367.

48. *Ibid.*, t. 2, n° 4436.

49. *Ibid.*, t. 2, n° 6491, voir aussi 6557, 6661 et 6892.

50. *Ibid.*, t. 1, « Sommation », 2648, *Combat contre tous les ministres de France*, 2662, 2665.

51. *Ibid.*, t. 1, n°ˢ 2460, 2291, 2301, 2303.

52. *Ibid.*, t. 2, n° 5089.

53. *Ibid.*, t. 2, n° 4672.

54. *Ibid.*, t. 2, n° 4673.

55. *Ibid.*, t. 2, n° 4681.

56. *Ibid.*, t. 2, n° 6823 et aussi 6913.

57. *Ibid.*, t. 2, n° 6714.

58. *Ibid.*, t. 2, n° 6826.

59. *Ibid.*, t. 2, n°ˢ 6879 et 6830.

60. *Ibid.*, t. 2, n° 5975, voir aussi 3668.

61. *Ibid.*, t. 2, n° 7032.

62. *Ibid.*, t. 2, n° 5350.

63. *Ibid.*, t. 2, n° 6384.

64. *Ibid.*, t. 2, n° 6779.

65. *Ibid.*, t. 1, n° 1201.

66. *Ibid.*, t. 1, n°ˢ 1355 et 1356, 1467, 1468.

67. *Ibid.*, t. 1, n°ˢ 2503 et 2505.

68. *Ibid.*, t. 1, n° 1833, voir aussi 1735 et côté protestant 1699 : *Sur la question, si le Pape est supérieur au roi, en ce qui concerne le temporel.*

69. *Ibid.*, t. 1, n° 2984.

70. Montaigne, *Essais*, III, X, « De mesnager sa volonté », Paris, Garnier-Flammarion, 1969, p. 235.

71. *Essais*, III, X.

72. *Ibid.*, III, XII. On se souvient qu'Érasme avait fait sienne cette devise, avec plus d'enthousiasme.

73. *Ibid.*, III, II.

74. *Ibid.*, III, VIII. « Inversement : Nulles propositions m'étonnent, nulle créance me blesse, quelque contrariété qu'elle ait à la mienne [...] Je festoie et caresse la vérité en quelque main que je la trouve... »

75. *Ibid.*, I, XXVI.

76. *Ibid.*, I, I.

77. *Ibid.*, II, XII.

78. Montaigne, *Essais*, I, XXIII. Assurément, ce maire de Bordeaux-là n'aurait pas goûté un projet de « nouvelle société »...

79. *Ibid.*, I, XXIII.

80. *Madame Bovary*, ch. I, où Flaubert brosse le tableau cruel de la néophobie spontanée.

81. Aristote, *Les politiques*. Traduction inédite par Pierre Pellegrin, éd. citée, pp. 147-148, Livre II, ch. 4,4 (1262b-3). Sans doute le terme innover n'est-il pas toujours péjoratif chez Aristote. Au chapitre 6 du même livre (1265a12) : « Les discours de Socrate ont quelque chose de remarquable, d'élégant, de novateur, de stimulant pour la recherche » (éd. citée, p. 159). Mais le compliment est empoisonné : ces innovations sont impraticables.

Au début du chapitre 7, ces innovations (selon une conjecture du traducteur) sont opposées aux « choses indispensables à la cité », *ibid.*, p. 166.

On comparera cet avertissement contre l'innovation des paysans et des gouvernés avec *Politiques*, VII, 14, 1332-b30 où le même danger est désigné. Voir encore VII, 11, éd. citée, p. 482. « Pour les paysans, le mieux c'est que ce soient des esclaves qui ne soient ni de même race ni courageux (ainsi seront-ils utiles pour leur tâche et sûrs parce qu'ils n'innoveront en rien)... » : c'est tout dire. L'innovation est une menace – la sûreté, c'est la néophobie.

En V, 7, p. 372, changement rime avec arbitraire et innovation. Telle est la mauvaise fortune, sous la plume d'Aristote, des mots νεωτερίςειν, innover, et νεωτερικός, imprudent, téméraire, inconsidéré.

82. *Ibid.*, II, 7, 1266b 13-14, G.-F., p. 167. Nous soulignons.
83. *Ibid.*, II, 8, 1268a 27 sq., G.-F., pp. 176-177.
84. *Ibid.*, pp. 177-178.

Chapitre 9 : Migrations et développement

1. À Amsterdam, chez Emmanuel du Villard, 1717.
2. *Ibid.*, pp. 12-13.
3. *Ibid.*, p. 16.
4. Warren C. Scoville, *The persecution of Huguenots and French economic development 1680-1720*, Berkeley and Los Angeles, University of California Press, 1960, désigné ci-après *PHFED*.
5. *Bulletin de la Société d'histoire du protestantisme français*, janvier-mars 1993, pp. 79-96.
6. Jean Filleau, *Décisions catholiques ou recueil général des arrêts rendus en toutes les cours souveraines de France*, à Poitiers de l'imprimerie de Jean Fleuriau, 1668 (ci-après, *Décisions...*), n° 72, p. 542. Voir aussi le *Recueil des édits déclarations et arrêts du conseil, rendus au sujet des gens de la Religion Prétendue Réformée*, à Paris, chez Joseph Saugrain, 1714, ci-après *REDAC*.
7. *Ibid.*, p. 545.
8. *REDAC*, p. 42.
9. *Ibid.*, p. 55.
10. *Ibid.*, pp. 128-129.
11. *Ibid.*, p. 129.
12. *Ibid.*, p. 138.
13. *Ibid.*, p. 296.
14. Voir Francis Concato et Pierre Largesse, « La manufacture des draps d'Elbeuf avant et après la Révocation de l'Édit de Nantes », in *Bulletin de la Société d'histoire du protestantisme français*, vol. 138, juillet-sept. 1992, p. 411.
15. Warren C. Scoville, *PHFED*, p. 436. Vingt-cinq ans après l'ouvrage de W.C. Scoville, le *Colloque international du Tricentenaire de la Révocation de l'Édit de Nantes* invitait à réviser encore à la baisse les chiffres de l'émigration huguenote après la Révocation. Seulement 100 000 des 850 000 calvinistes français auraient pris le chemin de l'exil. *Colloque* (Leyden 1er-3 avril 1985), Amsterdam & Maarsen, Holland University Press, 1986, p. 30.
16. *PHFED*, p. 439.
17. *PHFED*, p. 440.
18. Michel Morineau, « Césure et transition : histoire et épistémologie des années 1683-1685 », in *De la mort de Colbert à la Révocation de l'Édit de Nantes : un monde nouveau ?* Colloque organisé par le Centre méridional de rencontres sur le XVIIe siècle, Actes du XIVe colloque (janvier 1984). Sur l'échec de Colbert en matière de réduction de la taille, de déficit budgétaire et même sur le chapitre des compagnies et des manufactures royales, voir p. 268.
19. « La manufacture de draps d'Elbeuf avant et après la Révocation de l'Édit de Nantes », art. cité, pp. 416-417.
20. *PHFED*, p. 446. Toutefois, dans des domaines de pointe comme l'industrie horlogère, la perte est sévère, voire ruineuse, comme le montre David Landes dans *L'heure qu'il est : les horloges, la mesure du temps et la formation du monde moderne*. Traduit de l'anglais par P.E. Dauzat et L. Evrard, Paris, Gallimard, 1987.
21. In Bernard Cottret, *Terre d'exil : l'Angleterre et ses réfugiés français et wallons de la Réforme à la Révocation de l'Édit de Nantes 1550-1700*, Paris, Aubier, 1985, p. 229.
22. Ces *Mémoires*, sous-titrés *Souvenirs du Pasteur Jacques Fontaine*, paraissent pour la première fois en 1887, Toulouse, Société des livres religieux.
23. In « La Révocation de l'Édit de Nantes et les Provinces-Unies 1685 », in *Colloque international du tricentenaire, op. cit.*, p. 224.
24. Bernard Cottret, *op. cit.*, p. 228.
25. « Les Huguenots et la révolution financière en Angleterre », in *Bulletin de la Société*

d'histoire moderne, supplément à la *Revue d'histoire moderne et contemporaine*, n° 3, 1990, pp. 19-25.

26. *Ibid.*, p. 21.

27. Pierre Jeannin, *L'Europe du Nord-Ouest et du Nord aux xviie et xviiie siècles, op. cit.*, p. 71 et p. 75.

28. *Le refuge huguenot*, Paris, Armand Colin, 1985 ; collectif sous la direction de Rudolf von Thadden et Michelle Magdelaine.

29. *Ibid.*, p. 38. Il est vrai que, sur l'échantillon des 4 086 huguenots considérés, seules les professions de 2 025 d'entre eux sont connues. On peut conjecturer que, même réduit de moitié, l'échantillon reste significatif.

30. « Passage, accueil et intégration des huguenots en Suisse », in *ibid.*, pp. 45-62.

31. *Ibid.*, p. 62.

32. *Ibid.*, p. 61.

33. *Ibid.*, p. 60.

34. « Le refuge à la campagne, l'exemple de la Hesse », in *ibid.*, pp. 143 sq.

35. *Ibid.*, p. 143.

36. « Du réfugié pour sa foi au patriote prussien », in *ibid.*, p. 220.

37. *Ibid.*, p. 221.

38. *Lettre de Mgr le Cardinal Spinola, évêque de Lucques, aux originaires lucquois qui demeurent à Genève, avec les considérations qu'ils ont faites à ce sujet*, à Genève, chez Samuel de Tournes, 1680, pp. 4-5.

39. Turmeau de la Morandière, *Principes politiques sur le rappel des protestants en France*, Paris, chez Valleyre, 1964, p. 11.

40. *Ibid.*, p. 25.

41. *Ibid.*, p. 21.

42. *Ibid.*, pp. 215-216.

43. Christopher R. Friedrichs, *Urban society in an age of war : Nördlingen 1580-1720*, Princeton (N.J.), 1979 et « Immigration and society : seventeenth century Nördlingen », in *Immigration et société urbaine en Europe occidentale xvie-xxe siècle*, ouvrage collectif sous la direction d'Étienne François, Paris, éditions Recherche sur les Civilisations, 1985, pp. 65-77.

44. Christopher R. Friedrichs, art. cité, p. 68.

45. *Ibid.*, p. 71.

46. *Ibid.*

47. *Ibid.*, graphique p. 71.

48. *Ibid.*, p. 75.

49. *Städtische Gesellschaft und Reformation*, Stuttgart, Klett Cotta, 1980, ed. par Ingrid Batori ; Christopher R. Friedrichs ne le dit pas, mais les études auxquelles il renvoie suggèrent le rapprochement entre *société urbaine* et *Réforme*.

50. « Minority Migrations and the Diffusion of Technology », in *Journal of Economic History*, vol. 11, n° 4, 1951, pp. 347-360.

51. Jean Seguy, *Les assemblées anabaptistes mennonites de France*, Paris, La Haye, Mouton, 1977.

Quatrième partie
REGARDS CONTEMPORAINS SUR LA DIVERGENCE

Chapitre 1 : Regards sur les pays du Nord

1. Pierre Dockès, *L'espace dans la pensée économique du xvie au xviiie siècle*, Paris, Flammarion, 1969, pp. 156-157.

2. *Troisième relation dédiée à son Altesse Sérénissime Monseigneur Frédéric, Marquis de Bade-Dourlach, etc., dans Relations historiques et curieuses de voyages en Allemagne, Angleterre, Hollande, Bohême, Suisse, etc.*, à Lyon, chez Claude Muguet, 1674, p. 152.

3. *Ibid.*, pp. 152-153.

4. Archives du ministère des Affaires étrangères, Correspondance Politique, Hollande, vol. 46, f° 309.

5. *Voyage en Hollande*, Introduction et notes par Yves Benot, Paris, François Maspero, 1982, p. 106.

6. *Ibid.* Nous soulignons.

7. *Ibid.*, p. 107.

8. *Ibid.*, p. 56.

9. *Ibid.*, p. 82.

10. *Ibid.*, p. 58.

11. *Essais*, Livre I, ch. XXII, Paris, Garnier-Flammarion, 1969, p. 153.

12. *Dictionnaire philosophique*, article Patrie, Paris, Garnier-Flammarion, 1969, p. 308.

13. « *Essai sur la jalousie commerciale* », in *Mélanges d'économie politique*, t. 1 p. 102,

cité par Pierre Rosanvallon, *Le libéralisme économique, histoire de l'idée de marché*, Paris, Le Seuil (Point Politique), 1989, p. 44. On trouve également chez Condillac (*Le commerce et le gouvernement*, 1776, IIe partie, ch. 17, p. 136) cette idée : « Atteintes portées au commerce : jalousie des nations », Condillac appelle Nations jalouses « celles qui tentent chacune de commercer exclusivement ».

14. *Ibid.*, p. 30.
15. *Ibid.*, p. 28.
16. « You will see a nation fond of their liberty, learned, witty, despising life and death, a nation of philosophers ; [...] English wisdom and English honesty is above yours », *ibid.*
17. Nous utilisons la traduction française de 1680, à La Haye, chez Jean et Daniel Steucker, 1680 (ci-après *Remarques*).
18. *Ibid.*, p. 202.
19. *Ibid.*, p. 203.
20. *Ibid.*, p. 204.
21. *Ibid., Préface*, pp. 5-6.
22. Charles Patin, *Relations historiques et curieuses de voyages en Allemagne, Angleterre, Hollande, Bohême, Suisse, etc.*, à Lyon, chez Claude Muguet, 1674.
23. Patin Charles, *Relations historiques et curieuses..., op. cit.*, « Première relation, dédiée à son Altesse, Monseigneur Frédéric Auguste, Duc de Wirtemberg *(sic)*, etc. (août 1669) », p. 35.
24. *Ibid.*, p. 37.
25. *Ibid.*, p. 41.
26. *Ibid.*
27. « Seconde relation, dédiée à son Altesse sérenissime Heberhard, duc de Wirtemberg *(sic)* et de Teck, comte de Montbeillard, seigneur de Heidehaim, etc. (janvier 1671) », p. 91.
28. *Ibid.*, pp. 91-92.
29. *Ibid.*, p. 92.
30. C'est-à-dire, ici, les techniques.
31. *Travels, through Holland, Flanders, Germany, Denmark... in the years 1768, 1769 and 1770*, 3 vols, 2nd ed., Londres, printed for J. Almon, 1773, vol. III, p. 83.
32. *Ibid.*, p. 84.
33. *Ibid.*, vol. II, pp. 317 sq.
34. *Ibid.*, p. 336. « *To enable the people to perform for themselves.* »
35. *Ibid.* « *It is a business of much longer time, to make a people a manufacturing nation.* »

Chapitre 2 : Regards sur l'Espagne

1. *Idea de un Principe politico christiano. Represtada en cien empresas* (Monaco y Milano 1640) de Saavedra Fajardo.
2. Lettre de Fénelon à Louis XIV, in *Directions pour la conscience d'un roi...*, éd. annotée par A. A. Renouard, Paris, A. A. Renouard, 1825.
3. *Mémoire sur la situation déplorable de la France en 1710.*
4. *La perfecta casada* (1600), 1re traduction française, *L'épouse parfaite* (par Ph. Guignard), Paris, V.-A. Waille, 1845, p. 40. C'est cette édition que nous citons sous le sigle *EP*.
5. *EP*, pp. 45-46.
6. *Ibid.*, pp. 46-47.
7. *Ibid.*, p. 47.
8. *Ibid.*
9. *Essais*, I, ch. XXII, éd. citée, p. 153. Nous soulignons.
10. *EP*, p. 45.
11. *Ibid.*, pp. 47-48. Nous soulignons.
12. *EP*, p. 67.
13. *Ibid.*, p. 68.
14. *Ibid.*, pp. 73-74.
15. *Ibid.*, p. 74.
16. *Ibid.*
17. *Voyage de Barthélemy Joly en Espagne 1603-1604* (ci-après *VBJE*), *op. cit.*, p. 530.
18. *Ibid.*, p. 483. Nous soulignons.
19. *Ibid.*, p. 564.
20. *Ibid.*, p. 573.
21. *Ibid.*, p. 574.
22. *Ibid.*, p. 524.
23. *Ibid.*, p. 607.
24. *Ibid.*
25. *Ibid.*, p. 611.
26. *Ibid.*

27. *Dédié à Son Altesse Royale Mademoiselle*, Paris, chez Charles de Sercy, 1665 (ci-après *Voyage d'Espagne...*).
28. *Voyage d'Espagne...*, *op. cit.*, p. 323. Nous soulignons.
29. *Discourses on the publick revenues and on the trade of England*, 2 parts, Londres, 1698, part. II, p. 61.
30. *Ibid.*, p. 62.
31. Moses Bensabat Amzalak, *Do estudo e da evoluçao das doutrinas economicas em Portugal*, Lisboa, 1928.
32. *Discursos sobre los comercios de las dos Indias donde se tratan materias importantes de estado, y guerra*, dirigido a la sacra y catolica Magestad del Rey don Filipe quatro, nuestro senor, autor Duarte Gomez, natural de la ciudad de Lisboa, anno MDCXXII, cité par Amzalak, *op. cit.*, p. 59.
33. *Ibid.*, pp. 67-69.
34. *Ibid.*, p. 69.
35. *Ibid.*
36. Comme Duarte Ribeiro de Macedo (2e moitié du XVIIe siècle) ou Luis da Cunha (1662-1749), cités par Amzalak, *op. cit.*, pp. 82, 88.
37. *Considérations sur les finances d'Espagne*, *op. cit.*, pp. 185-188.

Chapitre 3 : L'exaltation du marchand

1. Thomas Mun, *England's treasure by foreign trade. Or, the balance of our foreign trade is the rule of our treasure*, first published by his son in the year of 1664, Glasgow, R. and A. Foulis, 1755.
2. Cf. *Du « miracle » en économie. Leçons au Collège de France*, *op. cit.*, p. 171.
3. *Ibid.*, p. 124.
4. *Avertissement et réponse aux marchands et autres, où il est touché des changes, banquiers et banqueroutes*, Paris, chez Étienne Prévoteau, 1600, p. 6.
5. *Les discours, d'une liberté générale et vie heureuse pour le bien du peuple*, Paris, chez Guillaume Binet, 1601, p. 4.
6. *Les discours*, p. 4.
7. *Avertissement...*, *op. cit.*, p. 5.
8. Jean de Wit *(sic)*, *Mémoires*, à La Haye, chez Van Bulderen, 1709 (ci-après *MJDW*), p. 248.
9. *MJDW*, p. 252.
10. *Ibid.*, p. 255.
11. *Ibid.*
12. *Ibid.*
13. *Esprit des Lois*, in *Œuvres complètes*, éditées par R. Caillois, 2 vols, Paris, Gallimard-Bibliothèque de la Pléiade, 1985, Livres XX et XXI.
14. *Ibid.*, Livre XX, ch. 1er.
15. *Ibid.*, Livre XX, ch. II.
16. *Ibid.*
17. *Ibid.*
18. *Ibid.*
19. *Ibid.*
20. *Ibid.*
21. C'est l'intitulé du chapitre V de ce même Livre XX de l'*Esprit des Lois*.
22. *Esprit des Lois*, Livre XX, ch. V (nous soulignons).
23. Tel est le titre du IXe et dernier chapitre de ce livre XX.
24. *Esprit des Lois*, Livre XX, ch. II.
25. *Ibid.*
26. Turgot, *Éloge de Vincent de Gournay* (1759), in *Écrits économiques*, Paris, Calmann-Lévy (coll. perspective de l'économique, les fondateurs de l'économie), 1970, pp. 81-82, désigné ci-après *EVG*.
27. *Ibid.*, p. 87.
28. *Ibid.*, pp. 95-96.
29. *Traités sur le commerce de Josiah Child avec les remarques inédites de Vincent de Gournay*, texte intégral d'après les manuscrits conservés à la bibliothèque municipale de Saint-Brieuc, édité par Takumi Tsuda, *Economic Research Series*, nº 20, The Institute of Economic Research, Hitotsubashi University Kinokuniya Company Ltd, Tokyo, 1983.
30. *In* Takumi Tsuda, *op. cit.*, p. 422.
31. *Ibid.*, p. 435.
32. *EVG*, pp. 86 et 87.
33. *Ibid.*, p. 87.
34. *Ibid.*, pp. 86-87.
35. À Amsterdam, chez Emmanuel du Villard, 1717.
36. Préface, pp. III et IV.

37. *Ibid.*, p. VI.

38. *Ibid.*, pp. XVII, XVIII.

39. *Ibid.*

40. *Ibid.* Ces « vrais oracles du commerce » ont, toujours selon Huet, « une grande fidélité et exactitude à rendre bon compte de tout ce qu'on leur confie ; cette confiance multiplie encore très considérablement leur navigation, et c'est aussi ce qui les oblige à construire un très grand nombre de vaisseaux » (*ibid.*, p. 40). Moralité : confiance oblige.

41. «*An essay on the East-India trade and its importance to this kingdom, WITH A COMPARATIVE VIEW of the Dutch, French and English East-India companies, and the privileges and support that have been granted to each, by its respective state.* » « Essai sur le commerce des Indes orientales et son importance pour ce royaume avec une vue comparée des compagnies des Indes orientales hollandaise, française, et anglaise, les privilèges et le soutien qui leur ont été accordés par leurs États respectifs... », Londres, printed for T. Payne, 1770.

42. *Ibid.*, p. 2.

43. *Ibid.*, p. 5.

44. *Ibid.* « *Trade cannot be carried on to advantage, but by a company with exclusive privilege.* »

45. *Ibid.*, pp. 5 et 6.

46. *Ibid.*, pp. 11-12. « *To raise a proper fund for such an undertaking.* »

47. Voir, pour plus de détails, notre *Miracle en économie*, pp. 109-112.

48. *Ibid.*, pp. 10-11, où l'auteur fait état d'une moyenne supérieure à 24 % du capital par an sur une durée de cent soixante ans.

49. *Ibid.*, p. 33. « *The French... was carried on and supported entirely by government.* »

50. *Ibid.* « *The dividends agreed upon were paid out of the royal revenue WITHOUT ANY ACCOUNT OF PROFIT OR LOSS BY TRADE.* » Nous soulignons.

51. *Ibid.*, p. 20, voir également p. 66.

52. *Ibid.*, pp. 19-20.

53. *Ibid.*, p. 66.

54. *Ibid.*, p. 35 : « *The existence of that State may be said to depend, in great measure on its trade and commerce, and as its policy is directed chiefly in all its views, towards this point, their general knowledge of the benefits derived from thence may reasonably be deemed superior to other nations.* » Cette supériorité a une origine institutionnelle, et n'a rien d'une fatalité biologique ou géographique.

55. *Ibid.*, pp. 35-36.

56. *Richesse des nations*, Livre IV, ch. VII, section 3, Paris, Garnier-Flammarion, 1991, t. 2, p. 277.

57. « *The learning of a scholar and the policy of a statesman are not incompatible with the accuracy of a merchant* », An Essay on the East-India trade..., *op. cit.*, pp. 35-36.

Chapitre 4 : L'obsession de la dérogeance

1. C.M. Cipolla, *Before the industrial Revolution : European society and economy, 1000-1700*, Londres, Methuen, 1976.

2. *Essai sur la théorie de la dérogeance de la noblesse considérée dans ses rapports avec la constitution sociale de l'ancienne France*, Rennes, Riou-Reuzé, 1918, p. 68.

3. *Traité de la noblesse*, Paris, Estienne Michallet, 1678, p. 421 ; voir également p. 482.

4. *Ibid.*, p. 488.

5. *Ibid.*, p. 421.

6. *Avis et remontrances à messieurs les commissaires départis du roi, au fait du commerce, avec les moyens de soulager le peuple des tailles et autres biens nécessaires pour la police de ce Royaume*, à Paris, pour Sylvestre Moreau (libraire), 1600, p. 17. Ce texte est tiré des objections et réponses qui suivent les *Avis*.

7. *Traité de la noblesse, op. cit.*, p. 466. À l'exception de la verrerie, de la tapisserie en Beauvaisis, de la fouille et de la fonte des mines (lettres patentes du 30 septembre 1548 et du 10 octobre 1552, édits de juin 1602 et février 1722).

8. Charles Loyseau, Seigneur de la Noue, *Œuvres (Droit des offices, droit des seigneuries, droit des ordres)*, Paris, Philippe Albert, 1620, pp. 82-83.

9. *Droit des ordres*, p. 83, à savoir « procureur postulant, greffier, notaire, sergent, clerc, marchand et artisan de tous métiers, fors de la verrerie ».

10. *Ibid.*, pp. 83-84.

11. *Ibid.*, p. 84.

12. *Ibid.*

13. *Ibid.*

14. *Ibid.*

15. Henry Poullain, *Traités des Monnayes* (1621), Paris, chez Frédéric Léonard, 1709, pp. 1 et 2.

16. *Ibid.*, p. 2. Les maximes citées jusqu'ici datent de 1608.

521

17. *Essais, op. cit.*, p. 219.
18. *Ibid.*, p. 67. Nous avons rencontré cette problématique de l'*honneur et du profit* (Livre I, ch. 7, dans les instructions des « Dix-sept Messieurs » de la voc).
19. J. Éon, *Le commerce honorable ; ou considérations politiques concernant les motifs de nécessité, d'honneur et de profit qui se trouvent à former des compagnies de personnes de toutes conditions pour l'entretien du négoce de mer en France*, à Nantes, par Guillaume le Marnier, 1646, préface au lecteur.
20. *Ibid.*, p. 21.
21. *Ibid.*, p. 22.
22. *Ibid.*, p. 23.
23. *Ibid.*, p. 26.
24. *Ibid.*, pp. 44-45.
25. Voir cependant p. 59, l'exercice abusif du commerce en France par les étrangers selon Éon.
26. *Ibid.*, p. 50.
27. *Ibid.*, p. 52.
28. *Ibid.*, p. 140.
29. *Ibid.*, p. 189.
30. *Ibid.*, p. 190.
31. *Ibid.*, p. 191.
32. *Ibid.*, p. 192.
33. *Ibid.*, p. 188.
34. *Ibid.*, p. 192.
35. *Ibid.*, p. 239.
36. *Ibid.*, p. 261.
37. *Ibid.*, pp. 261-262.
38. *La Noblesse commerçante*, Londres, 1756, p. 6.
39. *Ibid.*, p. 5.
40. *Ibid.*, p. 52.
41. *Ibid.*, p. 79.
42. *Ibid.*
43. *Ibid.*, p. 80.
44. *Ibid.*, p. 87.
45. *Ibid.*, pp. 93-94.
46. *Ibid.*, p. 96.
47. Amsterdam, chez Marc-Michel Rey, 1776.
48. *Éthocratie...*, p. 2.
49. *Ibid.*, p. 4. D'Holbach renvoie le lecteur au Dic. de Guitton de Morveau, t. I, p. 65. Il se couvre également (p. 3) de l'autorité d'Aristote.
50. *Ibid.*, p. 173.
51. Le chapitre II les énonce : I. *La liberté*. II. La garantie irrévocable de la *propriété*. III. La *sûreté*. D'Holbach développe (p. 24) « la liberté de produire ses pensées : la liberté de la presse ».
52. *Ibid.*, p. 23.
53. *Ibid.*
54. *Ibid.*, p. 118.
55. *Ibid.*, p. 44, ch. « Des lois morales pour la noblesse ».
56. *Ibid.*, pp. 51-55.

Chapitre 5 : La question religieuse

1. Nous renvoyons à *Aréopagitique : discours en faveur de la liberté de la presse adressé au Parlement d'Angleterre* (1644), in M. Aignan (dir. et trad.), *Bibliothèque étrangère d'histoire et de littérature ancienne et moderne*, t. II, Paris, chez Ladvocat, Libraire, 1823.
2. Cf. Pierre Manent, *Les Libéraux,* 2 vols, Paris, Hachette (Pluriel), 1985, t. 1, p. 46.
3. *Aréopagitique*, pp. 25-26. Nous suivons ici la traduction de P. Manent, t. 1, p. 58.
4. *Ibid.*, p. 30.
5. *Ibid.*, p. 31. Nous soulignons.
6. *Ibid.*, p. 42.
7. *Ibid.*, p. 43.
8. *Ibid.*, p. 79. Nous soulignons.
9. *Ibid.*, p. 66.
10. *Ibid.*, p. 55.
11. Locke, *A letter concerning toleration*, Londres, 1689, p. 6.
12. *Ibid.*, p. 7.
13. *Ibid.*
14. *Ibid.*, p. 13.
15. *Ibid.*, p. 48.

16. *Ibid.*
17. *Contrat social*, Livre IV, ch. VIII.
18. Locke, *A letter..., op. cit.*, p. 41.
19. Voir *Du « miracle » en économie, op. cit.*, pp. 92-103.
20. *Mémoires de Jean de Witt, op. cit.*, p. 259.
21. Cf. *Du « miracle », op. cit.*, pp. 100-101.
22. MDJW, pp. 328-329.
23. *Remarques sur l'état des Provinces-Unies, op. cit.*, p. 198.
24. « Freedom of trade and religion without which trade can never be increased », Roger Coke, *England's improvement*, Londres, Printed by J. C. for Henry Brome, 1675.
25. « Whilst the monopolists do things dearer and worse », *ibid.*, Épilogue, p. 66.
26. *Lettres persanes*, Lettre LXXXV.
27. Joseph de Maistre, « Réflexions sur le protestantisme », in *Écrits sur la Révolution*, Paris, PUF (Quadrige), 1989, p. 223.
28. *Esprit des Lois*, Livre XXIV, ch. V, p. 718, in *Œuvres complètes*, éd. citée.
29. *Ibid.*, p. 718.
30. *Ibid.* Nous soulignons.
31. Joseph Marshall, *Travels through Holland, etc., op. cit.*, vol. I, p. 226. L'auteur que cite ici Joseph Marshall ajoute : « Cet esprit industrieux les a maintenus dans un état de grande prospérité *(has sustained them in a state greatly flourishing)*, aussi longtemps que le prix peu élevé du travail autorisait un profit assez important dans la vente de leur produit. »
32. *Ibid.*, vol. I, p. 227.

Chapitre 6 : Devant le « mal français »

1. *Considérations*, Amsterdam, 1758, p. 5.
2. *Ibid.*, p. 3.
3. *Ibid.*, p. 4.
4. *Ibid.*, pp. 44-45.
5. *Ibid.*, pp. 64-65.
6. *Ibid.*, p. 40.
7. *Ibid.*
8. *Ibid.*, p. 43.
9. *Ibid.*, p. 44.
10. *Ibid.*, p. 65. C'est-à-dire dans des lieux où « on a présumé que l'intérêt de tout marchand ou fabricant le porterait à être de bonne foi, qu'il était inutile que le Souverain veillât continuellement et interposât son autorité pour des maux rares et particuliers ».
11. *Ibid.*, p. 66.
12. *Ibid.*, p. 73. L'auteur renvoyait le lecteur à Josiah Child et Jean de Witt dès la page 66, note a.
13. *Ibid.*, p. 82.
14. *Ibid.*, pp. 83-84. Nous soulignons.
15. *Ibid.*, p. 152.
16. *Ibid.*
17. *Ibid.*
18. Turgot, *Éloge de Vincent de Gournay, op. cit.*, pp. 81-82.
19. Takumi Tsuda, *Vincent de Gournay, un économiste trahi, op. cit.*, pp. 449-450.
20. *Ibid.*, p. 450.
21. *Traités sur le commerce* de Josiah Child... avec les *Remarques inédites* de Vincent de Gournay, *op. cit.*, pp. 401-402.
22. *Éloge de Vincent de Gournay, op. cit.*
23. *Ibid.*, pp. 88-89.
24. *Ibid.*, pp. 91-92.
25. Turgot, *Édit du Roi... 1776, op. cit.*, pp. 171 sq.
26. Turgot, *Édit de 1776*, p. 173.
27. *Ibid.*
28. « Mémoire détaillé de mon administration des Antilles », manuscrit, p. 278. Archives Nationales, Colonies, C/8A/82.
29. Nous suivons l'édition du livret de l'enregistrement *Deutsche Gramophon*, Polydor International, 1985, p. 169.
30. *Ibid.*, p. 169.
31. *Ibid.*, p. 171.
32. *Ibid.*
33. *Ibid.*, p. 171-173.
34. *Ibid.*
35. *Ibid.*, p. 173.

Chapitre 7 : Penser la liberté : Spinoza, Locke

1. *Éthique*, Livre I, prop. 18, in *Œuvres complètes*, traduction et notes par R. Caillois, M. Frances et R. Misrahi, Paris, Gallimard, Bibliothèque de la Pléiade, 1954.
2. *Traité théologico-politique* (1670), traduit et annoté par J.G. Prat, Paris, lib. Hachette et Cⁱᵉ, 1872, p. 415.
3. *Ibid.*, p. 417.
4. *Ibid.*
5. *Ibid.*
6. *Ibid.*, p. 429.
7. *Ibid.*, p. 422.
8. *Ibid.*, p. 424.
9. *Ibid.*
10. *Ibid.*, p. 426.
11. *Ibid.*, p. 427.
12. *Ibid.*, pp. 426-427.
13. C'est le titre du second et du plus important des deux *Traités sur le gouvernement*, le premier s'attachant à répliquer point par point à Filmer. Écrite avant la Révolution de 1688, l'œuvre fut publiée après elle (1690), mais Locke refusa longtemps d'en admettre la paternité. On se reportera à l'édition critique de Peter Laslett (Cambridge, CUP, 1960) et, en français, à la remarquable introduction de Simone Goyard-Fabre aux traités politiques de Locke, *Traité du gouvernement civil*, Paris, Garnier, Flammarion, 1984, p. 75.
14. *Ibid.*, ch. VIII-98, p. 252.
15. *Ibid.*, ch. VII-90, p. 244.
16. *Ibid.*, ch. XIX-241, p. 369. Nous soulignons.

Cinquième partie
IMPASSES DES THÉORIES DU DÉVELOPPEMENT

Chapitre 1 : Adam Smith : une théorie non libérale de la liberté économique

1. Pierre Manent, *Les Libéraux, op. cit.*, t. 1, p. 314.
2. *Politique*, I, 2.
3. *Esprit des Lois*, Livre XX, ch. VII.
4. Adam Smith, *The Wealth of Nations* (ci-après *WN*) 1776, new ed. by M'Culloch, J.R. Edinburgh : Adam and Charles Black, 1870. Book 1, chapter 1, p. 2 : « *The greatest improvement in the productive powers of labour, and the greater part of the skill, dexterity, and judgment with which it is anywhere directed or applied.* »
5. *The Wealth of Nations*, Book 1, chapter 1, p. 5. Nous écrivons par la suie *WN*, B1, ch. 1, p. 5.
6. *Ibid.*
7. « *The increase of dexterity in every particular workman.* »
8. « *The saving of the time which is commonly lost in passing from one species of work to another.* »
9. « *The invention of a great number of machines which facilitate and abridge labour* », *W.N*, B1, ch. 1, p. 4.
10. *WN* B1, ch. 2, p. 6, *On the principle which gives Occasion to the Division of Labour.*
11. *Ibid.* « *It is the necessary, though very slow and gradual, consequence of a certain propensity in human nature [...] to truck, barter, and exchange...* »
12. *WN* B1, ch. 1, *in fine*, p. 6.
13. *WN* B1, ch. 2, p. 8.
14. *WN* B1, ch. 2, p. 7.
15. *Ibid.*
16. *WN* B1, ch. 2 *in fine*, p. 8 : « *general disposition to truck, barter, and exchange* ».
17. *Ibid.*
18. *WN* B1, ch. 10, part. 2, p. 54.
19. *Métaphysique de l'âme ou théorie des sentiments moraux*, 2 vols, Paris, chez Briasson, 1764, vol. II, 6ᵉ partie, section III, ch. I, p. 297.
20. Cf. J.R. Lindgren, *The social philosophy of Adam Smith*, La Haye, Martinus Nijhoff, 1973, p. 79.
21. *WN* BIV, ch. 2, p. 198.
22. *WN* BIV, ch. 7, part. III, p. 284.
23. *WN* BIV, ch. 2, p. 198.
24. *WN* BIV, ch. 2, p. 199.
25. *Métaphysique de l'âme ou théorie des sentiments moraux, op. cit.*, vol. II, 4ᵉ partie, pp. 111-112. Dans le commentaire qu'il fait de ce texte, Pierre Rosanvallon (*op. cit.*, p. 39) signale l'analyse de Jacob Viner : « Adam Smith and laisser-faire », dans *The long view*

and the short. Studies in Economic Theory and Policy, Glencoe (Illinois), The Free Press, 1958. Le laisser-faire smithien est évidemment d'inspiration physiocratique.
    26. *WN* BIV, ch. 9, pp. 304-305.

Chapitre 2 : Marx : penser l'échange ou refuser de le penser
    1. Destutt de Tracy, *Traité de la volonté et de ses effets (1818)*, Paris, Slatkine reprints, 1984, p. 68. Marx le cite à peu près, t. 1 du *Capital*, Éditions Sociales, 1977, p. 123.
    2. *Le Capital*, Livre I, 2ᵉ section, ch. V, Éditions Sociales, t. 1, p. 41.
    3. *Ibid.*
    4. *Ibid.*
    5. *Ibid.*
    6. *Ibid.*
    7. *Ibid.*
    8. *Ibid.*, p. 43.
    9. *Ibid.*
    10. *Ibid.*, p. 52 ; mêmes formules restrictives pp. 50 et 53.
    11. *Ibid.*, p. 45.
    12. *Ibid.*, p. 77.
    13. *Ibid.*, p. 78.
    14. *Ibid.*, ch. V, p. 127.
    15. *Ibid.*, p. 82.
    16. *Ibid.*, p. 79.
    17. *Ibid.*, p. 79.
    18. *Ibid.*
    19. *Ibid.*, p. 90.
    20. *Ibid.*, p. 96.
    21. *Ibid.*, p. 124.
    22. *Le commerce et le gouvernement*, Amsterdam, 1776, réimpression anastatique, Rome, Edizioni Bizzarri, 1968, p. 6.
    23. *Ibid.*, p. 9.
    24. *Ibid.*
    25. *Ibid.*
    26. *Le Capital*, Livre III, 1ʳᵉ section, ch. IV, éd. citée, t. 3, p. 83.
    27. *Ibid.*
    28. *Ibid.*, p. 114.
    29. *Ibid.*
    30. *Ibid.*
    31. K. Marx, *Œuvres I, Misère de la philosophie*. Paris, Gallimard-Bibliothèque de La Pléiade, 1968-1982, p. 79.
    32. K. Marx, *Œuvres I, Le Capital*, XV, V, Pléiade, p. 962. De même en 1769, une scierie mécanique sera prise d'assaut, à Limehouse, et démolie par la foule. Les pétitions des « luddistes » (émeutiers briseurs de machines) de 1811-1812 réclament au Parlement britannique la remise en vigueur d'une loi de 1552 prohibant une machine analogue aux tondeuses mécaniques incriminées dans la baisse des salaires. En France la révolte des canuts lyonnais de 1831 voit conspuer les « machines à vapeur » ; voir Jean-Jacques Salomon, *Prométhée empêtré*, Paris, Pergamon Press, 1981.
    33. K. Marx. *Le Capital*, éd. citée, p. 518.
    34. Tout ce chapitre XXVI du *Capital* en est plein.
    35. In J.-B. Duroselle, *Les débuts du catholicisme social*, Paris, PUF, 1951, p. 39.
    36. *Ibid.*, p. 42.
    37. In Gérard Cholvy, *La religion en France de la fin du XVIIIᵉ siècle à nos jours*, Paris, Hachette, 1991, p. 49.
    38. *Ibid.*, p. 39. Ainsi, le protestant Daniel Legrand combat le travail des enfants dans les manufactures. Il sera imité par Schlumberger et Bourcart.
    39. *Ibid.*

Chapitre 3 : Marx : l'édifice de la défiance
    1. Livre I, ch. XXV, éd. citée, p. 466.
    2. *Ibid.*
    3. *Ibid.*, ch. XXVIII.
    4. Plus exactement, on va le voir, comme un phénomène dont *l'accélération est liée* à la Réforme.
    5. *Ibid.*, p. 523.
    6. *Ibid.*, Livre III, ch. XXXV, *in fine*, p. 547.
    7. K. Marx, *Le Capital*, éd. citée, Livre I, ch. XXIV, p. 423.
    8. Par exemple *Capital*, III, XXI, note 4 ; XX, note 4 ou I, XXIV, note 25 ; I, VII, note 15 ; I, III ; note 55.

9. *Le Capital*, éd. citée, Livre III, ch. XXXV, p. 547.
10. Livre III, ch. XXXV, p. 547.
11. *Ibid.*
12. *Ibid.*, t. III, p. 529.
13. *Ibid.*, t. III, ch. XXXV, II, *in fine*, p. 547.
14. Marx, *Critique de l'économie politique, II, Œuvres*, Pléiade, t. 1, pp. 388-389.
15. *Le Capital*, éd. citée, Livre I, 3e section, ch. VII, 2.
16. *Ibid.*, éd. citée, t. 1, p. 147.
17. *Ibid.*, éd. citée, t. 1, p. 146. Sur la notion d'abstinence, voir la critique, par Marx de Roscher, Pléiade, t. 1, p. 437, celle de Senior, Pléiade, t. 2, p. 815, note, ou *Le Capital*, Livre I, 3e section, IX, I, Pléiade, t. 1, pp. 770 et 784.
18. *Ibid.*
19. *Ibid.*, p. 145.
20. *Le Capital*, Livre I, 3e section, ch. VII, 2, *La production de la plus-value absolue*, éd. citée, p. 145.
21. *Principes d'une critique de l'économie politique*, Pléiade, t. 1, p. 290.
22. *Ibid.*, Pléiade, t. 1, p. 235.
23. *Werke*, Berlin, 1956, vol. I, pp. 248-249. Cité par Maximilien Rubel, Karl Marx, *Œuvres, Économie*, t. II, La Pléiade, 1968, introduction, p. XXV-XXVI.
24. C'est le titre du livre I du *Capital*.
25. *Le Capital*, Livre I, *in fine*, 8e section, ch. XXXIII, éd. citée, t. 1, p. 566.
26. *Ibid.*
27. Cf. conclusion du Livre I du *Capital*.
28. *Manifeste*, I, *in fine*. Nous soulignons.
29. *Capital*, Livre I, 2e section, ch. 6, *in fine*, Éditions Sociales, t. 1, p. 135.
30. *Ibid.*
31. *Contribution à la critique de l'économie politique*, Préface (1859), in Marx & Engels, *Études philosophiques*, Paris, Éditions Sociales, 1977, p. 121.
32. Dietz, XX, 106, in G. Bekerman, *Vocabulaire du marxisme*, Paris, PUF, 1981, article *Liberté*, p. 90.
33. *L'Idéologie allemande*, Éditions Sociales, t. 1, p. 73.
34. *Ibid.*
35. *Ibid.*, note p. 70.
36. *Ibid.*, p. 113.

Chapitre 4 : L'approche par Max Weber de la divergence occidentale

1. L'étude de Max Weber paraît d'abord en 1904 dans l'*Archiv für Sozialwissenschaft und Sozialpolititk* de Jaffé, t. XX. Une traduction française ne paraît qu'en 1964, par Jacques Chavy, publiée chez Plon. Herbert Lüthy écrit alors « Calvinisme et Capitalisme », *Preuves*, juillet 1964, puis *Le passé présent, combats d'idées de Calvin à Rousseau*, Monaco, Éditions du Rocher, 1965. La controverse wébérienne reprendra toute son ampleur, notamment avec S.N. Eisenstadt, « The protestant ethic thesis », 1967, *in* Robertson Roland (ed.), *Sociology of religion*, Harmondsworth, Penguin Books, 1969, et vingt ans après, S.N. Eisenstadt (ed.), *Patterns of modernity*, 2 vols, Londres, Frances Pinter, 1987. On peut encore se reporter à l'excellente mise au point de Philippe Besnard, *Protestantisme et capitalisme, la controverse post-wébérienne*, Armand Colin, 1970.
2. Max Weber, *L'Éthique protestante et l'esprit du capitalisme* (ci-après EPEC), Paris, Plon, 1964, p. 14. C'est Max Weber qui souligne.
3. *Ibid.*, p. 19.
4. *Ibid.*, p. 21, dont il nourrit le projet jusqu'à sa mort, puisque l'*Histoire économique*, sous-titrée *Esquisse d'une histoire universelle de l'économie et de la société* (1923), publie les conférences données par Weber en 1919 et 1920. Max Weber meurt le 14 juin 1920.
5. *Ibid.*, p. 23.
6. *Ibid.*, p. 24.
7. *Ibid.*, p. 248.
8. *Ibid.*, p. 26.
9. *Ibid.*, p. 28.
10. *Ibid.*, p. 27.
11. *Ibid.* Notons également que Max Weber est l'auteur d'une étude intitulée « Zur Psychophysik der gewerblichen Arbeit », *Contribution à la psychophysique du travail lucratif* (*Archiv für Sozialwissenschaft und Sozialpolitik*, t. XXXVIII, 1909). On voit même Weber jouer avec l'idée raciale-anthropométrique, EPEC, p. 104, note 29.
12. *Ibid.*, p. 28.
13. *Ibid.*, p. 72.
14. *Ibid.*, p. 75.
15. *Ibid.*, p. 53.
16. *Ibid.*, pp. 73-74.

17. *Ibid.*, p. 73.
18. *Ibid.*, p. 53.
19. *Ibid.*
20. *Ibid.*
21. *Ibid.*, p. 54.
22. *Ibid.*, p. 79.
23. *Ibid.*, p. 79.
24. *Ibid.*, p. 70.
25. *Ibid.*, p. 80.
26. *Ibid.*, p. 33.
27. *Ibid.*, p. 31.
28. *Ibid.*, p. 32.
29. *Ibid.*
30. *Ibid.*, p. 33.
31. *Ibid.*, pp. 33-34.
32. Weber se fonde sur l'étude de son élève Martin Offenbacher.
33. *Ibid.*, pp. 35-36.
34. *Ibid.*, timide émancipation par rapport à l'historicisme.
35. *Ibid.*
36. *Ibid.*, p. 36.
37. *Ibid.*, p. 39.
38. *Ibid.*, p. 45.
39. *Ibid.*, p. 60, voir également p. 69, où l'*éthos* est un phénomène de surface, auquel le comportement économique réel est « sous-jacent ».
40. *Ibid.*, p. 63.
41. *Ibid.*, pp. 69-70.
42. *Ibid.*, pp. 82-107.
43. Voir EPEC, p. 102.
44. *Ibid.*, p. 83.
45. *Ibid.*, p. 84.
46. *Ibid.* Max Weber prend soin de nuancer : il souligne à cet effet la distance entre luthéranisme et « esprit du capitalisme ».
47. *Ibid.*, p. 96. Mieux encore, l'évolution de cette idée chez Luther se fit « dans un sens de plus en plus traditionaliste ». *Ibid.*, p. 97.
48. *Ibid.*, p. 105.
49. *Ibid.*, p. 126.
50. *Ibid.*, pp. 128-129.
51. *Ibid.*, p. 132. Mais si Calvin nie que les œuvres soient un signe d'élection, il en va tout autrement, selon Max Weber, pour ses épigones.
52. *Ibid.*, p. 141, note 67.
53. *Ibid.*, p. 135 et note 48.
54. *L'éthique protestante de Max Weber*, Paris, PUF, 1994, p. 140.
55. « *Dass wir mit unserm ganzen Leben uns dankbar gegen Gott für seine Wohltat erzeigen.* »
56. « *Dass wir bei uns selbst unsers Glaubens aus seinen Früchten gewiss seien.* »
57. *Ibid.*, p. 153.
58. *Ibid.*
59. *Ibid.*, pp. 167-168.
60. *Ibid.*, p. 168.
61. *Ibid.*, p. 185.
62. *Ibid.*, p. 195.
63. *Ibid.*, p. 135 et note 48.
64. *Ibid.*, p. 205 et note 5.
65. *Ibid.*, p. 206.
66. *Ibid.*, p. 205, note 4.
67. *Ibid.*, p. 205, note 5 ; p. 207 note 10 ; p. 208 note 13.
68. *Ibid.*, pp. 205-206.
69. *Ibid.*, p. 208. L'explication fournie, note 15 est à peine plus convaincante.
70. *Ibid.*, p. 210.
71. *Ibid.*
72. *Ibid.*, p. 112.
73. *Ibid.*, p. 106.
74. *Ibid.*, p. 107.
75. *Ibid.*
76. Il n'a été que partiellement traduit en français. Nous utilisons dans la suite les trois volumes de *Wirtschaft und Gesellschaft* (ci-après WG), 5ᵉ édition revue par Johannes Winckelmann, Tübingen, J.C.B. Mohr (Paul Siebeck), 1976.

77. *WG* 1, ch. I, § 4, 3, p. 15.
78. *Ibid.*, p. 695.
79. *Ibid.*, p. 715.
80. *WG* 2, ch. IX, 6ᵉ section, p. 716, « *Die abendländische Glaubenspaltung, welche eine starke Verschiebung in der Stellung der Hierokratie brachte, ist OHNE ZWEIFEL ÖKONO-MISCH MITBEDINGT, ABER IM GANZEN NUR IN INDIREKTER ART* » (nous soulignons).
81. *Ibid.*, p. 716.
82. *Ibid.*, p. 717.
83. *Ibid.*
84. *Ibid.*, p. 719, « *Die Wirtschaftsgesinnung, soweit diese religiös mitbestimmt ist...* ».
85. *Ibid.*, pp. 716, 719-720.
86. *Ibid.*, p. 726.
87. *Ibid.*, p. 706.
88. *EPEC*, p. 210.
89. Schumpeter, *Capitalisme, socialisme et démocratie*, Paris, Payot, 1954, p. 73.

Chapitre 5 : Braudel *ou* l'histoire sans acteurs

1. Il faut excepter l'analyse de l'échange des marchés de bourg où F. Braudel (*La dynamique du capitalisme*, Paris, Arthaud, 1985, désigné ci-après, *DC*, p. 55) fait intervenir des acteurs concrets. Mais ceux-ci disparaissent quasiment dès qu'il s'agit de la « sphère de circulation » plus élevée dans la « hiérarchie des échanges », *DC*, p. 56. Quant à la typologie des « gros négociants » (*DC*, pp. 59-61), elle n'est guère engageante.
2. *DC*, p. 67.
3. *Ibid.*, p. 28.
4. *Ibid.*, p. 29.
5. *Civilisation matérielle, Économie et Capitalisme* (ci-après *CMEC*), *op. cit.*, t. 2, p. 535.
6. *DC*, p. 94.
7. *CMEC*, t. 2, p. 353.
8. *Les Caractères* de La Bruyère, Des biens de fortune, nᵒ 38.
9. *Ibid.*, nᵒ 44.
10. *Ibid.*, nᵒ 58.
11. F. Braudel, *DC*, pp. 69-70.
12. *CMEC*, t. 3, p. 177.
13. *Ibid.*, p. 79.
14. *Ibid.*, p. 182. À lire les pages où Braudel retrace la substitution des Hollandais aux Portugais (p. 178-179), Espagnols et Italiens, on a l'impression qu'il défend avec énergie l'inertie de sa chère *Méditerranée à l'époque de Philippe II*.
15. *DC*, pp. 91 sq.
16. *Ibid.*, p. 93.
17. *Ibid.*, t. 3, p. 75.
18. *Ibid.*, p. 77.
19. *Ibid.*
20. *CMEC*, t. 2, p. 78.
21. *Ibid.*, t. 2, p. 517.
22. *Ibid.*, t. 2, p. 518.
23. *L'aventure industrielle et ses mythes. Savoirs, techniques et mentalités*, Bruxelles, Éditions Complexe, 1982, p. 11.
24. *Ibid.*, p. 42.

Sixième partie
ÉGLISE CATHOLIQUE ET MODERNITÉ ÉCONOMIQUE

Chapitre 1 : Rome et la liberté

1. *Catéchisme de l'Église catholique*, nᵒˢ 2419-2420, 1992.
2. *Quanta cura* (1864), présentation et préface du père J.-R. Armogathe, Paris, J.-J. Pauvert, 1967. Annexes, *La convention de 15 septembre et l'Encyclique du 8 décembre*, brochure de Mgr Dupanloup, pp. 116-117.
3. Article d'É. Forcade, *Revues des Deux Mondes*, 31 janvier 1865, in *Quanta cura* (1864), présentation et préface du Père J.-R. Armogathe, *op. cit.*, Annexes, p. 143.
4. *In* Arthur Utz, *La doctrine de l'Église à travers les siècles*, Bâle, Rome, Herder, Paris, Beauchesne et Fils, 1970, t. 1
5. *Libertas praestantissimum (20 juin 1888)*, *op. cit.*, p. 177.
6. *Ibid.*, p. 189.
7. *Ibid.*, p. 191.
8. *Ibid.*, p. 199.

9. *Ibid.*, p. 209.
10. *Ibid.*, p. 215.
11. *Ibid.*, p. 207.
12. *Ibid.*, p. 217.
13. *Ibid.*, p. 213.
14. *Ibid.*, p. 217.
15. *Ibid.*

Chapitre 2 : 1891 : *Rerum Novarum*

1. *Rerum Novarum* (15 mai 1891), nous suivons le texte de la *Documentation catholique*, t. XXV, nº 569, 6 juin 1931, colonnes 1450-1480 (ci-après *RENO*).
2. *RENO*, col. 1449.
3. *Ibid.*
4. *Ibid.*
5. *Ibid.*, col. 1452.
6. *Ibid.*, col. 1451.
7. *Ibid.*, col. 1453.
8. *Ibid.*, col. 1423. Nous soulignons cet attachement quasi féodal du serf à la glèbe.
9. *Ibid.*, col. 1452.
10. *RENO*, col. 1470.
11. *Ibid.*, col. 1469.
12. *Ibid.*, col. 1456.
13. *Ibid.*, col. 1457.
14. *Ibid.*, col. 1460. Cette dernière remarque porte à son comble le mépris du « travail mercenaire ».
15. *Ibid.*, col. 1477.
16. *Ibid.*, col. 1463-1476.
17. *Ibid.*, col. 1451.
18. *Ibid.*, col. 1463-1464.
19. *Ibid.*, col. 1466.
20. *Ibid.*, col. 1467.
21. *Ibid.*, col. 1470.
22. *Ibid.*, col. 1453.
23. *Ibid.*, col. 1471.
24. *Ibid.*
25. *Ibid.*

Chapitre 3 : 1931 : *Quadragesimo Anno*

1. *Quadragesimo Anno* (15 mai 1931), in *La Documentation catholique*, t. XXV, nº 569, 6 juin 1931, col. 1403.
2. *Ibid.*, col. 1404.
3. *Ibid.*, col. 1435.
4. *Ibid.*
5. *Ibid.*, col. 1432.
6. *Ibid.*, col. 1434.
7. *Ibid.*, col. 1433.
8. *Ibid.*, col. 1434.
9. *Ibid.*
10. *Ibid.*, col. 1405.
11. *Ibid.*, col. 1410 ; voir également col. 1409.
12. *Ibid.*, col. 1409.
13. *Ibid.*
14. *Ibid.*, col. 1418.
15. *Ibid.*, col. 1419.
16. *Ibid.*, col. 1423.
17. *Ibid.*, col. 1419.
18. *Ibid.*, col. 1424.
19. *Ibid.*, col. 1429.
20. *Ibid.*, col. 1430. Nous soulignons.
21. *Ibid.*, col. 1429. Nous soulignons.
22. *Ibid.*, col. 1429-1430.
23. *Ibid.*
24. *Ibid.*
25. *Ibid.*
26. *Ibid.*, col. 1427.
27. Cité par B. de La Rochefoucauld et René Pietri, in *L'entreprise et la société au service de l'homme,* Paris, Tec & Doc, Lavoisier, 1993, p. 10.

Chapitre 4 : 1961 : *Mater et Magistra*

1. *Mater et Magistra* (15 juillet 1961), in la *Documentation catholique*, t. LVIII, n° 1357, 6 août 1961, col. 945.
2. *Ibid.*, col. 946.
3. *Ibid.*, col. 954. Nous soulignons.
4. *Ibid.*, col. 955.
5. *Ibid.*
6. *Ibid.*, col. 958.
7. *Ibid.*, col. 963.
8. *Ibid.*, col. 966.
9. *Ibid.*, col. 983.
10. *Ibid.*, col. 985.
11. *Ibid.*, col. 988.
12. *Ibid.*
13. *Ibid.*, col. 972. Nous soulignons.
14. *Ibid.*, col. 974.
15. *Ibid.*
16. *Ibid.*, col. 974.
17. *Ibid.*, col. 975-976.
18. *Ibid.* Nous soulignons.
19. *Ibid.*
20. *Ibid.*, col. 961. Nous soulignons.
21. *Ibid.*, col. 963 et 967. Nous soulignons.
22. *Ibid.*, col. 980. Nous soulignons.

Chapitre 5 : *Centesimus Annus* : la levée des inhibitions pluriséculaires

1. *Centesimus Annus.* Nous renvoyons à l'édition des *Cahiers pour croire aujourd'hui*, mai 1991, le texte ci-dessus se trouve en II, 13, pp. 21-22.
2. *Ibid.*, II, 13, p. 22. On croit lire Frédéric Bastiat !
3. *Ibid.*, IV, 30, p. 42.
4. *Ibid.*, II, 17, p. 26.
5. *Ibid.*
6. *Ibid.* Nous soulignons.
7. *Ibid.*, II, 17, p. 29, critique déjà présente chez ses prédécesseurs.
8. *Ibid.*, p. 30.
9. *Ibid.*
10. *Ibid.*, IV, 31, p. 44.
11. *Ibid.*, IV, 32, p. 44 ; voir encore IV, 33, pp. 45-46.
12. *Ibid.*
13. *Ibid.*, IV, 32, p. 45. Nous soulignons. Voir également en III, 27, p. 38.
14. *Ibid.*
15. *Ibid.*
16. *Ibid.*
17. *Ibid.*
18. *Ibid.*, IV, 36, p. 51.
19. *Ibid.*, IV, 39, p. 55.

Septième partie
POUR UNE APPROCHE ÉTHOLOGIQUE

Chapitre 1 : Jalons pour une découverte de la confiance

1. *Esprit des lois*, Livre XIX, ch. 4.
2. R. Aron, *Les étapes de la pensée sociologique*, Paris, Gallimard, 1967, p. 51.
3. *Esprit des lois*, Livre XIX, ch. 4.
4. *Ibid.*, Livre XIX, ch. 4.
5. *Ibid.*, Livre XIV, ch. 5 (titre).
6. *Ibid.*, Livre XIV, ch. 5.
7. R. Aron signale en note, dans *Les étapes de la pensée sociologique* (p. 71, note 14), les sophismes de la climatologie de Montesquieu.
8. Hegel, « Philosophie de l'histoire », in *Morceaux choisis*, Paris, Gallimard, NRF, 1969, p. 224.
9. *Ibid.* Nous soulignons.
10. *Ibid.*
11. *Ibid.* Nous soulignons.
12. *Ibid.*

13. *Ibid.*, pp. 69-70. En comparant « Culture, religions et développement dans les civilisations de l'Amérique du Nord et de l'Amérique du Sud », S.N. Eisenstadt conclura lui aussi à « la plus grande propension des groupes protestants ou des groupes catholiques de tendance plus réformiste, caractérisés par un moindre étatisme, l'existence d'élites autonomes et un goût plus marqué pour la réussite matérielle, à faire preuve d'une attitude positive à l'égard de la science et de la technologie et d'un comportement économique moderne » (*Revue internationale des sciences sociales,* n° 134, novembre 1992, p. 674).

14. *La Révolution des Saints*, traduction française par B. Vincent Giroud, Paris, Belin, 1987.

15. *Ibid.*, p. 319.

16. *Ibid.*, p. 320.

17. « *Congregation* » en anglais. Ce terme de « congrégation » est trop fortement connoté, pour les lecteurs français, par les « congrégations » de religieux ou de religieuses catholiques pour qu'on le retienne ici. Nous le traduirons par « communautés ».

18. *Ibid.*, p. 321. Nous soulignons.

19. *Ibid.*, p. 323.

20. *Ibid.*

21. *Du « miracle » en économie, op. cit.*, pp. 207 et 210-214.

22. *La Révolution des Saints, op. cit.*, p. 321. Nous soulignons.

Chapitre 2 : Bastiat :
psychologie du commerce et psychose de l'État

1. Frédéric Bastiat, « Propriété et loi », article inséré au n° du 15 mai 1848 du *Journal des économistes, in Bastiat, « Propriété et loi » suivi de « L'État »*, Paris, éditions de l'Institut économique de Paris, 1983, p. 24.

2. *Ibid.*, p. 21.

3. *Ibid.*, p. 14.

4. Frédéric Bastiat, *La loi* (1850), dans *Œuvres complètes*, t. IV. *Sophismes économiques, petits pamphlets*, Paris, Guillaumin, 1854, p. 363. Voir également, p. 366, « la main mystérieuse du Législateur ».

5. *Ibid.*, p. 365.

6. *Ibid.*, p. 364. Bastiat écrit encore « ... Les socialistes considèrent l'humanité comme matière à combinaisons sociales [...] comme matière à expériences ». « ... Combien est fortement enracinée dans notre pays cette idée, fille des études classiques et mère du Socialisme, que l'humanité est une matière inerte recevant du pouvoir la vie, l'organisation, la moralité et la richesse... » *(ibid.)*. Plus loin, Bastiat s'en prend à Rousseau et, enfonçant le clou : « Et que sont les hommes en tout ceci ? La machine qu'on monte et qui marche, ou plutôt la matière brute dont la machine est faite ! » (pp. 370-371).

7. « L'État », inséré au n° du 25 septembre 1848 du *Journal des Débats* in *« Propriété et loi » suivi de « L'État », op. cit.*, p. 39.

8. *Ibid.*, p. 40.

9. *Ibid.*, p. 35.

10. *Ibid.*, p. 37.

11. Frédéric Bastiat, « De l'influence des tarifs français et anglais sur l'avenir des deux peuples », paru dans le *Journal des économistes,* t. IX (oct. 1844), pp. 260-261.

12. *Ibid.*, p. 265.

13. « De l'influence des tarifs français et anglais sur l'avenir des deux peuples », art. cité, p. 271.

14. « De l'influence des tarifs français et anglais... », art. cité, p. 265.

15. *Œuvres*, Pléiade, t. 1, p. 277.

16. *Le Capital*, Livre I, 1re section, ch. I, III, Pléiade, t. 1, p. 592.

Chapitre 3 : Schumpeter : la personne au centre

1. *Capitalisme, socialisme et démocratie, op. cit.*, p. 153.

2. *Ibid.*, pp. 90-91, note 1.

3. *Ibid.*, p. 152.

4. *Ibid.*

5. *Ibid.*, p. 153.

6. *Ibid.*

7. Albert O. Hirschman, *L'Économie comme science morale et politique*, Paris, Gallimard-Le Seuil, 1984.

8. *Ibid.*, p. 15. C'est la thèse de Fred Hirsch dans *Social limits to growth*, Cambridge (Mass.), Harvard University Press, 1976.

9. Samuel Ricard, *Traité général du commerce* (1re édition 1704), Amsterdam, 1781, p. 463, cité par Albert Hirschman, *op. cit.*, p. 14.

Chapitre 4 : Hayek : l'éloge du bricolage

1. Friedrich von Hayek, « The Use of knowledge in society », in *American economic review*, vol. XXXV, n° 4, september 1945, p. 521.
2. *Ibid.*
3. *Ibid.*, p. 520. Hayek préfère, au vocabulaire logique de l'alternative, le vocabulaire vivant de l'altercation : « dispute ».
4. *Ibid.*
5. *Ibid.*, p. 522.
6. *Ibid.*
7. *Ibid.*, p. 523.
8. *Ibid.*
9. *Ibid.*, pp. 523-524.
10. *Ibid.*
11. *Ibid.*
12. *Ibid.*
13. *Ibid.*
14. *Ibid.*

Chapitre 5 : Quand les économistes découvrent une inconnue : le mental

1. C'est en 1956 que Robert Solow publiait : « A contribution to the theory of economic Growth », in *Quarterly journal of economy*, vol. 70, 1956. Pour l'article de R. Lucas, cf. *Journal of Monetary Economica*, vol. 22, 1988, pp. 3-42.
2. *The Sources of Economic Growth in the United States and the alternative before us*, New York, Committee for economic development, 1962.
3. Voir par exemple : E. Malinvaud et Michel Bacharach, *Activity analysis in the theory of growth planning*, Londres, Macmillan, New York, St Martin's Press, 1967 et *Leçons de théorie microéconomique*, Paris, Dunod, 1969.
4. « La mesure de la contribution de l'enseignement (et du facteur résiduel) à la croissance économique », in Groupe d'Étude sur les Aspects économiques de l'enseignement, *Le facteur résiduel et les progrès économiques*, Paris, OCDE, 1964.
5. Edward F. Denison and Jean-Pierre Poullier, *Why growth rates differ ? Postwar experience in nine western countries*, Washington (DC), Brodrings Institution, 1967.
6. *Stratégie du développement économique*, traduit de l'anglais par Françoise Pons, Paris, Les Éditions ouvrières (coll. Économie et Humanisme), 1964.
7. Voir *The achieving society*, Princeton (NJ), Van Nostrand, 1961.
8. *Motivations & personality*, New York, Harper & Bros, 1954.
9. *The human side of the enterprise*, New York, Mc Grawhill, 1960.
10. O. Gélinier, « Direction participative par objectifs », in *Hommes et techniques*, n° spécial 281, 1968, p. 38.
11. Cf. *The economic approach to human behavior*, new ed., Chicago, University of Chicago Press, 1976.
12. Lucas, « On the mechanics of economic development », art. cité, pp. 3-42.
13. Romer, « Endogenous technological change, Capital accumulation in the theory of long run growth », in Barro, *Modern business cycle theory*, Cambridge (Mass.), Harvard University Press, 1989 : c'est la mise en place des « externalités ».
14. Kaldor, « Learning by doing, A new model of economic growth », in *Review of economic studies*, 1962.
15. « Endogenous growth and the role of history », Colloque Instabilité et persistance : recherches sur le cycle économique, Instability and persistence : recent advances on business cycles, Paris, Palais du Luxembourg, 4, 5, 6 janvier 1990.

Chapitre 6 : Anthropologie du développement

1. J. Ruffié, *De la biologie à la culture*, 2 vols, Paris, Flammarion, 1983, p. 82.
2. « Modes de socialisation et d'éducation », in *Histoire des mœurs*, 3 vols, Paris, Gallimard-Bibliothèque de la Pléiade, 1990-1991, t. 2.
3. *Ibid.*, t. 2, pp. 319-320.
4. *Ibid.*, t. 2, p. 322.

Chapitre 7 : Lorenz : une éthologie de l'être inachevé

1. *Dictionnaire historique de la langue française*, 2 vols, sous la direction de Alain Rey, Paris, Dictionnaires Le Robert, 1992, p. 739.
2. *Éthique à Nicomaque*, trad. Jean Tricot, Paris, Vrin, 1979, p. 87.
3. *Logique*, Livre VI, ch. V, cité et recensé par le *Vocabulaire technique et critique de la philosophie*, 14e édition, par André Lalande, Paris, PUF, 1983, pp. 306-307. Geoffroy Saint-Hilaire devait dès 1849 consacrer le terme français dans le sens de J.S. Mill.
4. *Ibid.*

5. In *Les fondements de l'éthologie*, Paris, Flammarion (Nouvelle Bibliothèque Scientifique), 1984, ch. III, pp. 93-100.

6. Konrad Lorenz, *Les fondements de l'éthologie, op. cit.*, pp. 11-12.

7. Konrad Lorenz, *Le tout et la partie...*, p. 97, in *Trois essais sur le comportement humain et animal*, Paris, Le Seuil, 1970.

8. *Ibid.*, p. 106.

9. *Ibid.*, p. 115.

10. *Ibid.*, p. 131.

11. *Ibid.*, p. 136.

12. *Ibid.*, p. 146. Nous soulignons.

13. Nous renvoyons aux travaux de Claude Lévi-Strauss sur cette notion, si féconde pour définir ce que nous appelons une « société de méfiance ».

14. *Ibid.*, p. 156.

15. *Ibid.*

16. *Ibid.*, p. 163.

17. *Ibid.*, p. 158.

18. Cf. Lucien Malson, *Les enfants sauvages* (1964), qui se réclame ingénument du marxisme.

Chapitre 8 : Pour une éthologie de la confiance

1. Cf. le débat évoqué par Herbert Lüthy, « Calvinisme et capitalisme », *Preuves*, juillet 1964, et S.N. Eisenstadt, « The protestant ethic thesis », art. cité.

2. Maurice Allais, « Cap à l'Est : les entreprises françaises face aux bouleversements de l'Est », in *Actes des 3ᵉ rencontres de Lille, 27 mars 1990*, Publication de la Chambre de Commerce de Lille-Roubaix-Tourcoing, 1990, p. 71.
Au moment où nous mettions sous presse, nous parvenait le dernier livre de Francis Kukuyama : *TRUST – The social Virtues and the creation of Prosperity* (Free Press, 457 p.). Trois ans après sa *Fin de l'Histoire et le dernier homme*, Fukuyama se tourne, semble-t-il, vers le *tiers facteur immatériel*. Il repère une divergence que nous qualifierons d'éthologique entre les sociétés de forte confiance (*high-trust* : Allemagne, États-Unis, Japon) et de faible confiance (*low-trust societies* : Chine, Italie, France).
Quelle est l'origine de cette divergence ? Fukuyama ne le dit pas. Il se contente d'exhorter ses contemporains à redonner leur place à la religion et aux éthiques traditionnelles, afin de favoriser une sociabilité de groupe, une aptitude au travail d'équipe tournant le dos à l'individualisme « libéral ».
Décidément, l'Histoire n'est pas finie, et le « dernier homme » n'est pas tout seul.

3. *Le rationalisme appliqué*, Paris, PUF, 1955, Avant-Propos.

4. *Évangile selon saint Luc*, 17, 20-22, *De adventu regni Dei*.

5. Le texte latin de la Vulgate porte « *cum observatione* », c'est-à-dire dans un esprit légaliste d'observance scrupuleuse des rites et des formes extérieures. Nous suivons la traduction de A. Chouraqui, *Bible*, Paris, Desclée de Brouwer, 1989, p. 2036.

Conclusion

1. Marquis d'Argenson, *Considérations sur le gouvernement ancien et présent de la France comparé avec celui d'autres états*, Amsterdam, 1784, p. 176.

2. *Discours au roi au nom de la Cour des aides*, 1772.

3. A.A. Cournot, 1864, t. VII des *Œuvres complètes*.

4. Cardinal Jean-Marie Lustiger, *Sécularité en théologie de la Croix*, conférence à l'Ateneo de Teologia de Madrid, 22 octobre 1986, in *Dieu merci, les droits de l'homme*, Paris, Criterion, 1990, p. 178.

5. *Ibid.*, p. 180.

6. *Ibid.*, p. 182.

7. 2ᵉ épître, III, 10.

8. *Mal français, op. cit.*, p. 164.

9. G.F. Dumont, P. Chaunu, J. Legrand, A. Sauvy, 2ᵉ éd., *La France ridée*, Paris, Hachette, 1986.

10. Chiffres issus de l'article de Todd M. Godbout, « Employment change and sectoral distribution in 10 countries, 1970-1990 », in *Monthly Labor Review*, vol. 116, nᵒ 80, october 1993, p. 20.

ANNEXES
RÉMANENCES DE LA DIVERGENCE

Annexe 1 : Confession religieuse et comportement économique

1. Werner Sombart, *L'apogée du capitalisme*, Paris, Payot, 1932, p. 25.

Annexe 2 : L'école en divergence

1. *Literacy and development in the west*, Harmondsworth, Penguin, 1969 (ci-après *LDW*), p. 71.
2. *Ibid.*, cf. table 5, p. 28.
3. D'après Richard A. Easterlin, « A note on the evidence of history », in C. Arnold Anderson & Mary J. Bowman (eds.), *Education & economic development*, Chicago, Aldine Publishing company, 1965.
4. C.M. Cipolla, *LDW*.
5. Ces données sont tirées de C.M. Cipolla, *LDW*, p. 91, qui mentionne que le chiffre prussien assimile vraisemblablement lisants et écrivants. Il faudrait sans doute atténuer, sans la supprimer, la distorsion dans cet indice.
6. Cette statistique a été obtenue par W.L. Sargant dans les années 1860 (« On the progress of Elementary Education », in *Journal of the Royal Statistical Society*, 30, 1867, pp. 127-128). Elle est rapportée et commentée par C.M. Cipolla, *LDW*, p. 62.
7. *Ibid.*, pp. 65-66.
8. *Ibid.*, p. 64.
9. Par l'application du test de Student.
10. Sources : Pour la 1ʳᵉ colonne, C.M. Cipolla, *LDW* ; pour les colonnes 2 et 4 : B. Mitchell, *European Historical Statistics*, 2nd ed., Londres, Macmillan, 1980. Pour les colonnes 3 et 5 : P. Flora, F. Krauz and W. Pfenning, *State, Society and Economy in Western Europe 1815-1975*, 2 vols, Frankfurt, Campus Verlag, Londres, Macmillan ; Chicago, St James Press, 1983-1987.
11. D'après C.M. Cipolla, *LDW*, pp. 127-128.
12. D'après C.M. Cipolla, *LDW*.
13. J.-M. Mayeur, *Les débuts de la IIIᵉ République 1871-1898* (*Nouvelle histoire de la France contemporaine*, t. 10), Paris, Le Seuil, 1973, p. 75 ; et G. Dupeux, « La population », ch. II, in R. Rémond, *Atlas historique de la France contemporaine*, Paris, A. Colin, 1966.
Ajoutons à ces données deux références : J.-P. Aron, P. Dumont et E. Le Roy Ladurie, *L'Anthropologie du conscrit français, d'après les comptes numériques et sommaires du recrutement de l'armée 1819-1826 : présentation cartographique*, Paris, Mouton, 1972. (Cet ouvrage ne prend pas exactement le même type de critère que les cartes de l'analphabétisme que nous avons tracées pour 1686-1689 et 1786-1789.) Et F. Furet, J. Ozouf, *Lire et Écrire : l'alphabétisation des Français de Calvin à Jules Ferry*, 2 vol., Paris, Éditions de Minuit, 1977.
14. *LDW*, p. 73.
15. D'après C.M. Cipolla, *LDW*, pp. 20-22.
16. D'après C.M. Cipolla, *LDW*, pp. 20-22.
17. D'après J.-M. Mayeur, *Les débuts de la IIIᵉ République*, tome X de *Nouvelle Histoire de la France contemporaine*, Paris, Le Seuil, 1973.
18. C.M. Cipolla, *LDW*, pp. 83 sq.
19. *Ibid.*, p. 63.
20. *Ibid.*

Annexe 3 : Publier sur l'économie

1. *Traité sur le Commerce de Josiah Child et Remarques inédites de Vincent de Gournay, suivi de Vincent de Gournay, un économiste trahi, op. cit.*, cf. quatrième partie, ch. 3 et ch. 6.
2. Mitsuzo Masui, *A bibliography of finance*, Kobe, the international finance seminar in the Kobe University of Commerce, 1935.
3. *Ibid.*, pp. 1-4.
4. *Ibid.*, pp. 387-396. Les ouvrages traduits du français et de l'italien en Angleterre s'équilibrent avec les ouvrages traduits de l'anglais ou du hollandais en France.
5. *Between two cultures : an introduction to economic history*, New York, Norton, 1991.

Annexe 4 : La densité 40

1. Voir : B.H. Slicher Van Bath, 1°) « Yield ratios, 1810-1820 », *Revue A.A.G. Bijdragen*, vol. 10, 1963 ; 2°) *The agrarian history of western Europe : A.D. 500-1850*, Londres, Edward Arnold, 1963.
Michel Morineau, 1°) « Y a-t-il eu une révolution agricole en France au XVIIIᵉ siècle », *Revue historique*, vol. 92, nᵒ 1, 1968, pp. 299 sq. ; 2°) Note sur l'ouvrage de Slicher Van Bath, *Annales ESC*, nov.-déc. 1963, pp. 1209-1212.
Herman Van Der Wee (éd.), *Productivity of land and agricultural innovation in the low countries 1250-1800*, Leuven, Leuven University Press, 1978.
J.C. Toutain, « Le produit de l'agriculture française de 1700 à 1958 », *Cahier de l'ISEA*, série A.F., nᵒˢ 1 et 2, juillet 1961.
2. *L'Histoire ambiguë, op. cit.*, p. 316.

3. *Dictionnaire philosophique*, t. IV.
4. Voir Morineau, art. cité.
5. *Agriculture & the industrial revolution*, in *Fontana economic history of Europe*, Londres-Glasgow, Collins, 1969, vol. III, ch. 8.
6. D'après Paul Bairoch, « Niveaux de développement économique de 1810 à 1910 », in *Annales ESC*, 1965 ; Jean Georgelin, *L'Italie à la fin du XVIIIᵉ siècle*, Paris, SEDES, 1989.

Annexe 5 : Les distorsions de la démographie

1. Cf. Willcox (ed.), *International Migrations*, Washington (DC), NBER, 1929, vol. I ; annuaires rétrospectifs nationaux et lourds, *An Historical Geography of Europe 1500-1840*, new ed., Cambridge, CUP, 1990.
2. *Ibid.*
3. Cf. P. Flora, F. Kraus and W. Pfenning, *State, Economy and Society in Western Europe, op. cit.*, et annuaires rétrospectifs nationaux.
4. J.-P. Poussou, *La croissance des villes au XIXᵉ siècle. France, Royaume-Uni, États-Unis et pays germaniques*, Paris, SEDES, 1992, ch. IV ; pour les tableaux et graphiques cf. P. Flora *et al., op. cit.*, et annuaires nationaux.

Annexe 6 : *Éthos de confiance* et conflits du travail

1. *State Economy & Society in Western Europe, op. cit.*
2. Andrew Shonfield, *Le capitalisme d'aujourd'hui*, traduit de l'anglais par Bernard Cazes et Gérard Gefen, Paris, Gallimard, 1967, p. 95.
3. *Ibid.*, p. 89.
4. *Ibid.*, p. 205.
5. *Ibid.*, pp. 464-465, note 34.
6. D'après P. Flora, F. Kraus and W. Pfenning, *op. cit.*

Annexe 7 : Divergence culturelle et déclassement financier

1. Les données ont été obtenues à partir des chiffres qu'établit Sidney Homer dans son ouvrage *A History of Interest Rates*, New Brunswick (NJ), Rutgers University Press, 1963.
2. Cf. C. Wilson, *Anglo-Dutch Commerce and Finance in the XVIIIth century*, Cambridge, CUP, 1941, p. 167 ; voir Braudel, *Civilisation matérielle, économie et capitalisme, op. cit.*, t. 3, III, pp. 203 et 206.
3. Cf. Sidney Homer, *A History of Interest Bates, op. cit.*
4. *Ibid.*
5. *Ibid.*
6. C.P. Kindleberger, *A financial history of Western Europe*, Londres, G. Allen and Unwin, 1984, pp. 105 sq.

Annexe 8 : Monnaie et mentalités

1. Michael Bordo & Lavs Jonung, « The long run behavior of the income velocity of money », in *Economic Inquiry*, vol. 19, janvier 1981.
2. Cameron, *Banking in the early stages of industrialization. A study in comparative economic history*, New York, OUP, 1967 ; B. Mitchell and P. Deane, *European historical statistics, op. cit.* ; M. Flandreau, « Coin memories : new estimates of French metallic currency 1840-1878 », in the *Journal of economic history*, 1995.
3. Cf. Cameron, *op. cit.*, M. Flandreau, *Cette faim sacrée d'or : La France, le bimétallisme et la stabilité du système monétaire international*, thèse, EHESS, 1993 ; Mitchell, *op. cit.*
4. *Le Capital*, Éditions Sociales, t. III, p. 547 (Livre III, ch. XXXV).
5. R. Cameron, *France & The economic development of Europe 1800-1914 : conquest of peace and see do of war*, Londres, OUP, Princeton (NJ), Princeton University Press, 1961.
6. *Ibid.*, cf. pp. 85 et 88.

Annexe 9 : Les transports

1. Cf. Mitchell, *European Historical Statistics, op. cit.*, et annuaires rétrospectifs nationaux.
2. *Ibid.*
3. Cf. *ibid.*

Annexe 10 : Le sport et la mentalité compétitive : l'indice olympique

1. Michel Bouet, *Signification du sport*, 4ᵉ éd., Paris, Éditions Universitaires, 1968, p. 299.
2. Cité par Michel Bouet, *op. cit.*, p. 304, *Encyclopédie*, Genève, 1777, p. 154.
3. Umminger, *Des hommes et des records*, Paris, La Table Ronde, 1964, p. 237.
4. *Ibid.*

5. P.C. Mc Intosh, « Politics & Sport : Uniformity & Diversity », in *Comparative physical education on sport*, vol. V, 1988, ISCPES, Human Kinetics Publishers.

6. Source : Günther Lüschen, « The interdependence of sport and culture », in B. Lowe, D. Kanin and A. Strenk (eds.), *Sports and international relation*, Champaign (Ill.), Stipes Publishing C°, 1978, p. 25. Il s'agit d'une enquête réalisée par Günther Lüschen et qui n'a pas fait l'objet d'une publication séparée.

7. *Ibid.*

8. *Ibid.*

9. Sources : Centre d'études et de recherches. Lausanne Comité international olympique

10. Pour les chiffres de la population, nous avons utilisé les données de *The Demographical Yearbook*, 44th issue/*Annuaire Démographique*, 44e éd., New York, United Nations-Nations Unies, 1994.

Annexe 11 : L'indice Nobel de 1901 à 1990

1. Plon 1976, p. 495. À partir d'une étude de Léo Moulin : « La nationalité des prix Nobel des Sciences de 1901 à 1960 », essai d'analyse sociologique (in *Cahiers internationaux de sociologie*, vol. XXXI, 1961, pp. 145-163).

2. Sources : *Who's Who in the Nobel Prize*, 1992. Demographic Yearbook, 44th issue/ *Annuaire démographique*, 44e éd., New York, United Nation-Nations Unies, 1994.

Annexe 12 : La performance économique *ou* l'indice de prospérité

1. Les données proviennent du *Demographic Yearbook*, 44th issue/*Annuaire démographique*, 44e éd., New York, United Nations-Nations Unies, 1994 ainsi que du *Statistical Yearbook*, 39th issue/*Annuaire statistique*, 39e éd., New York, United Nations-Nations Unies, 1994.

Annexe 13 : Valeurs de l'entreprise et trésor de la langue française

1. D.C. Mc Clelland, J.W. Atkinson, R.A. Clarck, E.L. Lowell, *The achievement motive*, New York, 1953, D.C. Mc Clelland, *The achieving society*, Princeton (NJ), Van Nostrand, 1961.

2. « The achievement motive on the Spanish economy between the 13th and 18th centuries », in *Economic Development and cultural change*, january 1961, pp. 144-163.

3. Base de données textuelles Frantext, gérée par le logiciel Stella (Système de Textes En Ligne en Libre Accès), CNRS et Institut national de la Langue française, Trésor général des langues et parlers français, 52 bd Magenta 75010, Paris.

4. Plaquette de présentation de Frantext.

5. Cette absence même est révélatrice d'une place vide laissée dans la production littéraire ; d'une véritable lacune mentale. Néanmoins, cette absence choquante au niveau des textes les plus répandus, les plus significatifs, doit être relativisée par les proportions du corpus.

6. Article de Jean Lecuir, in *Historiographie de la Réforme*, sous la direction de Philippe Joutard, Paris, Delachaux et Niestlé, 1977, pp. 417-439.

7. *Ibid.*, p. 420. On retrouve semblable discrédit du novateur dans la justification de Vincent de Gournay par Turgot, qui fait son éloge, Turgot, *Éloge de Vincent de Gournay*, in *Écrits économiques, op. cit.*, pp. 86-87.

8. Braudel note (*Civilisation matérielle l'Économie et Capitalisme, op. cit.*, t. 2, p. 391, note 220 p. 564) : le vocable entreprise « apparaît à peine » ; il se prévaut du *Littré* pour le faire apparaître dans le *Télémaque* de Fénelon en 1699. C'est insuffisant. Le mot apparaît bien avant et, c'est décisif, avec une connotation négative. Là encore la substitution du Nord au Sud suppose une distorsion mentale, et non une simple relève.

9. *Dictionnaire historique de la langue française*, 2 vols, Paris, Dictionnaires Le Robert, 1992, t. 1, p. 454.

10. *Ibid.*, t. 1, p. 1029.

11. *Ibid.*

12. *Ibid.*, t. 1, p. 654.

13. *Ibid.*, t. 2, p. 1226.

14. *Ibid.*, t. 1, p. 1019.

15. *Ibid.*, t. 2, p. 1049.

16. *Ressources de Quinola*, I, 1, Paris, H. Souverain, 1842.

Annexe 14 : Égalité de la femme et de l'homme

1. PNUD *Rapport mondial sur le développement humain 1995*, Paris, Economica, 1995 ; cf. pp. 78, 80, 90.

Annexe 15 : Indice de la corruption 1995 dans les pays industrialisés

1. Documentation : *Transparency International*, Berlin and University of Göttingen, 1995.

Index

539

Remerciements

Comment ne pas vouer une pensée émue pour André Siegfried, René Le Senne, Raymond Bayer, René Laporte, Vladimir Janké- lévitch, Henri Gouhier, qui ont jadis guidé mes premiers travaux ?

J'exprime ma gratitude, pour avoir accepté de composer le jury qui a donné un éclat inhabituel à la thèse de doctorat d'État ès Lettres et Sciences humaines dont ce livre est une réécriture : au recteur Jean-Pierre Poussou, président de l'Université Paris-IV Sorbonne, spécialiste de la croissance de l'urbanisation, paramètre essentiel de la modernité ; aux professeurs François Caron, dont les enquêtes sur l'innovation balisent l'anthropologie du dévelop- pement ; Pierre Chaunu, à qui je suis grandement redevable de longue date ; François Crouzet, dont les investigations compara- tistes ont stimulé mes recherches d'éthologie humaine comparée ; Michel Crozier, dont la sociologie des organisations a nourri depuis longtemps ma réflexion ; Jean Delumeau, à qui l'histoire religieuse des mentalités doit tant ; Jacques Ruffié, dont les lumières inter- disciplinaires m'ont utilement éclairé.

Un merci tout particulier, également, au professeur Raymond Boudon, dont les réflexions sur les valeurs viennent de se synthétiser brillamment dans *Le juste et le vrai* ; et aux professeurs Pierre Chaunu, Jean Delumeau, Emmanuel Le Roy Ladurie, Jacques Ruffié. Ensemble, ils ont formé, et le premier a présidé, le Comité scientifique qui a organisé autour de mes travaux, les 15 et 16 septembre 1995, un colloque international à l'Institut de France, « Valeurs, Comportements, Développement, Modernité », en compagnie des professeurs Jean-François Bergier, de l'Institut d'Histoire de l'École polytechnique fédérale de Zurich; Shmuel Eisenstadt, de l'Université hébraïque de Jérusalem ; Terushi Hara, de l'École des Hautes Études commerciales de l'Université Waseda de Tokyo ; David Landes, du Département des Sciences écono- miques de l'Université d'Harvard ; Seymour Martin Lipset, de l'Université Georges Mason de Virginie ; Denis Szabo, président du Centre international de criminologie comparée de l'Université de Montréal. À tous, je sais gré d'avoir enrichi la problématique de cet ouvrage.

Que soient, enfin, spécialement remerciés Rozenn Le Corre, qui m'a inlassablement secondé pour rassembler une vaste documentation ; Luc Palavier, qui m'a aidé à maîtriser ces données foisonnantes, a composé l'Index et a minutieusement vérifié les notes ; Nathalie Brochado, qui a saisi avec patience l'ensemble de mes manuscrits dans leurs rédactions successives.

Table des matières

CINQUIÈME PARTIE

IMPASSES DES THÉORIES DU DÉVELOPPEMENT

CET OUVRAGE A ÉTÉ TRANSCODÉ
ET ACHEVÉ D'IMPRIMER SUR ROTO-PAGE
PAR L'IMPRIMERIE FLOCH À MAYENNE
EN DÉCEMBRE 1995

N° d'impression : 38720.
N° d'édition : 7381-0325-2.
Dépôt légal : octobre 1995.
Imprimé en France